HEYNE<

DAVID LAGERCRANTZ
VERFOLGUNG

Roman

Aus dem Schwedischen
von Ursel Allenstein

WILHELM HEYNE VERLAG
MÜNCHEN

Die Originalausgabe erschien unter dem Titel
Mannen som sökte sin skugga
bei Norstedts, Stockholm

Sollte diese Publikation Links auf Webseiten Dritter enthalten,
so übernehmen wir für deren Inhalte keine Haftung, da wir uns
diese nicht zu eigen machen, sondern lediglich auf deren Stand
zum Zeitpunkt der Erstveröffentlichung verweisen.

Verlagsgruppe Random House FSC® N001967

Vollständige Taschenbuchausgabe 01/2019
Copyright © 2017 by David Lagercrantz & Moggliden AB
First published by Norstedts, Sweden in 2017
Published by agreement with Norstedts Agency.
Copyright © 2017 der deutschen Ausgabe by Wilhelm Heyne Verlag,
München, in der Verlagsgruppe Random House GmbH,
Neumarkter Straße 28, 81673 München
Redaktion: Leena Flegler
Umschlaggestaltung: Eisele Grafik-Design, München,
unter Verwendung einer Illustration von
Shutterstock/Recommended Vectors
Satz: Vornehm Mediengestaltung GmbH, München
Druck und Bindung: GGP Media GmbH, Pößneck
Printed in Germany

ISBN 978-3-453-43956-6

www.heyne.de

PROLOG

Holger Palmgren saß in seinem Rollstuhl im Besucherraum.

»Nach dieser Drachentätowierung wollte ich Sie schon immer fragen. Warum ist sie Ihnen so wichtig?«

»Die hat mit meiner Mutter zu tun.«

»Mit Agneta?«

»Damals war ich noch klein, vielleicht sechs Jahre ... und bin von zu Hause weggelaufen.«

»Ich glaube, ich erinnere mich daran. Es ging um eine Frau, die öfter zu Besuch kam, oder? Sie hatte ein Muttermal.«

»Es sah aus, als hätte jemand ihren Hals angezündet.«

»Ein feuerspeiender Drache?«

Teil 1
Der Drache
12.–20. Juni

1489 ließ Sten Sture der Ältere eine Statue errichten, um seinen Sieg über den dänischen König in der Schlacht am Brunkeberg zu würdigen.

Die Statue – die in der Storkyrkan in Stockholm steht – zeigt den Ritter und Heiligen Georg, wie er auf einem Pferd sitzt und sein Schwert hebt. Unter ihm liegt ein sterbender Drache. In unmittelbarer Nähe steht eine Frau in burgundischer Tracht.

Von der Jungfrau, die der Ritter in dieser dramatischen Szene rettet, heißt es, sie sei Ingeborg Åkesdotter nachempfunden, der Ehefrau Sten Stures des Älteren. Die Jungfrau sieht seltsam ungerührt aus.

1. KAPITEL

12. Juni

Lisbeth Salander kam gerade aus dem Fitnessraum, als sie von Alvar Olsen, dem Wachleiter des Sicherheitstrakts, auf dem Flur aufgehalten wurde. Er wirkte irgendwie aufgekratzt, redete wild auf sie ein, gestikulierte und wedelte mit ein paar Blättern vor ihrem Gesicht herum. Doch Lisbeth hörte über seinen Wortschwall hinweg. Es war 19.30 Uhr.

19.30 Uhr war die schlimmste Zeit in Flodberga: Da dröhnte draußen der Güterzug vorbei, die Wände wackelten, Schlüssel klimperten, und es roch nach Schweiß und Parfüm. Zu keinem Zeitpunkt war es hier gefährlicher. Gerade jetzt, im Schutz des Eisenbahnlärms und des allgemeinen Durcheinanders kurz vor dem Einschluss, kam es zu den schlimmsten Übergriffen. Wie immer ließ Lisbeth Salander den Blick durch die Abteilung schweifen, und es war kein Zufall, dass sie genau in diesem Moment Faria Kazi erblickte.

Faria Kazi kam aus Bangladesch, war jung und bildschön und saß linker Hand in ihrer Zelle. Auch wenn Lisbeth von ihrem Standpunkt aus nur einen Teil von Farias Gesicht sehen konnte, bestand kein Zweifel, dass die junge Frau geschlagen wurde. Ihr Kopf ruckte wieder und wieder zur Seite, und auch wenn die Schläge nicht übertrieben brutal zu sein schienen, hatten sie doch etwas Rituelles, Routinehaftes an sich. Was immer dort passierte, musste schon seit einer Weile so gehen. Darauf ließen sowohl die Art der Attacke als auch die Reaktion des Opfers schließen. Selbst von Weitem konnte man erkennen, dass es sich um eine Demütigung handelte, die bereits tief in Faria Kazis Bewusstsein vorgedrungen war und jeden Widerstand gebrochen hatte.

Weder versuchten ihre Hände, die Ohrfeigen abzuwehren, noch verriet ihr Blick Erstaunen; eher eine stille, anhaltende Furcht. Sie lebte mit dem Terror. Um das zu erkennen, brauchte Lisbeth nur ihr Gesicht anzuschauen, und es passte auch zu allem anderen, was sie in den vergangenen Wochen im Gefängnis beobachtet hatte.

»Da«, sagte sie und zeigte in Farias Zelle.

Doch als Alvar Olsen sich umdrehte, war schon wieder alles vorbei. Lisbeth verschwand in ihrer eigenen Zelle und schob die Tür hinter sich zu. Von draußen waren Stimmen und gedämpftes Gelächter zu hören – und der Güterzug, der nicht aufhörte zu dröhnen und zu rattern. Sie sah das blanke Waschbecken vor sich, das schmale Bett, das Regal und den Schreibtisch mit ihren quantenmechanischen Berechnungen. Sollte sie weiter versuchen, eine Schleifenquantengravitation zu finden? Sie blickte auf ihre Hand hinab, die etwas festhielt.

Es waren die Papiere, mit denen Alvar Olsen eben noch herumgewedelt hatte. Jetzt war sie doch ein bisschen neugierig. Allerdings entpuppten sie sich als Blödsinn – ein Intelligenztest. Zwei Kaffeespritzer auf dem Deckblatt. Sie schnaubte verächtlich.

Lisbeth hasste es, vermessen und geprüft zu werden. Sie ließ die Blätter zu Boden fallen, wo sie sich wie ein Fächer auf dem Beton verteilten. Für einen kurzen Moment vergaß sie sie sogar komplett, weil sie wieder an Faria Kazi denken musste. Lisbeth hatte nie gesehen, wer sie schlug. Trotzdem wusste sie es genau. Denn obwohl sie sich anfangs nicht darum geschert hatte, was hier um sie herum vorging, war sie gegen ihren Willen in das Gefängnisleben hineingezogen worden, hatte schrittweise die sichtbaren und unsichtbaren Zeichen gesehen und verstanden, wer in Wahrheit über die Abteilung herrschte.

Die Abteilung hieß einfach nur B. Oder Sicherheitstrakt. Sie galt als sicherster Ort in der gesamten Anstalt, und wer zu Besuch kam oder sich nur einen flüchtigen Überblick verschaffte, glaubte das bestimmt auch. Nirgends sonst im Gefängnis gab es derart viel Wachpersonal, derart viele Kontrollen und Resozialisierungsmaßnahmen. Doch wenn man genauer hinsah, ahnte man, dass hier etwas faul war. Die Wärter gaben sich zwar unnachgiebig und autoritär, manchmal auch mitleidig. Aber in Wahrheit waren sie alle feige Hunde. Sie hatten die Kontrolle aus der Hand gegeben und die Macht an den Feind abgetreten – an Benito Andersson und ihre Schergen.

Tagsüber hielt sich Benito zwar zurück und benahm sich fast wie eine Mustergefangene. Doch nach dem frühen Abendessen, wenn die Häftlinge ihre Angehörigen treffen oder trainieren durften, übernahm sie den Laden, und zu keiner Zeit war ihre Terrorherrschaft so stark zu spüren wie jetzt, kurz bevor die Zellen für die Nacht abgeschlossen wurden. Die Insassinnen stromerten zwischen den Zellen umher, Drohungen und Versprechen wurden geflüstert, Benitos Mafiaclan hielt sich auf der einen, ihre Opfer auf der anderen Seite.

Natürlich war es ein Skandal, dass sich Lisbeth Salander hier befand, ja, dass sie überhaupt im Gefängnis saß. Aber die Umstände hatten gegen sie gesprochen, und sie hatte, wenn sie ehrlich zu sich war, nicht sehr überzeugend gegen den Beschluss gekämpft. Ihr kam dies alles hauptsächlich wie eine idiotische Übergangsphase vor, und lange hatte sie gemeint, sie könnte genauso gut im Gefängnis sitzen wie anderswo.

Sie war wegen widerrechtlicher Eigenmacht und grober Fahrlässigkeit zu zwei Monaten Haft verurteilt worden, weil sie sich in das Drama rund um die Ermordung eines gewissen Professors Frans Balder eingemischt hatte, in deren Folge sie einen achtjährigen autistischen Jungen bei sich versteckt und die Zusammenarbeit mit der Polizei verweigert hatte, weil sie – zu Recht – der Meinung gewesen war, dass es in Ermittlerkreisen eine undichte Stelle gab. Dass sie Großartiges geleistet und das Leben des Kindes gerettet hatte, stellte niemand infrage. Trotzdem trieb Oberstaatsanwalt Richard Ekström den Prozess mit großem Pathos voran, und das Gericht folgte seiner Linie, obwohl einer der Schöffen anderer Meinung war und Lisbeths Anwältin Annika Giannini hervorragende Arbeit leistete. Weil Annika allerdings nicht sonderlich viel Unterstützung von Lisbeth bekam, war sie letztlich chancenlos.

Das ganze Gerichtsverfahren über schwieg Lisbeth bockig und weigerte sich auch, in Berufung zu gehen. Sie wollte den ganzen Rummel einfach nur hinter sich lassen und landete zunächst wie erwartet in der offenen Anstalt Björngärda Gård, wo sie große Freiheiten genoss. Dann gingen erste Hinweise ein, Lisbeth könne in Gefahr schweben – was nicht unbedingt erstaunlich war, wenn man bedachte, mit wem sie sich angelegt hatte. Also wurde sie in den Sicherheitstrakt von Flodberga verlegt.

Dies war nicht halb so ungewöhnlich, wie es vielleicht klingen mochte. Lisbeth war hier zwar mit den schlimmsten Verbrecherinnen des Landes zusammengepfercht, hatte aber nicht das Geringste dagegen einzuwenden. Sie war ständig von Wachpersonal umgeben, und tatsächlich waren schon seit Jahren keine Übergriffe oder Gewalttaten mehr aus dieser Abteilung gemeldet worden. Das Personal konnte sich sogar mit einer recht beeindruckenden Statistik über erfolgreich wiedereingegliederte Häftlinge brüsten – wenngleich diese Statistik aus der Zeit vor Benito Anderssons Ankunft stammte.

Von Beginn an war Lisbeth mit Anfeindungen konfrontiert gewesen, und auch das war nicht weiter verwunderlich. Sie unterschied sich deutlich von den anderen Gefangenen, war aus den Medien, aus Gerüchten und den speziellen Informationskanälen der Unterwelt bekannt. Erst vor wenigen Tagen hatte Benito ihr persönlich einen Zettel mit einer Frage zugesteckt: *Freund oder Feind?* Lisbeth hatte ihn nach einer Minute weggeworfen – hauptsächlich weil sie achtundfünfzig Sekunden lang keine Lust gehabt hatte, ihn zu lesen.

Machtkämpfe und Frontenbildung waren ihr egal. Sie beschränkte sich darauf, die Geschehnisse um sie herum zu beobachten und daraus zu lernen – aber inzwischen hatte sie mehr als genug gelernt. Mit leerem Blick starrte sie auf das Regal mit den quantenfeldtheoretischen Abhandlungen, die sie bestellt hatte, ehe sie sich ins Gefängnis begeben hatte. Im Schrank auf der linken Seite lagen zwei Sets Anstaltskleider mit Emblemen auf der Brust, Unterwäsche und zwei Paar Turnschuhe. Die Wände waren kahl – kein Foto, nicht die geringste Erinnerung an ein Leben außerhalb der Mauern. Für Inneneinrichtung interessierte sie sich hier ebenso wenig wie zu Hause in der Fiskargatan.

Draußen auf dem Flur wurden die Zellentüren abgeschlossen, und normalerweise war das eine Befreiung für sie. Wenn die Geräusche verhallten und es still wurde in der Abteilung, wandte sich Lisbeth der Mathematik zu – und ihrer Absicht, Quantenmechanik und Relativitätstheorie zusammenzubringen. Darüber vergaß sie sonst immer die Außenwelt. Doch heute war das anders. Sie war irritiert, und das lag nicht nur an dem Übergriff auf Faria Kazi oder all diesen korrupten Vorgängen hier drinnen.

Der wahre Grund war, dass sie sechs Tage zuvor Besuch von Holger Palmgren bekommen hatte, ihrem alten Vormund aus einer Zeit, da die Justiz der Meinung gewesen war, sie könne nicht auf sich selbst aufpassen. Der Besuch an sich war ein Drama gewesen: Holger verließ seine eigenen vier Wände nicht mehr, weil er von den Pflegern und Helfern abhängig war, die ihn in seiner Wohnung in Liljeholmen versorgten. Dennoch hatte er auf dem Besuch bestanden und war mit einem Fahrdienst gebracht und mit dem Rollstuhl ins Gefängnis geschoben worden und hatte in seine Sauerstoffmaske gekeucht. Trotzdem war es schön gewesen. Sie hatten über alte Zeiten gesprochen, und Holger war sentimental geworden und angerührt gewesen. Nur eins hatte Lisbeth gestört: Holger hatte erzählt, er sei von einer Frau namens Maj-Britt Torell aufgesucht worden, einer Sekretärin aus der Kinderpsychiatrie der St.-Stefans-Klinik, in der Lisbeth als Kind untergebracht gewesen war. Die Frau hatte in der Zeitung von Lisbeth gelesen und ihm Unterlagen gebracht, die ihrer Meinung nach von Interesse waren. Holger zufolge waren es nur alte Akten, in denen nachzulesen stand, wie Lisbeth mit Fixiergurten ans Bett gefesselt und grausam behandelt worden war. »Nichts, was Sie sehen müssten«, hatte er gesagt. Trotzdem mussten diese Dokumente irgendetwas Neues enthalten haben, denn nachdem Holger sich nach der Drachentätowierung erkundigt und Lisbeth die Dame mit dem geflammten Muttermal erwähnt hatte, hakte er nach: »Kam die nicht vom Register?«

»Was?«

»Vom Register für menschliche Erblehre und Eugenik in Uppsala? Ich dachte, das hätte ich gelesen.«

»Dann muss das aus neueren Papieren stammen«, sagte sie.

»Glauben Sie wirklich? Vielleicht bringe ich da auch irgendetwas durcheinander.«

Vielleicht hatte er wirklich etwas durcheinandergebracht. Holger war inzwischen alt. Nichtsdestotrotz war es Lisbeth einfach nicht mehr aus dem Kopf gegangen. Es hatte in ihr gearbeitet, während sie nachmittags im Fitnessraum auf den Punchingball eingedroschen und während sie morgens in der Keramikwerkstatt getöpfert hatte, und es arbeitete auch jetzt noch in ihr, als sie in ihrer Zelle stand und abermals zu Boden sah.

Sogar der IQ-Test dort zu ihren Füßen hatte sich verändert und war ihr nicht mehr gleichgültig, sondern kam ihr wie eine Art Erweiterung dessen vor, worüber Holger und sie gesprochen hatten. Für einen Moment begriff sie nicht, woran das lag. Dann aber erinnerte sie sich wieder daran, dass auch die Frau mit dem Muttermal ihr immer Tests gegeben hatte, was jedes Mal zu Streit und Aufregung geführt hatte. Am Ende war sie mit nur sechs Jahren in der Nacht ganz einfach abgehauen.

Das Wesentliche an diesen Erinnerungen waren jedoch nicht die Tests an sich, ja nicht einmal die Flucht. Es war der Verdacht, der schon länger in ihr keimte: dass es in ihrer Kindheit irgendetwas Grundlegendes gab, was sie noch nicht verstanden hatte. Und was sie herausfinden musste.

Natürlich wäre sie bald wieder frei und könnte tun und lassen, was sie wollte. Gleichzeitig war ihr klar, dass sie jetzt etwas gegen Alvar Olsen in der Hand hatte. Er hatte nicht zum ersten Mal bei einem Übergriff weggesehen. Die Abteilung, die er leitete und die nach wie vor als Musterbeispiel für gelungenen Strafvollzug galt, befand sich im moralischen Verfall, und deshalb überlegte Lisbeth, ob Alvar Olsen ihr nicht zu etwas verhelfen könnte, was hier sonst niemandem gewährt wurde. Zu einer Internetverbindung.

Sie lauschte den Geräuschen vom Flur. Die üblichen Freundlichkeiten und Flüche wurden gebrummelt, Türen schlugen, Schlüssel rasselten, Schritte klapperten und entfernten sich. Dann wurde es still. Nur die Lüftung surrte, obwohl sie nicht wirklich funktionierte. Es war unangenehm stickig. Lisbeth Salander starrte auf den Test hinab. Faria Kazi, Benito, Alvar Olsen, die Frau mit dem geflammten Muttermal am Hals … Sie beugte sich vor und hob die Blätter auf, trat an den Schreibtisch und setzte sich schnell an die Antworten. Als sie fertig war, drückte sie auf den Alarmknopf neben der Stahltür. Alvar Olsen antwortete zögerlich. Er klang nervös.

Sie müsse sofort mit ihm sprechen. »Es ist wichtig«, betonte sie.

2. KAPITEL
12. Juni

Alvar Olsen wollte weg. Er wollte nach Hause. Doch zuerst musste er die Schicht hinter sich bringen, währenddessen seinen Papierkram erledigen und natürlich noch seine neunjährige Tochter Vilda anrufen und ihr eine gute Nacht wünschen. Wie immer passte seine Tante Kerstin auf die Kleine auf, und wie immer hatte er Kerstin gebeten, das Sicherheitsschloss an der Tür von innen zu verriegeln.

Seit zwölf Jahren leitete Alvar den Sicherheitstrakt in Flodberga, und lange war er stolz auf seine Arbeit gewesen. Er hatte sich selbst als den richtigen Mann für den Job angesehen. Als Jugendlicher hatte Alvar Olsen seiner alkoholabhängigen Mutter das Leben gerettet und sie aus der Sucht herausgeholt. Er hatte sich immer schon mit Leidenschaft für Schwächere eingesetzt, deshalb war es auch nicht verwunderlich gewesen, dass er in den Justizvollzug gegangen war und sich dort bald einen hervorragenden Ruf erarbeitet hatte. Doch inzwischen war von seinem früheren Idealismus nicht mehr allzu viel übrig.

Den ersten Dämpfer hatte er bereits erhalten, als seine Frau ihn und die gemeinsame Tochter verließ und mit ihrem ehemaligen Chef nach Åre zog. Aber letzten Endes war es

Benito, die ihn seiner Illusionen beraubt hatte. In jedem straffällig Gewordenen stecke immer auch ein guter Kern, hatte er gern behauptet, doch Benito hatte nicht eine einzige positive Eigenschaft – und es hatten viele danach gesucht: Freunde, Anwälte, Therapeuten, Gerichtspsychiater und sogar der eine oder andere Pfarrer. Benito hieß eigentlich Beatrice. Sie hatte sich nach einem gewissen italienischen Faschisten benannt, mittlerweile raspelkurze Haare und ein Hakenkreuz-Tattoo am Hals. Außerdem war sie ungesund blass. Dennoch war sie kein abschreckender Anblick. Trotz ihrer bulligen Figur, die an die eines Ringers erinnerte, hatte sie eine gewisse Grazie, und erstaunlich viele Menschen waren von ihr fasziniert. Die allermeisten aber fürchteten sich vor ihr. Sie hatte, so erzählte man zumindest, drei Menschen mit Dolchen ermordet, die sie Kris oder Keris nannte und über die so viel geredet wurde, dass sie inzwischen zu einem Teil der Drohkulisse geworden waren. In der Abteilung, munkelte man, könne einem gar nichts Schlimmeres passieren, als dass Benito ihren Dolch auf einen richtete. Denn dann sei man so gut wie tot. Auch wenn derlei Gerede natürlich überwiegend dummes Zeug war – insbesondere weil sich besagte Dolche in sicherem Abstand zum Gefängnis befanden –, prägte es die Atmosphäre. Mit den Mythen über die Dolche verbreiteten sich auch Angst und Schrecken auf den Fluren und trugen zu Benitos bedrohlicher Erscheinung bei. All das war eine Schande, ein großer Skandal. Alvar hatte sich in die Knie zwingen lassen.

Dabei hätte er es mit ihr aufnehmen können. Alvar war eins zweiundneunzig groß. Er wog achtundachtzig Kilo, war durchtrainiert und hatte sich schon als Jugendlicher mit Saufköpfen und anderen Mistkerlen geprügelt, die seiner Mutter am Zeug flicken wollten. Doch einen wunden Punkt hatte er: Er war alleinerziehender Vater, und vor einem knappen Jahr war Benito beim Hofgang auf ihn zugetreten und hatte ihm eine Wegbeschreibung ins Ohr geflüstert: eine erschreckend genaue Schilderung jedes noch so schmalen Flurs und jeder Treppe, die Alvar allmorgendlich hinauflief, um seine Tochter in Klasse 3A im dritten Stock der Fridhemsschule in Örebro abzuliefern.

»Ich hab meinen Dolch auf dein Mädchen gerichtet«, hatte sie gesagt, und mehr war nicht nötig gewesen.

Alvar verlor die Kontrolle über die Abteilung, und der moralische Verfall übertrug sich auch auf die unteren Hierarchieebenen. Er zweifelte keine Sekunde daran, dass einige seiner Kollegen – wie dieser Waschlappen Fred Strömmer – inzwischen durch und durch korrupt waren. Zu keiner Zeit war es schlimmer als jetzt im Sommer, wenn das Personal zusätzlich aus inkompetenten, ängstlichen Urlaubsvertretungen bestand und die sauerstoffarme Luft in den Gefängnisfluren die Gereiztheit und Anspannung nur noch verschärfte. Alvar wusste nicht, wie oft er schon aufgewacht war und sich geschworen hatte, den Laden wieder auf Vordermann zu bringen. Trotzdem unternahm er nichts, und erschwerend kam hinzu, dass der Gefängnisdirektor Rikard Fager ein Idiot war. Fager ging es nur um den äußeren Anschein – und hier glänzte und strahlte die Fassade, sosehr es dahinter auch faulte.

Jeden Nachmittag aufs Neue wurde Alvar nur durch einen bösen Blick von Benito ins Abseits befördert, und der Psychologie der Unterdrückung folgend, wurde er mit jedem Mal, da er sich unterwarf, schwächer. Er fühlte sich vollkommen blutleer, und das Schlimmste war, dass es ihm nicht gelang, Faria Kazi zu beschützen.

Faria Kazi war zu einer Gefängnisstrafe verurteilt worden, weil sie ihren Bruder aus dem Fenster ihrer Wohnung im Stockholmer Vorort Sickla gestoßen und umgebracht hatte. Trotzdem lag in ihrem Wesen nichts Aggressives oder Gewalttätiges. Meistens saß sie in ihrer Zelle und las oder weinte, und dass sie überhaupt im Sicherheitstrakt gelandet war, lag einzig und allein daran, dass sie sowohl suizid- als auch fremdgefährdet war. Sie war ein am Boden zerstörter Mensch, von allen im Stich gelassen, auch von der Gesellschaft. Und sie hatte wirklich kein Auftreten, mit dem sie im Gefängnis Eindruck schinden konnte, keinen stahlgrauen, Respekt einflößenden Blick, nur eine zerbrechliche Schönheit, die allerlei Plagegeister und Sadisten auf den Plan rief, und Alvar hasste sich dafür, dass er nicht eingriff.

Dass er sich zumindest mit der Neuen, mit dieser Lisbeth Salander beschäftigte, war das einzig Konstruktive, was er in letzter Zeit geleistet hatte. Allerdings schien auch ihr Fall alles andere als ein Kinderspiel zu sein. Lisbeth Salander war eine kaltschnäuzige Bitch, über die genauso viel geredet wurde wie über Benito. Einige bewunderten sie, andere hielten sie für ein aufgeblasenes Miststück, und dann gab es jene, die ihre eigene Stellung in der Hierarchie bedroht sahen. Benitos Körper – jeder einzelne Muskel – schien sich auf einen Machtkampf vorzubereiten, und Alvar war sich sicher, dass sie mittels Kontakten jenseits der Gefängnismauern Informationen über Salander einholte, so wie sie es auch mit ihm und allen anderen in der Abteilung getan hatte.

Und doch war bisher nichts geschehen – nicht mal als Lisbeth Salander trotz der höheren Sicherheitseinstufung die Erlaubnis bekam, tagsüber im Garten und in der Keramikwerkstatt zu arbeiten. Sie war eine Niete im Töpfern. Ihre Vasen waren das Schlimmste, was er je gesehen hatte. Sozial veranlagt war sie auch nicht. Sie sprach kaum ein Wort. Anscheinend lebte sie in ihrer eigenen Welt, und sie kümmerte sich auch nicht um die Blicke und Kommentare der anderen, nicht mal um die Knuffe oder Schläge, die Benito ihr beiläufig verpasste. Lisbeth schüttelte all das einfach ab wie Staub oder Vogeldreck. Die Einzige, die ihr Interesse geweckt zu haben schien, war Faria Kazi.

Lisbeth beaufsichtigte sie. Vermutlich hatte sie den Ernst der Lage gleich erkannt. Das hier würde womöglich auf eine Konfrontation hinauslaufen. Alvar war sich nicht sicher, aber der Gedanke beunruhigte ihn.

Allen Misserfolgen zum Trotz war er stolz auf das individuelle Programm, das er für jede seiner Strafgefangenen ausgearbeitet hatte. Keine von ihnen bekam hier automatisch eine Arbeit zugeteilt. Jede hatte ihren eigenen Plan, der an ihre Problematik und ihre Bedürfnisse angepasst war. Manche studierten in Voll- oder Teilzeit, andere nahmen an Wiedereingliederungsmaßnahmen teil, trafen Psychologen, Sozialarbeiter oder Berufsberater. Ausgehend von ihren Unterlagen hätte Lisbeth Salander die Chance erhalten sollen, ihren Schulabschluss nachzuholen, oder zumindest über die entsprechende Möglichkeit informiert werden. Sie hatte nicht einmal die Hauptschule beendet, und abgesehen von einer kurzzeitigen Anstellung bei einer Sicherheitsfirma schien sie noch nie gearbeitet zu haben. Immer wieder war sie mit den Behörden aneinandergeraten, wenngleich diese Haftstrafe ihre erste war. Sie als Nichtsnutz abzustempeln wäre ein Leichtes gewesen. Doch dieses Bild hatte inzwischen Risse bekommen, und das lag nicht allein daran, dass sie in der Boulevardpresse als Actionheldin gefeiert worden war, sondern an ihrer ganzen Erscheinung – und vor allem an einer Begebenheit, die sich Alvar Olsen ins Hirn eingebrannt hatte. Es war das einzig Positive oder Überraschende, das sich im Lauf des vergangenen Jahres in dieser Abteilung ereignet hatte – und zwar einige Tage zuvor um fünf Uhr nachmittags, unmittelbar nach dem frühen Abendessen in der Kantine. Draußen hatte es in Strömen geregnet. Die Gefangenen hatten ihre Teller und Gläser abgeräumt, gespült und alles sauber gewischt, und Alvar war neben der Küchenarbeitsplatte sitzen geblieben. Genau genommen hatte er dort nichts zu suchen. Er aß zusammen mit dem übrigen Personal in einem anderen Bereich. Für die Kantine waren die Häftlinge selbst zuständig. Die sogenannten Selbstverwalterinnen Josefin und Tine – beide Benitos Verbündete – hatten ein eigenes Budget zur Verfügung, bestellten Lebensmittel, bereiteten die Mahlzeiten zu, putzten und sorgten dafür, dass alle genug zu essen bekamen. Selbstverwalterin zu sein war mit einem gewissen Status verknüpft. Im Gefängnis war Essen Macht, so war es schon immer gewesen, und der eine oder andere – beispielsweise Benito – bekam unweigerlich mehr. Deshalb behielt Alvar die Küche auch im Auge. Außerdem befand sich dort das einzige Messer der ganzen Abteilung. Es war stumpf und mit einem Stahlseil an der Wand befestigt, aber Schaden konnte es trotzdem anrichten, und an jenem Tag schielte er hin und wieder danach, während er versuchte, sich auf seine Lernunterlagen zu konzentrieren.

Alvar wollte weg aus Flodberga. Er wollte einen besseren Job. Für jemanden wie ihn, der nie studiert und immer nur im Gefängnis gearbeitet hatte, gab es allerdings nicht viele Alternativen. Deshalb hatte er einen Fernkurs in Betriebswirtschaft belegt, und während der Duft von Kartoffelpuffern und Marmelade noch in der Luft hing, las er, wie Aktienoptionen auf dem Finanzmarkt bewertet wurden, verstand nicht allzu viel und konnte nicht einmal die Übungsaufgaben im Lehrbuch lösen. In diesem Augenblick kam Lisbeth Salander herein, um sich noch etwas zu essen zu holen.

Sie hatte den Blick zu Boden gerichtet und wirkte gereizt und abwesend, und weil Alvar sich nicht noch einmal blamieren und einen weiteren missglückten Versuch der Kontaktaufnahme riskieren wollte, machte er mit seiner Rechenaufgabe weiter. Er schmierte herum und radierte und schien ihr damit auf die Nerven zu gehen. Sie kam näher, starrte ihn wütend an, und da schämte er sich. Er schämte sich oft, wenn sie ihn ansah, und wollte gerade aufstehen und wieder in die Abteilung zurückgehen, als Salander sich seinen Bleistift schnappte und ein paar Zahlen in sein Buch kritzelte.

»Wenn der Markt so volatil ist wie jetzt gerade, ist das Black-Scholes-Modell erst recht überschätzt«, sagte sie und verschwand wieder. Als er ihr nachrief, ignorierte sie ihn. Sie ging einfach, als würde er nicht existieren, und es dauerte eine Weile, bis er verstand, was gerade passiert war. Erst am späten Abend desselben Tages, als er an seinem Computer saß, dämmerte ihm, dass sie nicht nur binnen einer Sekunde seine Übungsaufgabe gelöst hatte. Mit selbstverständlicher Autorität hatte sie auch ein nobelpreisgekröntes Modell zur Bewertung von Derivaten kritisiert. Für ihn, der in dieser Abteilung zurzeit sonst nur Niederlagen und Erniedrigungen kassierte, war das etwas ganz Großartiges. Würde dies der Beginn einer engeren Verbindung zwischen ihnen sein – oder sogar die Wende in Lisbeths Leben, dank derer sie endlich die Tragweite ihrer Begabungen erkannte?

Er überlegte lange, was sein nächster Schritt sein sollte. Wie konnte er sie weiter motivieren? Am Ende kam ihm eine Idee. Er würde sie einen IQ-Test machen lassen. In seinem Arbeitszimmer hatte er massenhaft alte Tests und Formulare, nachdem eine Reihe von Rechtspsychiatern da gewesen war und versucht hatte, den Grad der Psychopathie oder Alexithymie oder des Narzissmus bei Benito einzustufen oder worunter die Frau sonst noch litt.

Alvar hatte selbst mehrere Tests gemacht, und er hatte den Verdacht, dass eine junge Frau, die so leichthändig mathematische Aufgaben löste, vermutlich auch bei einem IQ-Test gut abschneiden würde. Wer weiß, vielleicht würde ihr das sogar irgendwas bedeuten.

Deshalb hatte er sie auch im Gang abgefangen, als er die Gelegenheit gekommen sah. Er hatte geglaubt, eine neue Verletzlichkeit in ihrem Gesicht erkannt zu haben, hatte das

Gespräch mit einem Kompliment eingeleitet und das Gefühl gehabt, irgendwie zu ihr durchgedrungen zu sein.

Sie hatte den Test entgegengenommen, doch dann war etwas passiert. Draußen ratterte der Zug vorbei. Schlagartig war sie angespannt, ihr Blick verdunkelte sich, er stammelte irgendetwas vor sich hin und ließ sie gehen. Anschließend beauftragte er einen Kollegen damit, den Einschluss zu übernehmen. Er selbst zog sich in sein Büro im sogenannten Verwaltungstrakt zurück, der durch eine bruchsichere Glastür vom Zellengang getrennt war. Alvar war der einzige Angestellte mit einem eigenen Büro. Das Fenster ging auf den Freistundenhof hinaus, auf den Metallzaun und die graue Mauer. Der Raum war nicht wesentlich größer als eine Zelle – und auch nicht wesentlich heimeliger. Allerdings gab es dort im Unterschied zu den Gefängniszellen einen Computer mit Internetzugang, ein paar Monitore, die Überwachungsbilder aus der Abteilung zeigten, sowie einige Dekogegenstände, die dem Büro immerhin ein bisschen Gemütlichkeit einhauchten.

Inzwischen war es 19.45 Uhr. Die Zellentüren waren geschlossen. Der Güterzug war in Richtung Stockholm verschwunden, und die Kollegen saßen in der Personalküche und schwatzten dummes Zeug. Er schrieb ein, zwei Zeilen in sein Tagebuch, das er über sein Leben im Gefängnis führte. Nicht dass es seine Laune besserte – denn inzwischen blieb er der Wahrheit nicht mehr ganz treu. Anstatt weiterzuschreiben, sah er zur Pinnwand und betrachtete die Bilder von Vilda und von seiner Mutter, die inzwischen seit vier Jahren tot war.

Draußen lag der Garten wie eine Oase in der kargen Gefängnislandschaft. Alvar warf einen Blick auf seine Armbanduhr. Höchste Zeit, zu Hause anzurufen und Vilda eine gute Nacht zu wünschen. Er nahm den Hörer ab, kam aber nicht weit. Irgendjemand hatte den Alarm betätigt. Dann sah er, dass der Ruf von Nummer sieben kam – aus Lisbeth Salanders Zelle. Er war neugierig und nervös zugleich. Die Insassen wussten schließlich, dass sie das Personal nicht grundlos stören durften. Lisbeth hatte den Alarm zuvor nie ausgelöst, und sie wirkte auf den ersten Blick nicht wie eine, die sich unnötig beklagte. Ob etwas passiert war?

»Worum geht es?«, fragte er.

»Ich will, dass Sie herkommen. Es ist wichtig.«

»Was ist denn so wichtig?«

»Sie haben mir doch diesen IQ-Test gegeben.«

»Stimmt, ich dachte, jemand wie Sie müsste den doch gut bewältigen können.«

»Da liegen Sie womöglich richtig. Könnten Sie sich meine Antworten jetzt gleich ansehen?«

Alvar sah erneut auf die Uhr. Sie konnte doch im Leben noch nicht mit dem Test fertig sein?

»Besser, wir kümmern uns morgen darum«, entgegnete er. »Dann können Sie Ihre Antworten auch noch mal gründlich durchgehen.«

»Das wär aber geschummelt«, wandte sie ein. »Da könnte ich mich ja die ganze Nacht damit beschäftigen.«

»Na gut, ich komme.«

Im selben Moment fragte er sich, ob das nicht voreilig gewesen war. Andererseits würde er es sicher bereuen, wenn er nicht hinginge. Immerhin hatte er gehofft, dass sie den Test interessant fände und dies der Anfang von etwas Neuem wäre.

Er zog das Lösungsblatt aus seiner Schreibtischschublade. Dann machte er sich kurz frisch, verließ das Büro und öffnete die Schleusentür zum Sicherheitstrakt per Schlüsselchip und persönlichem PIN-Code. Er ging den Flur entlang, sah zu den schwarzen Kameras unter der Decke hoch und tastete über seinen Gürtel. Dort hingen das Pfefferspray und der Schlagstock, sein Schlüsselbund, das Funkgerät und die graue Box mit dem Alarmknopf.

Er war vielleicht ein unverbesserlicher Idealist, aber naiv war er nicht. Naiv durfte man im Strafvollzug nicht sein. Die Häftlinge konnten noch so demütig und flehend klingen – nur um einem bei erstbester Gelegenheit die Haut vom Leib zu reißen. Alvar war immer auf der Hut, und je näher er der Zellentür kam, umso unruhiger wurde er. Vielleicht hätte er einen Kollegen mitnehmen sollen, so wie es vorgeschrieben war.

Egal wie intelligent Lisbeth Salander war – so schnell hatte sie die Antworten auf keinen Fall abspulen können. Bestimmt heckte sie irgendwas aus, davon war er zusehends überzeugt. Er zog die Fensterluke in ihrer Zellentür auf und spähte misstrauisch hinein. Lisbeth stand reglos da und schien ihn anzulächeln – oder zumindest fast –, und er verspürte einen verhaltenen Optimismus.

»Gut, ich komm jetzt rein. Halten Sie Abstand.«
»Klar.«
»Gut.«

Er schloss auf, noch immer auf alles gefasst, doch nichts passierte. Salander stand an derselben Stelle wie zuvor.

»Wie steht's?«, fragte er.
»Gut«, antwortete sie. »Interessanter Test. Können Sie das selbst überprüfen?«
»Ja, die richtigen Antworten hab ich hier«, sagte er und wedelte mit dem Ergebnisbogen.

Sie sagte nichts.

»So schnell, wie Sie den Test ausgefüllt haben, dürfen Sie jetzt aber nicht enttäuscht sein, wenn das Ergebnis nicht gerade überragend ausfällt.«

Er versuchte sich an einem Lächeln, und auch sie zog wieder ihre Mundwinkel nach oben, was ihm nicht ganz geheuer war. Er fühlte sich taxiert. Der dunkle Schimmer in ihren Augen behagte ihm nicht. Führte sie etwas im Schilde? Es hätte ihn kein bisschen gewundert, wenn hinter diesem finsteren Blick gerade ein infernalischer Plan geschmiedet würde. Andererseits war sie klein und mager. Er war nicht nur größer, sondern auch bewaffnet und für kritische Situationen ausgebildet. Und es drohte doch wohl keine Gefahr – oder doch?

Zögerlich nahm er den Test entgegen und lächelte verkrampft. Er überflog die Antworten, ohne Salander dabei aus dem Blick zu lassen. Die Lage schien entspannt, sie sah ihn bloß neugierig an, als wollte sie ihm sagen: Ich bin echt gut, was?

Eine ordentliche Handschrift hatte sie schon mal nicht. Der Test war voller Tintenkleckse und Schmierereien, als hätte sie die Antworten in aller Eile hingekritzelt. Langsam und ohne seine Aufmerksamkeit von ihr abzuwenden, glich er alles mit dem Ergebnisbogen ab. Zunächst stellte er nur fest, dass das meiste korrekt zu sein schien, doch nach einer Weile kam er aus dem Staunen nicht mehr heraus. Selbst die schwierigsten Fragen am Ende hatte sie richtig beantwortet, und das hatte er noch nie erlebt. Ein solches Resultat war einzigartig. Er wollte gerade etwas Überschwängliches sagen, als ihm mit einem Mal die Luft wegblieb.

3. KAPITEL
12. Juni

Lisbeth Salander musterte Alvar Olsen von Kopf bis Fuß. Er war eindeutig auf der Hut und noch dazu groß, durchtrainiert und mit Schlagstock, Pfefferspray und einem Notruf an seinem Gürtel ausgerüstet. So einer würde lieber sterben, als sich von ihr überwältigen zu lassen. Trotzdem wusste sie, dass er Schwachstellen hatte.

Er hatte die gleichen Schwachstellen wie alle Männer, und außerdem hatte er Schuld auf sich geladen. Und er war jemand, der sich schämte – und auch das würde sie ausnutzen. Sie würde ihn in die Enge treiben und Druck auf ihn ausüben. Alvar Olsen sollte kriegen, was er verdiente. Nachdenklich betrachtete sie sein Gesicht und seinen Bauch. Letzterer war kein optimales Angriffsziel, zu fest und muskulös, ein verdammtes Waschbrett. Doch auch solche Bäuche hatten eine verletzliche Stelle, und so wartete sie und wurde am Ende auch dafür belohnt: Alvar klang, als würde er verblüfft durchatmen.

Für einen kurzen Augenblick büßte er seine Geistesgegenwart und Körperspannung ein – und genau da, noch während des Ausatmens, drillte Lisbeth ihm die Faust in den Solarplexus. Sie schlug zweimal hart und treffsicher zu, dann legte sie nach, zielte auf seine Schulter, genau auf den Punkt, den ihr Boxtrainer Obinze ihr gezeigt hatte, und drosch mit wilder, brutaler Kraft darauf ein.

Sie spürte sofort, dass ihre Attacke erfolgreich gewesen war. Die Schulter war ausgekugelt, und Alvar krümmte sich vor Schmerz. Keuchend stand er da, nicht mal einen Schrei brachte er hervor, aber es war ihm deutlich anzusehen, dass er all seine Kraft zusammennehmen musste, um sich auf den Beinen zu halten. Es gelang ihm für ein, zwei Sekunden. Dann kapitulierte er. Er kippte zur Seite und sackte mit einem dumpfen Schlag auf den Betonboden, und im selben Moment trat Lisbeth einen Schritt vor. Sie musste dafür sorgen, dass er keine Dummheiten machte.

»Halt jetzt den Mund«, sagte sie.

Die Ermahnung hätte sie sich sparen können. Alvar Olsen konnte nicht mal mehr einen Mucks von sich geben. Es war, als wäre ihm die Luft ausgegangen. In seiner Schulter pochte der Schmerz, und vor seinen Augen flimmerte es.

»Wenn du jetzt ganz lieb bist und deinen Gürtel nicht anrührst, werd ich dich auch nicht mehr schlagen«, sagte Salander und rupfte ihm den IQ-Test aus der Hand.

Im selben Moment glaubte Alvar, aus einiger Entfernung ein Geräusch wahrzunehmen.

Lief in einer benachbarten Zelle ein Fernseher, oder waren Kollegen in die Abteilung gekommen und unterhielten sich draußen auf dem Gang? So benommen, wie er war, hätte er es nicht genau sagen können. Er fragte sich, ob er nicht doch ein taktisches Manöver fahren oder einfach nur um Hilfe rufen sollte. Doch er konnte keinen klaren Gedanken fassen, der Schmerz dominierte alles. Er sah Salander nur noch verschwommen vor sich und war verängstigt und verwirrt. Möglicherweise fummelte er sogar an seinem Notruf herum – allerdings eher aus Reflex denn als bewusste Handlung. Und er kam auch gar nicht mehr dazu, Alarm zu schlagen. Erneut traf ihn ihre Faust im Magen, und er krümmte sich zusammen und keuchte umso mehr.

»Da siehst du es«, sagte Salander leise. »Das war keine gute Idee. Aber weißt du, was? In Wahrheit tue ich dir nicht gern weh. Warst du nicht vor einer ganzen Weile mal ein Held? Mamas Retter oder so? Mir ist da was zu Ohren gekommen. Trotzdem geht hier jetzt alles den Bach runter. Vorhin hast du Faria Kazi schon wieder im Stich gelassen. Und an diesem Punkt muss ich dich warnen. Das gefällt mir nicht.«

Darauf wusste er nichts zu erwidern.

»Das Mädchen hat schon genug durchgemacht. Das muss ein Ende haben«, fuhr sie fort, und da nickte Alvar, ohne genau zu wissen, warum.

»Hervorragend, da sind wir uns ja einig«, sagte sie. »Du weißt, was in den Zeitungen über mich stand?«

Er nickte erneut und hielt beide Hände in sicherem Abstand vom Gürtel weg.

»Gut. Dann weißt du auch, dass ich vor nichts zurückschrecke. Kein bisschen. Aber vielleicht können wir uns ja auf einen Deal einigen, du und ich.«

»Was?«, keuchte er.

»Ich helf dir dabei, diesen Laden wieder auf Vordermann zu bringen, und sorge dafür, dass Benito und ihre Kumpane nicht noch mal in Faria Kazis Nähe kommen, und dafür … leihst du mir deinen Computer.«

»Nie im Leben! Sie haben …« Er schnappte nach Luft. »… mich misshandelt. Das sieht nicht gut für Sie aus!«

»Für *dich* sieht es nicht gut aus«, erwiderte sie. »Hier drinnen werden Leute unterdrückt und gequält, und du rührst keinen Finger. Kannst du dir vorstellen, was das für ein Skandal wird? Der ganze Stolz des Strafvollzugswesens ist in die Hände eines kleinen Mussolini geraten.«

»Aber ...«

»Kein Aber. Ich helfe dir, die Sache wieder in Ordnung zu bringen. Aber erst musst du mir einen Computer mit Internetverbindung besorgen.«

»Das ist unmöglich«, sagte er und versuchte, möglichst unnachgiebig zu klingen. »Hier auf dem Flur sind überall Kameras. Sie sind erledigt.«

»Dann sind wir beide erledigt. Allerdings macht *mir* das nichts aus«, antwortete sie, und da musste Alvar an Mikael Blomkvist denken.

Der Journalist hatte Lisbeth Salander in der kurzen Zeit, seit sie hier einsaß, bereits zwei- oder dreimal besucht, und Alvar wollte auf keinen Fall, dass Blomkvist hiervon Wind bekam. Was also sollte er tun? Er konnte immer noch nicht klar denken, und noch viel weniger konnte er beurteilen, wie wahrscheinlich es war, dass Benitos Treiben in dieser Abteilung bewiesen und in den Medien ausgebreitet werden konnte. Seine Schmerzen waren zu heftig, um auch nur irgendwas vernünftig abzuwägen. Stattdessen fasste er sich an Schulter und Bauch und sagte: »Ich kann für nichts garantieren.«

»Ich auch nicht. Dann wären wir ja quitt. Und jetzt aufgestanden!«

»Im Verwaltungstrakt begegnen wir bestimmt noch anderem Personal«, wandte er ein.

»Dann musst du eben so tun, als würde das zu einem gemeinsamen Projekt gehören. Wir haben ja schon so schön angefangen mit dem IQ-Test.«

Er stand auf. Taumelte. Die Glühbirne an der Decke drehte sich wie ein Irrlicht, wie ein fallender Stern. Ihm war speiübel.

»Warten Sie kurz, ich muss ...«, sagte er.

Sie zog ihn hoch und strich ihm übers Haar, als wollte sie ihn herrichten. Dann verpasste sie ihm einen neuerlichen

Schlag. Er bekam Todesangst. Doch diesmal war es kein brutaler Schlag, im Gegenteil, sie hatte seine Schulter wieder eingerenkt, und mit einem Mal waren die schlimmsten Schmerzen verklungen.

»Dann können wir ja jetzt gehen«, sagte sie.

Er überlegte wieder, Hilfe zu rufen und den Alarmknopf zu drücken. Er überlegte auch, ob er sie mit seinem Schlagstock oder mit dem Pfefferspray außer Gefecht setzen sollte. Doch stattdessen ging er einfach los. Er trat mit Lisbeth Salander hinaus auf den Flur, als wäre nichts geschehen, öffnete die Schleusentür mit seinem Schlüsselchip und seinem Code und hoffte, sie würden niemandem begegnen. Aber natürlich liefen sie Harriet in die Arme, seiner kleinlichen Kollegin, die gleichzeitig dermaßen aalglatt war, dass er nicht wusste, auf wessen Seite sie stand, auf Benitos oder auf der des Gesetzes. Manchmal glaubte er, es könnte beides der Fall sein – zumindest stand sie immer auf der Seite, die für den Augenblick die besten Möglichkeiten bot.

»Hallo«, stieß Alvar hervor.

Harriet hatte sich einen Pferdeschwanz gebunden und einen verkniffenen Zug um Mund und Augen. Dass er sie mal attraktiv gefunden hatte, schien inzwischen unendlich lang her zu sein.

»Wo wollt ihr denn hin?«, fragte sie.

Da konnte er noch so sehr Chef sein – im Moment vermochte Alvar ihrem fragenden Blick nichts entgegenzusetzen. »Wir werden ... Wir wollen ...«

Ihm fiel einfach nichts ein als die dämliche Ausrede mit dem IQ-Test, und dass sie ihm die nicht abkaufen würde, war sicher.

»... Salanders Anwältin anrufen«, fuhr er schließlich fort. Er ahnte, dass sie ihm nicht glaubte. Und bestimmt war er auch blass und hatte einen glasigen Blick. Am liebsten wäre er einfach wieder zu Boden gesunken und hätte um Hilfe gefleht. Doch stattdessen fügte er mit unerwarteter Autorität hinzu: »Die Anwältin fliegt morgen früh nach Jakarta.«

Er hatte keine Ahnung, wie er auf Jakarta gekommen war. Er wusste nur, dass die Behauptung abwegig und gleichzeitig konkret genug war, um für bare Münze genommen zu werden.

»Okay, verstehe«, sagte Harriet in einem Tonfall, der ihrem Platz in der Hierarchie angemessener war. Dann ging sie weiter.

Als sie sich sicher sein konnten, dass sie außer Hörweite war, setzten sie ihren Weg zu seinem Büro fort.

Sein Büro war heiliges Terrain. Die Tür war immer geschlossen, Insassen durften sich darin nicht aufhalten. Doch genau dorthin waren sie jetzt unterwegs. Mit ein wenig Glück oder Pech hatten die Jungs aus der Überwachungszentrale gesehen, dass sie nach Einschluss hinüber in den Verwaltungstrakt gegangen waren. Sicher würde jeden Moment jemand kommen und fragen, was hier los sei. Und was immer los wäre – es würde nicht gut für ihn ausgehen. Er musste etwas unternehmen. Wieder tastete er über seinen Gürtel, betätigte jedoch auch diesmal nicht den Notruf. Er schämte sich einfach zu sehr, womöglich war er aber auch wider Willen ein wenig neugierig. Was hatte sie vor?

Er schloss auf und ließ sie ein, und im selben Moment wurde ihm klar, wie erbärmlich es dort drinnen aussah. Wie lächerlich das alles war – vor allem nachdem sie ihn gerade erst als Muttersöhnchen beschimpft hatte: große Aufnahmen seiner Mutter an der Pinnwand, Fotos, die sogar noch größer waren als die von Vilda. Er hätte sie längst abhängen, hinter sich aufräumen und kündigen müssen und nie wieder etwas mit Kriminellen zu tun haben. Und jetzt stand er hier. Er schloss die Tür, während Lisbeth Salander ihn bloß finster und entschlossen ansah.

»Ich hab da ein Problem«, sagte sie.

»Was denn?«

»Mein Problem bist du.«

»Was ist denn das Problem mit mir?«

»Wenn ich dich rausschicke, schlägst du Alarm. Aber wenn du hierbleibst, siehst du, was ich mache, und das wär auch nicht gut.«

»Haben Sie was Illegales vor?«

»Vermutlich, ja«, antwortete sie, und spätestens in diesem Moment hätte er handeln müssen, aber vielleicht war sie auch einfach nur vollkommen verrückt.

Sie boxte ihn zum dritten oder vierten Mal in den Solarplexus, wieder sackte er zusammen, schnappte nach Luft und wartete nur auf den nächsten Schlag. Doch Salander beugte sich lediglich zu ihm herab, zog mit einer blitzschnellen Bewegung seinen Gürtel aus den Gürtelschlaufen und legte ihn auf den Schreibtisch. Trotz seiner Schmerzen richtete er sich auf und starrte sie warnend an. Es wirkte fast, als würden sie sich jeden Moment aufeinanderstürzen und sich prügeln. Doch dann entwaffnete sie ihn ein zweites Mal, indem sie den Blick auf seine Pinnwand richtete.

»Ist das auf dem Bild deine Mutter, die du gerettet hast?«

Er antwortete nicht. Er überlegte immer noch, ob er sich auf sie stürzen sollte.

»Ist das deine Mutter?«, wiederholte sie, und nach einer Weile nickte er.

»Ist sie tot?«

»Ja.«

»Aber sie ist dir wichtig?«

»Ja, ist sie.«

»Dann verstehst du mich bestimmt. Ich muss an gewisse Informationen kommen, und du wirst es zulassen.«

»Warum sollte ich?«

»Weil du hier drinnen alles viel zu weit hast kommen

lassen. Im Gegenzug helfe ich dir dabei, Benito das Handwerk zu legen.«

»Sie ist skrupellos ...«

»Das bin ich auch.«

Wahrscheinlich hatte sie recht. Er hatte es viel zu weit kommen lassen. Er hatte *sie* hier reingelassen, hatte gelogen und geblufft. Er hatte nichts mehr zu verlieren, und als sie ihn nach seinem Passwort fragte, verriet er es ihr. Dann betrachtete er mit zunehmender Faszination ihre Hände. Blitzschnell bewegten sie sich über die Tastatur. Anfangs passierte nicht einmal viel. Lisbeth klickte lediglich zwischen verschiedenen Websites in Uppsala hin und her – unter anderem der Seite der Uniklinik und der Universität selbst.

Eine Weile machte sie so weiter, suchte anscheinend planlos irgendwas, und erst bei einer altmodisch wirkenden Seite, die zu irgendeiner Institution für medizinische Genetik gehörte, hielt sie inne und gab dann einige Kommandos ein. Erst wurde der Bildschirm schwarz, und eine Zeit lang saß sie vollkommen reglos da, machte keinen Mucks, atmete nur schwer, und ihre Finger schwebten in der Luft wie die eines Pianisten, der sich auf ein schweres Stück vorbereitete.

Dann hämmerte sie wieder schwindelerregend schnell auf die Tasten ein, weiße Ziffern und Buchstaben rasten über den Bildschirm, und plötzlich fing der Computer wie von allein an zu schreiben: Zeichen, unbegreifliche Programmiercodes und Kommandos reihten sich aneinander. Er verstand nur einzelne englische Wörter, *Connecting database, Search, Query* und *Response* und dann das beunruhigende *Bypassing security*. Für einen kurzen Moment schien sie ungeduldig zu warten und trommelte mit den Fingern auf den Tisch. Dann fluchte sie.

»Verdammter Mist!«

Ein Fenster öffnete sich. ACCESS DENIED.

Sie versuchte es wieder und wieder, und irgendwann

passierte etwas, eine Wellenbewegung, ein Vordringen, dann das Aufblitzen von Farben. ACCESS GRANTED, leuchtete es grün, und dann spielten sich Dinge ab, die Alvar nie für möglich gehalten hätte. Wie durch ein Wurmloch wurde Lisbeth Salander eingesogen und gelangte in Cyberwelten, die einer anderen Zeit angehörten, weit vor dem Internet.

Sie überflog eingescannte alte Dokumente und Listen, in die mit Schreibmaschine oder Kugelschreiber Namen eingetragen worden waren. Darunter standen Zahlenkolonnen und Notizen, Ergebnisse oder Auswertungen von Tests, wie er glaubte, und hier und da sah er Geheimhaltungsstempel. Da waren ihr Name, andere Namen, reihenweise Gutachten. Es war, als hätte sie seinen Computer in ein schlangenähnliches Wesen verwandelt, das lautlos durch verborgene Archive und verschlossene Kellergewölbe glitt. So ging es stundenlang weiter und immer weiter. Sie hörte gar nicht mehr auf.

Trotzdem begriff er nicht, was sie da eigentlich tat – nur dass sie anscheinend nicht fand, wonach sie suchte. Das konnte man an ihrer Körpersprache sehen und hörte es an ihrem Gebrummel. Nach viereinhalb Stunden gab sie auf, und er seufzte vor Erleichterung. Er musste auf die Toilette. Und er musste nach Hause und seine Tante ablösen und nach Vilda sehen und schlafen und die Welt um sich herum vergessen. Stattdessen wies Lisbeth ihn an, still zu sitzen und die Schnauze zu halten, eine Sache müsse sie noch erledigen. Sie fuhr den Bildschirm runter, gab neue Befehle ein, und mit wachsendem Entsetzen dämmerte ihm, dass sie drauf und dran war, sich in das Netz der Anstalt zu hacken.

»Hören Sie auf!«

»Du kannst den Gefängnisdirektor doch nicht ausstehen, oder?«

»Das tut hier nichts zur Sache.«

»Ich auch nicht«, erwiderte sie und tat dann etwas, was er nicht sehen wollte. Sie loggte sich in Rikard Fagers Mailprogramm ein, in seine Dokumente, las sie, und er ließ es zu – und zwar nicht nur, weil er den Gefängnisdirektor hasste und alles ohnehin schon längst zu weit gegangen war. Es hatte auch mit der Art und Weise zu tun, wie sie mit dem Computer umging. Er schien eine Verlängerung ihres Körpers zu sein, sie beherrschte ihn mit vollkommener Virtuosität, und deshalb vertraute er ihr. Vielleicht war das irrational. Trotzdem ließ er sie gewähren.

Wieder wurde der Bildschirm schwarz, dann weiß, und dann tauchten erneut diese Worte auf ... ACCESS GRANTED. Was bedeutete das, verdammt noch mal?

Vor sich auf dem Bildschirm sah er den Gang des Sicherheitstrakts, still und dunkel, und ein ums andere Mal hantierte sie mit derselben Filmsequenz herum, als würde sie diese verlängern oder einen bestimmten Ausschnitt darin verdoppeln. Eine Weile saß Alvar einfach nur mit den Händen auf den Knien da. Er schloss die Augen und hoffte, dass bald alles vorbei wäre.

Um 1.52 Uhr war es schließlich so weit. Lisbeth Salander stand auf, brummelte: »Danke«, und ohne sie auch nur mit einem Wort zu fragen, was sie eigentlich getan hatte, geleitete er sie durch die Schleusentür in ihre Zelle und wünschte ihr eine gute Nacht. Anschließend fuhr er nach Hause. Er bekam kaum ein Auge zu. Erst als es bereits Morgen wurde, döste er kurz ein und träumte von Benito und ihren Dolchen.

4. KAPITEL

17.–18. Juni

Freitag war Lisbeth-Tag.

Jeden Freitag fuhr Mikael Blomkvist ins Gefängnis, um Lisbeth Salander zu besuchen. Er freute sich darauf, vor allem jetzt, da er die Sachlage schlussendlich akzeptiert hatte und nicht mehr aufgebracht war. Es hatte einige Zeit gedauert.

Er war außer sich gewesen über die Anklage und das Urteil und hatte seiner Empörung auch öffentlich Luft gemacht, doch als ihm endlich klar geworden war, dass es Lisbeth selbst gleichgültig war, hatte er begonnen, die Sache mit ihren Augen zu sehen. Für sie war es kein großes Ding. Solange sie mit ihrer Quantenphysik und ihrem Boxtraining weitermachen durfte, konnte sie genauso gut im Gefängnis sitzen wie an jedem anderen Ort, und vielleicht betrachtete sie die Zeit in der Anstalt ja auch als eine Erfahrung, eine Art Lehrzeit. Was das betraf, war sie ohnehin seltsam. Sie nahm das Leben, wie es kam, passte sich der jeweiligen Lage an, und oft lachte sie ihn nur aus, wenn er sich um sie sorgte – sogar seit sie nach Flodberga verlegt worden war.

Mikael mochte Flodberga nicht. Niemand mochte Flodberga. Im ganzen Land war es die einzige Anstalt für Frauen mit der höchsten Sicherheitsstufe, und Lisbeth war nur dort gelandet, weil Ingemar Eneroth, der Chef der schwedischen Strafvollzugsbehörde, versichert hatte, dort sei sie am besten geschützt, auch angesichts der Bedrohung, von der sowohl die Säpo als auch der französische Geheimdienst DGSE Wind bekommen hatten und die, so hieß es, von Lisbeths Schwester Camilla und deren kriminellem Netzwerk in Russland ausging.

Das konnte stimmen, aber auch völlig aus der Luft gegriffen sein. Doch weil Lisbeth nichts gegen die Verlegung einzuwenden gehabt hatte, war es so gekommen, und inzwischen hatte sie sowieso nicht mehr allzu viel Zeit abzusitzen. Vielleicht war es tatsächlich in Ordnung. Am vergangenen Freitag hatte Lisbeth außerdem überraschend gesund ausgesehen. Wahrscheinlich war das Gefängnisessen verglichen mit dem Müll, den sie sonst immer in sich hineinstopfte, der reinste Gesundbrunnen.

Mikael saß mit seinem Laptop im Zug nach Örebro und las die Sommerausgabe von *Millennium* Korrektur, die am Montag in den Druck gehen würde. Draußen goss es in Strömen. Den Wetterprognosen zufolge würde dies der heißeste Sommer seit Langem werden, aber bislang war davon nichts zu spüren. Der Himmel hatte seine Schleusen geöffnet, seit Tagen regnete es, und Mikael sehnte sich danach, in sein Haus auf Sandhamn zu flüchten und sich auszuruhen. Er hatte hart gearbeitet. Seit er darüber berichtet hatte, dass Teile der NSA-Führungsebene mit dem organisierten Verbrechen in Russland kooperiert hatten, um auf der ganzen Welt Wirtschaftsspionage zu betreiben, hatte sich die finanzielle Lage der Zeitschrift deutlich verbessert. *Millennium* erstrahlte wieder im alten Glanz. Doch mit dem Erfolg waren auch Sorgen einhergegangen. Mikael und die Redaktionsleitung hatten sich gezwungen gesehen, die Zeitschrift auch digital weiterzuentwickeln, und das war grundsätzlich natürlich gut. Im neuen Medienklima war es sogar notwendig. Allerdings raubte es ihm Zeit. Die Neuerungen im Onlinebereich und all die Diskussionen über die richtige Social-Media-Strategie gingen zulasten seiner Konzentration. Zwar hatte er eine Reihe von potenziell guten Geschichten aufgestöbert, war aber bisher keiner richtig auf den Grund gegangen, und es war auch nicht gerade hilfreich, dass die Person, der er seinen NSA-Scoop verdankte, derzeit im Gefängnis saß. Er fühlte sich schuldig.

Er sah aus dem Zugfenster, hoffte, man würde ihn in Ruhe lassen, aber das war natürlich reines Wunschdenken. Die ältere Dame neben ihm, die ihn schon die ganze Zeit mit Fragen gelöchert hatte, erkundigte sich jetzt, wohin er unterwegs sei. Er antwortete ausweichend. Wie die meisten Menschen, die ihn störten, meinte sie es ja nur gut. Trotzdem war er froh, als er das Gespräch abbrechen musste, um in Örebro auszusteigen. Dort eilte er durch den Regen zu seinem Bus. Obwohl die Justizvollzugsanstalt direkt an den Bahnschienen lag, gab es dort nirgends einen Halt, und so musste er die nächsten vierzig Minuten in einem alten Scania-Bus ohne Klimaanlage verbringen. Es war zwanzig vor sechs, als endlich die mattgraue Betonmauer vor ihm auftauchte.

Sie war sieben Meter hoch und geriffelt – wie eine riesige Betonwelle, die kurz vor dem verheerenden Schlag über einer flachen Ebene erstarrt war. Weit draußen am Horizont konnte man einen Nadelwald erahnen. Weit und breit war kein einziges Wohnhaus in Sicht, und das Gefängnistor lag so dicht an der Bahnschranke, dass nur ein einziges Auto auf einmal dazwischen Platz fand.

Mikael stieg aus dem Bus und wurde durch das Stahltor eingelassen. Bei der Anmeldung legte er sein Telefon und seine Schlüssel in ein graues Schließfach. Dann durchquerte er die Sicherheitskontrolle und hatte wie so oft das Gefühl, als wollte man ihn absichtlich schikanieren. Ein kahl rasierter, tätowierter Typ Anfang dreißig fasste ihm sogar in den

Schritt. Außerdem tauchte ein schwarzer Labrador auf – ein fröhlicher, feiner Kerl, aber Mikael wusste natürlich, wozu er da war. Ein Drogenspürhund. Glaubten sie allen Ernstes, er wollte Stoff in den Knast schmuggeln?

Er machte gute Miene zum bösen Spiel und spazierte dann mit einem zweiten, etwas größeren und freundlicheren Wachmann einen langen Korridor entlang. Über die Kameras an der Decke wurden sie von den Leuten in der Sicherheitszentrale beobachtet, die auch die Schleusentüren für sie öffneten. Diesmal musste er eine Weile davor warten. Später hätte er nicht mehr genau sagen können, wann er begonnen hatte zu ahnen, dass hier irgendwas nicht stimmte.

Vermutlich in dem Augenblick, als Wachleiter Alvar Olsen vor ihm auftauchte.

Olsen hatte Schweiß auf der Stirn und wirkte nervös. Er gab ein paar angestrengte Höflichkeitsfloskeln von sich, ehe er Mikael in einen Besucherraum am Ende des Gangs führte, und spätestens da bestand kein Zweifel mehr. Irgendetwas war hier definitiv anders.

Lisbeth trug wie immer ihre verschlissene, verwaschene Anstaltskleidung, die geradezu lächerlich an ihr schlackerte. Normalerweise stand sie auf, wenn er eintrat. Diesmal blieb sie sitzen, und ihre Körperhaltung wirkte angespannt, abwartend. Ihr Kopf war leicht nach links geneigt, als wollte sie an ihm vorbeisehen. Überhaupt saß sie ungewohnt reglos da, antwortete nur einsilbig auf seine Fragen und wich seinem Blick aus. Irgendwann musste er ganz einfach fragen, ob etwas passiert war.

»Kommt drauf an, wie man es sieht«, erwiderte sie und lächelte verhalten. Das war zumindest ein Anfang.

»Willst du mir mehr erzählen?«

Wollte sie nicht. Jedenfalls »nicht jetzt und nicht hier«, wie sie sagte, und daraufhin schwiegen sie beide. Draußen vor den Gittern prasselte der Regen auf den Freistundenhof und die Mauer, und er starrte mit leerem Blick auf eine alte Matratze, die an der Wand lehnte.

»Muss ich mir Sorgen machen?«, fragte er nach einer Weile.

»Ich finde schon«, antwortete sie feixend, nur dass er ihre Bemerkung gar nicht komisch fand.

Trotzdem lockerte sie die Stimmung. Er musste auch ein wenig lachen und fragte, ob er ihr irgendwie helfen könne. Da verstummte sie erneut und antwortete überraschend: »Vielleicht.« Lisbeth Salander bat normalerweise nicht grundlos um Hilfe.

»Wie gut. Ich würde alles tun – oder zumindest so gut wie alles«, gab er zurück.

»So gut wie alles?« Sie grinste erneut.

»Was Illegales würd ich lieber vermeiden«, sagte er. »Wär doch ärgerlich, wenn wir beide hier landen würden.«

»Ich fürchte, du müsstest dich mit einem Männerknast begnügen, Mikael.«

»Es sei denn, ich bekäme dank meines Charmes eine Ausnahmegenehmigung für Flodberga. Worum geht's?«

»Ich beschäftige mich gerade mit ein paar alten Namenslisten«, sagte sie, »und irgendwas stimmt damit nicht. Zum Beispiel steht da ein Typ namens Leo Mannheimer drauf.«

»Leo Mannheimer?«, wiederholte er.

»Genau. Er ist sechsunddreißig. Im Internet findest du ihn sofort.«

»Gut, das ist ja mal ein Anfang. Worauf soll ich achten?«

Lisbeth ließ den Blick durch den Besucherraum schweifen, als könnte sie das, was Mikael recherchieren sollte, irgendwo dort finden. Dann wandte sie sich wieder zu ihm um und sah ihn zerstreut an.

»Ehrlich gesagt weiß ich es nicht.«

»Und das soll ich glauben?«

»Im Großen und Ganzen ja.«

»Im Großen und Ganzen?«

Allmählich fühlte er sich leicht gereizt.

»Also gut. Du weißt es nicht. Aber du willst, dass ich ihn überprüfe. Hat er irgendetwas Bestimmtes getan? Oder ist er einfach allgemein verdächtig?«

»Du kennst die Investmentgesellschaft, für die er arbeitet. Davon abgesehen glaube ich, eine kleine, ganz unvoreingenommene Untersuchung könnte nicht schaden.«

»Hör doch auf«, sagte er. »Irgendeinen Anhaltspunkt musst du mir schon geben. Was sind das für Listen, die du erwähnt hast?«

»Namenslisten.«

Das klang so kryptisch und banal, dass er kurz glaubte, sie wollte ihn auf den Arm nehmen, und gleich im nächsten Moment würden sie schon wieder über dies und jenes plaudern wie am vergangenen Freitag. Stattdessen stand Lisbeth auf und rief den Wachmann. Sie wolle wieder in ihre Abteilung zurückgebracht werden.

»Du machst Witze«, sagte er.

»Ich mache nie Witze«, erwiderte sie, und da wollte er schon fluchen und protestieren und ihr erzählen, dass er stundenlang unterwegs gewesen sei, um herzukommen, und dass ihm wahrlich schönere Sachen einfielen, die er an einem Freitagabend sonst noch unternehmen konnte.

Doch er wusste, dass ihm das kaum etwas nutzen würde. Deshalb stand er ebenfalls auf, umarmte sie und meinte mit fast väterlicher Strenge, sie solle auf sich aufpassen.

»Manchmal vielleicht«, murmelte sie, und er hoffte inständig, dass sie das ironisch gemeint hatte, auch wenn sie mit den Gedanken längst wieder woanders zu sein schien.

Er sah zu, wie sie vom Wachleiter weggeführt wurde. Die leise Zielstrebigkeit ihrer Schritte bereitete ihm Unbehagen. Widerwillig ließ er sich in die andere Richtung zu den Sicherheitsschleusen begleiten, wo er sein Schließfach öffnete und

Handy und Schlüssel herausnahm. Diesmal gönnte er sich ein Taxi zum Bahnhof von Örebro. Während der Zugfahrt heim nach Stockholm las er den Krimi eines gewissen Peter May, nichts weiter. Fast schon aus Protest wollte er mit der Recherche zu Leo Mannheimer noch warten.

Alvar Olsen war erleichtert, weil Mikael Blomkvists Besuch so kurz ausgefallen war. Er hatte Angst gehabt, dass Lisbeth den Reporter über Benito und den Sicherheitstrakt ins Bild setzen könnte, aber in der kurzen Zeit hätte sie das kaum geschafft, und das war gut so. Denn auch ansonsten gab es wenig Grund zur Freude. Alvar hatte alles darangesetzt, Benito verlegen zu lassen, doch nichts geschah. Dass gleich mehrere Kollegen Benito vor dem Gefängnisdirektor in Schutz nahmen und beteuerten, es seien keine neuerlichen Maßnahmen notwendig, war natürlich auch nicht gerade hilfreich.

Der Wahnsinn ging also weiter. Lisbeth Salander wirkte immer noch passiv. Nach wie vor beobachtete und lauerte sie nur – trotzdem hatte Alvar das Gefühl, als liefe ein Countdown. Sie hatte ihm eine Frist von fünf Tagen gesetzt. Fünf Tage, um die Probleme aus der Welt zu schaffen und um für Faria Kazis Schutz zu sorgen. Wenn bis dahin nichts geschehen wäre, würde Salander eingreifen, damit hatte sie gedroht, und die fünf Tage waren bald vorbei, ohne dass er etwas erreicht hatte. Im Gegenteil: Die Stimmung in der Abteilung war zunehmend angespannt und unbehaglich. Irgendetwas Furchtbares braute sich zusammen.

Es war, als würde sich Benito auf einen Kampf vorbereiten. Sie schmiedete neue Allianzen und empfing mehr Besucher als sonst, was für gewöhnlich auch bedeutete, dass sie mehr Informationen erhielt. Vor allem aber schienen die Schikanen und die Gewalt gegen Faria Kazi allmählich zu eskalieren. Lisbeth Salander hielt sich zwar immer in der Nähe, und das war gut, das war eine große Hilfe, doch es provozierte Benito eben auch. Sie ließ Lisbeth keine Ruhe, beschimpfte und bedrohte sie, und einmal konnte Alvar im Fitnessraum sogar mitanhören, was sie sagte.

»Die Kanakenhure gehört mir«, fauchte sie. »Wenn jemand die braune Nutte zwingt, die Beine breit zu machen, dann bin das ich und niemand sonst.«

Lisbeth Salander biss die Zähne zusammen und starrte zu Boden. Alvar hatte keine Ahnung, ob es an der Frist lag, die sie ihm gesetzt hatte, oder ob sie sich genauso machtlos fühlte wie er. Er tendierte zu Letzterem. So hartgesotten diese Frau auch war – gegen Benito konnte selbst sie wohl kaum etwas ausrichten. Benito war absolut gnadenlos, und weil sie zu lebenslanger Haft verurteilt worden war, hatte sie auch nichts mehr zu verlieren. Außerdem standen immer ihre Gorillas hinter ihr: Tine, Greta und Josefin. In letzter Zeit hatte Alvar panische Angst, dass eines Tages Stahl in ihren Händen aufblitzen könnte.

Ständig überwachte er das Personal an den Metalldetektoren, immer wieder ließ er ihre Zelle durchsuchen. Trotzdem befürchtete er insgeheim, dass es nicht reichen würde. Er hatte den leisen Verdacht, dass Benito und ihre Schergen irgendeinen Schmuggel betrieben. Es mochten Drogen sein, irgendwelche blank gewetzten Gegenstände, irgendetwas, was nur in seiner Fantasie existierte. Er saß wie auf glühenden Kohlen – und dass Salander von Anfang an einer Bedrohung ausgesetzt gewesen war, machte es nur umso schlimmer. Jedes Mal, wenn ein Alarm losging oder man ihn über Funk kontaktierte, hatte er Angst, Lisbeth könnte etwas zugestoßen sein. Er versuchte sogar, sie zu überreden, sich freiwillig in Isolationshaft zu begeben. Doch sie weigerte sich, und er war nicht vehement genug, um ihr etwas entgegenzusetzen. Er war für nichts vehement genug.

Ständig sah er sich um, war von Schuld und Unruhe geplagt. Außerdem arbeitete er wie besessen, schob Überstunden, machte Vilda traurig und belastete so auch das Verhältnis zu seiner Tante und den Nachbarn, die zu Hause aushelfen mussten.

Er war vollkommen durchgeschwitzt. In der Abteilung war es unerträglich heiß und stickig, die Lüftung funktionierte mehr als dürftig. Er war ein psychisches Wrack, sah ständig auf die Uhr und hoffte sekündlich darauf, dass endlich Rikard Fager anrief und ihm mitteilte, dass Benito verlegt würde. Doch der Anruf blieb aus, obwohl Alvar ihm erstmals ohne jede Beschönigung von der aktuellen Lage berichtet hatte. Entweder war Fager ein noch größerer Idiot als gedacht oder ebenfalls korrupt. Alvar hätte es nicht sagen können. Das Telefon blieb jedenfalls stumm.

Als am Freitagabend die Zellentüren geschlossen wurden, ging er in sein Büro und versuchte, seine Gedanken zu ordnen. Doch er hatte nicht lang Ruhe. Lisbeth Salander kontaktierte ihn über den Alarm und wollte erneut seinen Computer benutzen. Er holte sie ab und versuchte abermals zu verstehen, was sie da eigentlich trieb, konnte ihr aber nicht viel entlocken. Ihr Blick war finster.

Auch in dieser Nacht kam er erst spät nach Hause und hatte mehr denn je das Gefühl, seine Zeit würde ablaufen und die Katastrophe immer näher rücken.

Am Samstagmorgen las Mikael in der Bellmansgatan wie gewohnt die Printausgabe von *Dagens Nyheter* und dann auf dem iPad den *Guardian* und den *New Yorker*, die *New York Times* und die *Washington Post*. Er trank erst Cappuccino, dann Espresso, aß Müsli mit Joghurt und Brote mit Käse und Leberwurst und vertrödelte Zeit, so wie immer, wenn Erika und er die letzte Korrektur von *Millennium* auf den Weg gebracht hatten.

Erst nach ein, zwei Stunden setzte er sich an seinen Computer und begann mit der Recherche zu Leo Mannheimer.

Der Name tauchte hier und da auf Wirtschaftsseiten auf. Mannheimer hatte an der Handelshochschule in Stockholm promoviert und war inzwischen Teilhaber und Chefanalyst der Investmentgesellschaft Alfred Ögren. Ein Unternehmen, das Mikael – genau wie Lisbeth – sehr gut kannte.

Die renommierte Investmentgesellschaft hatte sich auf vermögende Kunden spezialisiert, auch wenn der großspurige Stil des Vorstandsvorsitzenden Ivar Ögren nicht ganz mit der Unternehmensphilosophie eines diskreten Auftretens harmonierte. Leo Mannheimer wirkte dagegen zart und schmächtig. Er hatte wache, große blaue Augen, lockiges Haar und volle, fast feminine Lippen. Natürlich war er reich, aber kein überkandidelter Bonze. Sein Vermögen belief sich auf 83 Millionen Kronen, was beträchtlich war, verglichen mit anderen Großverdienern dennoch bescheiden. Was ihn allerdings zumindest auf den ersten Blick interessant machte, war sein enorm hoher IQ, der in einer vier Jahre alten Reportage in *Dagens Nyheter* erwähnt wurde. Anscheinend war er schon im Kindesalter getestet worden, und das Ergebnis hatte seinerzeit viel Aufsehen erregt. Sympathisch war indes, dass er es herunterspielte. »Der Intelligenzquotient sagt überhaupt nichts aus«, hatte er im Interview gesagt. »Göring hatte auch einen hohen IQ. Man kann trotzdem ein Idiot sein.« Dann hatte er über die Bedeutung von Empathie und Einfühlungsvermögen gesprochen und von alle dem, was Intelligenztests eben *nicht* messen konnten. Es sei unwürdig, hatte er betont, ja beinahe unehrenhaft, die Begabung eines Menschen in Zahlen zu vermessen.

Wie ein Schurke klang er also nicht. Andererseits waren gerade Schurken oft Spezialisten darin, wie Heilige aufzutreten, und Mikael ließ sich auch nicht davon beeindrucken, dass Leo Mannheimer große Summen für wohltätige Zwecke spendete und überhaupt einigermaßen klug und bescheiden daherkam.

Allerdings nahm Mikael an, dass Lisbeth Leo nicht erwähnt hatte, weil sie ihn auf ein Musterbeispiel für Mitmenschlichkeit hatte aufmerksam machen wollen. Aber er wusste es wie gesagt nicht. Er sollte unvoreingenommen recherchieren, also waren Vorurteile in die eine oder andere Richtung auch nicht angebracht. Warum war sie nur so starrköpfig?

Er blickte hinaus auf den Riddarfjärden und versank in Grübeleien. Draußen hatte es ausnahmsweise aufgehört zu regnen. Der Himmel war aufgerissen, und es versprach ein herrlicher Vormittag zu werden. Er überlegte kurz, ob er nicht doch in die Stadt gehen, in der »Kaffebar« noch einen Cappuccino trinken, seinen Krimi fertig lesen und auf Leo Mannheimer pfeifen sollte. Der Samstag nach der Abgabe der Zeitschrift war der beste Tag des Monats und genau genommen auch der einzige, an dem er es sich leisten konnte, komplett freizunehmen. Andererseits ... Er hatte es ihr versprochen. Und deshalb durfte er seiner Faulheit auch nicht nachgeben.

Lisbeth hatte ihm nicht nur zum Scoop des Jahrzehnts verholfen und dafür gesorgt, dass *Millennium* sein Ansehen in der Öffentlichkeit wiedererlangt hatte. Sie hatte auch einem Kind das Leben gerettet und einen internationalen Verbrecherring zerschlagen. Dass Oberstaatsanwalt Richard Ekström und das Amtsgericht idiotisch gehandelt hatten, stand außer Frage. Während Mikael die Lorbeeren geerntet hatte, saß die wahre Heldin hinter Gittern. Aus diesem Grund stellte er weitere Nachforschungen über Leo Mannheimer an, genau wie Lisbeth ihn gebeten hatte.

Viel Spannendes fand er nicht, entdeckte aber, dass Leo und er eine Sache gemein hatten: Sie hatten beide versucht, einer Hackerattacke gegen die Brüsseler Firma Finance Security auf den Grund zu kommen. Nun hatte sich die Hälfte aller schwedischen Journalisten und der gesamte Aktienmarkt auf irgendeine Weise mit dem Fall beschäftigt, insofern war diese Gemeinsamkeit nicht weiter aufsehenerregend, trotzdem ... Womöglich war das ja ein Anhaltspunkt, und wer weiß, vielleicht hatte Leo Mannheimer mehr darüber herausgefunden oder besaß irgendeine tiefere Einsicht.

Mikael hatte damals mit Lisbeth über die Geschehnisse gesprochen. Sie war gerade in Gibraltar gewesen und hatte sich um ihr Vermögen gekümmert. Es war der 9. April gewesen – kurz bevor sie ins Gefängnis musste –, und sie hatte seltsam unbeeindruckt gewirkt, gerade im Hinblick auf das Thema. Mikael hatte angenommen, dass sie bloß ihre letzten Stunden in Freiheit genießen und sich nicht um die Nachrichten kümmern wollte, nicht einmal wenn es um Hacking ging. Doch eigentlich hätte es sie interessieren müssen, und vielleicht – das war nicht auszuschließen – wusste sie sogar etwas darüber. Er hatte an jenem Tag in der Redaktion an der Götgatan gesessen, als seine Kollegin Sofie Melker vorbeikam und erzählte, mehrere Banken hätten Probleme mit ihren Websites. Mikael war das schnurzegal gewesen.

Und auch die Börse schien zunächst nicht reagieren zu wollen. Dann aber ging der einheimische Aktienhandel merklich zurück und stagnierte kurz darauf vollends, und Tausende Menschen mussten feststellen, dass ihre Anlagen im Internet nicht länger einsehbar waren. Aus sämtlichen Wertpapierdepots waren Aktien und Anlagen verschwunden. Eine Reihe von Pressemitteilungen wurde verschickt: *Es handelt sich um einen technischen Fehler, der in Kürze behoben wird. Die Situation ist unter Kontrolle.*

Dennoch wuchs die Unruhe. Der Kurs der schwedischen Krone fiel, und urplötzlich hatten sie es mit einer schieren Flut aus Gerüchten zu tun: Der entstandene Schaden sei so umfassend, dass der Wertpapierbesitz nicht wieder vollständig rekonstruierbar sei. Man müsse das Risiko einkalkulieren, dass sich beträchtliche Vermögenswerte einfach in Luft aufgelöst hätten. Dass alle möglichen Autoritäten das Ganze als Nonsens abtaten, half da bereits nicht mehr: Der Aktienmarkt ging komplett in die Knie. Sämtliche Transaktionen wurden eingestellt, Menschen brüllten in Telefone, Mailserver kollabierten, bei der Landesbank gingen Bombendrohungen ein, Fensterscheiben wurden eingeworfen. Der Finanzexperte Carl af Trolle trat vor Wut so heftig gegen eine Bronzeskulptur, dass er sich den rechten Fuß brach.

Es war zu einer ganzen Reihe von Vorfällen gekommen, und über allem hatte die Vorahnung geschwebt, dass es auf einen totalen Kollaps hinauslaufen könnte. Doch kurz darauf war es vorbei gewesen. In den Depots tauchten die alten Zahlen wieder auf, und die Chefin der Landesbank, Lena Duncker, behauptete, von einer Gefahr habe nie die Rede sein können. Objektiv betrachtet stimmte das sicher auch. Doch das Objektive – die IT-Sicherheit – war diesmal gar nicht das Entscheidende gewesen, sondern der Wahn. Die Panik. Was war der Auslöser dafür gewesen?

Die frühere Wertpapierzentrale, die dem Zeitgeist gemäß an die belgische Finance Security verkauft worden war und in der sämtliche schwedischen Kapitalanlagen registriert wurden, war allem Anschein nach einem DoS-Angriff zum Opfer gefallen. Der Server war durch Überlastung lahmgelegt worden. Allein das machte schon deutlich, wie verletzlich das Finanzsystem war. Aber das war noch lang nicht alles.

Hinzu kamen die Gerüchte, der Rummel um Behauptungen, Ermahnungen und Lügen, mit denen die sozialen Medien überschwemmt worden waren und die Mikael noch am selben Tag mutmaßen ließen: »Da steckt doch irgendein Teufel dahinter, der einen Börsencrash provozieren will.«

In den darauffolgenden Tagen und Wochen stieß er auf immer mehr Anhaltspunkte, die seine Theorie stützten. Doch genau wie alle anderen kam er der Sache nie ganz auf den Grund. Nirgends waren Verdächtige auszumachen, daher ließ er die Geschichte nach einer Weile fallen. Das ganze

Land ließ die Geschichte fallen. Die Börse erholte sich, die Konjunktur zog wieder an. Es kam zu einem neuen Aktienboom, und Mikael wandte sich wichtigeren Themen zu – der Flüchtlingskatastrophe in Europa, den Terrorattacken, dem Vormarsch der Rechtspopulisten und Neofaschisten in Europa und den USA. Aber jetzt ...

Wieder sah er Lisbeths finsteres Gesicht vor sich und musste an ihre Schwester Camilla denken, an deren Entourage aus Hackern und Schwerstkriminellen, an die Bedrohungslage gegen Lisbeth und vieles mehr. Deshalb setzte er seine Nachforschungen fort und überflog einen Essay, den Leo Mannheimer über den Beinahe-Börsencrash für *Fokus* geschrieben hatte. Journalistisch betrachtet war Mikael nicht sonderlich beeindruckt. Außerdem wartete Mannheimer darin mit keinerlei neuen Informationen auf. Dennoch zeichnete sein Text stellenweise ein klares psychologisches Bild des Handlungsverlaufs.

Mannheimer würde unter dem Titel »Die heimliche Unruhe des Marktes« eine Vorlesung zu diesem Thema halten. Schon morgen, am Sonntag, würde im Rahmen einer Veranstaltung der »Aktiensparer« am Stadsgårdskajen eine Art Expertengespräch mit ihm stattfinden.

Ein, zwei Minuten lang saß Mikael einfach nur da, betrachtete die Fotos von Mannheimer im Netz und versuchte, sich über den ersten Eindruck hinaus ein weiter reichendes Bild von ihm zu machen. Diesmal sah er nicht nur einen gut aussehenden Mann mit klaren Gesichtszügen vor sich. Jetzt konnte er auch einen melancholischen Zug in Mannheimers Blick erahnen, über den nicht einmal das gestellte Foto von der Firmenseite hinwegtäuschen konnte. Was Mannheimer sagte, war nie unumstößlich, kein: *Kaufen! Verkaufen! Handeln, sofort!* Bei ihm blieb Raum für Zweifel, für Fragen. Er galt als analytisch, musikalisch, an Jazz interessiert, vor allem am älteren, am sogenannten Hot Jazz.

Er war sechsunddreißig Jahre alt und das einzige Kind eines vermögenden Elternpaars aus Nockeby westlich von Stockholm. Vater Herman, bei Leos Geburt vierundfünfzig, war Vorstandsvorsitzender des Industriekonzerns Rosvik gewesen, hatte später in verschiedenen Aufsichtsräten gesessen und war vierzigprozentiger Gesellschafter der besagten Investmentgesellschaft Alfred Ögren gewesen.

Leos Mutter Viveka, geborene Hamilton, war Hausfrau gewesen und hatte sich beim Roten Kreuz engagiert. Sie schien voll und ganz für den Sohn und seine Talente gelebt zu haben. In den wenigen Interviews, die sie gegeben hatte, hatte sie immer leicht elitär gewirkt. In dem *Dagens-Nyheter*-Artikel über Leos hohen Intelligenzquotienten hatte er sogar angedeutet, dass seine Mutter heimlich mit ihm geübt habe.

»Vielleicht war ich ja auch einfach ein bisschen zu gut auf diese Tests vorbereitet«, hatte er gesagt und dann erzählt, in seinen ersten Schuljahren sei er ein schwieriger Schüler gewesen, was dem Verfasser des Artikels zufolge für hochbegabte, unterforderte Kinder nicht untypisch war.

Überhaupt spielte Leo Mannheimer all das Gute und Schmeichelhafte herunter, was über ihn gesagt wurde, und womöglich steckte schlicht falsche Bescheidenheit oder Koketterie dahinter. Mikael hatte allerdings eher den Eindruck, als wirkte der Mann schuldbeladen oder gequält, als hätte er nicht das Gefühl, den Ansprüchen gerecht geworden zu sein, die man schon als Kind an ihn gestellt hatte. Dabei gab es für ihn augenscheinlich keinen Grund, sich zu schämen. Er hatte über eine Untersuchung der sogenannten IT-Blase 1999 promoviert und war wie sein Vater Teilhaber von Alfred Ögren geworden. Tatsächlich hatte er sich aber, soweit Mikael erkennen konnte, nie großartig hervorgetan, weder im positiven noch im negativen Sinne, und sein Vermögen war größtenteils ererbt.

Am bemerkenswertesten war wohl – und vielleicht war

das ja die Frage, der Mikael nachgehen sollte –, dass Leo sich im Januar vergangenen Jahres für sechs Monate freigenommen hatte, um »zu reisen«. Anschließend war er wieder an seinen Arbeitsplatz zurückgekehrt, hatte angefangen, Vorlesungen zu halten, und war mitunter auch im Fernsehen zu sehen – nicht als klassischer Analyst, sondern eher als Philosoph und Skeptiker, der über etwas so Unsicheres wie die Zukunft keine Mutmaßungen anstellen wollte. In der jüngsten Sendung des Webportals von *Dagens Industri* hatte er sich über steigende Börsenkurse folgendermaßen geäußert: »Die Börse ist ein bisschen wie ein Mensch, der gerade aus einer Depression erwacht ist. Alles, was eben noch schmerzlich war, rückt plötzlich in weite Ferne. Ich kann dem Markt nur viel Glück wünschen.«

Er klang sarkastisch, als wäre er der Ansicht, die Börse würde alles Glück gebrauchen, das sie nur kriegen konnte. Aus irgendeinem Grund sah Mikael sich den Beitrag zweimal an. Verbarg sich dahinter nicht etwas noch viel Spannenderes? Er glaubte schon. Einerseits war da diese poetische, anthropomorphisierende Ausdrucksweise. Und andererseits Leos Augen. Sie glitzerten besorgt und zugleich spöttisch, als grübelte er in Wahrheit über etwas völlig anderes. Möglicherweise war das Teil seiner Intelligenz – der Fähigkeit, mit mehreren Gedanken gleichzeitig zu jonglieren –, aber irgendwie erinnerte er auch ein wenig an einen Schauspieler, der sich von seiner Rolle emanzipieren und ihren Rahmen sprengen wollte.

Das machte Leo Mannheimer nicht unbedingt zu einem interessanten journalistischen Thema; vielleicht einfach nur zu einem lebendigen Wesen. Dennoch warf Mikael all seine Pläne über den Haufen, sich freizunehmen und den Sommer zu genießen, und sei es nur, um Lisbeth zu beweisen, dass er sich nicht so leicht geschlagen gab. Zwar stand er zwischendurch vom Schreibtisch auf, surfte ein bisschen im Internet, sortierte sein Bücherregal und räumte seine Küche auf. Doch dabei ging ihm Leo Mannheimer nicht mehr aus dem Kopf. Gegen eins, als er gerade ins Badezimmer gehen wollte, um sich zu rasieren, und sich wie häufiger in letzter Zeit auf die Waage stellte, ohne mit dem Ergebnis zufrieden zu sein, rief er plötzlich: »Malin, verdammt!«

Wie hatte er das vergessen können? Endlich wusste er, woher ihm Alfred Ögren so bekannt vorgekommen war. Dort hatte Malin vor einiger Zeit gearbeitet – und Malin war eine alte Geliebte und inzwischen Pressesprecherin im Außenministerium. Sie war eine leidenschaftliche Feministin und überhaupt ein leidenschaftlicher Mensch. Mikael und sie hatten sich mit derselben Heftigkeit geliebt wie gestritten, damals, als sie gerade als Leiterin der Öffentlichkeitsarbeit bei Alfred Ögren aufgehört hatte.

Malin hatte unfassbar lange Beine und wunderschöne dunkle Augen und eine ganz besondere Begabung, Menschen für sich einzunehmen. Mikael rief ihre Nummer auf. Ihm dämmerte erst im Nachhinein, dass er sie auch deshalb angerufen hatte, weil der Sommer dort draußen so verlockend strahlte und er Malin mehr vermisste, als er es sich hatte eingestehen wollen.

Malin Frode konnte ihr Handy samstags nicht ausstehen. Sie wollte, dass es stumm blieb, sie brauchte die Verschnaufpause. Doch zu ihrem Job gehörte es nun mal, rund um die Uhr erreichbar zu sein, also musste sie wie immer professionell freundlich sein. Eines schönen Tages würde sie ganz sicher trotzdem ausflippen.

Zurzeit war sie alleinerziehend oder zumindest so gut wie. Ihr Exmann Niclas tat, als wäre es heldenhaft, wenn er sich am Wochenende hin und wieder um seinen Sohn kümmerte. Er hatte ihn soeben in Empfang genommen und ihr hinterhergerufen: »Dann amüsier du dich wie immer schön!«

Vermutlich hatte er auf ihre Affären am Ende ihrer Ehe

angespielt. Sie hatte angestrengt gelächelt, den sechsjährigen Love umarmt und sich verabschiedet. Trotzdem war die Wut in ihr hochgekocht. Auf der Straße trat sie gegen eine Konservendose und fluchte in sich hinein. Noch dazu klingelte ihr Handy. Vermutlich wieder irgendeine Krise auf der Welt. Zurzeit waren ständig irgendwelche Krisen, aber ... Nein. Ganz im Gegenteil.

Der Anrufer war Mikael Blomkvist, und da verspürte sie nicht nur große Erleichterung, sondern auch einen Anflug von Sehnsucht. Sie hatte den Strandvägen erreicht und blickte nach Djurgården hinüber. Ein einsames Segelboot glitt übers Wasser.

»Das ist doch mal ein schöner Anruf«, sagte sie.

»Eigentlich nicht«, erwiderte Mikael.

»Doch, finde ich schon. Was treibst du so?«

»Arbeiten.«

»Machst du das nicht immer? Immer schuften, immer buckeln.«

»Stimmt. Leider.«

»Mir gefällst du besser, wenn du auf dem Rücken liegst.«

»Ich mir selbst auch.«

»Dann leg dich hin.«

»Okay.«

»Liegst du?«

»Na klar.«

»Und hast nichts mehr an?«

»Kaum noch.«

»Lügner. Was verschafft mir die Ehre?«

»Zunächst mal was Geschäftliches.«

»*Bloody bore.*«

»Ich weiß«, sagte er. »Aber irgendwie lässt mich dieser Hackerangriff gegen Finance Security nicht mehr los.«

»Das wundert mich nicht. Dich lässt doch nie irgendwas los. Außer vielleicht Frauen, die dir in die Quere kommen.«

»Die lassen mich auch nicht so leicht los.«

»Nicht, wenn du sie als Informantinnen gebrauchen kannst, scheint mir. Was kann ich also für dich tun?«

»Ich hab gesehen, dass ein ehemaliger Kollege von dir diese Attacke ebenfalls durchleuchtet hat.«

»Und wer?«

»Leo Mannheimer.«

»Leo ...«

»Wie ist er so?«

»Ein gut aussehender Kerl – und auch sonst ganz anders als du.«

»Was für ein Glück für ihn.«

»Ein Riesenglück.«

»Inwiefern unterscheidet er sich denn sonst noch von mir?«

»Leo ist ...«

Sie verlor sich in Gedanken.

»Was ist er?«

»Zuallererst einmal ist er nicht so ein Blutegel wie du, nicht ständig auf der Suche nach Informationen und Bösewichten. Er ist eher ein Denker, ein Philosoph.«

»Wir Blutegel waren ja schon immer eher die schlichteren Gemüter.«

»Du bist schon in Ordnung, Mikael, und das weißt du auch«, entgegnete sie. »Aber du bist eher wie ein Cowboy. Du hast nicht die Zeit zu grübeln und zu zweifeln wie ein alter Hamlet.«

»Leo Mannheimer ist also ein Hamlet.«

»Jedenfalls hätte er nicht in der Finanzbranche landen dürfen.«

»Was hätte er denn sonst machen sollen?«

»Irgendetwas mit Musik. Er spielt Klavier wie ein junger Gott. Er hat das absolute Gehör und ist unglaublich talentiert. Geld interessiert ihn eigentlich nicht.«

»Nicht die besten Voraussetzungen für einen Job in der Finanzbranche.«

»Nicht direkt. Wahrscheinlich hatte er es als Kind zu gut. Er hat nicht den Hunger, den man dafür braucht. Warum interessierst du dich für ihn?«

»Er vertritt ein paar ganz spannende Ansichten über diesen Hackerangriff.«

»Kann ich mir denken. Du wirst nichts Negatives über ihn finden, falls du das glaubst.«

»Warum ...«

»Weil es damals meine Aufgabe war, diese Typen im Blick zu behalten, und um ehrlich zu sein ...«

»Ja?«

»... zweifle ich daran, dass Leo überhaupt dazu in der Lage wäre, irgendwas Verwerfliches zu tun. Statt sich mit irgendwelchen krummen Finanzgeschäften zu beschäftigen, sitzt er lieber zu Hause und ist melancholisch und spielt auf seinem Flügel.«

»Warum ist er dann überhaupt in dem Bereich gelandet?«

»Seinem Vater zuliebe.«

»Der Vater war ein hohes Tier.«

»Definitiv. Außerdem Alfred Ögrens bester Freund und ein ziemlich selbstverliebter Idiot. Er hat alles darangesetzt, dass Leo ein Finanzgenie wird, irgendeines Tages seine Aufgaben in Alfreds Gesellschaft übernimmt und ein Machtfaktor in der schwedischen Wirtschaft wird. Und Leo ... Was soll ich sagen?«

»Das weiß ich doch nicht.«

»Er ist schwach. Er hat sich überreden lassen und war natürlich auch nie schlecht – er macht nie irgendwas schlecht. Aber er war auch nie so brillant, wie er hätte sein sollen. Ihm fehlten der Antrieb und das Feuer. Einmal hat er zu mir gesagt, er fühlte sich, als hätte man ihm etwas Wichtiges weggenommen. Als trüge er eine Wunde in sich.«

»Was denn für eine Wunde?«

»Irgendein Mist aus seiner Kindheit. Ich bin Leo aber nie nahe genug gekommen, um es richtig zu verstehen, auch wenn wir für kurze Zeit ...«

»Was?«

»Ach, nichts. Das war nichts Ernstes, nur Geplänkel, würde ich sagen.«

Mikael beschloss, nicht weiter nachzuhaken.

»Ich hab gelesen, dass er auf Reisen gegangen ist«, sagte er stattdessen.

»Ja, nachdem seine Mutter gestorben war.«

»Woran ist sie denn gestorben?«

»Bauchspeicheldrüsenkrebs.«

»Schrecklich.«

»Trotzdem dachte ich damals, es würde ihm guttun, dass sie nicht mehr da war.«

»Warum denn das?«

»Seine Eltern haben ihn ständig kontrolliert und ihm das Leben zur Hölle gemacht. Ich hab gehofft, er würde die Chance nutzen, sich aus der Finanzbranche verabschieden und anfangen, Klavier zu spielen oder was auch immer. Weißt du, kurz bevor ich bei Alfred Ögren aufgehört hab, ist Leo mit einem Mal aufgeblüht. Ich hab das nie so ganz verstanden. Eine Zeit lang war er gar nicht mehr der Trauerkloß, den ich sonst kannte – aber dann ...«

»Was dann?«

»Dann war er es urplötzlich mehr denn je. Es war herzzerreißend.«

»Hat seine Mutter da noch gelebt?«

»Ja, aber nicht mehr lang.«

»Wohin ist er denn gereist?«

»Das weiß ich nicht. Da war ich schon nicht mehr in der Firma. Aber ich hab wirklich gehofft, die Reise wäre vielleicht der Anfang eines Loslösungsprozesses.«

»Trotzdem ist er wieder zu Alfred Ögren zurückgegangen.«
»Er hatte wohl nicht den Mut, sich loszulösen.«
»Inzwischen hält er Vorträge.«
»Ist vielleicht ein Schritt in die richtige Richtung«, sagte sie. »Was genau interessiert dich denn an ihm?«
»Er sieht psychologische Muster. Vergleicht den Angriff auf Brüssel mit gewissen Desinformationskampagnen.«
»Mit russischen Kampagnen?«
»Er sieht darin eine moderne Form der Kriegsführung, und das finde ich spannend.«
»Die Lüge als Waffe.«
»Die Lüge als ein Weg, Chaos und Verwirrung zu stiften. Die Lüge als eine Alternative zur Gewalt.«
»Ist es nicht bewiesen, dass der Hackerangriff aus Russland kam?«, fragte sie.
»Doch, ist es, aber niemand weiß, wer genau dahintersteckte, und die Herren im Kreml bestreiten natürlich jede Beteiligung.«
»Hast du deine alte Bande im Verdacht – die Spiders?«
»Der Gedanke hat mich gestreift.«
»Ich kann nur schwer glauben, dass Leo dir damit helfen kann.«
»Vielleicht nicht unbedingt, aber ich würde gern …«
Plötzlich klang er unkonzentriert.
»Mich auf einen Drink einladen?«, ergänzte sie. »Mich mit Komplimenten und teuren Geschenken überhäufen? Mit mir nach Paris fahren?«
»Wie bitte?«
»Paris. Eine Stadt in Europa. Hat angeblich einen berühmten Turm.«
»Leo ist morgen im Fotografiska bei einer Art Experteninterview«, fuhr er fort, als hätte er überhaupt nicht zugehört. »Willst du nicht mitkommen? Vielleicht können wir ja noch was lernen.«

»Was lernen? Verdammt noch mal, Mikael. Ist das alles, was du einer Frau in Not anzubieten hast?«

»Zurzeit ja«, sagte er und klang erneut zerstreut, was sie nur umso mehr verletzte.

»Du bist ein Idiot, Blomkvist«, fauchte sie und legte auf, stand auf dem Bürgersteig, kochte innerlich und verspürte wieder einen altbekannten Zorn, der irgendwie mit ihm zusammenhing.

Dann beruhigte sie sich wieder, was allerdings nichts mit Mikael zu tun hatte, sondern mit einer Erinnerung, die langsam an die Oberfläche trieb. Sie sah wieder vor sich, wie Leo eines späten Abends in seinem Büro bei Alfred Ögren etwas auf Büttenpapier schrieb. Irgendwas an dieser Szene schien eine Botschaft zu enthalten, die sich jetzt wie Nebel über dem Strandvägen ausbreitete. Nachdenklich blieb Malin auf dem Bürgersteig stehen. Dann schlenderte sie in Richtung Dramaten und »Berns« und schimpfte auf Exmänner, Exliebhaber und andere Repräsentanten des männlichen Geschlechts.

Mikael sah ein, dass er sich danebenbenommen hatte, und überlegte schon, ob er Malin anrufen und um Verzeihung bitten und sie vielleicht sogar zum Essen einladen sollte. Aber er kam nicht dazu. Tausendundein Gedanken waren in ihm zum Leben erwacht, und anstelle von Malins Nummer wählte er die von Annika Giannini, die nicht nur seine Schwester, sondern obendrein auch Lisbeths Anwältin war. Vielleicht wusste sie ja, worauf Lisbeth aus war. Zwar nahm niemand die Schweigepflicht so ernst wie Annika, aber wenn es um Informationen ging, die ihren Klienten nutzten, konnte sie mitunter ziemlich freimütig sein.

Doch Annika ging nicht ans Telefon. Eine halbe Stunde später rief sie zurück und bestätigte sofort, dass Lisbeth sich verändert hatte. Sie glaubte allerdings, dass es an der

Situation im Sicherheitstrakt lag. Lisbeth hatte begriffen, an welchem Ort sie sich befand und dass man dort keineswegs sicher war. Deshalb hatte Annika auch darauf hinwirken wollen, Lisbeth noch mal zu verlegen, aber Lisbeth hatte sich geweigert. Sie müsse noch etwas erledigen, hatte sie gesagt. Außerdem gelte die Gefahr nicht ihr, sondern anderen, insbesondere einer jungen Frau namens Faria Kazi, die schon in ihrer Familie wegen angeblicher Ehrverletzung Gewalt ausgesetzt gewesen sei und jetzt auch noch im Gefängnis schikaniert werde.

»Das ist ein wirklich interessanter Fall«, sagte Annika. »Ich hab vor, sie zu vertreten. Könnte gut sein, dass wir ein gemeinsames Interesse an dieser Geschichte haben, Mikael.«

»Inwiefern?«

»Ihr hättet eine gute Story und ich vielleicht ein bisschen Unterstützung bei der Recherche. Ich hab nämlich das Gefühl, dass da etwas nicht stimmt.«

Mikael ging nicht weiter darauf ein, sondern fragte stattdessen: »Hast du noch was über die Drohungen gegen Lisbeth gehört?«

»Nicht so richtig ... abgesehen davon, dass es beunruhigend viele Quellen gibt, die davon sprechen. Und dass die ganze Zeit von ihrer Schwester und deren Gangsterfreunden aus Russland und beim Svavelsjö MC die Rede ist.«

»Was wirst du unternehmen?«

»Alles, was in meiner Macht steht, Mikael. Was glaubst du denn? Ich hab dafür gesorgt, dass sie im Gefängnis verstärkt bewacht wird. Momentan sehe ich allerdings keine akute Gefahr. Aber es ist noch etwas passiert, was sie beeinflusst haben könnte.«

»Und das wäre?«

»Der gute alte Holger hat sie besucht.«

»Machst du Witze?«

»Nein, nein, und es war auch ziemlich dramatisch. Er hat

darauf bestanden zu kommen. Ich glaube, es war ihm sehr wichtig.«

»Wie in aller Welt ist er nach Flodberga gekommen?«

»Bei den Formalitäten hab ich ihm helfen können, und Lisbeth hat ihm den Fahrdienst bezahlt. Im Auto saß auch eine Krankenschwester, die ihn im Rollstuhl in die Anstalt geschoben hat.«

»Hat der Besuch sie mitgenommen?«

»Lisbeth nimmt so leicht nichts mit. Aber Holger steht ihr nahe, das wissen wir beide.«

»Hat Holger irgendwas gesagt, was sie bewegt?«

»Was meinst du damit?«

»Irgendwas über ihre Vergangenheit zum Beispiel. Die kennt niemand so gut wie Holger.«

»Zumindest hat sie nichts erwähnt. Das Einzige, was sie derzeit beschäftigt, ist dieses Mädchen, Faria Kazi.«

»Kennst du einen gewissen Leo Mannheimer?«

»Der Name kommt mir irgendwie bekannt vor. Warum fragst du?«

»Interessierte mich nur.«

»Hat Lisbeth ihn erwähnt?«

»Ich erzähl dir später mehr.«

»Gut. Aber falls du dich jetzt fragst, was Holger gesagt haben könnte ... da ist es wohl am besten, wenn du ihn selbst kontaktierst«, fuhr Annika fort. »Und ich glaube, Lisbeth würde es ebenfalls gutheißen, wenn du dich zusätzlich ein bisschen um ihn kümmern könntest.«

»Wird gemacht«, versprach er.

Sowie sie sich verabschiedet hatten, rief er bei Holger Palmgren an. Dort war besetzt. Es war unglaublich lange besetzt – und dann war urplötzlich die Leitung tot. Mikael überlegte kurz, ob er direkt nach Liljeholmen fahren und persönlich mit ihm sprechen sollte. Doch dann musste er an Holgers Gesundheit denken. Der Mann war alt, schwer krank und hatte Schmerzen, er brauchte seine Ruhe. Mikael beschloss, erst einmal abzuwarten, und setzte stattdessen seine planlose Recherche über die Familie Mannheimer und Alfred Ögren fort. Er fand so einiges.

Er fand immer einiges, sobald er tiefer grub. Doch nichts davon schien hervorzustechen oder mit Lisbeth oder diesem Hackerangriff in Verbindung zu stehen. Er wechselte die Strategie – und zwar einzig und allein wegen Holger, der so viel über Lisbeths Kindheit wusste. Es war alles andere als abwegig, dass Leo Mannheimer irgendetwas mit ihrer Vergangenheit zu tun hatte, schließlich hatte sie von alten Namenslisten gesprochen. Deshalb ging er bei seiner Recherche in der Zeit zurück, zumindest so weit, wie es Internet und Datenbanken zuließen. Ein Bericht aus der *Upsala Nya Tidning* erregte sein Interesse. Für eine kurze Weile hatte er Beachtung gefunden, weil noch am selben Tag eine TT-Meldung veröffentlicht worden war, die auf dem Artikel beruht hatte. Soweit er sehen konnte, war der Vorfall später nirgends mehr erwähnt worden, was vermutlich schlicht auf Feingefühl zurückzuführen war oder auf das mildere Nachrichtenklima, das damals noch geherrscht hatte, vor allem gegenüber den oberen Zehntausend.

Das Drama hatte sich vor fünfundzwanzig Jahren bei einer Elchjagd in Östhammar abgespielt. Alfred Ögrens Jagdgesellschaft, der auch Leos Vater Herman angehörte, war nach einem längeren Mittagessen in den Wald aufgebrochen. Vermutlich hatten die Herren schon einige Gläschen intus, aber um das sicher behaupten zu können, waren die Informationen in dem Artikel zu spärlich. Offenbar war es ein gleißend heller Sonnentag gewesen, und die Gruppe hatte sich aus verschiedenen Gründen zerstreut. Dann waren zwischen den Bäumen zwei Elche gesichtet worden, und die Stimmung heizte sich auf. Die ersten Schüsse fielen, und ein älterer Mann namens Per Fält, damals Finanzchef des Rosvik-Konzerns, gab später an, er habe die Laufrichtung falsch eingeschätzt, die hastigen Bewegungen der beiden Tiere hätten ihn in Stress versetzt. Er schoss und hörte sofort einen Schrei und einen Hilferuf. Carl Seger, ein junger Psychologe und ebenfalls Mitglied der Jagdgesellschaft, war im Oberbauch getroffen worden und verstarb wenig später neben einem kleinen Bach.

Bei der darauffolgenden polizeilichen Untersuchung gab es nicht den geringsten Anhaltspunkt dafür, dass es sich um etwas anderes als um ein tragisches Unglück handelte – und schon gar nicht, dass Alfred Ögren oder Herman Mannheimer in den Tod des jungen Mannes verwickelt gewesen sein könnten. Trotzdem ließ Mikael nicht davon ab, vor allem weil er überdies entdeckte, dass Per Fält, der Schütze, nur ein Jahr darauf verstorben war. Er hatte weder Frau noch Kinder hinterlassen. In einem nichtssagenden Nachruf wurde er als »treuer Freund« und »ergebener, loyaler Mitarbeiter« des Rosvik-Konzerns beschrieben.

Mikael sah aus dem Fenster und hing seinen Gedanken nach. Der Himmel über dem Riddarfjärden hatte sich verdunkelt, ein Wetterwechsel kündigte sich an, und wieder setzte dieser gottverdammte Regen ein. Er streckte seinen Rücken und massierte sich die Schultern. Konnte der erschossene Psychologe irgendetwas mit Leo Mannheimer zu tun gehabt haben?

Schwer zu sagen. Womöglich war es einfach nur eine Tragödie, die ihn vom Thema abzubringen drohte. Dennoch versuchte Mikael, so viel wie möglich über den Mann herauszufinden. Die Ausbeute hielt sich in Grenzen. Carl Seger war zweiunddreißig Jahre alt gewesen, als er starb, und frisch verlobt. Im Jahr zuvor hatte er an der Universität Stockholm über die Auswirkungen des Gehörsinns auf das Selbstbewusstsein promoviert. »Eine empirische Studie«, wie es hieß.

Die Doktorarbeit war im Internet nie publiziert worden, und was genau das Ergebnis oder die These gewesen war, konnte Mikael nicht herausfinden, obwohl das Thema auch in anderen von Seger verfassten Essays auf Google Scholar erwähnt wurde. In einem seiner Aufsätze hatte der Psychologe ein klassisches Experiment beschrieben, in dem empirisch nachgewiesen worden war, dass Probanden ihr eigenes Foto unter hundert anderen schneller fanden, wenn das Foto zu ihrem Vorteil bearbeitet worden war. Wir erkennen uns selbst schneller, wenn wir schöner dargestellt werden, als es der Wirklichkeit entspricht, und das ist vermutlich evolutionär bedingt. Wir ziehen einen Nutzen daraus, uns selbst zu überschätzen, wenn wir uns fortpflanzen oder die Führung übernehmen wollen, aber das birgt natürlich auch Gefahren: »Übertriebenes Vertrauen in unser eigenes Können führt zu erhöhter Risikobereitschaft und hindert uns daran, uns zu entwickeln. Der Selbstzweifel ist ein entscheidender Faktor für intellektuelle Reife«, hatte Seger geschrieben, und das war selbst damals weder originell noch bahnbrechend gewesen. Aber immerhin war interessant, dass Seger auf mehrere Studien mit Kindern und die Bedeutung des Selbstvertrauens für deren Entwicklung verwiesen hatte.

Mikael stand auf, ging in die Küche, schaffte ein wenig Ordnung in der Spüle und auf dem Esstisch, und dann beschloss er, dass er tags darauf Leo Mannheimer im Fotografiska Museet hören würde. Er würde der Geschichte auf den Grund gehen. Dass er sich eigentlich hatte freinehmen wollen, spielte keine Rolle mehr. Allerdings kam er in seinen Überlegungen nicht weiter: Es klingelte an der Tür, und das gefiel ihm nicht. Die Leute sollten anrufen, ehe sie bei ihm vorbeikamen. Trotzdem ging er zur Tür, und später würde er es als einen Überfall bezeichnen.

5. KAPITEL
18. Juni

Faria Kazi kauerte auf ihrem Bett und hatte die Arme um die Knie geschlungen. Sie war zwanzig Jahre alt und empfand sich selbst nur noch als blassen, dahinwelkenden Schatten ihrer selbst, dabei waren die meisten, die ihr begegneten, immer noch hingerissen von ihr – und so war es immer gewesen, seit sie als Vierjährige mit der Familie aus Dhaka in Bangladesch nach Schweden gekommen war.

Faria war mit vier Brüdern, einem jüngeren und drei älteren, in einem Hochhaus im Stockholmer Vorort Vallholmen aufgewachsen. Ihr Vater, Karim, hatte sich früh mit einer Kette chemischer Reinigungen selbstständig gemacht und war zu bescheidenem Wohlstand gekommen. Später hatte er eine Eigentumswohnung mit großen Fenstern in Sickla gekauft.

Farias Kindheit verlief undramatisch. Sie spielte Basketball und war gut in der Schule, vor allem in Sprachen, sie nähte gern und zeichnete Mangas. Doch als Jugendliche wurde sie ihrer Freiheiten Stück für Stück beraubt. Ihre erste Menstruation war ein Auslöser – und dass man ihr plötzlich im Viertel nachzupfeifen begann. Trotzdem war sie überzeugt, dass die Veränderung von außen kam wie ein kalter

Wind aus dem Osten. Die Situation wurde schlimmer, als ihre Mutter, Aisha, den Folgen eines Schlaganfalls erlag. Mit Aisha verlor die Familie auch ein besonnenes Gemüt und den offenen Blick auf die Welt.

Im Nachhinein, im Gefängnis, erinnerte sich Faria wieder daran, wie Hassan Ferdousi, der Imam aus Botkyrka, sie eines Abends überraschend in Sickla besucht hatte. Faria mochte den Imam und hatte sich danach gesehnt, mit ihm sprechen zu dürfen. Doch Hassan Ferdousi war nicht zum Plaudern gekommen.

»Ihr habt den Islam missverstanden«, hörte sie ihn in der Küche zischen. »Wenn ihr so weitermacht, wird es schlimm enden, richtig schlimm.«

Nach jenem Abend glaubte sie das auch. Die beiden ältesten Brüder, Ahmed und Bashir, trugen einen Hass in sich, der sich zunehmend ungesund anfühlte, und sie waren es auch und nicht der Vater, die verlangten, dass sie einen Nikab anlegte, selbst wenn sie nur im Laden um die Ecke Milch kaufen ging. Wenn es nach ihnen gegangen wäre, hätte sie daheimgesessen, bis sie schwarz geworden wäre. Razan, der Drittälteste, war nicht ganz so kategorisch oder überhaupt sonderlich engagiert. Er hatte andere Interessen, auch wenn er sich oft nach Ahmed und Bashir richtete. Er verbrachte viel Zeit in den Läden ihres Vaters, wo er für die Koordination der Schneiderarbeiten verantwortlich war. Deshalb war er aber noch lang nicht ihr Freund; auch er behielt sie im Blick.

Trotz der Bewachung fand Faria zu jener Zeit immer noch das eine oder andere Schlupfloch in die Freiheit, auch wenn es jedes Mal großen Erfindungsreichtum und Lügen voraussetzte. Ihren Computer hatte sie behalten dürfen, und online stieß sie eines Tages auf einen Veranstaltungshinweis: Niemand Geringeres als Hassan Ferdousi würde mit einem Rabbi namens Goldman im Kulturhuset in Stockholm über die religiöse Unterdrückung der Frau diskutieren. Damals hatte sie gerade ihr Abitur am Kungsholmens-Gymnasium gemacht. Es war Ende Juni, und sie war seit zehn Tagen nicht mehr vor die Tür gegangen und sehnte sich so sehr fort, dass es sie fast wahnsinnig machte. Tante Fatima zu überreden war nicht leicht. Sie war Kartografin, alleinstehend und Farias letzte Verbündete in der Familie. Zum Glück brachte Fatima Verständnis für Farias Verzweiflung auf und ließ sich schließlich darauf ein, sie vorgeblich zum Essen zu sich einzuladen. Aus irgendeinem Grund glaubten ihr die Brüder.

Fatima empfing Faria in ihrer Wohnung in Tensta, nur um sie umgehend in die Stadt entschwinden zu lassen. Größere Unternehmungen würden natürlich nicht möglich sein, Faria müsste vor halb neun wieder zurück sein, wenn Bashir sie abholen käme. Sie hatte sich von der Tante ein schwarzes Kleid und ein Paar hochhackige Schuhe geliehen – was eindeutig übertrieben war. Sie würde schließlich nicht zu einer Party gehen, sondern zu einer Debatte über Religion und Unterdrückung. Aber sie wollte schick aussehen. Der Anlass fühlte sich feierlich an.

An die Diskussion würde sie sich später kaum mehr erinnern, viel zu sehr war sie davon abgelenkt, einfach nur dort zu sein und all die Leute im Publikum zu betrachten. Mehrmals war sie urplötzlich und ohne jeden konkreten Anlass gerührt.

Nach der Diskussion durften Fragen gestellt werden. Jemand im Publikum fragte, warum immer Frauen die Leidtragenden waren, wenn Männer einen Glauben stifteten, woraufhin Hassan Ferdousi finster antwortete: »Es ist zutiefst traurig, wenn wir das vollkommenste Wesen von allen zu einem Werkzeug unserer eigenen Unzulänglichkeit machen.«

Faria blieb noch eine Weile sitzen und dachte über seine Antwort nach, während die Leute um sie herum aufstanden. Als ein junger Mann in Jeans und weißem Hemd auf sie zukam, fühlte sie sich zunächst nackt und schutzlos – so ungewohnt war es für sie, einen Jungen in ihrem Alter zu treffen, ohne ihren Nikab oder Hidschab zu tragen. Trotzdem blieb sie sitzen und musterte ihn verstohlen. Er war vielleicht fünfundzwanzig und nicht besonders groß oder selbstsicher, doch seine Augen leuchteten melancholisch. Seine Schritte hatten eine Leichtigkeit, die nicht recht zu der Schwermut und der Dunkelheit in seinem Blick zu passen schien. Außerdem wirkte er schüchtern und verloren, was ihr eine gewisse Sicherheit gab. Dann sprach er sie in ihrer Muttersprache an.

»Du kommst auch aus Bangladesch, oder?«
»Woher weißt du das?«
»Hatte ich im Gefühl. Woher denn genau?«
»Dhaka.«
»Ich auch.«

Er lächelte so warmherzig, dass sie gar nicht anders konnte, als zurückzulächeln. Sie spürte ein Flattern in der Brust, und womöglich hatten sie noch mehr gesagt, ehe sie aufbrachen, doch später, in Farias Erinnerung, spazierten sie einfach hinaus zum Sergels Torg, wo sie sich ohne jeden Vorbehalt und ohne jedes Misstrauen ganz offen über Gott und die Welt unterhielten. Noch ehe sie sich einander vorgestellt hatten, erzählte er von seinem Blog daheim in Dhaka. Dort kämpften sie für Meinungsfreiheit und für Menschenrechte. Das sei den Islamisten natürlich ein Dorn im Auge. Diverse Autoren seien schon auf Todeslisten gekommen und einer nach dem anderen ermordet worden. Sie würden mit Macheten niedergemetzelt, und weder Polizei noch Regierung unternehme irgendwas, sie rührten keinen Finger, wie er sagte. Deshalb sei er gezwungen gewesen, Bangladesch und seine Familie zu verlassen, und habe in Schweden Asyl beantragt.

»Einmal war ich dabei. Ich stand direkt daneben. Ich hatte das Blut meines besten Freundes auf dem Pullover«, sagte er, und obwohl sie es nicht ganz verstand – damals noch nicht –, ahnte sie, dass er eine tiefe Trauer in sich trug, tiefer als ihre eigene, und sie spürte eine Verbundenheit zu ihm, wie sie in so kurzer Zeit gar nicht möglich sein sollte.

Er hieß Jamal Chowdhury, und sie nahm seine Hand. Sie spazierten auf das Reichstagsgebäude zu, und Faria konnte kaum schlucken. Zum ersten Mal seit einer Ewigkeit fühlte sie sich ganz und gar lebendig. Doch der Zustand währte nicht lang. Irgendwann sah sie Bashirs schwarze Augen vor sich und wurde unruhig. Sie waren kaum in Gamla Stan angekommen, als sie sich wieder auf den Heimweg machte.

Trotzdem zehrte sie noch lang davon. In den darauffolgenden Tagen und Wochen flüchtete sie sich immer wieder in die Erinnerung an ihre Begegnung, als wäre sie eine geheime Schatzkammer.

Insofern war es auch nicht sehr verwunderlich, dass sie sich sogar im Gefängnis daran festklammerte, besonders jetzt, am Abend, wenn der Güterzug bald wieder vorbeirattern und Benitos Schritte näher kommen würden und Faria mit jeder Faser ihres Körpers spürte, dass es diesmal schlimmer sein würde denn je.

Alvar Olsen saß wieder in seinem Büro und wartete auf einen Anruf des Gefängnisdirektors Rikard Fager. Doch die Zeit verging, niemand meldete sich, und er fluchte in sich hinein und dachte an Vilda. Eigentlich hätte Alvar heute einen freien Tag gehabt und wäre mit seiner Tochter zu einem Fußballturnier in Västerås gefahren. Er hatte es abgesagt. Zurzeit traute er sich einfach nicht, von der Arbeit fernzubleiben, und er hatte zum hundertsten Mal seine Tante angerufen und fühlte sich wie der schlechteste Vater der Welt. Aber was sollte er tun?

All seine Bemühungen, Benito aus der Abteilung zu entfernen, waren im Sande verlaufen. Allerdings schien Benito über sein Betreiben im Bilde zu sein, sie funkelte ihn böse an, und die Luft brannte. Überall wurde getuschelt, als stünde ein massiver Zusammenstoß oder eine Befreiungsaktion bevor, und immer wieder sah er Lisbeth Salander flehend an. Die hatte doch versprochen, die Situation in Ordnung zu bringen? Doch insgeheim beunruhigte ihn das mindestens genauso sehr wie die eigentliche Grundproblematik, weshalb er auch darauf bestanden hatte, dass er es zunächst selbst versuchen wollte. Salander hatte ihm fünf Tage gegeben. Inzwischen waren fünf Tage vergangen, und er hatte rein gar nichts erreicht. Er hatte Todesangst, nichts anderes.

Nur in einem Punkt konnte er aufatmen. Er hatte geglaubt, auf ihn würde eine interne Ermittlung zukommen, weil auf den Videoaufzeichnungen doch zu sehen gewesen sein musste, wie Salander und er nach Einschluss in sein Büro gegangen waren und sich bis in die frühen Morgenstunden dort aufgehalten hatten. In den darauffolgenden Tagen war er sich sicher gewesen, er würde jeden Augenblick zur Anstaltsleitung beordert, wo man ihm unangenehme Fragen stellte. Doch nichts passierte, und am Ende hielt er es nicht mehr aus und marschierte unter einem Vorwand in die Überwachungszentrale. Er müsse ein paar Vorfälle prüfen, die mit Beatrice Andersson zu tun hätten. Nervös spulte er zu den entscheidenden Minuten in der Nacht vom 12. auf den 13. Juni zurück.

Erst verstand er überhaupt nichts. Wieder und wieder ging er die Aufzeichnungen durch. Doch jedes Mal lag der Gang still und verlassen da – von ihm oder Salander keine Spur. Er war gerettet, und auch wenn er zu gern geglaubt hätte, dass es pures Glück gewesen wäre – dass die Kameras aus irgendeinem seltsamen Zufall genau in dem Moment ausgefallen wären –, dämmerte ihm alsbald, was tatsächlich passiert war. Immerhin hatte er gesehen, wie Salander den Anstaltsserver gehackt und die Kameraüberwachung manipuliert hatte. Sie musste die Bildsequenzen ausgetauscht haben, eine andere Erklärung gab es nicht. Und natürlich war es eine große Erleichterung für ihn. Gleichzeitig machte es ihm Angst. Er rief noch einmal seine E-Mails ab und fluchte in sich hinein. Kein einziges Wort, nichts. Konnte das denn so schwer sein? Es ging doch nur darum, Benito einzusammeln und von hier wegzubefördern.

Es war 19.15 Uhr. Draußen regnete es schon wieder, und er hätte auf den Korridor hinausgehen und dafür sorgen müssen, dass in Faria Kazis Zelle nichts Schlimmes passierte. Er hätte dort draußen sein, Benito auf Schritt und Tritt verfolgen und ihr das Leben zur Hölle machen müssen. Stattdessen saß er wie gelähmt an seinem Schreibtisch, ließ den Blick durch sein Büro schweifen und hatte das ungute Gefühl, dass irgendetwas anders war. Hatte Salander irgendwas in Unordnung gebracht, als sie am Vortag hier gewesen war? Es waren seltsame Stunden gewesen. Wieder hatte sie alte Register durchforstet, diesmal nach einem gewissen Daniel Brolin. Doch davon abgesehen hatte Alvar lieber nicht genau hinsehen wollen. Er hätte sich nicht in ihre Machenschaften hineinziehen lassen dürfen. Am Ende war es unvermeidlich gewesen, weil er nicht hatte weghören können. Von seinem Schreibtisch aus hatte Lisbeth ein stinknormales Telefonat geführt – und während des Gesprächs hatte sie wie ein ganz anderer Mensch geklungen, freundlich, fast zaghaft. War das nicht seltsam? Dann hatte sie sich nach irgendwelchen neuen Dokumenten erkundigt, die aufgetaucht seien. Kurz darauf hatte sie wieder in ihre Zelle zurückkehren wollen.

Und nun, tags darauf, war Alvar zusehends unbehaglich zumute. Er gab sich einen Ruck, beschloss, in die Abteilung hinauszugehen. Doch kaum war er von seinem Bürostuhl aufgesprungen, klingelte das Telefon. Es war Rikard Fager, der Gefängnisdirektor, der sich endlich meldete. Und er hatte gute Nachrichten. Die Kollegen aus Härnösand waren bereit, Benito schon am nächsten Vormittag aufzunehmen, und das war natürlich fantastisch. Dennoch war Alvar nicht so erleichtert, wie er es erwartet hätte. Nur den Grund verstand er zunächst nicht. Erst als er hörte, dass der Güterzug bereits draußen vorbeiratterte, legte er ohne ein weiteres Wort auf und stürzte los.

Mikael hatte das Gefühl gehabt, überfallen zu werden. Andererseits war es einer der besten Überfälle seit Langem gewesen. Malin Frode war im Türrahmen aufgetaucht, tropfnass vom Regen und mit verschmiertem Make-up und einem wild entschlossenen Blick. Mikael hatte nicht die leiseste Ahnung, ob sie vorhatte, ihn zu ohrfeigen oder ihm die Kleider vom Leib zu reißen.

Die Wahrheit lag wohl irgendwo dazwischen. Sie schubste ihn gegen die Wand und packte ihn an der Hüfte. Jetzt müsse er verdammt noch mal für seine Langweiligkeit und seinen Sex-Appeal bestraft werden. Und noch ehe er richtig verstand, wie ihm geschah, saß sie auch schon im Bett auf ihm und kam zweimal.

Anschließend lagen sie keuchend nebeneinander. Er strich ihr übers Haar und sagte liebevolle, zärtliche Dinge, nicht nur weil ihm das angesichts der intimen Situation angebracht zu sein schien, sondern auch weil er sie wirklich vermisst hatte. Draußen goss es in Strömen. Es prasselte aufs Dach. Eine Handvoll Segelboote dümpelte auf dem Riddarfjärden. Es war ein wirklich schöner Augenblick. Trotzdem verlor er sich in Gedanken, und das entging Malin natürlich nicht.

»Langweile ich dich schon?«, fragte sie.

»Was? Nein. Du hast mir gefehlt«, sagte er ehrlich. Gleichzeitig fühlte er sich schuldig. Sekunden, nachdem man Sex mit einer Frau gehabt hatte, durfte man nicht in Grübeleien über die Arbeit versinken.

»Wann hast du bitte zuletzt ein ehrliches Wort von dir gegeben?«

»Eigentlich versuche ich das ziemlich oft.«

»Hat es wieder mit Erika zu tun?«

»Nein, eher damit, worüber wir am Telefon gesprochen haben.«

»Die Hackerattacke.«

»Unter anderem.«

»Und Leo.«

»Ja.«

»Dann rück endlich damit raus, warum du dich so für ihn interessierst.«

»Ich weiß nicht mal, ob ich tatsächlich an ihm interessiert bin. Ich versuche nur, einen Zusammenhang herzustellen.«

»Das war jetzt überaus erhellend, Kalle Blomkvist.«

»Hm. Ja.«

»Also gibt es etwas, was du nicht preisgeben willst? Im Zusammenhang mit einem Informanten oder so?«

»Möglich.«

»Idiot!«

»Es tut mir leid.«

Ihre Gesichtszüge wurden weicher, und sie strich sich eine Strähne aus der Stirn.

»Andererseits musste ich nach unserem Gespräch auch ziemlich lang an Leo denken«, sagte sie, zog die Decke um ihren Körper und sah ziemlich unwiderstehlich aus.

»Und woran hast du genau gedacht?«

»Ich hab wieder daran gedacht, dass er mir eigentlich versprochen hatte zu erzählen, warum er eine Weile so euphorisch war. Aber dann war er es plötzlich nicht mehr, und da wäre es mir herzlos vorgekommen nachzubohren.«

»Und warum hast du wieder daran denken müssen?«

Sie sah aus dem Fenster.

»Weil mir diese Freude gefallen, mir aber gleichzeitig auch Sorgen bereitet hat. Sie wirkte so ... überstürzt.«

»Vielleicht war er verliebt.«

»Genau das hab ich ihn gefragt, und er hat es verneint. Da waren wir gerade im ›Riche‹, und allein das war eigentlich schon was Besonderes. Normalerweise hasste Leo Menschenansammlungen. An dem Tag hatte er sich darauf eingelassen, und ursprünglich hatten wir über meine Nachfolge reden wollen. Doch Leo benahm sich unmöglich. Kaum hatte ich ein paar Namen genannt, wechselte er das Thema und redete über die Liebe und das Leben und hielt mir Vorträge über seine Musik. Ehrlich gesagt hab ich nicht ein Wort verstanden und mich eher gelangweilt, er faselte irgend so etwas in der Art, dass er dazu geboren sei, bestimmte Harmonien und Tonarten zu mögen, Moll-Sext oder irgend so was, ich hab nicht genau zugehört. Er war so glücklich und irgendwie selbstzentriert, dass ich ihn wie verrückt gelöchert hab. ›Was ist denn eigentlich passiert? Erzähl's mir endlich!‹ Aber er hat sich geweigert. Er meinte nur, er habe endlich nach Hause gefunden.«

»Vielleicht hatte er so was wie ein Erweckungserlebnis?«

»Leo hasst alles, was mit Religion zu tun hat.«

»Was kann es dann gewesen sein?«

»Ich habe keine Ahnung. Ich weiß nur, dass sein Höhenflug nach ein paar Tagen genauso schnell wieder vorbei war. Und dann war die Luft auf einmal komplett aus ihm raus.«

»Wie meinst du das?«

»In jeder Hinsicht. Es war kurz vor Weihnachten, an meinem letzten Arbeitstag bei Alfred Ögren vor gut anderthalb Jahren und mitten in der Nacht. Wir waren in seinem Büro. Ich hatte bei mir zu Hause ein kleines Abschiedsfest gefeiert, Leo war nicht gekommen, und das hatte mich traurig gemacht. Wir beide hatten ja eine besondere Beziehung.« Sie sah Mikael an. »Du hast keinen Grund, eifersüchtig zu sein.«

»Ich werde nicht leicht eifersüchtig.«

»Ich weiß. Und dafür hasse ich dich. Meinetwegen hättest du es zwischendurch ruhig mal sein können, allein um deinen guten Willen zu zeigen. Jedenfalls hatten Leo und ich einen Flirt, ungefähr zur gleichen Zeit, als ich dich kennengelernt habe. Mein Leben war ein ordentliches Durcheinander – mit der Scheidung und allem ... und bestimmt hab ich mich deshalb auch so an seinem Glück gestört, das irgendwie nicht zu ihm passen wollte. Wie auch immer, ich hab ihn in der Nacht noch angerufen, und da saß er nach wie vor an seinem Schreibtisch. Das hat mich nur noch mehr verletzt. Trotzdem hat er sich so inständig entschuldigt, dass ich ihm verziehen hab, und als er mich gefragt hat, ob ich nicht vorbeikommen und mit ihm noch einen Absacker trinken wolle, bin ich sofort aufgebrochen. Ich weiß auch nicht, was ich mir erwartet hab. Ich hab nicht mal verstanden, was er so spät noch dort zu suchen hatte. Leo war nicht gerade ein Workaholic, und dieses Arbeitszimmer, also ... Das ist total absurd. Es hat vorher Leos Vater gehört. Man fällt echt um, wenn man es sieht. An der Wand hängt ein Dardel, und in der Ecke steht ein Sekretär von Georg Haupt. Leo hat manchmal gesagt, er schäme sich für das Büro. Ein solcher Luxus sei geradezu unanständig. Aber als ich an dem Abend in sein Büro kam ... Ich kann es kaum beschreiben. Seine Augen haben förmlich geglüht, und in seiner Stimme lag ein neuer Ton – etwas Gebrochenes ... Trotzdem hat er sich angestrengt, glücklich auszusehen. Hat die ganze Zeit gelacht, aber sein Blick war traurig und verloren. Auf dem Sekretär standen eine ausgetrunkene Flasche Burgunder und zwei leere Gläser. Er hatte also Besuch gehabt. Wir haben uns umarmt und ein paar Nettigkeiten ausgetauscht und dann noch eine halbe Flasche Champagner getrunken und einander versichert, in Kontakt zu bleiben. Aber ich hab ihm angemerkt, dass er was anderes im Kopf hatte, und am Ende hab ich dann gesagt: ›Du siehst nicht mehr glücklich aus.‹ Daraufhin meinte er: ›Ich bin glücklich. Ich hab nur …‹ Aber den Satz hat er nie beendet. Hat bloß sein Champagnerglas geleert. Wirkte durch und durch verstört. Und dann hat er gesagt, er wolle Geld spenden …«

»Wofür denn?«

»Ich weiß es nicht, und ich hab mich auch gefragt, ob das nicht eher ein spontaner Einfall war. Seine Worte waren ihm offensichtlich sofort peinlich, und deshalb hab ich auch nicht weiter nachgefragt. Es kam mir zu persönlich vor. Anschließend war nichts mehr wie vorher. Am Ende bin ich aufgestanden, und er ist auch aufgestanden, und wir haben uns wieder umarmt und ein bisschen halbherzig geknutscht. Ich hab zum Abschied gesagt: ›Pass auf dich auf, Leo‹, und bin dann auf den Flur gegangen, um den Aufzug zu rufen. Allerdings bin ich noch mal umgekehrt. Irgendwie war ich irritiert. Was war das bitte für eine bescheuerte Geheimnistuerei? Was hatte er denn vor? Ich wollte es verstehen. Doch als ich zurückkam – und ich meine, noch bevor ich sein Büro betrat –, war mir schlagartig klar, dass ich ihn stören würde. Leo saß dort drinnen und schrieb etwas auf Büttenpapier, und mir ist aufgefallen, dass er sich offenbar mit seiner Handschrift Mühe gab. Seine Schultern waren hochgezogen. Er hatte Tränen in den Augen, und da hab ich es nicht übers Herz gebracht, ihn noch mal anzusprechen. Er hat gar nicht bemerkt, dass ich noch da war.«

»Und du hast keine Ahnung, worum es ging?«

»Ich hab nachher natürlich angenommen, dass es etwas mit seiner Mutter zu tun hatte. Sie ist ja ein paar Tage später gestorben, und wie du weißt, hat Leo sich dann freigenommen und ist auf Reisen gegangen. Ich hätte mich sicher melden und ihm mein Beileid aussprechen sollen. Aber zu dem Zeitpunkt ist mein komplettes Leben den Bach runtergegangen. Ich hab wieder Tag und Nacht gearbeitet, dann der Streit mit meinem Exmann ... und nebenbei war ich ja die ganze Zeit mit dir im Bett.«

»Das muss das Schlimmste von allem gewesen sein.«

»Vermutlich ja.«

»Du hast Leo also seither nicht wiedergesehen?«

»Nicht im wahren Leben, nur mal kurz in einer Fernsehsendung. Ich hatte ihn fast schon vergessen oder besser gesagt verdrängt, aber heute, als du angerufen hast ...«

Malin zögerte, als suchte sie nach den richtigen Worten.

»... ist mir diese Szene aus dem Büro wieder in den Sinn gekommen«, fuhr sie fort, »und da war mir plötzlich, als würde irgendwas daran nicht stimmen. Nur konnte ich es nicht genau festmachen. Ich hab mich einfach nur daran gestört, und am Ende war ich so irritiert, dass ich ihn anrufen wollte. Aber die Nummer existiert nicht mehr.«

»Hat er je einen Psychologen aus Alfred Ögrens Jagdgesellschaft erwähnt, der versehentlich erschossen wurde, als Leo ein Kind war?«, fragte Mikael.

»Was? Nein, warum?«

»Einen gewissen Carl Seger?«

»Der Name sagt mir nichts. Was ist denn da passiert?«

»Er wurde vor fünfundzwanzig Jahren während einer Elchjagd bei Östhammar erschossen – höchstwahrscheinlich ein Versehen. Der Schütze war Per Fält, der Rosvik-Finanzchef.«

»Kommt dir die Sache verdächtig vor?«

»Nicht direkt, jedenfalls noch nicht. Ich hab allerdings darüber nachgedacht, ob Leo und Carl Seger sich gekannt haben könnten. Die Eltern haben den Jungen immerhin ziemlich gepusht, oder? Für IQ-Tests mit ihm gepaukt und so weiter. Und ich hab auch gelesen, dass Seger sich mit der Bedeutung des Selbstvertrauens für die Persönlichkeitsentwicklung junger Menschen auseinandergesetzt hat. Da hab ich mich gefragt ...«

»Bei Leo haben eher die Selbstzweifel überwogen«, fiel Malin ihm ins Wort.

»Auch darüber hat Carl Seger geschrieben. Hat Leo oft von seinen Eltern gesprochen?«

»Nur ab und zu und eher widerwillig.«

»Klingt nicht gut.«

»Herman und Viveka hatten bestimmt auch gute Seiten, aber ich glaube, zu Leos Unglück hat auch gehört, dass es ihm nie gelungen ist, sich von ihnen abzunabeln. Er durfte nie seinen eigenen Weg gehen.«

»Er ist gegen seinen Willen in die Finanzbranche gegangen, meintest du.«

»Na ja, ganz so einfach ist das ja wohl nicht. Ein Teil von ihm muss es schon auch gewollt haben. Aber ich bin mir ziemlich sicher, dass er trotzdem von etwas anderem geträumt hat, und vielleicht hab ich mich auch deshalb an der Szene so gestört – wie er dort am Schreibtisch saß. Es wirkte auf mich fast wie ein Abschied – nicht nur wie der Abschied von seiner Mutter, sondern von etwas anderem, Größerem.«

»Du hast ihn als Hamlet bezeichnet.«

»Hauptsächlich im Vergleich zu dir, glaub ich. Aber es stimmt schon, dass er ständig zwischen allen Möglichkeiten hin und her schwankte.«

»Hamlet wurde am Ende gewalttätig.«

»Ha, ja. Aber Leo würde nie ...«

»Was?«

Über Malins Gesicht huschte ein Schatten, und Mikael legte ihr die Hand auf die Schulter.

»Was ist?«, fragte er.

»Ach, nichts.«

»Jetzt komm schon!«

»Einmal hab ich erlebt, wie Leo völlig ausgerastet ist.«

Um 19.29 Uhr spürte Faria Kazi die ersten Erschütterungen des Güterzugs wie ein Schaudern, das durch ihren ganzen Körper ging. Nur noch sechzehn Minuten, bis die Zellentüren geschlossen würden. Bis dahin konnte vieles passieren, das wusste niemand besser als sie. Draußen auf dem Flur klirrten die Schlüssel der Wachleute, auch Stimmen waren zu hören, und obwohl sie kein Wort dessen verstand, was dort gesagt wurde, konnte sie in dem Gemurmel wieder eine gewisse Erregung erahnen.

Sie wusste nicht, worum es ging, nur dass Hektik in der Luft lag und man tuschelte, Benito würde bald von hier verschwinden. Allerdings war nichts sicher, nicht mal mehr, ob es draußen regnete. Vor einer Weile hatte sie noch das Gefühl gehabt, ein Gewitter braute sich zusammen. Jetzt waren die Erschütterungen und das Dröhnen des Zugs alles, was von draußen hereindrang.

Die Mauern schienen zu beben, und die Leute liefen auf und ab, trotzdem schien nichts Ernstes zu passieren. Vielleicht würde sie heute Abend in Ruhe gelassen. Die Wachleute waren alarmierter als sonst, Alvar Olsen ließ sie nicht mehr aus den Augen und schien rund um die Uhr zu arbeiten. Vielleicht würde er sie doch beschützen. Vielleicht würde es ja gut gehen – egal was draußen gemunkelt wurde. Sie musste wieder an ihre Brüder denken und an ihre Mutter und daran, wie früher die Sonne auf den Rasen in Vallholmen geschienen hatte. Doch lang durfte sie nicht träumen. Aus einiger Distanz war das Schlurfen von Hausschuhen zu hören, ein beunruhigend vertrautes Geräusch, und schon einen Moment später bestand kein Zweifel mehr. Es roch nach süßem Parfüm. Faria Kazi bekam kaum noch Luft, wollte am liebsten ein Loch in die Wand schlagen, an den Schienen entlang flüchten oder sich einfach nur an einen anderen Ort zaubern. Doch in ihrer Zelle und auf ihrem Bett war sie ausgeliefert. Sie war genauso schutzlos wie immer, und sie versuchte, wieder an Jamal zu denken. Natürlich half es nichts. Es gab keinen Trost mehr. Der Zug ratterte, die Schritte kamen näher, und das Parfüm stach ihr in die Nase. Binnen Sekunden würde sie in denselben Abgrund geschleudert wie jedes Mal, da konnte sie sich noch so oft einreden, dass ihr Leben ohnehin längst zerstört war und sie nichts mehr zu verlieren hatte. Sie wurde trotzdem immer von der gleichen Panik erfasst, sobald Benito im Türrahmen auftauchte und Faria mit einem dienstfertigen Lächeln von ihren Brüdern grüßte.

Ob Benito Bashir oder Razan tatsächlich getroffen hatte oder überhaupt mit ihnen in Verbindung stand, war nicht klar. Trotzdem fühlte sich der Gruß jedes Mal an wie eine tödliche Drohung und war stets gefolgt von einem Ritual, bei dem Benito sie abwechselnd ohrfeigte und streichelte und ihr an den Busen und zwischen die Beine fasste und sie als Kanakin und Nutte beschimpfte. Dabei waren die Berührungen und Worte nicht einmal das Schlimmste. Das Schlimmste war, dass sie das Gefühl hatte, das Ganze könnte bloß der Auftakt zu etwas noch viel Grässlicherem sein, und manchmal glaubte sie, in Benitos Hand Stahl aufblitzen zu sehen. Faria dachte hier drinnen viel zu oft an Stahl.

Benitos zweifelhafter Ruf gründete sich auf ein paar indonesische Dolche, die sie angeblich unter einer Flut aus Verwünschungen selbst geschmiedet hatte und die ihrem Gegner den Tod brachten, allein schon indem Benito sie auf ihn richtete. Bei jedem Gang über die Gefängnisflure umgab der Dolchmythos Benito wie eine Aura, eine böse Glorie, und mischte sich mit ihrem Parfüm. Faria hatte sich unzählige Male vorgestellt, wie Benito damit auf sie losginge. Und es gab Tage, an denen sie sich sicher war, es wäre ihr egal.

Sie horchte nach Geräuschen in der Abteilung, und für einen Moment flackerte Hoffnung in ihr auf. Das Schlurfen hatte ausgesetzt. War Benito vielleicht aufgehalten worden?

Nein, jetzt setzten sich die Füße wieder in Bewegung, und diesmal hatte Benito Gesellschaft. Das hörte Faria nicht nur an den Schritten, sie roch es auch. Das Parfüm mischte sich mit einem strengeren Geruch nach Schweiß und Pfefferminzpastillen. Er kam von Tine Grönlund, Benitos Lakaiin und Bodyguard, und im selben Augenblick verstand Faria, dass es sich nicht um eine Atempause, sondern eher um eine Zuspitzung oder gar Eskalation handelte. Es würde schlimm werden.

Dann tauchten im Türrahmen Benitos bleiche Füße mit den lackierten Zehennägeln auf, die aus den Plastiksandalen hervorschauten. Sie hatte die Ärmel hochgekrempelt und ihre Schlangentätowierungen entblößt. Sie war geschminkt, aber verschwitzt. Ihr Blick war eisig. Trotzdem lächelte sie. Niemand lächelte so unheimlich wie sie. Hinter ihr kam Tine und drückte die Tür zu – obwohl lediglich das Personal befugt war, die Türen zu schließen.

»Greta und Lauren schieben draußen Wache. Wir müssen uns also keine Sorgen machen, dass uns jemand stört«, sagte Tine.

Benito trat auf Faria zu und kramte in den Hosentaschen. Ihr Lächeln verblasste zu einer Andeutung, zu einem schmalen Strich, und sie runzelte die bleiche Stirn. Auf ihrer Lippe bildete sich eine Schweißperle.

»Wir haben es ein bisschen eilig«, sagte sie. »Die Bullen schicken mich weg, hast du gehört? Deshalb müssen wir jetzt sofort zu einer Entscheidung kommen. Wir mögen dich, Faria. Dein Aussehen spricht für dich, wir mögen hübsche Mädels. Aber deine Brüder mögen wir auch. Und die haben uns ein großzügiges Angebot gemacht. Jetzt wüssten wir natürlich gern ...«

»Ich hab kein Geld«, warf Faria hastig ein.

»Ein Mädel kann auch anders bezahlen, und wir haben unsere Vorlieben, unsere eigene Währung, stimmt's, Tine?

Ich hätte da sogar etwas, was dir dabei helfen dürfte, ein bisschen kooperativer zu sein ...«

Benito nestelte erneut an ihrer Tasche, und jetzt grinste sie breit. In ihrem Grinsen lag eisige Siegesgewissheit.

»Was könnte es wohl sein? Was glaubst du?«, fuhr sie fort. »Was könnte es sein? Mein Keris ist es nicht, in dem Punkt kann ich dich beruhigen. Aber es ist trotzdem wertvoll für mich.«

Sie zog einen schwarzen Gegenstand aus der Tasche, und dann war ein metallisches Klicken zu hören. Faria blieb die Luft weg. Es war ein Stilett. Sie war gelähmt vor Schreck und konnte nicht mehr rechtzeitig reagieren, als Benito ihr Haar packte und ihren Kopf nach hinten riss.

Langsam, ganz langsam näherte sich die Klinge ihrem Hals, und die Spitze zielte auf ihre Halsschlagader, als wollte Benito damit auf die richtige Stelle für den tödlichen Stoß zeigen. Dann zischelte sie vor sich hin – man müsse seine Sünden blutig sühnen und die Familie wieder versöhnen. Faria konnte es nicht genau verstehen. Sie nahm nur das süße Parfüm wahr und den Atem, der säuerlich nach Tabak roch und nach irgendetwas Fauligem, Krankem. Ihre Gedanken kamen zum Stillstand, und deshalb verstand sie auch nicht, warum sich plötzlich Unruhe im Raum ausbreitete. Dann bemerkte sie, dass die Tür geöffnet und wieder geschlossen worden war.

Eine weitere Person war gekommen. Nur wer? Erst konnte sie es nicht fassen. Es war Lisbeth Salander. Sie sah merkwürdig aus, irgendwie ausdruckslos, als wäre sie in Trance versunken oder wüsste nicht, wo sie hingeraten war. Sie reagierte nicht einmal, als Benito sich ihr zuwandte.

»Störe ich?«, fragte sie dann.

»So was von. Welcher Idiot hat dich reingelassen?«

»Die Mädels draußen. Sie haben nicht mal großen Stress gemacht.«

»Diese dummen Schlampen! Siehst du, was ich in der Hand hab?«, fauchte Benito und fuchtelte mit dem Stilett herum.

Lisbeth nahm die Waffe zur Kenntnis, reagierte aber auch darauf nicht. Sie sah Benito nur mit leerem Blick an.

»Hau jetzt ab, Nutte, sonst schlitz ich dich auf wie ein Schwein.«

»Nein, das tust du nicht. Denn dazu wirst du nicht mehr genug Zeit haben«, erwiderte Lisbeth.

»Was meinst du damit – nicht genug Zeit?«

Eine Woge des Hasses schlug über der Gefängniszelle zusammen, und Benito sprang mit dem Stilett in der Hand auf Salander zu. Weit kam sie nicht. Faria konnte nicht begreifen, was vor ihren Augen passierte: ein ausholender Schlag, ein Ellbogen – und dann war es, als wäre Benito gegen eine Wand gerannt. Reglos stand sie einen Moment lang da. Dann kippte sie vornüber auf den Betonboden, fing den Sturz noch nicht mal mit den Händen ab. Anschließend wurde es mucksmäuschenstill. Nur der Güterzug donnerte immer noch draußen vorüber.

6. KAPITEL
18. Juni

Malin und Mikael lehnten aneinandergekuschelt am Kopfende des Betts. Mikael strich ihr über die Schulter.
»Was ist damals passiert?«
»Leo war komplett außer sich. Sag mal, du hast nicht zufällig einen guten Rotwein da? Ich könnt ein Glas vertragen.«
»Einen Barolo müsste ich noch haben«, sagte er und kroch aus dem Bett.
Als er mit der Flasche und zwei Gläsern zurückkehrte, blickte Malin gedankenverloren aus dem Fenster. Es regnete immer noch. Über dem Riddarfjärden hing leichter Dunst, und in der Ferne tönten Sirenen. Mikael schenkte ihnen Wein ein und küsste Malin auf Wange und Mund. Als sie zu erzählen begann, deckte er sie beide wieder zu.
»Du weißt bestimmt, dass Alfred Ögrens Sohn Ivar inzwischen Vorstandsvorsitzender ist – und das als jüngster Spross der Familie. Er ist nur drei Jahre älter als Leo, und die beiden kennen sich seit ihrer Kindheit. Als Freunde kann man sie allerdings kaum bezeichnen, im Gegenteil, sie hassen sich.«
»Und aus welchem Grund?«
»Rivalität und Minderwertigkeitskomplexe und alles Mögliche. Ivar weiß genau, dass Leo intelligenter ist als er. Ihm ist

klar, dass Leo ihn sofort durchschaut, wenn er herumprahlt und lügt, und nicht nur das schürt seine Komplexe. Ivar geht ständig teuer essen und ist fett und aufgedunsen. Mit nicht mal vierzig sieht er aus wie ein alter Sack, während Leo regelmäßig laufen geht und mit ein bisschen Glück sogar für fünfundzwanzig durchgeht. Andererseits ist Ivar der Umtriebigere, Stärkere, und dann ...«

Malin verzog das Gesicht und nahm einen Schluck Wein.
»Was denn?«
»Manchmal schäme ich mich dafür – dass ich ein Teil des Ganzen war. Im Grunde ist Ivar ein netter Kerl, ein bisschen derb und rücksichtslos, aber nett. Er kann aber auch so richtig bösartig sein. Das mitzuerleben war wirklich nicht schön. Ich glaube, er hatte Angst, Leo könnte ihm den Vorstandsposten streitig machen. Es gab viele – sogar im Vorstand selbst –, die das gern gesehen hätten. Während meiner letzten Woche in der Firma – an dem Tag, bevor ich Leo nachts im Büro traf – hatten wir ein Meeting, da sollte es auch um meine Nachfolge gehen. Unweigerlich kamen wir auf andere Themen zu sprechen – und Ivar war von Anfang an gereizt, weißt du. Bestimmt hatte er das gleiche Gefühl gehabt wie ich – dass irgendetwas vorgefallen war. Leo war so übertrieben glücklich, als würde er auf einmal über allem stehen. Außerdem hatte er sich in der Woche kaum im Büro blicken lassen, und Ivar hackte auf ihm herum, nannte Leo einen Moralisten, Faulenzer und Schwächling, und anfangs nahm Leo es gelassen. Er grinste nur, allerdings war das für Ivar die totale Provokation. Er warf ihm die schrecklichsten Dinge an den Kopf, wurde richtig rassistisch. Er meinte, Leo sei ein Zigeuner, dreckiges Lumpenpack. Das war so bescheuert, dass ich erst dachte, Leo würde diesen Idioten einfach weiter ignorieren. Aber mit einem Mal ist er von seinem Stuhl aufgesprungen und Ivar an die Gurgel gegangen. Und ich meine – so richtig. Ich hab mich auf Leo gestürzt und ihn zu Boden gezerrt. Es

war vollkommen irrsinnig. Ich weiß noch, dass er in sich reinmurmelte: ›Wir sind besser, wir sind besser‹, bis er sich am Ende wieder halbwegs beruhigt hat.«

»Und wie hat Ivar reagiert?«

»Er ist schockiert auf seinem Stuhl sitzen geblieben und hat uns angestarrt. Am Ende sah er ziemlich beschämt aus, hat sich entschuldigt und ist dann abgehauen, während Leo und ich immer noch am Boden lagen.«

»Und was hat *er* gesagt?«

»Nichts, soweit ich mich erinnern kann. Wenn ich darüber nachdenke, war das alles ziemlich krank.«

»War es nicht auch ziemlich krank, ihn als Zigeuner zu beschimpfen?«

»Ivar ist so. Wenn er ausrastet, wird er zu einem primitiven Arschloch. Er hätte wohl genauso gut Ekel oder Schwein sagen können. In seiner Welt ist das ein und dasselbe. Ich fürchte, diesen Zug hat er von seinem Vater geerbt. Diese Familie steckt voller übler Vorurteile … und das meine ich auch, wenn ich sage, dass ich mich schäme. Ich hätte überhaupt nie für Alfred Ögren arbeiten dürfen.«

Mikael nickte nur und nippte an seinem Wein. Er hätte Folgefragen stellen oder tröstende Worte sagen sollen, aber er konnte sich nicht dazu aufraffen. Irgendetwas rumorte in ihm, und zunächst verstand er nicht, was es war, nur dass es mit Lisbeth zu tun hatte. Dann fiel ihm ein, dass Lisbeths Mutter, Agneta, aus dem fahrenden Volk gestammt hatte. Wenn er sich richtig erinnerte, war ihr Großvater ein Fahrender gewesen, weshalb auch sie selbst in den Registern gestanden hatte, die später als unrechtmäßig erklärt worden waren.

»War es nicht einfach so, dass Ivar sich für etwas Besseres hielt?«, fragte er schließlich.

»Eindeutig.«

»Ich meine, etwas Besseres im Sinne von Blutsbanden oder Herkunft.«

»Das wäre aber seltsam. Blaublütiger als die Familie Mannheimer kann man doch kaum sein. Worauf willst du hinaus?«
»Ich weiß es nicht genau.«

Malin wirkte traurig, aber gefasst, und Mikael strich ihr erneut über die Schulter. Inzwischen wusste er, wo er mit der Recherche weitermachen musste. Er würde ein ganzes Stück in der Zeit zurückgehen – bis zu alten Kirchenbüchern, wenn es sein musste.

Lisbeth hatte fest zugeschlagen – womöglich *zu* fest. Das hatte sie bereits gewusst, noch ehe Benito zu Boden gekracht war, sogar bevor sie überhaupt getroffen hatte. Sie hatte es an der Leichtigkeit ihrer Bewegungen festgemacht, an der Kraft, der kein Widerstand entgegengesetzt wurde. Die Einsicht kannte jeder Kampfsportler: dass die höchste Vollendung in dem lag, was man kaum spürte.

Überraschend präzise hatte sie mit der Rechten Benitos Kehlkopf getroffen und ihr dann zweimal den Ellbogen in den Kiefer gerammt. Anschließend war sie einen Schritt beiseitegetreten, aber nicht nur, um Platz für den Sturz zu machen, sondern auch um sich einen besseren Überblick zu verschaffen. Deshalb sah sie auch genau, wie Benito fiel, ohne sich mit den Händen abzufedern, und mit dem Kinn voran auf den Boden krachte, und sie hörte das Bersten von Knochen. Das war mehr, als sie sich erhofft hatte.

Benito hatte es übel erwischt. Reglos lag sie da, den Kopf verdreht und das Gesicht zu einer Grimasse erstarrt. Kein Laut war von ihr zu hören, nicht mal ein Atemzug. Niemand würde Benito Andersson weniger vermissen als Lisbeth Salander – aber wenn sie tot wäre, würde das unnötige Komplikationen nach sich ziehen. Außerdem stand Tine Grönlund direkt neben ihr.

Tine Grönlund war zwar nicht vom selben Kaliber wie Benito, im Gegenteil, sie war geboren, um zu folgen und sich von anderen beherrschen zu lassen. Aber sie war groß, drahtig und schnell, und wenn sie zum Schlag ausholte, dann hatte sie eine enorme Reichweite, die es einem nicht leicht machte – vor allem wenn der Schlag wie jetzt von der Seite kam. Lisbeth konnte ihn nicht vollständig parieren. In ihren Ohren klingelte es, und ihre Wange brannte, und instinktiv bereitete sie sich auf einen neuerlichen Kampf vor. Doch er blieb ihr erspart. Anstatt sich weiter zu prügeln, starrte Tine nur auf Benito hinab, und es sah immer noch nicht gut aus dort unten.

Es lag nicht nur am Blut, das ihr aus dem Mund rann und sich in roten, klauenartigen Rinnsalen auf dem Boden ausbreitete. Es waren auch der verrenkte Körper und das Gesicht. Bestenfalls würde Benito ein längerer Krankenhausaufenthalt bevorstehen.

»Lebst du noch, Benito?«, wisperte Tine.

»Die lebt«, antwortete Lisbeth, ohne dass sie sich ganz sicher gewesen wäre.

Sie hatte auch früher schon Leute k.o. geschlagen, sowohl im Ring als auch außerhalb, und anschließend immer mehr oder weniger direkt einen jammernden Laut oder kleine Regungen wahrgenommen. Diesmal aber herrschte eine Stille, die von der Schwere des reglosen Körpers und der vibrierenden Nervosität in der Luft nur mehr verstärkt wurde.

»Scheiße, die macht überhaupt keinen Mucks mehr«, flüsterte Tine.

»Richtig gesund sieht sie nicht aus, das stimmt«, sagte Lisbeth.

Tine murmelte eine Drohung und hob kurz die Faust. Dann floh sie mit fahrigen Bewegungen aus der Zelle. Lisbeth blieb breitbeinig stehen und sah Faria Kazi an, die in einem viel zu großen blauen Hemd auf ihrem Bett saß, die Arme um die Knie geschlungen hatte und perplex zu ihr herüberstarrte.

»Ich hol dich hier raus«, sagte Lisbeth.

Holger Palmgren lag auf dem Krankenbett in seiner Wohnung in Liljeholmen und dachte an Lisbeths Anruf. Es grämte ihn, dass er ihre Frage immer noch nicht beantworten konnte. Die letzte Pflegerin hatte seinen Wunsch ignoriert, und er war zu krank und schwach, um aus eigener Kraft das Dokument wieder hervorzuholen. Er hatte schwere Schmerzen in Hüfte und Beinen und konnte nicht mal mehr mit dem Rollator gehen. Bei fast allem brauchte er fremde Hilfe. Er hatte ständig Pflegerinnen zu Hause, und die meisten behandelten ihn wie einen Fünfjährigen und schienen ihren Job oder alte Menschen im Allgemeinen zu hassen. Mitunter, aber nicht oft – denn er hatte schließlich seinen Stolz –, bereute er, dass er Lisbeths Angebot nach qualifizierter, privatfinanzierter Hilfe abgelehnt hatte. Dieser Tage hatte er die junge und barsche Marita, die immer angeekelt das Gesicht verzog, sobald sie ihm aus seinem Bett helfen musste, gefragt, ob sie Kinder habe.

»Ich möchte nicht über mein Privatleben sprechen«, hatte sie ihn angefaucht.

Er hatte nur höflich sein wollen und war als aufdringlich abgestempelt worden, so weit war es schon gekommen. Zu altern war eine Erniedrigung, ein Übergriff, so sah er die Sache, und erst vor Kurzem, als er seine Windel hatte wechseln lassen müssen, war ihm Gunnar Ekelöfs Gedicht *Sie sollten sich schämen* wieder eingefallen.

Er hatte das Gedicht nicht mehr gelesen, seit er jung gewesen war. Trotzdem erinnerte er sich jetzt wieder gut daran – nicht an jedes einzelne Wort, aber doch beinahe. Das Gedicht handelte von einem Mann – vermutlich das Alter Ego des Dichters –, der eine Art Vorrede zu seinem Tod formulierte. Darin wünschte er sich, dass das Letzte, was von ihm zu sehen und zu hören sein würde, eine geballte Faust zwischen Seerosen und ein vom Grund heraufsteigendes Wort aus Bläschen wären.

Holger hatte sich so miserabel gefühlt, dass das Gedicht ihm die einzige Hoffnung gegeben hatte, die ihm noch blieb – den Trotz. Sein Zustand würde sich nur noch verschlechtern, und bald würde er nur mehr im Bett liegen wie ein Wrack und vermutlich irgendwann den Verstand verlieren. Ganz ohne Zweifel hatte er nicht mehr viel anderes zu erwarten als den Tod. Doch deshalb musste er das alles noch lang nicht akzeptieren – das waren die Botschaft und der Trost des Gedichts. Er konnte immer noch die Faust zu einem stummen Protest ballen. Er konnte immer noch stolz auf den Grund sinken und aufbegehren gegen die Schmerzen, die Windeln, die Unbeweglichkeit und die Erniedrigung.

Das Leben war natürlich nicht ausschließlich finster. Noch hatte er Freunde, vor allem hatte er Lisbeth, und außerdem war da noch Lulu, die bald hier wäre und ihm dabei helfen würde, die Dokumente herauszusuchen. Lulu kam aus Somalia, war groß und hübsch und hatte langes, geflochtenes Haar. Ihr Blick war innig und gab ihm ein wenig Selbstachtung zurück. Lulu bereitete ihn für die Nacht vor, klebte ihm das Morphiumpflaster auf den Rücken, zog ihm den Schlafanzug an und brachte ihn ins Bett. Ihr Schwedisch war noch nicht perfekt, aber was sie sagte, war aufrichtig. Außerdem redete sie nicht in diesem albernen Plural und sagte keine Sachen wie: »Jetzt geht's uns wieder besser, nicht wahr?« Sie wollte von ihm hören, was sie studieren sollte und was Holger früher gemacht hatte und was er dachte. Sie betrachtete ihn als Menschen – nicht als Greis ohne Geschichte.

Lulu war der Lichtblick in seinem Alltag, und sie war auch die Einzige, der er von Lisbeth und seinem Besuch in Flodberga erzählt hatte. Der Besuch war ein Albtraum gewesen. Allein der Anblick der hohen Gefängnismauern hatte ihn erschüttert. Wie hatten sie Lisbeth an einen solchen Ort bringen können? Sie hatte doch Großartiges geleistet! Ein Kind gerettet! Trotzdem befand sie sich jetzt dort unter den schlimmsten Straftäterinnen des Landes. Das war vollkommen abwegig, und als er sie im Besucherraum getroffen hatte, war er derart erbost gewesen, dass er anders als sonst die Zunge nicht mehr im Zaum halten konnte.

Er fragte sie nach ihrer Drachentätowierung. Darüber hatte er sich schon immer gewundert. Noch dazu gehörte er einer Generation an, die sich mit dieser Kunstform nicht auskannte. Warum schmückte man sich mit etwas, was nie wieder verschwand – obwohl Menschen sich doch weiterentwickelten und veränderten?

Lisbeth antwortete kurz und bündig, doch ihre Antwort reichte völlig aus: Er war betroffen, plapperte nervös und ungeordnet drauflos, und anscheinend setzte er ihr damit Grillen in den Kopf. Das war idiotisch, zumal er selbst kaum wusste, wovon die Rede war. Was war nur mit ihm los? Was machte er denn da? Im Grunde kannte er die Ursache. Es lag nicht nur an seinem Alter und seinem zusehends mangelnden Urteilsvermögen. Ein paar Wochen zuvor hatte er überraschend Besuch von Maj-Britt Torell bekommen, einer alten Dame mit weißem Haar, die ihn an ein Vögelchen erinnert hatte. Sie war die ehemalige Sekretärin von Johannes Caldin, der zur selben Zeit in Uppsala Chef der kinderpsychiatrischen Abteilung der St.-Stefans-Klinik gewesen war, als Lisbeth dort untergebracht wurde.

Maj-Britt Torell hatte aus der Zeitung von Lisbeth Salander gehört, sich anschließend hingesetzt und die Patientenakten durchforstet, die sie nach Caldins Tod verwahrt hatte. Ihr war wichtig gewesen zu betonen, dass sie nie zuvor gegen die ärztliche Schweigepflicht verstoßen habe. Hier jedoch lägen besondere Umstände vor, »wie Sie ja wissen. Furchtbar, wie man das Mädchen behandelt hat!« Genau deshalb hatte Maj-Britt ihm die Papiere überreichen wollen: damit endlich alles ans Licht der Öffentlichkeit käme.

Holger hatte sich bedankt und verabschiedet. Dann hatte

er begonnen zu lesen. Es war das ewig alte, traurige Lied: Wieder hatte er gelesen, wie Lisbeth in der Klinik von einem Psychiater namens Peter Teleborian gefesselt und schweren Übergriffen ausgesetzt worden war. Die Dokumente hatten nichts Neues enthalten, zumindest nicht auf den ersten Blick, aber vielleicht hatte er sich diesbezüglich ja getäuscht. Ein paar unbedachte Worte im Gefängnis hatten gereicht, um Lisbeth anzustacheln, und jetzt hatte sie offenbar herausgefunden, dass sie an einer staatlich sanktionierten Untersuchung teilgenommen hatte, ohne davon gewusst zu haben. Sie kenne auch andere Kinder, die daran teilgenommen hätten, behauptete sie. Sowohl in der Generation vor als auch nach ihr. Die Namen der Verantwortlichen habe sie bisher noch nicht herausgefunden. Dass sie aber weder im Internet noch in Archiven auftauchten, war bestimmt kein Zufall.

»Könnten Sie nicht noch mal nachschauen, ob Sie vielleicht doch irgendetwas finden?«, hatte sie ihn am Telefon gefragt, und das würde er auf jeden Fall tun, vorausgesetzt, Lulu kam und half ihm dabei.

Vom Boden waren jetzt zischende, gurgelnde Laute zu hören, und noch bevor sich einzelne Worte gebildet hatten, wusste Faria Kazi, dass es sich um Flüche und um Drohungen handelte. Sie blickte auf Benito hinab. Die Frau lag mit ausgestreckten Armen auf dem Bauch. Nichts an ihr regte sich, nicht mal ein Finger – nur der Kopf, den sie jetzt einen Zentimeter über den Boden gehoben hatte, und dann die Augen, die zu Lisbeth Salander hochschielten.

»Ich hab meinen Keris auf dich gerichtet!«

Ihre Stimme war so heiser und belegt, dass sie fast unmenschlich klang. In Farias Gedanken vermischten sich die Wörter mit dem Blut, das aus Benitos Mund sickerte.

»Der Dolch zeigt auf dich – du bist tot!«

Es waren Todesurteile, nichts anderes. Für einen kurzen

Augenblick schien Benito einen Teil ihrer Überlegenheit zurückzuerlangen. Doch Lisbeth Salander war wenig beeindruckt. Ganz beiläufig gab sie zurück: »Wenn hier jemand tot ist, dann wohl eher du.«

Für sie schien Benito nicht länger zu existieren. Stattdessen horchte sie auf Geräusche im Korridor, und plötzlich verstand Faria auch, warum. Schwere, schnelle Schritte näherten sich. Jemand stürmte auf ihre Zelle zu, und im nächsten Moment waren draußen Stimmen und Befehle zu hören und dann: »Aus dem Weg, verdammt noch mal!« Die Tür flog auf, und auf der Schwelle stand Alvar Olsen, der Wachleiter. Er trug sein normales blaues Uniformhemd und keuchte schwer, als wäre er gerannt.

»Du liebe Güte, was ist passiert?«, fragte er.

Sein Blick wanderte hin und her, von Benito am Boden zu Lisbeth und dann zu Faria auf dem Bett.

»Was ist hier passiert?«, wiederholte er.

»Siehst du, was da auf dem Boden liegt?«, erwiderte Lisbeth Salander.

Alvar sah nach unten und entdeckte da erst das Stilett, das mittlerweile in einem blutigen Rinnsal direkt neben Benitos rechter Hand lag.

»Was zum Teufel ist das?«

»Ganz genau. Irgendwer hat dieses Messer durch eure Metalldetektoren geschleust. Das Personal in diesem riesigen Gefängnis hat komplett die Kontrolle verloren und versagt, als es darum ging, eine Gefangene zu beschützen. *Das* ist passiert.«

»Aber das da ... das da«, brummelte Alvar völlig außer sich und deutete auf Benitos Kiefer.

»Das wäre längst deine Aufgabe gewesen, Alvar.«

Alvar starrte auf Benito, die mit verdrehtem Hals, übel zugerichtetem Gesicht und blutendem Kiefer am Boden lag.

»Mein Keris ist auf dich gerichtet, du bist tot, Salander,

du wirst sterben!«, fauchte sie, und da überkam Alvar die Panik erst recht. Er betätigte den Notruf an seinem Gürtel und schrie zusätzlich um Hilfe.

»Sie wird Sie umbringen«, sagte er.

»Lass das mal meine Sorge sein«, entgegnete Lisbeth. »Ich hab schon schlimmeres Pack gegen mich aufgebracht.«

»Es gibt kein schlimmeres Pack.«

Ein Stück entfernt waren erneut Schritte zu hören. Hatten sich diese Idioten tatsächlich schon die ganze Zeit in der Nähe aufgehalten? Es hätte ihn nicht gewundert. Wut wallte in ihm auf. Er musste an Vilda und all die Drohungen denken, ihr etwas anzutun, und daran, dass die ganze Abteilung zu einem Schandfleck verkommen war. Er sah Lisbeth Salander an und erinnerte sich wieder daran, was sie gesagt hatte: dass er schon lange hätte handeln müssen. Doch erst jetzt spürte auch er selbst, dass er etwas tun musste. Er musste seine Würde zurückerlangen. Aber fürs Erste kam er nicht dazu. Seine Kollegen Harriet und Fred waren inzwischen aufgetaucht und glotzten wie erstarrt in die Zelle. Genau wie Alvar entdeckten sie Benito am Boden und hörten sie fluchen, allerdings konnte man keine zusammenhängenden Sätze verstehen, nur die abgehackten Silben Ke oder Kri waren aus Benitos bösartigem Wortschwall herauszuhören.

»Oh, shit!«, rief Fred. »Oh, shit!«

Alvar trat einen Schritt vor und räusperte sich, und erst da sah Fred ihn an. In seinem Blick lag blanke Angst, und er hatte Schweißperlen auf der Stirn.

»Harriet, rufst du bitte einen Sanitäter?«, forderte Alvar sie auf. »Beeil dich. Und du, Fred …«

Plötzlich wusste er nicht mehr, was er sagen sollte. In erster Linie wollte er Zeit gewinnen und seine Autorität wiederherstellen. Doch das gelang ihm nicht, denn genauso erregt wie zuvor fiel Fred ihm ins Wort: »Was für eine krasse … Was für eine Katastrophe! Wie ist das passiert?«

»Es war Notwehr«, sagte Alvar.

»Hast du sie geschlagen, oder was?«

Alvar antwortete nicht, jedenfalls nicht gleich. Doch im selben Moment fiel ihm die erschreckend genaue Wegbeschreibung zu Vildas Klassenzimmer wieder ein. Er erinnerte sich wieder daran, dass Benito sogar die Farbe der Gummistiefel seiner Tochter gekannt hatte.

»Ich ...«

Er zögerte. Und doch hatte dieses »Ich«, das spürte er direkt, irgendwas an sich, was ihn gleichzeitig entsetzte und ansprach. Er warf Lisbeth Salander einen flüchtigen Blick zu. Sie schüttelte den Kopf, als hätte sie seine Gedanken gelesen. Trotzdem ... Er musste es darauf ankommen lassen. Es kam ihm richtig vor.

»Ich war leider dazu gezwungen.«

»Aber das sieht übel aus, Mann. Benito! Benito, wie geht es dir?«, rief Fred, und das brachte das Fass endgültig zum Überlaufen nach all den Monaten, in denen sich alle nur weggeduckt und die Augen verschlossen hatten.

»Statt dich um Benito zu kümmern, solltest du dir lieber um Faria Sorgen machen«, fauchte Alvar. »Wir haben zugelassen, dass die ganze Abteilung vergiftet und zugrunde gerichtet wurde! Und siehst du das Stilett auf dem Boden? Siehst du das? Benito hat es irgendwie in die Abteilung geschmuggelt. Sie hat eine verdammte *Mordwaffe* eingeschmuggelt, und sie wollte damit gerade Faria attackieren, als ich ...«

Er zögerte erneut und rang nach Worten. Es war, als würde er erst in diesem Moment die Tragweite seiner Lüge erkennen, und beinahe verzweifelt sah er Lisbeth Salander an und hoffte auf Rettung. Doch die Rettung kam von anderer Seite.

»Sie wollte mich umbringen«, wisperte Faria Kazi von ihrem Bett aus und deutete auf eine kleine Schnittwunde an ihrem Hals, und da wurde ihm wieder ein bisschen wohler zumute, obwohl ihm gleichzeitig dämmerte, welches Risiko er eingegangen war.

Doch jetzt war es zu spät, um noch einen Rückzieher zu machen. In der Tür scharten sich bereits andere Häftlinge, manche versuchten sogar, sich hereinzudrängeln. Die Lage drohte zu eskalieren, und draußen vom Korridor waren aufgeregte Stimmen zu hören. Einige applaudierten. Eine große Erleichterung und ein Gefühl der Befreiung breiteten sich aus. Eine Frau schrie schier vor Glück, und die Stimmen vermischten sich zu einem Geräuschteppich, dessen Lautstärke zusehends anschwoll wie nach einem blutigen Box- oder Stierkampf.

Doch es war nicht nur Freude zu vernehmen. Aus dem Gemurmel waren auch Drohungen zu hören, die nicht gegen ihn, sondern gegen Lisbeth Salander gerichtet waren, als hätte sich bereits herumgesprochen, was tatsächlich passiert war. Er wusste, dass er jetzt reagieren und Entschlossenheit zeigen musste. Mit lauter Stimme verkündete er, die Polizei werde sofort informiert. Ihm war klar, dass inzwischen auch Wachleute aus anderen Abteilungen zu ihnen unterwegs waren, wie immer, wenn Alarm ausgelöst wurde, und er fragte sich, ob er die anderen Häftlinge gleich einschließen lassen oder erst auf die Verstärkung warten sollte. Er trat einen Schritt auf Faria Kazi zu und wies Harriet und Fred an, dafür zu sorgen, dass die Sanitäter und Psychologen sich auch um sie kümmerten. Dann wandte er sich zu Lisbeth Salander um und forderte sie auf mitzukommen.

Er marschierte mit ihr auf den Flur hinaus, vorbei an aufgeregten Wärtern und Insassinnen, die sich vordrängelten, und für einen Moment fürchtete er, die Stimmung würde überkochen. Die Leute johlten und zerrten an ihnen, es herrschten tumultartige Zustände, und es war, als würden sich all die Spannung und die Verzweiflung, die so lange unter der Oberfläche geschwelt hatten, im nächsten Augenblick entladen. Es gelang ihm nur mit äußerster Mühe, Salander in ihre Zelle zu bringen und hinter ihnen abzuschließen. Irgendwer klopfte an die Tür, und seine Kollegen riefen draußen zur Ordnung. Alvars Herz pochte, sein Mund war trocken, und er wusste nicht, was er sagen sollte. Lisbeth sah ihn nicht mal an. Sie hatte nur ihren Schreibtisch im Blick und fuhr sich durchs Haar.

»Ich übernehm eigentlich gern selbst die Verantwortung für das, was ich getan hab«, sagte sie.

»Ich wollte Sie nur schützen ...«

»Was für ein Schwachsinn! Du wolltest dich besser fühlen. Aber das ist schon in Ordnung, Alvar. Würdest du jetzt bitte gehen?«

Er wollte noch mehr sagen. Sich erklären. Doch er sah ein, dass er sich damit lächerlich gemacht hätte. Als er ihre Zelle verließ, hörte er sie in seinem Rücken murmeln: »Ich hab ihr auf den Kehlkopf geschlagen.«

Kehlkopf!, dachte er, schloss ab und bahnte sich mit den Ellbogen einen Weg durch das Gedränge im Gang.

Holger Palmgren wartete auf Lulu, und währenddessen versuchte er, sich zu erinnern, was eigentlich in den Unterlagen gestanden hatte. Sollte sich darin wirklich etwas Neues oder Spektakuläres verbergen? Er konnte es nur schwer glauben, jedenfalls abgesehen von dem, was er im Grunde schon gewusst hatte – dass es Pläne gegeben hatte, Lisbeth zur Adoption freizugeben, als die Situation rund um den Vater und die wiederholten Vergewaltigungen der Mutter am schlimmsten gewesen waren.

Wie auch immer, er würde es bald erfahren. Lulu kam immer pünktlich um neun an den vier Tagen der Woche, an denen sie arbeitete, und heute war einer dieser Abende. Er sehnte sich nach ihr. Lulu würde ihm das Morphiumpflaster aufkleben und ihn ins Bett bringen, sich aufopferungsvoll um ihn kümmern und ihm sicher helfen, die Dokumente aus der untersten Schublade der Wohnzimmerkommode zu holen, wo sie sie auch zuletzt abgelegt hatte, nachdem Maj-Britt Torell zu Besuch gekommen war.

Holger nahm sich vor, sie mit aller Konzentration zu lesen. Vielleicht würde ihm die Gunst zuteil, Lisbeth ein letztes Mal helfen zu dürfen. Er stöhnte auf. Stechende Schmerzen schossen ihm in die Hüfte. Zu keiner Tageszeit waren sie so schlimm wie jetzt, und er flüsterte ein Stoßgebet: »Liebe wunderbare Lulu, ich brauche dich, komm endlich!« Und tatsächlich – er musste keine zehn Minuten warten und mit der gesunden Hand leicht auf die Decke trommeln, ehe er im Treppenhaus Schritte hörte, Schritte, die er wiederzuerkennen glaubte.

Die Tür ging auf. Kam sie heute zwanzig Minuten zu früh? Wie wunderbar! Nur hörte er die fröhliche Begrüßung nicht, die sie ihm sonst schon von der Schwelle aus zurief, kein: »Guten Abend, Onkelchen!«, sondern nur Füße, die in die Wohnung schlichen und sich dem Schlafzimmer näherten. Ihm wurde fast ein wenig bang, obwohl ihm das sonst gar nicht ähnlichsah. Das war ein Vorteil seines Alters: Er hatte nicht mehr viel zu verlieren. Trotzdem packte ihn die Unruhe, und womöglich lag es an den Dokumenten. Er wollte sie lesen, und er wollte Lisbeth helfen. Endlich hatte er wieder etwas, wofür es sich zu leben lohnte.

»Hallo!«, rief er. »Hallo?«

»Du lieber Himmel, Sie sind wach? Ich hatte gehofft, Sie würden schon schlafen.«

»Ich schlafe doch nie, wenn Sie kommen«, sagte er merklich erleichtert.

»Sie haben in den letzten Tagen so müde und kaputt gewirkt, eine Weile hatte ich schon Angst, der Besuch im Gefängnis würde sie umbringen«, antwortete Lulu und erschien endlich in der Tür.

Sie hatte Augen und Lippen geschminkt und trug ein farbenfrohes afrikanisches Kleid.

»War es wirklich so schlimm?«

»Sie waren kaum ansprechbar!«

»Entschuldigung. Ich gelobe Besserung.«

»Sie sind mein Bester, das wissen Sie doch. Ihr einziger Fehler ist, dass Sie sich die ganze Zeit entschuldigen.«

»Entschuldigung!«

»Sehen Sie?«

»Was ist eigentlich los, Lulu? Sie sind heute noch schicker als sonst.«

»Ich habe mich mit einem schwedischen Mann aus Västerhaninge verabredet. Auf einen Drink. Können Sie sich das vorstellen? Er ist Ingenieur und hat ein Haus und einen neuen Volvo!«

»Und er ist an Ihnen interessiert?«

»Das hoffe ich«, sagte sie und schob seine Hüfte und Beine in die richtige Position. Dann sorgte sie dafür, dass er bequem auf seinem Kissen lag, und stellte das Kopfteil des Betts ein, damit er aufrecht sitzen konnte.

Während das Bett mit einem leisen Brummen hochfuhr, plauderte sie über den Mann aus Västerhaninge, der Robert oder vielleicht auch Rolf hieß. Holger hörte nicht richtig hin. Lulu fühlte mit der Hand seine Temperatur.

»Sie haben ja kalten Schweiß auf der Stirn, Dummerchen. Ich sollte Sie duschen.«

Niemand konnte mit einer solchen Zärtlichkeit »Dummerchen« sagen wie Lulu, und normalerweise liebte er es, mit ihr zu plaudern. Doch heute war er ungeduldig und blickte auf seine schlaffe linke Hand herab. Sie sah erbärmlicher aus denn je.

»Entschuldigen Sie, Lulu. Darf ich Sie erst um einen Gefallen bitten?«

»Immer zum Dienst.«

»Immer zu Diensten«, korrigierte er sie. »Wissen Sie noch – die Papiere, die Sie neulich in die Schublade geräumt haben? Könnten Sie mir die wieder holen? Ich müsste sie noch einmal durchlesen.«

»Sie haben doch gesagt, es sei eine schreckliche Lektüre gewesen?«

»Ja, es war schrecklich. Aber ich muss sie trotzdem noch mal lesen.«

Sie verschwand und kam mit einem großen Stapel Unterlagen zurück; möglicherweise hatte sie versehentlich auch noch ein paar Blätter erwischt, die zu dem Stapel gar nicht dazugehörten. Schlagartig war er nervös. Insgeheim fürchtete er, nichts Wertvolles zu finden – oder wenn doch, Lisbeth nur wieder auf dumme Gedanken zu bringen.

»Es scheint Ihnen heute viel besser zu gehen, Holger, aber Sie sind nicht bei der Sache. Denken Sie wieder an diese Salander?«, fragte Lulu und legte den Stapel auf den Nachttisch neben seine Pillendöschen und die Bücher.

»Da mögen Sie recht haben. Es war furchtbar, sie im Gefängnis zu sehen.«

»Das kann ich verstehen.«

»Könnten Sie meine Zahnbürste und mein Morphiumpflaster und das ganze Pipapo holen und mein Bein ein Stück weiter nach links legen? Meine Hüfte fühlt sich an, als würde sie …«

»… von Messern durchbohrt«, ergänzte sie.

»Genau, von Messern. Sag ich das öfter?«

»Fast jedes Mal.«

»Sehen Sie, langsam verkalke ich. Aber anschließend will ich diese Unterlagen lesen, und Sie können zu Ihrem Roger aufbrechen.«

»Rolf«, korrigierte sie ihn.

»Rolf, richtig. Ich hoffe, er ist nett. Nett zu sein ist das Wichtigste.«

»Ist das so? Haben Sie Ihre Frauen danach ausgesucht, ob sie nett waren?«

»Ich hätte es zumindest tun sollen.«

»Das sagt ihr Männer immer. Und dann rennt ihr doch wieder der erstbesten Schönheit hinterher, die gerade vorbeiläuft.«

»Was? Nein, stimmt doch gar nicht.«

Seine Aufmerksamkeit ließ nach. Er bat Lulu, ihm den Stapel zu reichen. Allein mit seinem gesunden Arm, der auch nicht mehr sonderlich gut funktionierte, konnte er ihn nicht anheben. Dann begann er zu lesen, noch während Lulu sein Hemd aufknöpfte und ihm das Morphiumpflaster aufklebte. Hin und wieder hielt er inne, wenn Lulu gerade an ihm herumpusselte, und fühlte sich verpflichtet, etwas Nettes, Aufmunterndes zu ihr zu sagen. Anschließend verabschiedete er sich herzlich und wünschte ihr viel Glück mit Rolf oder mit Roger.

Er blätterte, las weiter. Genau wie er es in Erinnerung gehabt hatte, handelte es sich vor allem um Akten des Psychiaters Peter Teleborian – Medikationsprotokolle, Vermerke über Tabletten, die nicht eingenommen worden waren, Berichte über Therapiesitzungen, in denen die Patientin störrisch geschwiegen hatte, Beschlüsse zu Zwangsmaßnahmen, Einsprüche, Stellungnahmen, neuerliche Zwangsmaßnahmen. Es waren eindeutige, wenn auch in trockenem Medizinerlatein gehaltene Hinweise auf das sadistische Verhalten der Ärzte – all das, was Holger schon früher betroffen gemacht hatte.

Doch er fand nichts darüber, was Lisbeth hatte wissen wollen. War er so unaufmerksam gewesen? Er beschloss, alles erneut durchzugehen, und sicherheitshalber nahm er diesmal auch seine Lupe zur Hand. Er studierte jede Seite genau, und am Ende blieb er tatsächlich an einer Stelle hängen. Es waren lediglich zwei kleinere vertrauliche Vermerke, die Teleborian notiert hatte, als Lisbeth gerade in die Klinik in Uppsala eingewiesen worden war. Trotzdem bescherten sie Holger genau das, was er hatte finden sollen – Namen.

Zuoberst stand dort zu lesen:

Bereits bekannt durch Register für menschliche Erblehre und Eugenik, REE. Teilnahme an Projekt 9 (Ergebnis: mangelhaft). Beschluss zur Unterbringung bei Pflegeeltern durch Prof. Martin Steinberg (Inst. f. Sozialf.), Durchführung unmöglich. Neigung zur Flucht, erfindungsreich. Zusammenstoß mit G. in heimischer Wohnung Lundagatan, mit sechs Jahren entflohen.

Mit sechs Jahren entflohen? War das der Vorfall, den Lisbeth im Gefängnis erwähnt hatte? So musste es gewesen sein, oder? Und handelte es sich bei G. um die Frau mit dem Muttermal am Hals? Möglicherweise. Mehr stand dort leider nicht, also ließ sich das nicht mit Gewissheit sagen.

Holger hing seinen Gedanken nach. Dann las er die Notiz noch mal und musste lächeln. *Erfindungsreich*, hatte Teleborian geschrieben. Das war das einzig positive Wort, das dieser Idiot je über Lisbeth geäußert hatte. Selbst ein blindes Huhn ... Aber eigentlich gab es keinen Grund zu lächeln. Der Vermerk bestätigte nur, dass Lisbeth als kleines Kind fast weggeschickt worden wäre. Holger las weiter.

Mutter Agneta Salander, schwer hirngeschädigt nach Gewalteinwirkung auf Kopf. Im Pflegeheim Äppelviken untergebracht. Frühere Begegnungen mit Psychologin Hilda von Kanterborg, die offenbar Schweigepflicht verletzt und über Register informiert hat. Sollte keine Möglichkeit erhalten, die Patientin erneut zu kontaktieren. Weitere Maßnahmen geplant von Prof. Steinberg und G.

Professor Steinberg, dachte er. *Martin Steinberg*. Irgendwie kam ihm der Name bekannt vor. Mit Mühe – inzwischen bereitete ihm fast alles Mühe – startete Holger eine Bildsuche auf seinem Handy, und da erkannte er ihn sofort wieder. Wie hatte er das nur vergessen können? Martin und er hatten sich zwar nie besonders nahegestanden, aber sie waren einander begegnet, zum ersten Mal vor vielleicht fünfundzwanzig Jahren. Damals war Steinberg als Sachverständiger in einem Prozess aufgetreten, bei dem Holger einen jungen Mann aus schwierigen sozialen Verhältnissen verteidigt hatte, der wegen Körperverletzung an seinem eigenen Vater angeklagt worden war.

Er wusste noch, wie froh er gewesen war, eine Kapazität wie Steinberg auf seiner Seite zu haben. Steinberg hatte in einer ganzen Reihe prestigeträchtiger Komitees und Ausschüssen gesessen. Zwar hatten sich seine Ansichten teilweise als überholt und festgefahren erwiesen, trotzdem war er ihm zweifellos nützlich gewesen. Er hatte Holger geholfen, einen Freispruch für den Mandanten zu erwirken, und nach dem Verfahren hatten sie ein Glas zusammen getrunken und sich auch später noch mehrmals getroffen. Sie kannten sich also bereits, und vielleicht konnte Holger ihm ja irgendetwas entlocken.

Mit dem großen Papierstapel auf der Brust lag er auf seinem Krankenbett und versuchte, einen klaren Gedanken zu fassen. Wäre es unvorsichtig, sich in dieser Sache zu melden? Im einen Moment war er davon überzeugt, im nächsten Moment verwarf er den Gedanken. Er grübelte vielleicht eine Viertelstunde, während das Morphium zu wirken begann und der Schmerz in den Hüften nun eher Nadelstichen glich als bohrenden Messern. Ob er nicht doch anrufen sollte? Lisbeth hatte ihn um Hilfe gebeten, und da musste er sich auch anstrengen. Er wollte ihr wirklich behilflich sein, jetzt, da er endlich Hinweise gefunden hatte, und deshalb legte er sich eine Strategie zurecht. Anschließend wählte er Steinbergs Nummer. Er warf einen Blick auf die Uhr, als er den Freiton hörte. Es war zwanzig nach zehn am Abend, also ein bisschen spät, aber noch nicht zu spät, fand er. Er würde auf jeden Fall vorsichtig sein. Doch schon als Steinbergs Stimme mit aller Autorität im Hörer ertönte, verließ ihn der Mut, und er musste sich anstrengen, um ebenso selbstsicher und weltgewandt zu klingen.

»Ich bitte um Verzeihung für die späte Störung«, sagte er. »Aber ich hätte da mal eine Frage.«

Martin Steinberg war nicht direkt unhöflich, aber er klang verhalten und taute auch dann nicht auf, als Holger ihm zu all den schönen Preisen und Ehrenposten gratulierte, von denen er auf Wikipedia gelesen hatte. Pflichtschuldig erkundigte sich der Professor nach Holgers Gesundheit.

»Was soll ich in meinem Alter sagen? Ich muss froh sein, dass mein Körper noch schmerzt und sich in Erinnerung ruft«, antwortete Holger und versuchte zu lachen.

Martin Steinberg rang sich ebenfalls ein Lachen ab, und sie wechselten ein paar Worte über alte Zeiten. Anschließend brachte Holger sein Anliegen vor. Er sei von einem Mandanten kontaktiert worden, erzählte er, und wolle sich erkundigen, mit welchem Aufgabenbereich Steinberg beim sogenannten Register betraut gewesen sei.

Es war ein Fehler. Seine Frage sorgte sofort für Unruhe – keine Unruhe, die sich offen äußerte, aber doch eine spürbare Nervosität.

»Ich weiß nicht, wovon Sie sprechen«, erwiderte der Professor.

»Ach? Seltsam. Hier steht, Sie hätten Beschlüsse für die Behörde getroffen.«

»Wo steht das?«

»In Papieren, die mir vorliegen«, antwortete Holger jetzt ein wenig vager und defensiver.

»Ich muss schon exakt wissen, worum es geht – denn das stimmt auf keinen Fall«, fuhr Steinberg in erstaunlich scharfem Ton fort.

»Tja, dann sollte ich wohl noch mal etwas genauer nachsehen.«

»Ja, das sollten Sie wirklich tun.«

»Vielleicht hab ich auch nur irgendwas verwechselt. Das sähe mir auf jeden Fall ähnlich«, fügte Holger hinzu.

»Ja, so was kann passieren«, erwiderte Steinberg in einem Versuch, freundlich oder nonchalant zu klingen. Doch er war ganz eindeutig alarmiert und konnte es auch nicht verbergen, und das Schlimmste war, dass er wusste, dass er es nicht verbergen konnte.

Unbeholfen versuchte er, seine Unruhe zu kaschieren: »Es könnte ja auch sein, dass in Ihren Unterlagen etwas ganz Falsches steht. Wer ist denn der Mandant, der Sie kontaktiert hat?«

Das dürfe er nicht sagen, murmelte Holger und versuchte nun seinerseits, das Gespräch so schnell wie möglich zu beenden. Doch noch bevor er aufgelegt hatte, wusste er, dass das Telefonat Konsequenzen haben würde. Wie hatte er nur so dumm sein können? Er hatte helfen wollen, und stattdessen hatte er alles vermasselt, und dass die Zeit verrann und die Nacht über Liljeholmen hereinbrach, machte die Sache nicht besser. Seine Angst und Reue wurden immer stärker und mischten sich mit den Schmerzen in Rücken und Hüfte, und er machte sich abermals Vorwürfe, weil er so unbedacht und leichtsinnig gehandelt hatte.

Der alte Holger Palmgren konnte einem wirklich leidtun.

7. KAPITEL
19. Juni

Mikael Blomkvist wurde am Sonntag früh wach und schlich leise aus dem Bett, um Malin nicht zu wecken. Er zog seine Jeans und ein graues Baumwollhemd an, machte sich einen starken Cappuccino, aß ein Brot und blätterte die Zeitung durch.

Anschließend setzte er sich an den Computer und überlegte, wo er anfangen sollte. Er hatte keine Ahnung. In den vergangenen Jahren hatte er alle nur denkbaren Quellen durchforstet: Archive, Datenbanken, Gerichtsakten, Mikrofilme, Urkunden, Vermögensverzeichnisse, Steuererklärungen, Bilanzen, Testamente, Einkommensverzeichnisse ... Er hatte versucht, Beschwerde gegen Geheimhaltungsbeschlüsse einzulegen, auf das Öffentlichkeitsprinzip und den Quellenschutz verwiesen, Hintertüren und Schlupflöcher aufgetan. Er hatte buchstäblich im Dreck gewühlt, über alten Fotografien gebrütet, Puzzles aus widersprüchlichen Zeugenaussagen gelegt. Er war in Kellern und in Kühlräumen umhergeirrt. Doch er hatte nie versucht herauszufinden, ob jemand adoptiert oder außerehelich zur Welt gekommen war. Wahrscheinlich war so was grundsätzlich eher selten, und er war sich nicht mal sicher, ob es diesmal der Fall war. Trotzdem verließ er sich auf seinen Instinkt. Ivar Ögren hatte Leo einen Zigeuner genannt, und das war nicht nur eine rassistische Beleidigung – es war auch merkwürdig. Wenn dieser Idiot auf Herkunft oder schwedisches Blut Wert legte, waren die Mannheimers einer Familie Ögren doch in jeder Hinsicht überlegen: mit ihren Ahnenreihen und Verbindungen zu anderen Adelsgeschlechtern, die weit bis ins siebzehnte Jahrhundert zurückreichten! Trotzdem schien da irgendetwas in der Vergangenheit zu schlummern, worauf sich ein genauerer Blick lohnen mochte.

Mikael rief seinen Internet-Browser auf und musste grinsen. Aus welchem Grund auch immer war Ahnenforschung offenbar zu einer Volksbewegung geworden. Er stieß auf unzählige Archive. Fantastisch, wie viele alte Kirchenbücher, Volkszählungsdokumente und Angaben über Ein- und Auswanderer eingescannt und digitalisiert worden waren. Es war die reinste Goldgrube. Wer wollte, konnte richtig weit in der Zeit zurückgehen, über sogenannte Gendatenbanken sogar bis zu unseren afrikanischen Urahnen, und wer Geld und Geduld hatte, konnte so unendlich weit kommen und die Wanderungen seiner Ahnen über Steppen und Kontinente durch die Jahrtausende zurückverfolgen.

Mit Adoptionen jüngerer Zeit war es da schon etwas schwieriger. Sie unterlagen einer siebzigjährigen Geheimhaltungspflicht, gegen die man zwar beim Verwaltungsgericht klagen konnte, allerdings nur in Härtefällen, und ein Härtefall war garantiert kein neugieriger Journalist, der nicht mal wusste, wonach er eigentlich suchte. Offiziell waren ihm die Türen also verschlossen, aber ihm war natürlich klar, dass es noch andere Wege gab. Man musste sie nur finden.

Es war halb acht am Morgen. Drüben im Doppelbett schlief Malin, und wenn man auf den Riddarfjärden hinausblickte, versprach es ein schöner Tag zu werden. In ein paar Stunden würden sie aufbrechen, um Leo Mannheimer im

Fotografiska am Stadsgårdskajen zu hören. Ehe es so weit wäre, würde Mikael noch ein bisschen in Leos Vergangenheit stöbern. Doch er kam nicht gut voran; noch dazu war Sonntag, alles hatte geschlossen, telefonisch konnte er sich nirgends durchfragen. Er musste zugeben, dass ihm der Kerl nach dem langen Gespräch mit Malin sympathisch geworden war. Allerdings spielte das gerade keine Rolle. Er hatte nicht vor, so schnell aufzugeben. Wenn er auf der richtigen Spur war, dann war es wohl am besten, erst einmal Leos Geburtsurkunde aus dem Stadtarchiv anzufordern. Würde sie ihm nicht ausgehändigt, wäre dies ein Hinweis darauf, dass er mit seinem Verdacht recht gehabt hätte. Doch das allein reichte nicht. Eine Geburtsurkunde konnte auch aus anderen Gründen als einer Adoption der Geheimhaltung unterliegen. Mikael wäre gezwungen, weiterzuwühlen und auch die Personenakten von Leo und seinen Eltern anzufordern und miteinander zu vergleichen. In den Personenakten – die nur in Ausnahmefällen der Geheimhaltung unterlagen – wurden auch Umzüge vermerkt. Wenn die Eltern und Leo zum Zeitpunkt seiner Geburt nicht in ein und derselben Gemeinde gemeldet gewesen wären – vorzugsweise in der Gemeinde Västerled in Nockeby –, wäre dies ein deutliches Zeichen. Dann wären Herman und Viveka wohl kaum seine leiblichen Eltern.

Also schrieb Mikael einen formlosen Antrag an das Stadtarchiv, in dem er darum bat, Leos Geburtsurkunde und die Personenakten einsehen zu dürfen. Allerdings schickte er die Mail nicht ab. Es lag an seinem Namen. Der kam inzwischen einem Alarm gleich. Sobald er auch nur erwähnt wurde, fragten sich die Leute, was dahintersteckte, wenn er bestimmte Sachen wissen wollte. Und es sprach sich rum: *Mikael Blomkvist war da und hat geschnüffelt*. Seine Anfrage würde zweifellos Kreise ziehen, und das wäre nicht gut – wenn die Geschichte denn nun wirklich heikel wäre.

Im Übrigen wusste Holger Palmgren vielleicht ja schon die Antwort. Gegen alle Widerstände und sicher auch gegen den Rat seiner Ärzte hatte er Lisbeth in Flodberga besucht. So oder so wäre es nett, wieder mit ihm zu sprechen und zu hören, wie es ihm ging. Mikael griff zum Telefon und sah auf die Uhr. War es noch zu früh? Nein, Holger wachte immer gegen acht auf und kannte zwischen Werktagen und Wochenenden keinen Unterschied. Also rief er an. Allerdings kam er nicht durch. Irgendetwas schien mit dem Handy des alten Mannes nicht in Ordnung zu sein. *Der von Ihnen gewählte Teilnehmer ist vorübergehend nicht erreichbar*, teilte ihm eine Roboterstimme mit. Also versuchte Mikael es auf dem Festnetz. Dort erreichte er ihn ebenso wenig, und als er es gerade noch einmal versuchen wollte, hörte er das Tapsen nackter Frauenfüße hinter sich und drehte sich lächelnd um.

Holger Palmgren hatte ebenfalls bemerkt, dass sein Handy nicht mehr funktionierte, und fand es einfach nur typisch. Nichts funktionierte mehr – am allerwenigsten er selbst. Sein Zustand war erbärmlich. Schon seit den frühen Morgenstunden lag er mit Schmerzen und Gewissensqualen wach. Was hatte er sich nur gedacht?

Er war sich zusehends sicher, dass sein gestriger Anruf ein Fehler gewesen war. Vielleicht war Steinberg der reinste Verbrecher, selbst wenn er in noch so vielen feinen Komitees und Ausschüssen saß. Allein die Tatsache, dass er den Beschluss unterschrieben hatte, Lisbeth gegen ihren Willen und den ihrer Mutter in einer Pflegefamilie unterzubringen – allein das!

Du lieber Himmel, wie hatte er nur so einfältig sein können? Was sollte er denn jetzt machen? Zuallererst musste er Lisbeth anrufen und die Sache mit ihr besprechen. Aber das war es ja gerade – sein Telefon funktionierte nicht. Sein Festnetz benutze Holger nicht mehr, weil auf der Nummer inzwischen sowieso nur noch Vertreter anriefen oder andere Leute, von denen er nichts mehr wissen wollte. Hatte er nicht sogar den Stecker gezogen?

Mühsam drehte er sich um und sah, dass der Stecker tatsächlich nicht mehr in der Wand saß. Ob es ihm gelingen würde, ihn wieder einzustecken? Er beugte sich so weit über die Bettkante, dass es ihm gerade so glückte. Anschließend lag er eine Weile keuchend da, ehe er das alte Telefon auf seinen Nachttisch zog. Als er den Hörer abnahm, ertönte der Wählton. Immerhin etwas. Von neuem Tatendrang erfüllt, rief er die Auskunft an und ließ sich mit der Justizvollzugsanstalt Flodberga verbinden. Obwohl er an der Zentrale nicht gerade mit einem Ausbund an Freundlichkeit gerechnet hatte, machte ihn die Arroganz der Stimme am anderen Ende trotzdem perplex.

»Mein Name ist Holger Palmgren«, sagte er mit all seiner Autorität. »Ich bin Anwalt. Bitte seien Sie so nett und verbinden Sie mich mit dem verantwortlichen Leiter des Sicherheitstrakts. Es handelt sich um eine Angelegenheit von größter Dringlichkeit.«

»Da müssen Sie sich gedulden.«

»Dafür hab ich keine Zeit!«, fauchte er.

Er musste trotzdem warten, und erst nachdem er endlos in der Warteschleife gehangen hatte, wurde er zu einer gewissen Harriet Lindfors durchgestellt – eine Justizvollzugsbeamtin in der richtigen Abteilung. Auch Harriet war kurz angebunden und schroff. Er betonte den Ernst der Lage: dass er auf der Stelle mit Lisbeth Salander sprechen müsse. Als er ihre Antwort hörte, wurde ihm eiskalt, denn Lindfors klang nervös, als sie sagte: »Nein, das geht auf keinen Fall, vor allem nicht unter diesen Umständen.«

»Ist etwas passiert?«, fragte er.

»Sind Sie Lisbeth Salanders Rechtsbeistand?«

»Nein. Oder das heißt, ja.«

»Das war keine eindeutige Antwort.«

»Nicht in der aktuellen Strafsache.«

»Dann müssen Sie es zu einem späteren Zeitpunkt noch einmal versuchen«, erwiderte Harriet Lindfors und legte einfach auf, und Holger geriet außer sich. Er schlug mit der gesunden Hand auf die Matratze und malte sich die schlimmsten Dinge aus und dass es seine Schuld wäre. Dann versuchte er, sich zur Räson zu rufen und keine wilden Spekulationen anzustellen, aber es wollte ihm nicht recht gelingen. Warum zur Hölle konnte er sich nicht besser helfen?

Er hätte aufstehen und die Situation in Angriff nehmen müssen. Stattdessen waren seine Finger krumm und steif und sein Körper schief und halb gelähmt. Er kam nicht mal mehr allein in den Rollstuhl, und er konnte es kaum ertragen. Wenn die Nacht sein Golgatha gewesen war, fühlte er sich jetzt wie ans Kreuz genagelt – an seine elende Matratze. Nicht mal mehr der alte Ekelöf und seine zwischen Seerosen geballte Faust konnten ihn noch trösten. Er warf einen Blick aufs Telefon. Da erst fiel ihm wieder ein, dass es in der Leitung geklopft hatte, als er in der Warteschleife von Flodberga gehangen hatte. Und tatsächlich, Mikael Blomkvist hatte versucht, ihn anzurufen. Das war gut. Mikael würde ihm sicher helfen können und den neuen Informationen nachgehen. Holger wählte seine Nummer. Doch niemand meldete sich, und er rief wieder und immer wieder an, bis er endlich Mikaels Stimme im Hörer hatte. Er klang atemlos, und Holger ahnte, dass es ein anderes, ein freudigeres Keuchen war als jenes, das ihn selbst plagte.

»Störe ich?«, fragte er.

»Absolut nicht«, erwiderte Mikael.

»Haben Sie Damenbesuch?«

»Nein, nein, ich hab keinen Damenbesuch.«

»Hat er doch«, rief eine Frauenstimme im Hintergrund.

»Nicht dass sich die Dame vernachlässigt fühlt ...«

Selbst in Krisensituationen wie dieser war Holger fast schon zwanghaft höflich.

»Tja, da könnten Sie recht haben«, erwiderte Mikael.

»Dann widmen Sie sich ihr. Ich werde stattdessen Ihre Schwester anrufen.«

»Nein, nein!«, sagte Mikael. Er musste die Unruhe in Holgers Stimme vernommen haben. »Ich hab vorhin versucht, Sie zu erreichen«, fuhr er fort. »Sie haben Lisbeth getroffen.«

»Ja, und ich mache mir Sorgen um sie«, sagte Holger zögernd.

»Ich auch. Was war Ihr Eindruck?«

»Ich hab ...« Holger musste an Mikaels alten Rat denken, dass man sensible Angelegenheiten nicht am Telefon besprach.

»Ja?«

»Sie scheint etwas herausfinden zu wollen«, antwortete er.

»Und was?«

»Irgendetwas aus ihrer Kindheit. Aber das Schlimmste ist, dass ich glaube, ich habe total versagt. Ich wollte ihr helfen, das wollte ich wirklich, aber stattdessen hab ich alles vermasselt. Können Sie nicht herkommen? Dann erzähl ich Ihnen alles.«

»Natürlich, ich komme sofort.«

»Nein, tust du nicht!«, rief die Frau im Hintergrund.

Holger fragte sich, wer die Frau war, und musste unwillkürlich an Marita denken, die gleich hereintrampeln würde, an die ganze umständliche, erniedrigende Prozedur, an deren Ende er umgezogen in seinem Rollstuhl sitzen und wässrigen Kaffee trinken würde, der wie schlechter Tee schmeckte, dabei hatte er das Gefühl, dass es jetzt am allerwichtigsten wäre, sofort mit Lisbeth in Kontakt zu treten.

Irgendwie musste er ihr übermitteln, dass ein gewisser

Martin Steinberg höchstwahrscheinlich für das Register für menschliche Erblehre und Eugenik verantwortlich zeichnete.

»Vielleicht wäre es besser, wenn Sie heute Abend vorbeikommen würden«, sagte er. »Vielleicht irgendwann nach neun? Da könnten wir auch noch ein Gläschen trinken. Das hab ich heute dringend nötig.«

»Gut, dann sehen wir uns heute Abend«, antwortete Mikael.

Holger Palmgren legte auf und angelte erneut die alten Unterlagen vom Nachttisch. Anschließend versuchte er erfolglos, bei Annika Giannini und Rikard Fager anzurufen, dem Gefängnisdirektor von Flodberga. Beide waren nicht erreichbar. Ein paar Stunden später funktionierte plötzlich sein Festnetz nicht mehr, und die energische Marita war auch nicht aufgetaucht.

Leo Mannheimer dachte oft an jenen Samstagnachmittag im Oktober. Er war damals erst elf, seine Mutter war mit dem katholischen Bischof zu Mittag verabredet und sein Vater in den uppländischen Wäldern auf der Jagd gewesen. Leo war allein in dem riesigen Haus, und es war totenstill. Nicht mal Vendela, die Haushälterin, war da und passte auf ihn auf. Er hatte sich vorm Lernen gedrückt, vor all den Zusatzaufgaben, die ihm die Privatlehrerin dagelassen hatte, und saß stattdessen am Flügel. Nicht um Sonaten oder Etüden zu spielen, sondern um zu komponieren.

Er hatte erst kürzlich damit angefangen, und seine Versuche waren nicht gerade auf Begeisterung gestoßen. Seine Mutter hatte es »nettes Geklimper« genannt. Trotzdem liebte er es, seine eigenen Stücke zu schreiben. Nach mehreren Stunden Unterricht und Hausaufgaben sehnte er sich regelrecht danach. An jenem Nachmittag arbeitete er gerade an einem traurigen, melodiösen Lied, das er für den Rest seines Lebens spielen würde, obwohl es etwas zu sehr nach der

»Ballade pour Adeline« klang und er die Kritik der Mutter durchaus herausgehört hatte. Auch wenn es ungerecht war, so was zu einem elfjährigen Jungen zu sagen, der gerade erst mit etwas angefangen hatte, was ihm wichtig war, wusste er, dass sie objektiv betrachtet nicht ganz falschlag.

Seine ersten Kompositionen waren zu schwülstig gewesen. Er war einfach noch nicht kultiviert genug. Noch hatte er den Jazz nicht entdeckt, die wilden, schmutzigen Akkorde, und vor allem hatte er noch nicht gelernt, die ganze Bandbreite aus Geräuschen einzusetzen – von Klimaanlagen, Insekten, rauschenden Blättern und fernen Motorengeräuschen bis hin zu Stimmen. All das eben, was sonst niemand hörte.

Und trotzdem war er an jenem Tag glücklich, so glücklich, wie ein Junge wie er eben sein konnte. Er war immer von seinen Eltern überwacht worden und doch einsam, und im Grunde liebte er nur einen Menschen auf der Welt: den Psychologen Carl Seger. Jeden Dienstag um vier Uhr ging Leo in dessen Praxis in Bromma in Therapie, und oft rief er ihn auch noch am Abend an. Carl verstand ihn. Er stritt sich sogar wegen Leo mit dessen Eltern: »Der Junge braucht Luft zum Atmen! Er muss auch Kind sein dürfen!«

Natürlich erreichte er damit nichts. Trotzdem setzte Carl sich für ihn ein. Er war der Einzige – er und seine Verlobte Ellenor.

Carl und Leos Vater waren wie Tag und Nacht, und doch bestand eine Verbindung zwischen ihnen, die Leo nicht recht nachvollziehen konnte. An diesem Tag war Carl beispielsweise mit Leos Vater auf die Jagd gegangen, obwohl er es nicht ausstehen konnte, Tiere zu töten. In seinen Augen war Carl ein komplett anderer Mensch als sein Vater und Alfred Ögren. Er war kein Machtmensch, niemand, der am Esstisch laut und höhnisch über andere lachte. Im Grunde war er überhaupt nicht an den Gewinnern des Lebens interessiert, sondern redete lieber über die Sonderlinge, die klarer sahen als andere, weil sie am Rande der Gesellschaft standen. Carl las Gedichte, am liebsten französische. Er mochte Camus, Stendhal und Romain Gary, er liebte Edith Piaf und spielte Querflöte, er kleidete sich leger, fast schon betont schlicht. Vor allem aber hörte er sich Leos Sorgen an und war der Einzige, der die Tragweite von dessen Begabung erkannte – oder der Last, je nachdem, wie man es sah.

»Du musst auf deine Sensibilität stolz sein, Leo. Du hast so viel Kraft in dir – es wird besser werden, glaub es mir.«

Leo fand Trost in Carls Beteuerungen und sehnte Woche für Woche den Dienstag herbei. Ihre Sitzung war der Höhepunkt seines Alltags. Die Praxis war in Carls Haus am Grönviksvägen untergebracht. Eingerichtet war sie mit Schwarz-Weiß-Fotos aus dem Paris der 1950er-Jahre und einem abgewetzten alten Sessel mit weichem Lederbezug, auf dem Leo oft eine, manchmal auch zwei Stunden saß und über alles redete, was seine Eltern und Freunde nicht verstehen wollten. Carl war das Beste an seiner Kindheit – obwohl Leo sich natürlich darüber im Klaren war, dass er ihn idealisierte.

Nach diesem Nachmittag im Oktober würde Leo sein ganzes restliches Leben damit zubringen, Carl zu idealisieren und in Gedanken wieder und immer wieder zu jenen letzten Stunden am Flügel zurückkehren. Damals hatte er sich lang mit jedem Ton beschäftigt, mit jedem Wechsel in Melodie und Harmonie. Dann hörte er mit einem Mal den Mercedes seines Vaters in der Garagenauffahrt und hielt mit dem Spielen inne.

Eigentlich hätte der Vater erst am Sonntagnachmittag wieder daheim sein wollen, sodass allein die frühe Rückkehr an sich ein Grund zur Beunruhigung war. Doch das war noch nicht alles. Über dem Hof hing eine eigenartige Stille, ein Innehalten, eine neue Vorsicht, mit der die Autotür geöffnet wurde, und dann – wie ein Widerspruch – die Wut, mit der sie zugeschlagen wurde. Die Schritte des Vaters auf dem Kies klangen schwer und schleppend, und im Flur war erst ein Seufzer zu hören, dann das Geräusch von Gegenständen, die auf den Boden gestellt wurden, wahrscheinlich Gewehr und Reisetasche.

Die geschwungene Holztreppe zum Obergeschoss knarrte. Leo ahnte, dass sich etwas Finsteres anbahnte, noch ehe die Gestalt des Vaters im Türrahmen auftauchte. Er würde den Anblick nie vergessen. Sein Vater trug eine grüne Jagdhose und einen schwarzen Wachsmantel, und seine Glatze war schweißglänzend. Er sah ängstlich aus. Normalerweise reagierte er eher arrogant und aggressiv, wenn er in Bedrängnis geriet, doch in diesem Moment wirkte er wie eingeschüchtert und wankte einen Schritt nach vorn. Unsicher stand Leo vom Flügel auf, und der Vater umarmte ihn unbeholfen.

»Es tut mir so leid, Junge. So unendlich leid.«

An der Aufrichtigkeit der Worte würde Leo niemals zweifeln. Aber da war noch etwas anderes, was sich nicht so leicht deuten, eher in der Geschichte selbst erahnen ließ und im Unvermögen seines Vaters, ihm in die Augen zu blicken. Zwischen den Zeilen schwelte etwas Furchtbares, Unausgesprochenes. Doch in diesem Moment spielte es noch keine Rolle.

Carl war tot, und Leos Leben würde nie wieder so sein wie zuvor.

In Anbetracht des schönen Wetters waren außergewöhnlich viele Menschen zu der Veranstaltung der Aktiensparer im Fotografiska Museet gekommen. Doch es passte zum Zeitgeist: Was immer mit Aktien zu tun hatte, interessierte die Leute, und hier hatte der Veranstalter nicht nur mit dem Traum vom Reichtum gelockt, sondern auch mit leichter Panikmache: *Wachstum oder Crash? Ein Themennachmittag über rasant steigende Börsenkurse*, hatte die Ankündigung gelautet, und eine Reihe prominenter Gäste war geladen worden. Leo Mannheimer war nicht einmal der Hauptact.

Er war als Erster an der Reihe, und Mikael und Malin kamen gerade noch rechtzeitig. Sie waren durch ein heißes, windstilles Stockholm geeilt und hatten Plätze ganz hinten links im Saal ergattert. Malin war nervös, weil sie Leo wiedersehen würde, Mikael wiederum plagten seit dem Gespräch mit Holger Palmgren böse Vorahnungen. Er hörte kaum zu, als Karin Laestander, die junge Vorstandsvorsitzende der Aktiensparer, auf der Bühne ein paar einleitende Worte sprach.

»Vor uns liegt ein spannender Tag«, sagte sie. »Wir werden nicht nur qualifizierte Analysen der Marktlage vornehmen – zunächst einmal wollen wir uns der Börse aus einer eher philosophischen Perspektive zuwenden. Einen herzlichen Applaus für Leo Mannheimer, Doktor der Wirtschaftswissenschaften und Chefanalyst bei der Investmentgesellschaft Alfred Ögren!«

Ein langer, schmaler Mann mit Locken und einem hellblauen Anzug stand von seinem Stuhl in der ersten Reihe auf und marschierte auf die Bühne zu, und erst schien alles glattzugehen. Seine Schritte waren resolut und leicht, und er sah aus, wie man es sich erwartet hätte: wohlhabend und selbstsicher. Dann aber war in der Menschenmenge ein Quietschen zu hören – irgendjemand hatte seinen Stuhl verrückt –, und im selben Moment geriet Leo ins Wanken. Schlagartig war er aschfahl und sah aus, als würde er im nächsten Augenblick zusammenbrechen. Malin krallte sich in Mikaels Hand. »O nein!«

»Um Himmels willen, geht es Ihnen nicht gut?«, stammelte Karin Laestander auf der Bühne.

»Nein, nein, alles in Ordnung.«

»Sind Sie sicher?«

Leo hielt sich an dem runden Tischchen auf der Bühne fest, dann nestelte er an einer Wasserflasche herum.

»Bin nur ein wenig angespannt«, sagte er und versuchte zu lächeln.

»Herzlich willkommen jedenfalls«, sagte Karin Laestander und war anscheinend immer noch unschlüssig, wie sie weitermachen sollte.

»Danke, das ist sehr freundlich.«

»Normalerweise ...«

»... ist mein Auftreten etwas sicherer.«

Aus dem Publikum war nervöses Kichern zu hören.

»Richtig ... Sie sind ein Fels in der Brandung. Sie schreiben kluge, faktenbasierte Konjunkturanalysen für Alfred Ögren, außerdem haben Sie in letzter Zeit angefangen, die Börse – wie soll ich sagen? – ein wenig philosophischer zu betrachten. Sie nennen sie einen Tempel für Gläubige.«

»Na ja ...«, sagte er.

Doch weiter kam er nicht. Er musste erst tief Luft holen und den Krawattenknoten lockern.

»Ja?«

»Ich meine ... Der Vergleich stammt nicht von mir, und ehrlich gesagt ist er auch ziemlich konventionell.«

»Inwiefern?«

»Insofern, als ...« Er holte tief Luft. »Als es doch halbwegs selbstverständlich ist, dass sowohl der Finanzmarkt als auch die Religion einzig und allein auf dem Glauben daran basieren. Sobald wir anfangen zu zweifeln, stürzen beide ein. Das ist eine unbestrittene Tatsache«, fuhr er fort und streckte seinen Rücken. Allmählich kehrte wieder Farbe in sein Gesicht zurück.

»Aber wir zweifeln doch immer«, wandte Karin ein. »Deshalb sind wir ja heute auch hier zusammengekommen. Wir fragen uns, ob wir uns inmitten einer Blase befinden oder auf das Ende einer Hochkonjunktur zusteuern.«

»Allein schon Zweifel im kleineren Umfang machen die Börse als solche de facto unmöglich«, erklärte Leo. »Jeden Tag sitzen Millionen Menschen da und zweifeln und hoffen und analysieren. Ihre Tätigkeit bestimmt die Kurse. Allerdings meine ich vielmehr den tiefen und grundlegenden Zweifel.«

»An Gott?«

»Meinetwegen auch an Gott. In erster Linie denke ich aber an den Zweifel am Wachstum, den Zweifel an künftigen Gewinnen. Nichts ist gefährlicher für einen hoch bewerteten Aktienmarkt als der grundlegende Zweifel. Eine tiefe Besorgnis kann einen Börsencrash erzeugen und die Welt in eine Depression stürzen.«

»Aber es ist nicht allein diese Art des Zweifels, die ernsthafte Folgen haben kann, oder?«

»Nein. Wir könnten auch anfangen, die Idee an sich anzuzweifeln, die ganze imaginäre Schöpfung ...«

»Imaginäre Schöpfung?«

»Das mag auf den einen oder anderen hier Anwesenden wie eine Provokation klingen, und dafür möchte ich mich entschuldigen. Aber der Finanzmarkt ist nun mal nichts, was real existiert, so wie Sie und ich, Frau Laestander, oder wie die Wasserflasche hier auf diesem Tisch. Der Markt ist schlicht und einfach eine Konstruktion. Im selben Moment, da wir aufhören, daran zu glauben, hört er auf zu existieren.«

»Übertreiben Sie da nicht ein bisschen?«

»Nein, nein, denken Sie doch mal nach. Was ist der Markt?«

»Ja, was?«

»Eine Übereinkunft. Wir haben beschlossen, dass genau dort unsere Ängste und Träume, Gedanken und Hoffnungen in Bezug auf die Zukunft den Wert von Devisen, Unternehmen und Rohstoffen bestimmen sollen.«

»Ein kühner Gedanke.«

»So kühn ist er gar nicht. Und der Markt muss deshalb auch nicht schlechter oder weniger stabil sein. Viele wesentliche Dinge in unserem Leben, unser kulturelles Erbe, unsere

Institutionen sind genau das: Schöpfungen der menschlichen Fantasie oder Vernunft.«

»Unser Geld natürlich auch.«

»Auf jeden Fall, und zwar heute mehr denn je. Ich meine … Es ist ja nicht mehr unbedingt so wie bei Dagobert Duck, dass wir im Geld schwimmen oder es unter unserer Matratze verstecken. Heute sind unsere Ersparnisse Ziffern auf einem Computerbildschirm, deren Wert sich ständig ändert. Und trotzdem verlassen wir uns darauf. Aber man stelle sich vor …«

Leo Mannheimer schien noch immer nicht wieder vollends zu Atem gekommen zu sein.

»Ja?«

»Man stelle sich vor, diese Ziffern würden nicht nur parallel zu den Schwankungen am Markt steigen und fallen, sondern urplötzlich weggewischt werden wie Kreide auf einer Tafel. Was würde dann passieren?«

»Unsere Gesellschaft wäre in ihren Grundfesten erschüttert.«

»Genau, und ein bisschen war das ja vor einigen Monaten schon mal der Fall.«

»Sie denken an die Hackerattacke gegen Finance Security, die ehemalige schwedische Wertpapierzentrale?«

»Exakt. Da sahen wir uns mit einer Situation konfrontiert, in der unsere Anlagen ganz einfach eine Zeit lang nicht mehr da waren. Sie hatten sich im Cyberspace in Wohlgefallen aufgelöst, und die Börse war schlichtweg erschüttert. Der Wert der Krone sank um 46 Prozent.«

»Trotzdem reagierte die Stockholmer Börse verblüffend schnell und schloss sämtliche Handelsplätze …«

»Und dafür muss man den Verantwortlichen auch ein riesiges Lob aussprechen. Aber der Crash wurde auch dadurch abgefedert, dass niemand in Schweden mehr Geschäfte tätigen konnte. Schließlich fehlten die Mittel. Sie können sich sicher sein, dass einige trotzdem Gewinne erzielt haben, und dieser Gedanke beängstigt einen doch am meisten. Können Sie sich vorstellen, was diejenigen verdient haben, die den Crash ausgelöst und günstige Positionen gekauft haben, als der Tiefpunkt erreicht war? Da müsste man als Normalsterblicher schon Millionen Banken überfallen, um solche Summen zu erbeuten.«

»Das ist wahr, und es wurde ja auch einiges darüber berichtet, unter anderem in *Millennium* – von Mikael Blomkvist, den ich dort hinten im Publikum entdeckt habe. Aber mal ganz ehrlich, wie ernst war es eigentlich?«

»In der Realität bestand keine ernsthafte Gefahr. Sowohl Finance Security als auch die schwedischen Banken verfügen über ein umfassendes Back-up-System. Aber Begriffe wie ›in der Realität‹ oder ›objektiv betrachtet‹ sind nicht immer interessant für einen Markt, der von Hoffnungen und Ängsten bestimmt wird. Ernst daran war, dass wir eine Zeit lang an der Existenz des Kapitals in einer digitalen Welt gezweifelt haben.«

»Die Hackerattacke wurde von einer massiven Desinformationskampagne in den sozialen Medien begleitet.«

»O ja, es hagelte unzählige falsche Tweets darüber, dass Bestände nicht mehr rekonstruiert werden könnten, und das zeigt nur umso deutlicher, dass es sich dabei eher um einen Angriff auf unser Vertrauen denn auf unser Geld gehandelt hat – wenn sich denn beides voneinander trennen lässt.«

»Heute heißt es, man hätte gesicherte Beweise, dass sowohl der Hackerangriff als auch die Desinformationskampagne in Russland initiiert wurden.«

»Ja, und obwohl wir uns immer noch vor Vorverurteilungen hüten sollten, gibt das doch Anlass zur Sorge. Ein Angriffskrieg könnte in der Zukunft genau so eingeleitet werden. Kaum etwas richtet so viel Chaos an wie der Verlust des Glaubens in unser Geld, und hier dürfen wir auch nicht vergessen, dass nicht einmal wir selbst daran zweifeln müssen. Es reicht schon, wenn wir glauben, dass andere zweifeln könnten.«

»Das müssen Sie uns genauer erklären.«

»Es ist wie bei einer Menschenansammlung. Es spielt keine Rolle, ob wir selbst wissen, dass die Lage unter Kontrolle ist und keine ernsthafte Gefahr besteht. Wenn die Leute in Panik losrennen, rennen wir ebenfalls. Der alte Keynes – der legendäre Ökonom – hat die Börse mal mit einem Schönheitswettbewerb verglichen.«

»Mit einem Schönheitswettbewerb?«

»Ja, und das wird oft zitiert: Keynes hatte einen ganz besonderen Schönheitswettbewerb im Sinn, bei dem die Jury nicht die schönste Kandidatin auswählt, sondern diejenige, von der sie glaubte, dass sie gewinnen würde.«

»Und das bedeutet?«

»Dass wir unsere eigenen Präferenzen hintanstellen und stattdessen über den Geschmack anderer Menschen nachdenken – oder nicht mal das. Wir fragen uns, von wem die anderen denken, die wiederum andere würden sie für die Schönste halten. Eine ziemlich fortgeschrittene Metaübung, wenn man genauer darüber nachdenkt.«

»Klingt abgedreht.«

»Vielleicht, aber im Grunde nichts anderes als das, was sekündlich an unseren Finanzmärkten passiert. Die Börse ist ja nicht nur das Ergebnis grundlegender Analysen von Unternehmen oder Umständen. Psychologische Faktoren spielen eine genauso große Rolle, echte psychologische Mechanismen und Mutmaßungen darüber. Mutmaßungen über die Mutmaßungen anderer. Alles wird gedreht und gewendet, weil jeder jedem einen Schritt voraus sein will, um sozusagen losrennen zu können, bevor die anderen losrennen, und daran hat sich seit Keynes' Zeiten nicht das Geringste geändert. Ganz im Gegenteil werden die Märkte durch den zunehmend computerbetriebenen Hochfrequenzhandel nur noch selbstreflexiver. Computer scannen in Sekundenschnelle Käufe und Verkäufe, agieren entsprechend und verstärken so ein bereits existentes Muster. Darin liegt eine riesige Gefahr. Eine hastige Börsenschwankung kann sich im Nu zu etwas Unkontrollierbarem beschleunigen, und in einer solchen Situation ist es oft rational, irrational zu handeln – loszustürmen, obwohl man weiß, dass es in Wahrheit Schwachsinn ist. Was nützt es einem, wenn man stehen bleibt und den anderen zuruft: ›Ihr Idioten, es gibt gar keine Gefahr!‹, wenn alle anderen um ihr Leben rennen?«

»Das mag schon sein«, erwiderte Karin Laestander. »Aber wenn die Reaktion unangemessen war, korrigiert sich der Markt doch normalerweise selbst, oder?«

»Auf jeden Fall. Aber das kann dauern, und da kann man noch so recht haben – man wird trotzdem ruiniert. Man kann so lange recht haben, bis man Konkurs anmeldet, um noch mal Keynes zu zitieren.«

»Und das wäre ... enttäuschend.«

»Trotzdem gibt es Hoffnung, und die liegt ebenfalls in der Fähigkeit des Marktes begründet, über sich selbst zu reflektieren. Wenn ein Meteorologe das Wetter studiert, ändert es sich deshalb noch lange nicht. Studieren wir hingegen die Ökonomie, werden unsere Annahmen und Analysen zum Bestandteil des ökonomischen Organismus. Deshalb verhält sich die Börse wie jeder aufgeschlossene Neurotiker: Beide besitzen die Fähigkeit, sich zu entwickeln und aus sich selbst heraus klüger zu werden.«

»Gleichzeitig lässt die Börse sich damit aber auch unmöglich vorausbestimmen, oder?«

»Genau. Es ist ein bisschen wie mit mir auf dieser Bühne: Wir können nie wissen, wann ich das nächste Mal ins Wanken gerate.«

Jetzt lachten die Leute im Publikum richtig – ein befreites

Lachen. Leo lächelte verhalten und machte einen Schritt auf den Bühnenrand zu.

»In dieser Hinsicht ist die Börse paradox«, sagte er. »Wir alle wollen sie verstehen und mit ihr Geld verdienen. Verstünden wir sie aber wirklich, würde sie von unserem Verständnis transformiert, und das schlussendliche Erklärungsmodell würde wiederum die Art und Weise verändern, wie wir uns dem Markt gegenüber verhalten. Schwups, hätten wir es wieder mit etwas Neuem zu tun – es wäre wie bei einem mutierten Virus. Letztlich können wir nur mit Gewissheit sagen, dass die Börse nicht mehr funktionieren würde, wie wir es uns vorstellen, sobald wir sie vollständig durchdrungen hätten.«

»Das heißt, die eigentliche Seele der Börse ist unsere Uneinigkeit.«

»Ja. Man braucht Käufer und Verkäufer, Gläubige und Zweifler, und genau das ist der Witz daran. Gerade der Chor aus widersprüchlichen Stimmen führt zu der verblüffenden Klugheit des Marktes – der scharfsinniger ist als manch einer von uns hier, der hin und wieder im Fernsehen den Guru spielt. Wenn Menschen auf der ganzen Welt eigenständig darüber nachdächten, wie sie so viel wie möglich verdienen könnten, wenn sozusagen ein perfektes Gleichgewicht zwischen Vermutungen und Wissen herrschte, zwischen der Hoffnung der Käufer und dem Zweifel der Verkäufer, dann könnte daraus eine Weisheit entstehen, eine beinahe prophetische Einsicht. Das Problem ist nur, dass wir nie wissen können, ob der Markt einsichtig ist oder ob er gerade die Nerven verliert und losstürmt wie eine wild gewordene Menschenmenge.«

»Und wie könnten wir das wissen?«

»Das ist es ja gerade«, antwortete Leo. »Wenn ich ein bisschen angeben will, sag ich gern: Inzwischen weiß ich genau eins über den Finanzmarkt – ich weiß, dass ich ihn nicht verstehe.«

»Dumm ist er nicht, was?«, flüsterte Malin Mikael ins Ohr.

Er wollte gerade antworten, als sein Handy in der Tasche brummte. Es war Annika, seine Schwester. Sofort musste er wieder an sein Gespräch mit Holger denken, murmelte eine Entschuldigung und verschwand zerstreut nach draußen. Dass sein Abgang Unruhe bei Leo erzeugte, fiel ihm nicht mal auf, doch Malin bemerkte es und studierte Leo eingehend. Ihre Gedanken wanderten zurück zu jener Nacht, in der sie ihn in seinem Büro gesehen hatte, wie er irgendwas auf Büttenpapier geschrieben hatte. Etwas an dieser Szene war bedeutsam – und eigenartig gewesen. Sie spürte es immer deutlicher und beschloss, Leo nach dem Vortrag abzufangen und ihn danach zu fragen.

Mikael stand am Kai und blickte über die spiegelglatte Wasseroberfläche hinüber nach Gamla Stan und zum Schloss. Es war windstill, und aus der Ferne kam ein größeres Kreuzfahrtschiff herein. Er beschloss, sein Androidtelefon und die Verschlüsselungs-App zu benutzen. Dann rief er Annika zurück. Sie meldete sich nach dem ersten Klingeln und klang atemlos, sodass er sofort fragte, ob irgendwas passiert sei.

Sie sei gerade auf dem Weg nach Flodberga, antwortete sie. Lisbeth werde von der Polizei verhört.

»Wird sie wegen irgendwas beschuldigt?«

»Noch nicht, und mit etwas Glück kommt sie glimpflich davon. Aber es ist ernst, Mikael.«

»Raus mit der Sprache!«

»Ja, ja, immer mit der Ruhe. Diese Frau, von der ich dir erzählt habe – Benito Andersson, die sowohl das Personal als auch die Mithäftlinge bedroht und für sich eingespannt hat, also, die noch eine viel größere Sadistin war, als ich es mir hätte vorstellen können –, die liegt nach einem gewalttätigen Übergriff in der Uniklinik Örebro.«

»Und was hat das mit Lisbeth zu tun?«

»Lass es mich so ausdrücken: Der Leiter der Abteilung, Alvar Olsen, hat zwar die Verantwortung übernommen. Er behauptet, er sei gezwungen gewesen, Benito außer Gefecht zu setzen, weil sie jemanden mit einem Stilett angegriffen habe ...«

»Im Gefängnis?«

»Ja, und das ist natürlich ein waschechter Skandal. Entsprechend sind auch parallel schon Untersuchungen eingeleitet worden, wie die Waffe überhaupt ins Gefängnis geschmuggelt werden konnte. Das Ganze als Notwehr einzustufen lag anscheinend nahe, außerdem wird Olsens Aussage von Faria Kazi gestützt, der jungen Frau aus Bangladesch, von der ich dir erzählt hab. Faria schwört Stein und Bein, Alvar habe ihr mehr oder weniger das Leben gerettet.«

»Und was daran ist jetzt für Lisbeth problematisch?«

»Zunächst mal ihre eigene Zeugenaussage.«

»Sie hat alles gesehen?«

»Lass mich bitte der Reihe nach erzählen.«

»Natürlich.«

»Es gibt Widersprüche bei den Zeugenaussagen von Faria Kazi und Alvar Olsen. Alvar behauptet, er habe Benito zwei Fausthiebe auf den Kehlkopf verpasst, wohingegen Faria meint, es sei eher ein Stoß mit dem Ellbogen gewesen, und anschließend sei Benito unglücklich gestürzt. Aber das ist nicht das eigentliche Problem. Jeder erfahrene Strafermittler weiß, dass Menschen oft erstaunlich unterschiedliche Erinnerungen an traumatische Ereignisse haben. Viel schlimmer ist das, was die Überwachungskameras zeigen.«

»Und was zeigen sie?«

»Das Drama spielte sich um kurz nach halb acht ab. Halb acht ist die schlimmste Zeit im Sicherheitstrakt. Bislang haben die Übergriffe dort meist kurz vor Einschluss stattgefunden, und Faria Kazi war am schlimmsten davon betroffen. Das wusste Alvar Olsen. Er wusste es, hat sich aber nicht getraut, etwas dagegen zu unternehmen. Das gibt er auch selbst zu. Was das betrifft, ist er in Ordnung. Er ist offenherzig – ich hab an den Befragungen mit ihm teilgenommen. Gestern Abend um 19.32 Uhr sitzt er in seinem Büro und erhält endlich den Anruf, auf den er schon so lang gewartet hat. Endlich soll Benito in ein anderes Gefängnis verlegt werden. Und was macht er? Knallt einfach nur den Hörer auf.«

»Aber warum?«

»Weil er genau da sieht, dass es halb acht ist, sagt er. Er ist alarmiert, stürzt los, öffnet die Schleusentür mit dem Codeschloss und rennt den Flur entlang zum Sicherheitstrakt. Das Seltsame ist, dass genau in dieser Sekunde eine andere Inhaftierte aus Faria Kazis Zelle stürmt. Es ist Tine Grönlund, die in der Abteilung oft als Benitos Schoßhündchen oder Leibwächterin bezeichnet wird, und da stellt sich natürlich die Frage: Warum verlässt sie so eilig die Zelle? Weil sie hört, dass Alvar kommt – oder aus einem anderen Grund? Alvar behauptet, er habe sie nicht einmal bemerkt. Er habe genug damit zu tun gehabt, sich an den anderen Insassinnen vorbeizudrängeln, die sich vor Farias Tür versammelt hatten. Und als er endlich reinkommt, sieht er Benito mit einem Stilett in der Hand. Er verpasst ihr mit voller Wucht zwei Schläge auf den Kehlkopf. Um die Privatsphäre der Häftlinge zu schützen, gibt es in den Zellen keine Kameras, sodass wir seine Geschichte nicht verifizieren können. Eigentlich finde ich, dass er aufrichtig klingt. Aber wie gesagt befindet sich da anscheinend auch Lisbeth in der Zelle.«

»Und Lisbeth würde nicht zulassen, dass direkt vor ihren Augen ein Übergriff stattfindet.«

»Vor allem auf jemanden wie Faria Kazi. Aber das ist noch nicht das Schlimmste.«

»Was denn dann?«

»Die Atmosphäre in der Abteilung, Mikael. Wie immer im

Knast will natürlich niemand etwas sagen. Aber man kann schon von Weitem sehen, dass es brodelt. Schon als ich nur mit Lisbeth an der Kantine vorbeigegangen bin, haben die Häftlinge mit ihrem Geschirr geklappert. Man spürt, dass sie Lisbeth als Heldin ansehen – aber auch als ... todgeweiht. Ich hab gehört, wie jemand gesagt hat: *Dead woman walking*, und auch wenn das ihren Status an und für sich nur umso mehr hebt, ist es ernst, und zwar nicht nur, weil die Worte an sich so unheimlich klingen. Es gibt der Polizei auch Anlass nachzudenken. Wenn es tatsächlich Alvar Olsen war, der Benitos Kiefer zertrümmert hat, warum wird dann Lisbeth bedroht und nicht er?«

»Verstehe«, sagte Mikael nachdenklich.

»Lisbeth wird inzwischen nonstop beobachtet. Es spricht zwar viel für sie: Niemand scheint zu glauben, dass eine so kleine Person so irrsinnig hart zuschlagen kann. Und es versteht auch niemand, warum Alvar Olsen die Schuld auf sich nehmen und von Faria Kazi gedeckt werden sollte, wenn er es gar nicht gewesen wäre. Aber Mikael – dafür, dass sie so eine intelligente Person ist, benimmt sie sich verblüffend unklug.«

»Was meinst du damit?«

»Sie verliert kein Wort darüber, was passiert ist. Sie habe nur zwei Dinge mitzuteilen, sagt sie.«

»Und die wären?«

»Dass Benito bekommen hat, was sie verdiente.«

»Und das zweite?«

»Dass Benito bekommen hat, was sie verdiente.«

Mikael musste lachen, obwohl die Situation zutiefst beunruhigend war.

»Und was, glaubst du, ist wirklich passiert?«

»Meine Aufgabe ist es nicht, irgendetwas zu glauben, sondern meine Mandantin zu verteidigen«, antwortete Annika. »Aber lass es mich rein hypothetisch formulieren: Benito passt ziemlich gut in das Profil eines Menschen, den Lisbeth nicht besonders mag.«

»Kann ich irgendetwas tun?«

»Genau deshalb hab ich dich angerufen.«

»Schieß los.«

»Du könntest mir in Sachen Faria Kazi helfen. Ich habe mich auch ihres Falles angenommen – und zwar auf Lisbeths ausdrücklichen Wunsch hin. Lisbeth scheint im Gefängnis ein bisschen was über die Frau in Erfahrung gebracht zu haben, und du könntest möglicherweise ein Interesse daran haben, mir in dieser Angelegenheit zu helfen. Es könnte eine starke Story für *Millennium* werden. Ihr Freund Jamal ist von einer U-Bahn erfasst worden und gestorben. Können wir uns vielleicht heute Abend treffen?«

»Ich bin um neun mit Holger Palmgren verabredet.«

»Oh, richte ihm schöne Grüße aus! Er hat versucht, mich zu erreichen. Aber wenn ihr euch um neun trefft, könnten wir doch vorher noch was essen gehen? Wie wär's um sechs im ›Pane Vino‹?«

»Abgemacht«, antwortete Mikael.

Er legte auf, sah zum Grand Hôtel und zum Kungsträdgården hinüber und überlegte, ob er wieder hineingehen sollte. Stattdessen suchte er ein paar Sachen auf dem Handy, und währenddessen verging die Zeit wie im Flug. Erst rund zwanzig Minuten später eilte er in das Museum zurück.

Als er im Eingangsbereich an einem Büchertisch vorbeikam, passierte etwas Seltsames. Leo Mannheimer kam ihm direkt entgegen. Mikael wollte schon die Hand ausstrecken und ein paar freundliche Dinge über das Expertengespräch auf der Bühne sagen. Doch er brachte es nicht übers Herz. Leo sah so gequält aus, dass Mikael schwieg und lediglich zusah, wie der Mann mit hektischen, nervösen Bewegungen in die Sonne hinaus verschwand.

Anschließend blieb Mikael noch für einen Moment gedankenverloren stehen, ehe er in den Veranstaltungsraum zurückkehrte und nach Malin Ausschau hielt. Allerdings saß sie nicht mehr an ihrem Platz, und Mikael hätte sich ohrfeigen können, weil er so sehr getrödelt hatte. Ob sie ungeduldig geworden und gegangen war? Er sah sich um. Auf der Bühne sprach jetzt ein anderer, älterer Herr, der auf irgendwelche Kurven und Linien auf einer weißen Leinwand deutete. Mikael beachtete ihn nicht weiter.

Schließlich entdeckte er Malin an einem Tresen zur Rechten, wo man für die Pause Weingläser bereitgestellt hatte. Malin hatte sich vorzeitig am Rotwein bedient, ließ die Schultern hängen und sah unglücklich aus.

Irgendetwas musste passiert sein.

8. KAPITEL
19. Juni

Faria Kazi lehnte sich an die Zellenwand und schloss die Augen. Zum ersten Mal seit Langem hätte sie sich gern im Spiegel angesehen. Mittlerweile spürte sie eine zarte Hoffnung in sich aufkeimen, auch wenn der Schreck ihr immer noch in den Gliedern saß. Sie dachte daran, wie sich der Wachleiter bei ihr entschuldigt hatte, dachte an ihre neue Anwältin Annika Giannini und an die Polizisten, die sie befragt hatten – und natürlich dachte sie auch an Jamal.

Sie kramte in ihrer Hosentasche. Darin lag ein Etui aus braunem Leder, und in dem Etui befand sich die Visitenkarte, die Jamal ihr nach der Debatte im Kulturhuset gegeben hatte.

Jamal Chowdhury, stand auf der Karte, *Blogger, Writer, PhD Biology, University of Dhaka*. Dann seine Mailadresse und Handynummer und darunter, in einer anderen Schrift, die Webadresse: www.mukto-mona.com. Die Papierqualität war schlecht, die Karte zerknittert und die Buchstaben abgerieben. Bestimmt hatte Jamal sie selbst gedruckt. Sie hatte ihn nie danach gefragt, und warum hätte sie das auch tun sollen? Dass die Karte mal ihr wertvollster Besitz werden sollte, hätte sie schließlich nicht ahnen können. In der Nacht nach ihrem ersten Treffen hatte sie in ihrem Bett gelegen und unter der Bettdecke die Karte angestarrt, während sie sich an ihr Gespräch erinnerte und an jede Linie und Falte in seinem Gesicht. Natürlich hätte sie sofort anrufen sollen. Sie hätte sich noch am selben Abend melden sollen. Doch sie war jung und unschuldig und wollte nicht bedürftig wirken, und vor allem: Wie hätte sie wissen können, dass man ihr bald alles wegnehmen würde – das Handy, den Computer, ja sogar die Möglichkeit, in ihrem eigenen Viertel im Nikab herumzuspazieren?

Jetzt, in der Zelle, während seit Langem erstmals wieder ein Lichtstrahl in ihr Leben fiel, erinnerte sie sich wieder an den Sommer. Damals hatte Tante Fatima gestanden, dass sie Faria zuliebe gelogen hatte, und Faria war zu einer Gefangenen in den eigenen vier Wänden geworden. Sie war eingesperrt worden und hatte sich anhören müssen, man werde sie mit einem Cousin verheiraten, den sie noch nie gesehen hatte, der aber drei Textilfabriken in Dhaka besitze – *drei!* Sie hätte nicht mehr sagen können, wie oft sie diese Zahl gehört hatte.

»Kannst du dir das vorstellen, Faria? Drei Fabriken!«

Er hätte dreihundertdreiunddreißig Fabriken haben können, und es hätte sie nicht interessiert. Ihr kam Qamar Fatali – so hieß der Cousin – einfach nur widerwärtig vor. Auf den Fotos sah er arrogant und boshaft aus, und es wunderte sie kein bisschen, dass er Salafist und glühender Gegner der säkularen Bewegung in ihrer Heimat war und es für sie zu einer Frage auf Leben und Tod zu werden drohte, dass sie eine reine, unberührte sunnitische Frau blieb, bis Qamar nach Schweden käme und sie aus der westlichen Welt errettete.

Zu dieser Zeit wusste zwar noch niemand in der Familie etwas von Jamal. Aber es waren andere Dinge aufgetaucht und gegen sie verwendet worden – nicht nur die Feststellung, dass sie gar nicht bei Tante Fatima gewesen war. Alte, unschuldige Facebook-Bilder, Tratsch und Gerüchte, die angeblich bestätigten, dass sie »herumgehurt« hatte.

Ein Sicherheitsschloss wurde an der Wohnungstür angebracht, und weil zwei ihrer Brüder, Ahmed und Bashir, ohnehin keine Arbeit hatten, war immer jemand zu Hause, um sie zu bewachen. Sie konnte nichts anderes mehr tun, als zu putzen und zu kochen und die anderen zu bedienen oder in ihrem Zimmer zu liegen und zu lesen, was sie zu lesen fand: den Koran, Tagore-Gedichte und -Erzählungen, Biografien von Mohammed und den ersten Kalifen. Am liebsten aber träumte sie sich von zu Hause weg.

Allein bei dem Gedanken an Jamal wurde sie rot. Ihr war natürlich klar, dass das lächerlich war. Aber es war nun mal die einzige Gabe, die sie ihrer Familie verdankte. Weil sie ihr alle Freude genommen hatte, konnte selbst die Erinnerung an einen Spaziergang auf der Drottninggatan Farias Innerstes in Wallung bringen. Schon damals hatte sie in einem Gefängnis gelebt, aber sie hatte es sich nie erlaubt, in Resignation zu versinken.

Doch dann war sie, statt deprimiert zu sein, zusehends wütender geworden. Und irgendwann hatte sie selbst der Gedanke an Jamal immer weniger getröstet. Wenn sie sich jetzt die Unterhaltung mit ihm ins Gedächtnis rief, bei der die Worte so frei geflossen waren, kam ihr im Vergleich jeder einzelne Satz, der zu Hause gesprochen worden war, selbstsüchtig und beschränkt vor. Und Gott war ihr auch keine Hilfe gewesen.

Gott hatte nichts Spirituelles oder Bereicherndes an sich – nicht in ihrer Familie. Er war der Hammer, den man Leuten über den Kopf zog, ein Werkzeug der Kleingeistigkeit und Unterdrückung, genau wie Hassan Ferdousi es beschrieben hatte. Faria wurde von Herzrasen und Atemnot gepackt. Am Ende hielt sie es nicht mehr aus. Sie musste fliehen, koste es, was es wolle.

Es war bereits September. Draußen wurde es kälter, und ihr Blick bekam eine neue Schärfe, suchte immerzu nach Auswegen. Sie konnte an nichts anderes mehr denken. Tag und Nacht träumte sie von ihrer Flucht. Oft schielte sie zu ihrem kleinen Bruder Khalil hinüber. Auch der hatte es nicht leicht, durfte sich seine englischen und amerikanischen Fernsehserien nicht mehr ansehen und seinen besten Freund Babak nicht mehr treffen, weil der Schiit war. Manchmal sah er sie so verzweifelt an, als wüsste er genau, was sie durchmachte. Ob er ihr helfen konnte?

Sie dachte eingehend darüber nach, bis sie geradezu besessen von dem Gedanken war und nach und nach auch noch von anderen Dingen, von Telefonen beispielsweise, den Telefonen ihrer Brüder und dem ihres Vaters, allen nur denkbaren Telefonen, die sich in Reichweite befanden. Sie fing an, den älteren Brüdern mit etwas Abstand durch die Wohnung zu folgen, und sie starrte deren Finger an, wenn sie mit ihren Handys beschäftigt waren und PIN-Nummern eingaben. Vor allem aber registrierte sie, dass die Brüder ihre Telefone mitunter auf Tischen und Kommoden liegen ließen oder an abwegigeren Orten wie oben auf dem Fernseher oder in der Küche neben dem Toaster oder dem Teekessel. Manchmal kam es zu absurden Szenen, wenn die Brüder ihre Telefone nicht fanden und schimpften und einander anriefen und umso lauter schimpften, wenn sie die Telefone zuvor stumm gestellt hatten und sie nur anhand des leisen Brummens wiederfinden konnten.

Nach und nach verstand sie, dass darin ihre Chance lag. Sie würde die Gelegenheit beim Schopf packen müssen, sobald sie sich böte, sosehr sie sich der Gefahr auch bewusst war. Sie setzte nicht nur die Ehre der Familie aufs Spiel, sondern auch die finanzielle Existenz des Vaters und der Brüder. Die drei verdammten Fabriken wären ein Geschenk des Himmels und würden sie alle reich machen. Wenn sie das zunichtemachte, würde das schwerwiegende Folgen haben, und es wunderte sie nicht, dass sich die Schlinge immer enger zuzog.

Zusehends sickerte Gift in alles ein, und dann waren es nicht mehr nur Ehre und Gier, die in den Augen der großen Brüder funkelten. Sie schienen Faria regelrecht zu fürchten – und zwangen sie, mehr zu essen. Sie durfte unter keinen Umständen zu mager werden, weil Qamar Frauen mochte, an denen etwas dran war. Und sie durfte auf gar keinen Fall unrein werden. Auf gar keinen Fall frei sein. Die Brüder wachten über sie wie Habichte, und eigentlich hätte sie resignieren und aufgeben müssen. Stattdessen trieb sie die Sache auf die Spitze. Es geschah an einem Morgen Mitte September vor bald zwei Jahren, als sie beim Frühstück saßen und Bashir, der älteste Bruder, auf seinem Handy herumtippte.

An der provisorischen Bar des Fotografiska Museet nippte Malin an ihrem Rotwein. Mikael hatte sie in entspannter, fast enthusiastischer Laune zurückgelassen – doch jetzt sah sie aus wie eine welke Blume und hatte die Hand in ihrem langen Haar vergraben.

»Hallo«, sagte er leise, um den laufenden Vortrag nicht zu stören.

»Wer hat denn gerade angerufen?«, fragte sie.

»Nur meine Schwester.«

»Die Anwältin?«

Mikael nickte. »Ist etwas passiert?«

»Nein, eigentlich nicht, ich hab bloß mit Leo gesprochen.«

»Lief es nicht gut?«

»Doch, eigentlich lief es super ...«

»Das kann ich nicht recht glauben.«

»Objektiv betrachtet lief es wirklich super. Wir haben uns alle nur denkbaren Komplimente gemacht: dass ich gut aussehe und er einen tollen Auftritt hingelegt hat und wir uns wirklich vermisst haben, bla, bla, bla. Und trotzdem habe ich sofort gespürt, dass etwas anders war.«

»Und was?«

Malin zögerte. Sie sah sich nach allen Seiten um, als wollte sie sichergehen, dass Leo nicht mehr in der Nähe war und zuhören konnte.

»Es kam mir so leer vor«, antwortete sie dann. »Als wären das alles nur leere Phrasen gewesen. Ihm schien es unangenehm zu sein, mir zu begegnen.«

»Freunde kommen, Freunde gehen«, sagte Mikael freundlich und strich ihr übers Haar.

»Ich weiß, und ich komme verdammt noch mal gut ohne Leo Mannheimer klar. Aber es hat mich trotzdem gestört. Wir waren immerhin … Eine Zeit lang haben wir uns wirklich …«

Mikael wählte seine Worte mit Bedacht. »Ihr habt euch nahegestanden«, sagte er.

»Ja, wir haben uns nahegestanden. Aber eigentlich waren es nicht einmal so sehr die leeren Worte, die mich irritiert haben. Irgendwie kam mir einfach alles merkwürdig vor.«

»Was meinst du?«

»Er hat zum Beispiel erwähnt, dass er sich mit Julia Damberg verlobt hat.«

»Wer soll das sein?«

»Sie war früher Analystin bei Alfred Ögren, und sie ist nett, noch dazu richtig hübsch, aber nicht besonders intelligent. Leo hat sie nie gemocht. Er fand sie kindisch. Ich kann nicht fassen, dass er sich mit ihr verlobt hat!«

»Wie unschön.«

»Hör auf!«, fauchte sie. »Ich bin nicht eifersüchtig, falls du das denkst. Ich bin nur … verwirrt. Vollkommen durcheinander, um ehrlich zu sein. Irgendetwas stimmt da nicht.«

»Du meinst doch noch was anderes, als dass er sich bloß mit dem falschen Mädchen verlobt hat.«

»Manchmal bist du richtig bescheuert, Blomkvist, weißt du das?«

»Ich versuche nur, es zu verstehen.«

»Das wird dir sowieso nicht gelingen«, erwiderte sie bissig.

»Und warum?«

»Weil ich …« Sie zögerte und suchte nach den richtigen Worten. »Weil ich immer noch nicht ganz fertig bin mit dieser Sache. Ich muss erst noch was nachprüfen.«

»Jetzt sei nicht so verdammt kryptisch!«

Mittlerweile war seine Laune im Keller, und er fauchte zurück. Vielleicht war das ungerecht, aber vermutlich schlug in diesem Moment einfach alles über ihm zusammen: Lisbeth, der gewaltsame Vorfall in Flodberga, die Schufterei in der Redaktion während des Frühlings. Malin sah ihn erschrocken an.

»Entschuldige«, sagte er.

»Ich muss mich entschuldigen«, erwiderte sie. »Ich weiß, dass ich bescheuert bin.«

Er riss sich zusammen, um wieder freundlich und verständnisvoll zu klingen. »Also, was ist denn genau vorgefallen?«

»Ach, im Grunde war es ein und dasselbe wie beim letzten Mal – als er mitten in der Nacht in seinem Büro saß und irgendwas geschrieben hat. Auch daran stimmte etwas nicht.«

»Kannst du nicht versuchen, es mir zu erklären?«

»Zuallererst einmal hätte er hören müssen, dass ich umgekehrt war und ihn von der Tür aus ansah.«

»Warum hätte er dich hören müssen?«

»Weil er an Hyperakusis leidet.«

»Woran?«

»An einer extremen Geräuschempfindlichkeit. Er hört übertrieben gut – jeden winzigen Schritt, jeden Schmetterling, der gerade vorbeiflattert. Ich weiß nicht, wie ich das vergessen konnte! Vielleicht hab ich auch nur unbewusst versucht, nicht indiskret zu sein ... Er selbst betrachtet sich in dieser Hinsicht als einen Freak. Aber als heute der Stuhl gequietscht und er so heftig darauf reagiert hat, ist es mir plötzlich wieder eingefallen. Was meinst du, Mikael, wollen wir nicht lieber gehen? Dieses Gefasel über Kaufen und Verkaufen ertrage ich nicht mehr«, sagte sie und kippte ihren Wein hinunter.

Faria Kazi saß in ihrer Zelle und wartete auf die nächste Befragung. Diesmal graute ihr davor nicht mehr annähernd so sehr. Nicht nur hatte sie inzwischen schon zweimal von den Demütigungen und den Übergriffen in der Abteilung erzählt – es war ihr auch gelungen zu lügen. Leicht war es nicht gewesen. Wegen Salander setzte die Polizei sie mächtig unter Druck. Warum Lisbeth in der Zelle gewesen sei. Welche Rolle sie gespielt habe.

Am liebsten hätte Faria geschrien: *Sie war es, die mich gerettet hat, nicht Alvar Olsen!* Doch sie war bei ihrer Version geblieben. Das war für Lisbeth sicherlich das Beste. Wann hatte sich das letzte Mal irgendwer für sie eingesetzt? Sie wusste es nicht mehr.

Erneut musste sie an jenes Frühstück denken, zu Hause in Sickla, als ihr Bruder Bashir direkt neben ihr mit seinem Handy beschäftigt gewesen war. Es war ein schöner Tag gewesen. Draußen in der Welt, die für sie inzwischen tabu war, hatte die Sonne geschienen. Sie hatten schon lang keine Tageszeitung mehr abonniert, und der Vater hatte morgens auch schon länger nicht mehr den schwedischen Rundfunk gehört. Die Familie hatte der Gesellschaft den Rücken gekehrt.

Bashir hatte Tee getrunken und irgendwann den Blick gehoben.

»Dir ist schon klar, warum Qamar so lang auf sich warten lässt?«

Sie sah auf die Straße hinaus.

»Er fragt sich, ob du eine Hure bist. Bist du das, Faria?«

Auch diesmal antwortete sie nicht. Sie hatte noch nie auf diese Art von Fragen reagiert.

»Ein schmutziger kleiner Abtrünniger hat versucht, dich zu erreichen.«

Diesmal konnte sie sich die Nachfrage nicht verkneifen. »Wer soll das denn gewesen sein?«

»Ein Junge, irgendein Landesverräter aus Dhaka«, fuhr Bashir fort.

Vielleicht hätte sie wütend werden sollen. Jamal war kein Landesverräter. Er war ein Held, ein Mann, der für ein besseres, demokratischeres Bangladesch gekämpft hatte. Trotzdem freute sie sich einfach nur darüber, und das war nicht einmal verwunderlich. Inzwischen waren Monate vergangen, und Erinnerungen und Gefühle verblassten, vor allem wenn man nicht mehr zusammen erlebt hatte, als eine Straße entlangzuspazieren.

Dass sie selbst Tag und Nacht an Jamal gedacht hatte, war dagegen wenig überraschend. Sie war eingesperrt und hatte nichts zu tun. Er hingegen war frei und durfte Seminare und Empfänge besuchen. Er hätte in der Zwischenzeit eine andere Frau kennenlernen können, die interessanter war als sie. Doch als Bashir jetzt seine Beleidigungen ausspuckte, dämmerte ihr, dass Jamal sie wiedersehen wollte, und das war etwas Großes. In ihrer eingesperrten Welt war es größer als alles andere, und am liebsten hätte sie sich mit ihrer Freude zurückgezogen. Trotzdem blieb sie wachsam. Schon ein Hauch von Röte auf den Wangen konnte lebensgefährlich sein. Eine Kleinigkeit wie ein Stottern oder ein nervöser Blick konnte sie enttarnen. Deshalb bewahrte sie die Fassung.

»Wer bitte?«, fragte sie. »Ein Landesverräter? So was ist mir doch egal.«

Sie stand auf und ging vom Tisch weg, und erst später verstand sie, welchen Fehler sie begangen hatte. In ihrem Ehrgeiz, möglichst gleichgültig zu wirken, hatte sie schlicht übertrieben. Doch in jenem Moment hatte sie geglaubt, einen Sieg errungen zu haben, und als sie sich vom ersten Schock erholt hatte, fixierte sie sich mehr denn je auf ihr Ziel. Sie musste an ein Telefon kommen.

Sie war von ihrer Idee schier besessen, und das konnte man ihr allem Anschein nach anmerken. Bashir und Ahmed bewachten sie umso beharrlicher, und natürlich stieß sie nirgends auf vergessene Telefone oder Schlüssel. Die Tage vergingen, es wurde Oktober. Es wurde Samstagabend, und die Wohnung füllte sich mit Leuten. Es dauerte eine Weile, ehe sie verstand, was überhaupt vor sich ging. Weil die Stimmung in der Familie so eisig war, hatte man Faria nicht einmal darüber informiert, dass man ihre Verlobung feiern wollte. Wobei feiern auch zu viel gesagt gewesen wäre. Niemand wirkte besonders glücklich. Und Qamar war auch nicht anwesend. Er hatte keine Einreiseerlaubnis erhalten. Und es fehlten auch andere Gäste, Menschen, die in Ungnade gefallen waren oder die sich von der Glaubensauslegung der Brüder distanziert hatten. Das Fest sprach nur zu deutlich von der zunehmenden Isolierung der Familie. Trotzdem nutzte Faria die Gunst der Stunde und studierte die Gesichter. Konnte ihr irgendjemand helfen?

Wieder fand sie keinen besseren Kandidaten als Khalil, ihren kleinen Bruder. Er war sechzehn Jahre alt, saß ein wenig abseits und spähte immer wieder nervös zu ihr rüber. Früher, als sie noch in Vallholmen gewohnt und sich ein Zimmer geteilt hatten, hatten sie oft wach gelegen und sich unterhalten, so gut man sich mit Khalil eben unterhalten konnte. Zu jener Zeit, als ihre Mutter gerade gestorben war, hatte er noch nicht mit seinen stundenlangen Laufrunden angefangen. Doch er war schon damals speziell gewesen, hatte nicht viel geredet, liebte das Nähen und Zeichnen und erwähnte oft, dass er ihre Heimat vermisse – ein Land, an das er gar keine Erinnerung haben konnte.

Sie sah ihn an und fragte sich, ob sie ihn bitten sollte, ihr auf der Stelle zur Flucht zu verhelfen, jetzt, im Schutz des Festes. Doch sie war zu nervös. Stattdessen ging sie auf die Toilette, und wie immer auf der Suche sah sie sich aufmerksam um. Oben auf dem blauen Handtuchschrank lag tatsächlich – ein Telefon. Erst wollte sie es gar nicht glauben. Aber es war wirklich ein Handy, und es gehörte keinem der Gäste, sondern Ahmed, das konnte sie anhand des Bildschirmfotos sehen, auf dem er selbstherrlich grinsend auf einem Motorrad posierte, das ihm nicht mal gehörte. Ihr Herz pochte, und sie versuchte, sich daran zu erinnern, wie er seine PIN eingegeben hatte. Sie hatte ihn doch genau dabei beobachtet. Es hatte wie ein L ausgesehen. Vielleicht eins, sieben, acht, neun? Sie versuchte es. Falsch. Sie probierte eine neue Variante, die jedoch genauso wenig funktionierte, und da wurde ihr angst und bange. Was würde passieren, wenn sie das Handy versehentlich sperrte? Draußen waren Schritte und Stimmen zu hören. Warteten die anderen auf sie? Der Vater und die Brüder hatten sie das ganze Fest über beaufsichtigt. Sie sollte wirklich wieder rausgehen und das Handy liegen lassen. Trotzdem wagte sie einen letzten Versuch – und es durchzuckte sie wie ein Stromstoß, als es plötzlich funktionierte.

Jamals Visitenkarte brauchte sie schon lang nicht mehr, sie hatte seine Nummer so sehr verinnerlicht wie ihren eigenen Namen. In einem Anflug von Panik stellte sie sich in die Badewanne, weil die am weitesten von der Tür entfernt war. Dann rief sie ihn an.

Der Freiton hörte sich in ihren Ohren an wie ein Nebelhorn im milchigen Dunst, wie ein Notsignal über dem stockfinsteren Meer. Dann knisterte es im Hörer. Jemand meldete sich, und sie schlug die Augen nieder, lauschte auf Geräusche im Flur und war drauf und dran, gleich wieder aufzulegen. Bis sie die Stimme hörte. Seinen Namen. Und flüsterte: »Ich bin's ... Faria.«

»Oh.«

»Ich hab nicht viel Zeit ...«

»Ich höre«, erwiderte er knapp.

Allein schon beim Klang seiner Stimme schnürte sich ihr die Kehle zu, und sie überlegte fieberhaft, ob sie ihn bitten sollte, die Polizei zu rufen, aber sie traute sich nicht. Stattdessen sagte sie nur: »Ich muss dich treffen.«

»Es würde mich sehr glücklich machen, wenn wir uns sehen könnten«, erwiderte er, und da hätte sie am liebsten geschrien: *Glücklich?! Ich sterbe gleich!*

»Ich weiß aber nicht, wann ich kann ...«

»Ich bin fast immer zu Hause. Ich hab eine kleine Wohnung an der Upplandsgatan. Meistens bin ich hier und lese und schreibe. Komm einfach vorbei, sobald du kannst«, sagte er und verriet ihr die Adresse und den Türcode.

Sie löschte die angerufene Nummer, legte das Handy wieder auf den Handtuchschrank und marschierte an den Verwandten und Bekannten vorbei in ihr Zimmer. Auch dort standen Leute herum. Faria bat sie zu gehen, und gezwungen lächelnd taten sie wie geheißen. Anschließend kroch Faria unter die Bettdecke und beschloss nun endgültig, um jeden Preis zu fliehen.

So hatte es angefangen, das Schönste und das zugleich Schlimmste in ihrem Leben.

Am Büchertisch im Foyer vorbei schlenderten Malin und Mikael hinaus in die Sonne. Sie liefen an den Schiffen vorbei, die am Kai vertäut lagen, und blickten hinauf zu der Anhöhe auf der anderen Seite. Es war brütend heiß. Sie schwiegen. Mikael hatte seinen Ärger abgeschüttelt, doch Malin wirkte erneut unkonzentriert.

»Interessant, was du über sein Gehör erzählt hast«, bemerkte Mikael schließlich.

»Ach ja?«

Sie klang zerstreut.

»Carl Seger, dieser Psychologe, der vor fünfundzwanzig Jahren bei einem Jagdausflug erschossen wurde, hat darüber promoviert, wie das Gehör unser Selbstwertgefühl beeinflusst«, fuhr er fort.

Sie sah ihn an. »Meinst du, er kam wegen Leo darauf?«

»Keine Ahnung. Aber es klingt für mich nicht unbedingt wie das nächstliegende Forschungsthema. Wie hat sich Leos Geräuschempfindlichkeit denn geäußert?«

»Ach, manchmal saßen wir in einer Besprechung, und ich hab gesehen, wie er plötzlich aufhorchte, ohne den Grund zu verstehen. Kurz darauf kam jemand herein. Er nahm die Dinge früher wahr als andere. Einmal hab ich ihn sogar danach gefragt. Er hat es abgetan, später aber ... Während meiner letzten Zeit in der Firma hat er mir erzählt, dass ihn seine guten Ohren schon das ganze Leben lang gequält hätten. In der Schule sei er ein totaler Versager gewesen ...«

»Und ich hätte schwören können, er wäre Klassenbester gewesen.«

»Ich auch. Aber in den ersten Schuljahren konnte er wohl kein bisschen still sitzen und wollte ständig hinaus auf den Hof. Das bereitete den Eltern Kopfzerbrechen, und wäre er aus einer anderen, normaleren Familie gekommen, hätte man ihn womöglich als Problemkind abgestempelt und in eine Sonderklasse gesteckt. Aber er war nun mal ein Mannheimer, und deshalb wurden sämtliche Register gezogen. Irgendwann müssen sie festgestellt haben, dass er ein überragendes Gehör hatte. Deshalb hielt er es im Klassenzimmer auch kaum aus: Das kleinste Summen oder Rascheln störte ihn. Daraufhin bekam er dann zu Hause Privatunterricht. Und in dieser Zeit entwickelte er sich wohl auch zu dem

Jungen mit dem unglaublich hohen IQ, von dem du gelesen hast.«

»Aber er war nie stolz auf sein Gehör?«

»Nein, es kam mir nicht so vor, aber vielleicht ... Ich weiß nicht ... Vielleicht war es so, dass er sich dafür schämte, es gleichzeitig aber auch ausnutzte.«

»Wahrscheinlich konnte er andere gut belauschen.«

»Hat dieser Psychologe auch über einen extrem gut ausgeprägten Gehörsinn geschrieben?«

»Womöglich«, antwortete Mikael, »wobei mir die besagte Arbeit noch nicht vorliegt. In einem anderen Text schreibt er aber, dass Fähigkeiten, die in einer Epoche von evolutionärem Nutzen waren, in einer anderen plötzlich zur Belastung werden konnten. In der Zeit der Jäger und Sammler hatte derjenige, der im Wald am besten hörte, auch die größten Chancen, Beute zu erlegen. In einer Großstadt riskiert derselbe Mensch, durch den Lärm überlastet zu sein oder komplett wahnsinnig zu werden. Er ist dann eher Empfänger als Teilnehmer.«

»Hat er das geschrieben: eher Empfänger als Teilnehmer?«

»Ich glaube schon.«

»Wie traurig.«

»Wieso traurig?«

»Das trifft es bezüglich Leo auf den Punkt. Er war immer eher der Betrachter.«

»Abgesehen von jener Woche im Dezember.«

»Ja, abgesehen davon. Du hast den Verdacht, dass an diesem Schuss im Wald etwas nicht stimmt, oder?«

Diesmal vernahm er eine andere Neugier in ihrer Stimme und wertete es als gutes Zeichen. Vielleicht würde er ihr ja doch mehr darüber entlocken können, was bei ihrer Begegnung mit Leo so seltsam gewesen war.

»Ich fange zumindest an, mich dafür zu interessieren«, sagte er.

Leo hatte Carl Seger nie vergessen. Selbst als Erwachsener wurde er mitunter noch am Dienstagnachmittag um vier Uhr – exakt zu dem Zeitpunkt, da er normalerweise in Carls Praxis gegangen wäre – von einer tiefen Sehnsucht gepackt. Und es kam vor, dass er im Kopf Gespräche mit ihm führte wie mit einem imaginären Freund.

Trotzdem ging es ihm inzwischen tatsächlich ein wenig besser, und genau wie es Carl prophezeit hatte, hatte Leo nach und nach gelernt, besser mit der Welt und den Geräuschen umzugehen. Oft war sein absolutes Gehör ein Gewinn und nichts anderes. Wenn er Musik machte, war es definitiv so, und lang hatte er nichts anderes getan und von nichts anderem geträumt, als Jazzpianist zu werden. Schon in seinen späten Jugendjahren hatte er das Angebot erhalten, eine Platte für Metronome einzuspielen. Damals hatte er es ausgeschlagen. Er war der Meinung gewesen, er hätte noch nicht ausreichend gutes Material beisammen.

Als er schließlich an der Handelshochschule in Stockholm zu studieren begann, hatte er sein Studium nur als vorübergehende Phase betrachtet. Sobald er genügend Stücke beisammenhätte, würde er seine Platte aufnehmen und für die Musik leben und ein neuer Keith Jarrett werden. Doch die vorübergehende Phase war keine, und im Nachhinein würde er es sich nicht mehr erklären können. War es die Angst davor gewesen zu versagen und seine Eltern zu enttäuschen? Oder hatte es an den Depressionen gelegen, die mit der gleichen Zuverlässigkeit kamen und gingen wie die Jahreszeiten?

Leo blieb allein, und auch das war nicht leicht zu verstehen. Die Leute waren neugierig auf ihn. Frauen fanden ihn attraktiv. Nur beruhte es nie auf Gegenseitigkeit. In Gesellschaft sehnte er sich nach der Stille und dem Schweigen zu Hause.

Einzig Madeleine Bard hatte er wirklich geliebt. Auch

das konnte er nicht recht erklären, denn sie hatten nie viele Gemeinsamkeiten gehabt. Trotzdem glaubte er nicht, dass er bloß ihrer Schönheit verfallen war, ihrem Reichtum noch viel weniger. Sie war – und davon würde er für immer überzeugt bleiben – etwas ganz Besonderes, mit ihren schimmernden blauen Augen, die ein Geheimnis in sich zu tragen schienen, und mit ihrer Wehmut, die mitunter wie ein dunkler Schatten über ihr hübsches Gesicht huschte.

Madeleine und er verlobten sich und wohnten eine Zeit lang gemeinsam in seiner Wohnung an der Floragatan. Damals hatte er gerade die Anteile seines Vaters an der Investmentgesellschaft Alfred Ögren geerbt, und Madeleines Eltern – Snobs durch und durch – hatten ihn als gute Partie betrachtet. Die Beziehung war nicht unkompliziert. Madeleine wollte ständig mit ihm essen gehen, und Leo weigerte sich, so gut es ging. Sie stritten sich oft. Manchmal schloss sie sich ins Schlafzimmer ein und weinte, auch wenn das eher die Ausnahme war. Sie hätten eine gute Ehe führen können, davon war er überzeugt, denn meist unterhielten und liebten sie sich mit Wärme und Leidenschaft.

Trotzdem kam es zur Katastrophe, und die war sicherlich Beweis dafür, dass er sich etwas vorgemacht und sich eine Zusammengehörigkeit eingeredet hatte, die gar nicht vorhanden gewesen war. Es geschah im August während eines Fests – bei einem Krebsessen der befreundeten Mörners in Värmdö. Die Stimmung war von Beginn an angespannt. Er war bedrückt, fand die anderen Gäste anstrengend und laut. Deshalb hielt er sich zurück, was Madeleine umgekehrt dazu veranlasste, eine angestrengte Fröhlichkeit an den Tag zu legen. Sie sprang zwischen den Gästen hin und her und fand alles *fantastisch* und *herrlich* und zwitscherte, wie *superschön* alles eingerichtet sei, *und dieses Grundstück erst! Ich bin sooo beeindruckt! Ich würde am liebsten auch sofort hierherziehen!* An sich war das nichts Außergewöhnliches, nur ein Teil der Scharade, die das gesellschaftliche Leben einem nun mal abverlangte.

Gegen Mitternacht hatte er genug, zog sich in ein separates Zimmer zurück und vertiefte sich in Mezz Mezzrows *Really the Blues*, ein Buch, das er mit einiger Verwunderung dort im Regal entdeckt hatte. So ließ sich das Fest doch aushalten. Er durfte sich fortträumen in die Jazzclubs von New Orleans und Chicago in den Dreißigern und kümmerte sich kaum mehr um die Schnapslieder und das Grölen der anderen.

Doch nach einer Weile betrat Ivar Ögren das Zimmer, betrunken wie immer auf Festen, in einem engen braunen Anzug, der über dem Bauch spannte, und mit einem albernen schwarzen Hut auf dem Kopf. Leo hielt sich vorsichtshalber die Ohren zu, falls Ivar anfangen sollte zu krakeelen und zu lärmen wie sonst auch, doch er sagte nur: »Ich entführ mal eben deine Verlobte mit dem Boot.«

Leo protestierte.

»Nie im Leben! Du bist betrunken!«

Doch abgesehen davon, dass Ivar Madeleine als kleines Zugeständnis eine Schwimmweste überzog, erreichte Leo mit seinen Protesten nichts. Er ging auf die Veranda und starrte auf die rote Weste, die sich auf dem See entfernte.

Die Wasseroberfläche war spiegelblank. Es war eine klare Sommernacht, in der die Sterne leuchteten. Ivar und Madeleine unterhielten sich leise im Boot, trotzdem verstand Leo jedes Wort. Es waren Albernheiten. Dummes Zeug. Dennoch offenbarte sich ihm eine neue, vulgäre Madeleine, und allein das tat weh. Dann verschwand das Boot weiter aufs Wasser hinaus, bis er sie nicht mehr hören konnte. Stundenlang blieben sie weg.

Als sie zurückkehrten, waren die anderen Gäste längst gegangen. Der Himmel wurde wieder heller, und Leo stand mit einem Kloß im Hals am Ufer. Er hörte, wie das Boot an Land gezogen wurde, und dann kam Madeleine ihm mit unsicheren Schritten entgegen. Auf der Heimfahrt im Taxi spürte er, wie sich eine Mauer zwischen sie schob. Er konnte sich schon denken, was Ivar ihr dort draußen auf dem See erzählt hatte. Neun Tage später packte Madeleine ihre Sachen und ließ Leo sitzen. Am 21. November desselben Jahres, als der erste Schnee in Stockholm fiel und sich die Dunkelheit über das Land senkte, verlobte sie sich mit Ivar Ögren.

Leo erkrankte. Sein Arzt bezeichnete es als psychogene Lähmung.

Als er wieder genesen war, kehrte er zurück an seinen Arbeitsplatz, streckte den Rücken durch und gratulierte Ivar mit einer brüderlichen Umarmung. Er nahm sowohl an dessen Junggesellenabschied als auch an der Hochzeit teil und grüßte Madeleine freundlich, wann immer sie einander begegneten. Jeden verfluchten Tag machte er gute Miene zum bösen Spiel und tat so, als existierte zwischen Ivar und ihm seit Kindertagen eine Art Freundschaftsband, das allen Belastungen standhielt. Doch insgeheim verfolgte er ganz andere Gedanken. Er schmiedete Rachepläne.

Ivar Ögren wiederum spürte, dass er nur einen Teilsieg davongetragen hatte. Leo Mannheimer war noch immer eine Bedrohung und ein Rivale um den Führungsposten in der Firma. Er plante, Leo zu vernichten.

Malin erwähnte das Treffen mit Leo nicht mehr. Auf dem Hornsgatspuckeln hielt sie unvermittelt inne, dabei war es viel zu heiß und schwül, um in der Sonne zu stehen. Trotzdem stand sie zaudernd da, während Passanten an ihnen vorbeigingen. In der Ferne hupte ein Auto. Nachdenklich blickte Malin zum Mariatorget hinunter.

»Du«, sagte sie dann plötzlich. »Ich muss los.«

Zerstreut gab sie ihm einen Kuss und eilte die Steintreppen in Richtung Hornsgatan hinab zum Mariatorget. Mikael blieb noch kurz unschlüssig stehen. Dann zückte er sein Handy und rief Erika Berger an, die Chefredakteurin von *Millennium* und seine enge Freundin.

Er werde ein paar Tage nicht zur Arbeit kommen, sagte er, was keine große Sache war, sie hatten schließlich gerade erst die Juliausgabe in den Druck gegeben. Bald wäre Mittsommer, und zum ersten Mal seit Jahren hatten sie es sich leisten können, zu ihrer eigenen Entlastung zwei Aushilfen für den Sommer einzustellen.

»Du klingst niedergeschlagen. Ist etwas passiert?«, fragte Erika.

»In Lisbeths Abteilung in Flodberga hat es einen gewalttätigen Übergriff gegeben.«

»Oje. Und das Opfer war …?«

»Eine Verbrecherin, eine Schwerstkriminelle. Es ist eine ziemlich widerliche Geschichte – und Lisbeth ist Zeugin.«

»Meist ist sie doch hart im Nehmen.«

»Tja, ich hoffe es. Aber du … Könntest du mir bei einer anderen Sache behilflich sein?«

»Klar, worum geht es?«

»Könntest du jemanden aus der Redaktion bitten – am besten Sofie –, morgen ins Stadtarchiv zu gehen und unter Berufung aufs Öffentlichkeitsprinzip drei Personenakten anzufordern?«

Er nannte Erika die Namen und Personennummern.

»Der alte Mannheimer«, brummte Erika. »Liegt der nicht längst unter der Erde?«

»Seit sechs Jahren.«

»Ich hab ihn ein paarmal getroffen, als ich noch ein kleines Mädchen war. Mein Vater kannte ihn ein bisschen. Hat das etwas mit Lisbeth zu tun?«

»Möglicherweise«, antwortete er.

»Und inwiefern?«

»Das weiß ich noch nicht. Wie war er denn so?«

»Mannheimer? Schwer zu sagen. Ich war ja noch klein … Er hatte den Ruf, ein ziemlicher Fiesling zu sein, trotzdem hab ich ihn in guter Erinnerung. Er fragte mich nach meinem Musikgeschmack und konnte schön pfeifen. Wie kommt es, dass du dich für ihn interessierst?«

»Auch das muss ich dir später erklären«, sagte Mikael.

»Na gut, wie du willst«, erwiderte Erika und plauderte dann ein wenig über die nächste Ausgabe und dass die Anzeigen nur so hereinströmten.

Er hörte nicht mehr richtig zu, beendete das Gespräch ziemlich abrupt und lief die Bellmansgatan hinauf, am »Bishops Arms« vorbei, den kopfsteingepflasterten Hügel hinab, in seinen Hauseingang hinein und hoch zu seiner Dachgeschosswohnung. Dort setzte er sich an den Computer, nahm seine Nachforschungen wieder auf und trank dabei ein, zwei Pilsner Urquell. Er konzentrierte sich vor allem auf den tödlichen Schuss während jener Jagd in Östhammar, konnte aber nichts Neues zutage fördern. Er wusste nur zu gut, wie schwierig es war, online etwas über derart weit zurückliegende Vorkommnisse zu finden. Es gab keine digitalen Archive, in denen man nachschauen konnte – vor allem aus Gründen des Persönlichkeitsschutzes –, und den Regeln des Reichsarchivs zufolge mussten Dokumente zu gerichtlichen Voruntersuchungen nach fünf Jahren gelöscht werden. Am Ende beschloss er, tags darauf zum Amtsgericht in Uppsala zu fahren und dort die alten Gerichtsprotokolle einzusehen. Anschließend würde er vielleicht noch auf dem Polizeirevier vorbeischauen oder irgendeinen pensionierten Kommissar besuchen, der sich an den Fall erinnerte. Wie es sich eben ergab.

Außerdem rief er Ellenor Hjort an, die Frau, die mit Carl Seger verlobt gewesen war. Er spürte sofort, dass sie mit dem Thema abgeschlossen hatte. Sie wollte nicht mehr von

Carl sprechen. Zwar war sie höflich und zuvorkommend, teilte ihm jedoch unmissverständlich mit, sie wolle nicht daran erinnert werden und hoffe auf sein Verständnis. Erst als Mikael auf gut Glück Leos Namen erwähnte, besann sie sich eines Besseren und willigte ein, sich am darauffolgenden Nachmittag mit ihm zu treffen.

»Leo, du liebe Güte«, sagte sie, »wie lang das her ist! Wie geht es ihm denn?«

Er wisse es ehrlich gestanden nicht, antwortete Mikael. »Standen Sie einander nahe?«, fragte er dann.

»Allerdings. Carl und ich waren ganz vernarrt in den Jungen.«

Nachdem er aufgelegt hatte, kramte er ein wenig in der Küche herum. Er fragte sich, ob er Malin anrufen sollte, um zu hören, was ihr durch den Kopf ging. Stattdessen duschte er und zog sich um. Um fünf vor sechs verließ er seine Wohnung und lief zum Zinkensdamm, um seine Schwester im »Pane Vino« zu treffen.

9. KAPITEL
19. Juni

Sie werde sich darum kümmern, sagte sie. Er müsse sich keine Gedanken machen.

Es war an diesem Tag nun schon das dritte oder vierte Telefonat mit ihm, und auch diesmal blieb sie geduldig. Erst als sie auflegte, brummte sie: »Memme!«, und ging die Ausrüstung durch, die ihr loyaler Freund und Assistent Benjamin für sie besorgt hatte.

Rakel Greitz war Psychoanalytikerin und Dozentin der Psychiatrie und für eine ganze Reihe von Eigenschaften bekannt, nicht zuletzt für ihren Ordnungssinn. Sie war unglaublich effektiv, und daran hatte sich auch nichts geändert, seit man bei ihr ein Magenkarzinom diagnostiziert hatte und akribische Reinlichkeit auf einmal lebenswichtig für sie geworden war. Und diesbezüglich war sie mittlerweile geradezu manisch: Jedes Staubkorn wurde entfernt – kein Tisch, keine Arbeitsfläche war so sauber wie jene, derer Rakel sich angenommen hatte. Sie war siebzig Jahre alt, schwer krank, aber immer noch sehr rege.

Heute waren die Stunden in regelrecht fieberhafter Geschäftigkeit verflogen. Inzwischen war es halb sieben am Abend, eigentlich schon viel zu spät. Wenn es nach ihr gegangen wäre, hätte sie sofort reagiert, doch es war wie immer: Martin Steinberg war zu ängstlich gewesen, und sie war bloß froh, dass sie gegen seinen Rat bereits am Vormittag ihre Kontakte zu einem gewissen Telefonanbieter und zum Pflegedienst genutzt hatte. Ob das ausreichen würde, war alles andere als sicher. Seither mochte eine Menge passiert sein. Womöglich hatte dieser alte Narr zwischenzeitlich Besuch gehabt und ausgeplaudert, was immer er nun wusste oder ahnte. Die Operation stellte ein Risiko dar, aber sie hatten keine Wahl mehr, zu viel stand mittlerweile auf dem Spiel, zu viel war schiefgelaufen in dem Bereich, für den sie verantwortlich zeichnete.

Sie wusch sich die Hände mit Desinfektionsgel und lächelte sich selbst für einen kurzen Augenblick im Spiegel zu, um sicherzugehen, dass sie auch fröhlich aussehen konnte. Was passiert war, war aus ihrer Sicht nicht ausschließlich schlecht. Sie hatte so lang in diesem Tunnel aus Krankheit und Schmerz zugebracht – und nun bescherte die Aufgabe, die ihr bevorstand, ihr eine Art neuer Bedeutsamkeit, ja sogar Feierlichkeit. Das Gefühl des Berufenseins, die Ahnung eines übergeordneten Sinns, das hatte ihr immer gefallen.

Sie wohnte allein in einer Hundertacht-Quadratmeter-Wohnung am Karlbergsvägen in Stockholm. Erst kürzlich hatte sie ihre jüngste Chemotherapie beendet und fühlte sich verhältnismäßig gut. Ihr Haar war ein wenig dünner geworden, aber der Großteil war ihr erhalten geblieben. Die Kühlhaube, die sie getragen hatte, hatte gewirkt. Sie war noch immer eine elegante Erscheinung, groß, rank und schlank, mit klaren Gesichtszügen und einer natürlichen Autorität, die sie schon seit dem Examen am Karolinska Institutet besaß.

Die Flammen am Hals hatte sie auch noch immer, aber mittlerweile hatte sie das Muttermal, das ihr in der Jugend so viel Kummer bereitet hatte, zu schätzen gelernt. Sie trug es mit Stolz zur Schau, wenn sie nicht gerade – wie in jüngster Zeit häufiger – Rollkragenpullover anhatte, allerdings nicht aus Scham, sondern weil sie zu ihrer Strenge und Würde passten und stilecht, aber dezent waren. Trotzdem hatte sie sich nie von den maßgeschneiderten Kleidern und Kostümen von früher getrennt. Sie hatte sie seither auch nie anpassen lassen müssen.

Ihr Wesen hatte einerseits etwas Strenges, Kühles an sich, und andere bemühten sich um sie. Andererseits war sie sich ihrer Kompetenz sicher, und sie wusste Loyalität zu schätzen – sowohl Ideen als auch Menschen gegenüber. Sie hatte noch nie jemandem nach dem Mund geredet, auch nicht ihrem verstorbenen Mann Erik.

Sie ging kurz auf den Balkon hinaus und ließ den Blick über den Odenplan schweifen. Ihre rechte Hand ruhte auf dem Geländer, ihr Griff war fest. Dann kehrte sie in die Wohnung zurück und nahm eine Arzttasche aus braunem Leder aus dem Schrank. Sie packte alles hinein, was Benjamin ihr besorgt hatte. Zu guter Letzt ging sie zurück ins Bad, wo sie sich betont schlampig schminkte und eine geschmacklose schwarze Perücke aufsetzte. Sie lächelte sich ein letztes Mal zu; vielleicht war es auch nur ein nervöses Zucken. Obwohl sie so routiniert war, verspürte sie doch eine gewisse Unruhe.

Mikael und seine Schwester saßen draußen vor dem »Pane Vino« an der Brännkyrkagatan. Sie bestellten Trüffelpasta und Rotwein, plauderten ein wenig über den Sommer und die Hitze und über ihre Ferienpläne. Dann endlich vervollständigte Annika ihren Bericht über die Situation in Flodberga und kam auf ihr eigentliches Anliegen zu sprechen.

»Manchmal ist die Polizei einfach total bescheuert, Mikael«, sagte sie. »Weißt du, wie die politische Lage in Bangladesch derzeit aussieht?«

»Geht so ...«

»Dort ist der Islam Staatsreligion. Andererseits ist das Land laut Verfassung ein säkularer Staat mit Presse- und Meinungsfreiheit, was natürlich eine unmögliche Kombination ist.«

»Und es funktioniert auch nicht besonders.«

»Die Regierung wird von Islamisten unter Druck gesetzt und verabschiedet Gesetze, die jede Äußerung verbieten, mit der religiöse Gefühle verletzt werden *könnten*. *Könnten*, steht da – so was trifft ja auf fast alles zu! Und tatsächlich werden die Gesetze auch streng ausgelegt. Eine Reihe von Journalisten wurde schon zu langen Gefängnisstrafen verurteilt – aber das ist noch nicht das Schlimmste.«

»Das Schlimmste ist, dass die Gesetze Übergriffe legitimieren?«

»Ja. Sie haben den Islamisten enormen Auftrieb beschert. Dschihadisten und Terroristen haben mittlerweile damit angefangen, Andersdenkende systematisch zu bedrohen, zu schikanieren und sogar zu ermorden. Bis heute sind verschwindend wenige Täter verurteilt worden. Besonders schwer betroffen ist eine Plattform namens Mukto-Mona, die sich für Meinungsfreiheit, Aufklärung und die offene, säkulare Gesellschaft einsetzt. Diverse Autoren wurden bereits umgebracht, die anderen stehen auf Todeslisten und werden bedroht. Jamal Chowdhury war einer von ihnen. Als junger Biologe hat er für Mukto-Mona Artikel zu evolutionstheoretischen Themen geschrieben. Er wurde von der islamistischen Bewegung des Landes offiziell zum Tode verurteilt und konnte nur mithilfe des schwedischen PEN flüchten. Es sah lang so aus, als könnte er hier aufatmen. Anfangs war er depressiv, aber dann ging es ihm allmählich besser. Eines Tages hat er im Kulturhuset in Stockholm eine Diskussionsveranstaltung über die religiös motivierte Unterdrückung von Frauen besucht ...«

»Und dort hat er Faria Kazi kennengelernt.«

»Gut, du hast dich also informiert«, sagte Annika. »Faria saß ganz hinten, und sie ist – das kann man nicht anders sagen – ein außergewöhnlich hübsches Mädchen. Jamal konnte den Blick gar nicht mehr von ihr abwenden, und nach der Veranstaltung hat er sie angesprochen. Es war der Beginn einer großen Liebe – aber auch einer Tragödie, einem modernen Drama à la Romeo und Julia.«

»Na ja ...«

»Ich meine es genauso, wie ich es sage. Wie bei Romeo und Julia gehörten die Familien von Faria und Jamal sozusagen gegnerischen Parteien an: Jamal trat für ein freies, offenes Bangladesch ein, während Farias Vater und vor allem ihre Brüder Partei für die Islamisten im Land ergriffen hatten, erst recht nachdem Faria gegen ihren Willen einem Mann namens Qamar Fatali versprochen wurde.«

»Wer soll das sein?«

»Korpulent, Mitte vierzig, wohnt mit einer Armada Bediensteter in einer riesigen Villa in Dhaka. Er besitzt nicht nur einen ganzen Textilkonzern, sondern finanziert auch mehrere *Qawmi* im Land.«

»Qawmi?«

»Das sind regierungsunabhängige Koranschulen, die also von offizieller Seite auch nicht kontrolliert werden und in denen junge Dschihadisten ihr ideologisches Training erhalten. Qamar Fatali hat eine Frau in seinem Alter, aber im Frühjahr hatte er Fotos von Faria Kazi gesehen, war ganz hingerissen von ihr und wollte sie zu seiner Zweitfrau nehmen. Wie du dir vorstellen kannst, hatte er Schwierigkeiten, eine Einreisegenehmigung für Schweden zu erhalten, und sein Frust wuchs.«

»Und noch dazu tauchte auf einmal Jamal Chowdhury auf.«

»Ganz genau. Und damit hatten Qamar und die Brüder Kazi gleich zwei Gründe, Jamal aus dem Weg zu räumen.«

»Willst du damit sagen, er hat sich gar nicht selber vor den Zug geworfen??«

»Noch will ich gar nichts sagen, Mikael. Ich versorge dich bloß mit ein paar Hintergrundinformationen – mit einem kurzen Bericht dessen, worüber ich mit Lisbeth gesprochen habe. Jedenfalls wurde Jamal zum großen Feind, zu einer Art Montague. Er selbst war gläubiger Muslim, allerdings viel liberaler, und genau wie seine Eltern, die beide an der Universität lehren, hielt er es für eine entscheidende Bedingung für das Funktionieren der Gesellschaft, dass sie die Menschenrechte durchsetzt. Schon allein dadurch wurde Jamal Chowdhury für Qamar und die Familie Kazi zum Feind – und durch die Liebe zu Faria überdies zu einer privaten Bedrohung. Nicht nur die Ehre der Familie stand auf dem Spiel, sondern auch ihr Wohlstand. Es gibt also klare Mordmotive. Jamal hat früh verstanden, dass er ein Risiko einging, aber er konnte einfach nicht anders. In seinem Tagebuch, das die Polizei aus dem Bengalischen hat übersetzen lassen und das in der Voruntersuchung zitiert wird, schreibt er es selbst ... Darf ich dir kurz daraus vorlesen?«

»Gern.«

Mikael nahm einen Schluck Chianti, während Annika sich vorbeugte, die Ermittlungsakten aus ihrer Tasche zog und in den Unterlagen blätterte.

»Hier«, sagte sie. »Hör zu: *Seit ich meine Freunde sterben und mich gezwungen sah, meine Heimat zu verlassen, war mir, als bedeckte Asche die Welt. Was immer ich vor Augen hatte, war seiner Farben beraubt, und ich erkannte keinen Sinn mehr im Leben ...* Dieser letzte Satz wurde später übrigens als Argument dafür herangezogen, dass er sich selbst vor die U-Bahn gestürzt haben soll. Aber der Text geht noch weiter. *Dennoch versuchte ich, mich abzulenken, und eines Tages im Juni besuchte ich eine Debatte hier in Stockholm über die religiöse Unterdrückung der Frau. Ich hatte keine hohen Erwartungen. Was mir früher so viel bedeutet hatte, war mir mittlerweile gleichgültig, und ich konnte nicht einmal mehr nachvollziehen, warum der Imam auf dem Podium der Meinung war, es gebe so vieles, wofür es sich zu kämpfen lohne. Im Gegensatz zu ihm hatte ich längst aufgegeben, als läge ich bereits in meinem Grab. Ich glaubte wirklich, man hätte mich ebenfalls umgebracht.* Ja, ich weiß, er klingt ein bisschen melodramatisch«, entschuldigte sich Annika.

»Nein, ganz und gar nicht! Jamal war jung, oder? Wenn man jung ist, schreibt man so. Das erinnert mich an meinen armen Kollegen Andrei ... Aber lies weiter.«

»*Ich glaubte, ich wäre tot und für die Welt verloren. Doch dann entdeckte ich weiter hinten im Saal eine junge Frau in einem schwarzen Kleid. Sie hatte Tränen in den Augen und war so schön, dass es wehtat. Im selben Moment erwachte in mir wieder das Leben: Es durchzuckte mich wie ein Stromschlag, und mir war klar, ich musste zu ihr gehen. Irgendwie wusste ich schon da, dass wir zusammengehörten und dass ich und kein anderer sie würde trösten können. Also sprach ich sie an, sagte dann aber irgendetwas Dummes und dachte schon, ich hätte mich blamiert. Aber sie lächelte, und dann liefen wir auf den Platz hinaus und von dort weiter die lange Fußgängerzone entlang und am Parlament vorbei ...* Na gut. Weiter will ich gar nicht lesen. Jamal hat es nie übers Herz gebracht, mit jemandem darüber zu sprechen, was mit seinen Freunden von Mukto-Mona passiert war. Aber in Farias Gegenwart sprudelt es plötzlich nur so aus ihm heraus. Er erzählt ihr alles, das geht aus seinem Tagebuch deutlich hervor, und als Faria nach knapp einem Kilometer sagt, sie müsse zurück nach Hause, bekommt sie seine Visitenkarte und verspricht, ihn bald anzurufen. Doch sie lässt nicht von sich hören. Jamal wartet und ist schon ganz verzweifelt. Er findet Farias Handynummer im Internet und hinterlässt ihr eine Nachricht. Und noch eine. Und noch eine. Aber sie ruft nie zurück. Stattdessen meldet sich ein Mann und faucht Jamal an, er solle nie wieder anrufen. ›Faria verachtet dich, du Dreckskerl‹, sagt er, und Jamal ist am Boden zerstört. Dann aber wird er misstrauisch und geht der Sache nach. Zwar kann er sich nicht alles zusammenreimen – zum Beispiel dass der Vater und die Brüder Farias Computer und Handy an sich genommen haben und ihre E-Mails und eingehenden Anrufe kontrollieren und sie wie eine Gefangene halten. Aber ihm dämmert, dass irgendetwas faul ist, und er sucht Imam Ferdousi auf, der sich ebenfalls Gedanken macht. Gemeinsam kontaktieren sie die Behörden, aber natürlich bekommen sie dort keinerlei Hilfe. Nichts passiert, gar nichts, und als Ferdousi die Familie selbst aufsucht, wird er noch an der Tür abgewiesen. Jamal ist kurz davor, die ganze Welt in Aufruhr zu versetzen, als ...«

»Jetzt mach es nicht so spannend!«

»... als Faria plötzlich anruft – von einer fremden Nummer – und ihn treffen will. Zu dieser Zeit wohnt Jamal in einer geheimen Wohnung an der Upplandsgatan, die ihm der Verlag Norstedts vermittelt hat. Was genau dann passiert, ist unklar. Wir wissen nur, dass Khalil, der jüngste Bruder, Faria zur Flucht verhilft und sie direkt zur Upplandsgatan fährt. Es wird eine Begegnung wie im Traum oder wie im Film: Jamal und sie reden, und sie lieben sich, Tag und Nacht. Faria, die in den Befragungen sonst durchgehend geschwiegen hat, bestätigt das. Sie beschließen, die Polizei und den PEN zu kontaktieren, damit sie mit deren Hilfe untertauchen können. Aber dann ... Es ist so traurig! Faria vertraut zu diesem Zeitpunkt immer noch dem kleinen Bruder. Sie verabredet sich mit ihm in einem Café am Norra Bantorget. Es ist ein kühler Herbsttag. Sie trägt Jamals Daunenjacke mit einer Kapuze, die sie sich tief ins Gesicht zieht, und schwarze Gummistiefel und Jeans. Aber sie kommt nie in dem Café an.«

»Es war eine Falle ...«

»Zweifellos. Es gibt Zeugen. Trotzdem glauben Lisbeth und ich nicht, dass Khalil sie hintergangen hat. Wir haben eher den Verdacht, die älteren Brüder hatten Lunte gerochen und haben ihn überwacht. Sie warten in einem roten Honda Civic in der Barnhusgatan, zerren Faria ins Auto und bringen sie in die Wohnung in Sickla. Anscheinend überlegen die Brüder, Faria nach Dhaka zu verschleppen, aber womöglich halten sie das ganze Unterfangen für zu riskant. Denn wie sollen sie Faria auf dem Flughafen und im Flugzeug ruhigstellen? Sollen sie sie etwa betäuben?«

»Was machen sie stattdessen?«

»Sie beschließen, einen Brief zu schreiben. Aber auf diesen Brief gebe ich nicht viel, Mikael, es ist zwar Farias Handschrift, aber du kannst aus jedem Satz herauslesen, dass die Brüder oder der Vater ihn diktiert haben – mal ganz abgesehen davon, dass Faria eine Botschaft darin versteckt. Sie schreibt nämlich: ›Ich habe doch die ganze Zeit gesagt, dass ich dich nicht liebe.‹ Ohne jeden Zweifel ist das ein geheimer Gruß. Jamal schildert in seinem Tagebuch, wie sie einander jeden Morgen und jeden Abend ihre Liebe bekundet haben.«

»Und Jamal schlägt Alarm, als sie nicht von dem Treffen mit ihrem Bruder zurückkehrt.«

»Natürlich, und auch diesbezüglich hat die Polizei komplett versagt. Zwei Beamte sind zwar pflichtschuldig nach Sickla gefahren, aber als ihnen der Vater an der Tür erzählt, dass alles in Ordnung sei und Faria nur gerade mit einer Grippe im Bett liege, ziehen sie unverrichteter Dinge wieder ab. Trotzdem gibt Jamal nicht auf. Er ruft überall an, und ich glaube, da ahnt die Familie, dass nicht mehr viel Zeit bleibt.«

»Klingt nicht gut«, bemerkte Mikael.

»Nein. Und dann kommt Montag, der 9. Oktober. Jamal schreibt in sein Tagebuch, er sei an jenem Tag mit einem

Gefühl des Todes im Leib aufgewacht. Im Nachhinein macht die Polizei daraus eine große Sache, aber ich würde das nicht als Resignation auffassen, es ist eben Jamals Art, sich auszudrücken. Er fühlt sich ›zerrissen‹, fängt an ›auszubluten‹. Er kann nicht mehr schlafen, nicht mehr denken, ist kaum noch ein Mensch. Er ›taumelt‹, wie er schreibt, schreit seine ›Verzweiflung‹ hinaus. So formuliert er es nun mal – und meiner Meinung nach legen die Ermittler zu viel Bedeutung in diese Worte. Zwischen den Zeilen klingt er eher wie ein Mann, der um das kämpfen will, was er verloren hat. Vor allem ist er beunruhigt. ›Was macht Faria jetzt?‹, schreibt er. ›Tun sie ihr Leid an?‹ Farias Brief erwähnt er mit keinem Wort, obwohl er später offen auf dem Küchentisch liegt. Vermutlich hat er ihn sofort durchschaut. Wir wissen, dass er noch einmal versucht, Ferdousi zu erreichen, der aber gerade eine Konferenz in London besucht. Stattdessen ruft er Fredrik Lodalen an, einen Stockholmer Biologiedozenten, mit dem er sich angefreundet hat. Sie treffen sich gegen sieben Uhr in der Hornsbruksgatan, wo Lodalen mit Frau und Kind wohnt. Jamal bleibt ewig, die Kinder müssen ins Bett, irgendwann muss auch die Frau schlafen, und Fredrik Lodalen ist zunehmend angestrengt. Er hat Mitleid mit Jamal, andererseits muss er tags darauf früh aufstehen, und wie viele Menschen in einer Krise neigt Jamal zu Wiederholungen. Er käut dieselben Sachen immer wieder, und um Mitternacht bittet Fredrik ihn schließlich, nach Hause zu gehen. Er verspricht Jamal, am nächsten Tag die Polizei und eine Frauenschutzorganisation zu kontaktieren. Auf dem Weg zur U-Bahn ruft Jamal den Schriftsteller Klas Fröberg an, den er über den schwedischen PEN kennengelernt hat. Klas antwortet nicht, und Jamal geht runter zum U-Bahnhof Hornstull. Es ist 0.17 Uhr, die Nacht auf Dienstag, den 10. Oktober. Ein Sturm ist aufgekommen. Es regnet.«

»Also sind nicht viele Leute draußen.«

»Auf dem Bahnsteig wartet nur eine einzige Person – eine Bibliothekarin. Die Überwachungskamera fängt Jamal ein, als er an ihr vorbeigeht, und er sieht unglaublich traurig aus. Aber alles andere wäre ja auch seltsam. Seit Faria verschwunden ist, hat er kaum ein Auge zugetan, und er fühlt sich von allen im Stich gelassen. Trotzdem, Mikael ... Jamal hätte Faria nie ihrem Schicksal überlassen, als sie ihn am meisten brauchte. Eine Überwachungskamera in der Station war ausgefallen. Das kann ein unglücklicher Zufall sein – oder auch nicht. Aber es ist sicherlich kein Zufall, dass ein junger Mann die Bibliothekarin genau in dem Moment auf Englisch anspricht, als die U-Bahn einfährt und Jamal aufs Gleis stürzt. Die Frau sieht also nicht, was passiert. Sie hat keine Ahnung, ob Jamal gestoßen wurde oder selbst gesprungen ist. Der Typ, mit dem sie gesprochen hat, konnte bislang nicht identifiziert werden.«

»Was sagt der U-Bahn-Fahrer?«

»Er heißt Stefan Robertsson, und seine Aussage ist ausschlaggebend dafür, dass der Todesfall als Selbstmord abgeschrieben wurde. Robertsson ist sich sicher, dass Jamal aus eigenem Antrieb gesprungen ist. Andererseits stand er unter Schock, und ich würde behaupten, dass man ihm geschlossene Fragen gestellt hat.«

»Wie kommst du darauf?«

»Der Vernehmungsleiter schien eine andere Möglichkeit nicht recht sehen zu wollen. In seiner ersten Schilderung, also noch ehe sein Gehirn alles zu einer zusammenhängenden Erklärung zusammengesetzt hat, spricht Robertsson von einem heftigen Zappeln, als hätte Jamal zu viele Arme und Beine gehabt. Später kommt er nie wieder darauf zurück, und komischerweise wird sein Gedächtnis immer besser, je mehr Zeit vergeht.«

»Und der Wachmann oben an der Durchgangsschranke

zur U-Bahn? Der muss doch beobachtet haben, wie der Täter runter- und wieder raufgerannt ist.«

»Der Wachmann hat sich einen Film auf seinem iPad angesehen und behauptet, es sei eine ganze Reihe von Leuten durchgegangen. Ihm sei niemand im Speziellen aufgefallen. Er glaubt, es seien vor allem Leute gewesen, die aus der U-Bahn gestiegen waren. Eine klare Zeitauffassung hat er auch nicht.«

»Gibt es dort oben denn keine Kameras?«

»Doch, gibt es, und eine Sache habe ich tatsächlich herausgefunden. Es ist nichts Besonderes, aber die meisten, die heraufkommen, sind tatsächlich zu erkennen – bis auf einen vermutlich eher jungen, schlaksigen Mann. Er hält den Kopf gesenkt, und deshalb sehen wir nie sein Gesicht. Aber er wirkt nervös, irgendwie scheu, und es ist ein Skandal, dass man der Sache nicht nachgegangen ist, vor allem weil seine Bewegungen auffällig sind, irgendwie ruckartig.«

»Verstehe. Das sehe ich mir näher an.«

»Dann haben wir noch die Tat, für die Faria verurteilt wurde«, fuhr Annika fort und wollte gerade anfangen zu erzählen, als das Essen kam.

Übertrieben sorgfältig widmete sich der Kellner ihren Tellern und dem Parmesankäse. An der Straße zog eine Gruppe grölender Jugendlicher in Richtung Yttersta Tvärgrand und Skinnarviksberget.

Holger Palmgren lag in seinem Bett und dachte über den Krieg in Syrien nach und über alles erdenkliche andere Elend – über den bohrenden Schmerz in seiner Hüfte, das idiotische Telefonat vom Vortag und darüber, wie furchtbar durstig er war. Er hatte viel zu wenig getrunken und nichts gegessen, und es würde noch dauern, bis Lulu käme und sich um seine Abendroutine kümmerte. Falls sie denn überhaupt käme.

Irgendwie schien heute nichts zu funktionieren. Seine Telefone waren kaputt, und es war auch keine Pflegehilfe gekommen, nicht mal Marita. Er hatte den ganzen Tag nur dagelegen und sich Gedanken gemacht, und allmählich sollte er den Notrufknopf betätigen. Das Gerät hing an einer Schnur um seinen Hals, und auch wenn er sich immer davor gescheut hatte, den Knopf zu drücken, hatte er jetzt das Gefühl, es wäre an der Zeit. Er war so durstig, dass er kaum einen klaren Gedanken fassen konnte, und noch dazu war es heiß. Den ganzen Tag über hatte niemand gelüftet. Überhaupt hatte niemand auch nur irgendwas getan, und beinahe verzweifelt horchte er auf Geräusche im Treppenhaus. War nicht gerade der Aufzug zu hören? Der Aufzug war die ganze Zeit zu hören. Leute kamen und gingen. Nur kam niemand zu ihm. Er fluchte, wälzte sich im Bett herum und litt Höllenqualen, vor allem einer Sache wegen: Anstatt Professor Martin Steinberg anzurufen – der garantiert ein Schurke war –, hätte er besser Kontakt zu dieser Psychologin aufnehmen sollen, die ebenfalls in den Notizen erwähnt worden war und die angeblich die Schweigepflicht verletzt und Lisbeths Mutter vom Register erzählt hatte. Wenn, dann hätte die ihm helfen können und nicht der Mann, der für das ganze Projekt verantwortlich war. Was für ein Esel er doch war! Und wie durstig. Er überlegte, um Hilfe zu rufen, mit aller Kraft in Richtung Treppenhaus zu schreien – vielleicht würde einer der Nachbarn ihn ja hören? Wobei ... Moment mal! Jetzt hörte er wieder Schritte, und sie näherten sich. Die Erleichterung stand ihm ins Gesicht geschrieben. Das musste Lulu sein, seine wunderbare Lulu.

»Hallo, hallo! Jetzt will ich unbedingt hören, wie es in Haninge war. Wie hieß er noch mal?«, rief er mit letzter Kraft, als die Tür auf- und wieder zuging und Sohlen auf der Fußmatte abgetreten wurden. Er bekam keine Antwort, und jetzt hörte er auch, dass die Schritte leichter waren als

Lulus und zugleich zielsicher und hart. Erst sah er sich nach einem Gegenstand um, mit dem er sich würde verteidigen können, dann atmete er aus. Eine große, schlanke Frau in einem schwarzen Rollkragenpullover erschien in der Tür und lächelte ihn an. Sie war vielleicht sechzig, siebzig Jahre alt und hatte markante Gesichtszüge. Ihr Blick strahlte eine zarte Wärme aus. Sie hielt eine braune Arzttasche in der Hand, die einer anderen, längst vergangenen Zeit anzugehören schien. Ihre Körperhaltung war sehr gerade, sie strahlte eine angeborene Würde aus, und ihr Lächeln war kultiviert.

»Guten Abend, Herr Palmgren«, sagte sie. »Lulu tut es sehr leid, aber sie kann heute nicht kommen.«

»Sie ist doch hoffentlich nicht krank?«

»Nein, nein, es waren irgendwelche privaten Gründe, nichts Ernstes«, antwortete die Frau, und Holger spürte eine leise Enttäuschung.

Dann nahm er noch etwas anderes wahr, er verstand aber nicht genau, was. Dafür war er zu benommen und zu durstig.

»Könnten Sie mir bitte ein Glas Wasser bringen?«, fragte er, und da antwortete die Frau: »Aber sicher, Herzchen!«, wie seine alte Mutter früher.

Sie streifte sich Gummihandschuhe über, verschwand aus dem Zimmer und kehrte mit zwei Gläsern zurück. Mit den ersten Schlucken Wasser hatte er wieder halbwegs festen Boden unter den Füßen. Er hielt das Glas mit zittriger Hand fest und bemerkte, wie die Welt allmählich wieder Farbe annahm. Anschließend sah er zu der Frau auf. Ihr Blick wirkte immer noch warm und zugewandt, doch die Gummihandschuhe gefielen ihm nicht, ebenso wenig das Haar. Es war dicht, schwarz, passte nicht zu ihr. Trug sie eine Perücke?

»Jetzt fühlt es sich schon besser an, nicht wahr?«, fragte sie.

»Viel besser. Arbeiten Sie aushilfsweise für den Pflegedienst?«

»Manchmal springe ich im Notfall ein. Inzwischen bin ich siebzig, und sie rufen mich viel zu selten«, antwortete die Frau und knöpfte sein Pyjamaoberteil auf, das nach dem langen Tag im Bett schon ganz durchgeschwitzt war.

Dann nahm sie ein Morphiumpflaster aus der braunen Ledertasche, fuhr sein Bett nach oben und säuberte eine Stelle oben auf seinem Rücken mit einem Wattebausch. Ihre Bewegungen waren präzise und fürsorglich, sie war zweifelsohne geschickt. Er war in guten Händen. Im Gegensatz zu anderen Pflegerinnen war sie kein bisschen unbeholfen. Allerdings fühlte sich Holger aus diesem Grund auch ausgeliefert – als machte ihre Professionalität ihn selbst umso unbeholfener.

»Wozu die Eile?«, fragte er.

»Keine Sorge, ich werde vorsichtig sein. Ich habe in der Akte von ihren Schmerzen gelesen. Das klingt schrecklich nervenaufreibend.«

»Das halte ich schon aus«, antwortete er zerstreut.

»*Aushalten?*«, wiederholte sie. »Das ist nicht genug. Das Leben muss besser sein als das. Ich gebe Ihnen heute eine etwas stärkere Dosis. Ich finde, die anderen Pflegerinnen waren Ihnen gegenüber ein wenig zu geizig.«

»Lulu ...«, begann er.

»Lulu ist prima. Aber sie ist nicht diejenige, die über Ihre Morphiumdosis entscheidet. Das übersteigt ihre Befugnisse«, fiel die Frau ihm ins Wort, und dann klebte sie mit routinierten Händen das Pflaster auf seinen Platz.

Er hatte das Gefühl, das Morphium würde sofort beginnen zu wirken.

»Sie sind Ärztin, oder?«

»Nein, nein, so weit bin ich nie gekommen. Ich war jahrelang Krankenschwester in der Augenabteilung des Sophiahemmet.«

»Ach, wirklich?«, erwiderte er und bemerkte eine plötzliche Nervosität bei der Frau, ein Zucken um ihren Mund. Vielleicht, redete er sich ein, war das aber gar nicht außergewöhnlich. Trotzdem kam er nicht umhin, ihr Gesicht jetzt etwas eingehender zu studieren. Sie hatte Klasse, oder nicht? Als wüsste sie sich in den Salons der feinen Gesellschaft zu benehmen. Der Frisur hingegen fehlte es an Klasse. Stil und Farbe waren falsch, wie in aller Eile ausgesucht. Und das Haar passte nicht zu den Augenbrauen. Er nahm den Rollkragenpullover in Augenschein. Irgendetwas war doch damit – aber was? Er kam nicht darauf, es war einfach zu heiß und stickig. Unbewusst führte er seine Hand zum Notknopf.

»Könnten Sie vielleicht ein Fenster aufmachen?«, fragte er.

Sie ging nicht darauf ein. Stattdessen streichelte sie mit sanften, zielstrebigen Fingern seinen Hals. Dann zog sie den Notknopf an der Schnur von seinem Hals und sagte mit einem Lächeln: »Die Fenster müssen geschlossen bleiben.«

»Wie bitte?«

Ihr Kommentar war in seiner Schlichtheit so unheimlich, dass er es kaum fassen konnte. Er starrte sie wie vom Donner gerührt an und fragte sich, was er jetzt tun sollte. Sie hatte ihm den Notknopf weggenommen. Hilflos lag er auf seinem Bett, während sie diese Arzttasche hatte, diese effektive Professionalität ... Und dann plötzlich sah sie verschwommen aus, wurde mal scharf, dann wieder unscharf – und schließlich verwischten selbst die Konturen im Zimmer.

Er war drauf und dran zu verschwinden, drohte in die Bewusstlosigkeit abzutauchen, kämpfte mit aller Kraft dagegen an, warf den Kopf hin und her, schlug mit der gesunden Hand um sich, schnappte nach Luft, doch nichts passierte. Die Frau lächelte nur noch breiter. Sie lächelte wie im Triumph und klebte ihm auch noch ein zweites Pflaster auf den

Rücken. Anschließend zog sie ihm das Pyjamaoberteil wieder an, richtete das Kissen und fuhr das Bett nach unten. Sie tätschelte ihn, als wollte sie wie in einer Art perverser Kompensation besonders nett zu ihm sein.

»Jetzt stirbst du, Holger Palmgren«, sagte sie. »Ist es nicht sowieso längst an der Zeit?«

Annika und Mikael nippten an ihrem Wein, waren für einen Moment still und sahen zum Skinnarviksberget hinauf.

»Faria Kazi hatte womöglich mehr Angst um ihr eigenes Leben als um das von Jamal«, fuhr Annika fort. »Aber die Tage verstrichen, und nichts passierte. An und für sich wissen wir wenig darüber, was genau in der Wohnung in Sickla vor sich ging. Während der Vernehmungen hat sie meistens geschwiegen, und die Aussagen des Vaters und der Brüder sind so beschönigend und so verblüffend deckungsgleich, dass sie einfach falsch sein müssen. Aber sie standen unter Strom, da können wir uns sicher sein. Gerüchte machten die Runde, bei der Polizei gingen Anzeigen ein, und es war sicher nicht leicht, Faria zum Schweigen zu bringen. Die Brüder mussten eingesehen haben, dass schnelles Handeln gefragt war.«

»Ich verstehe«, sagte Mikael nachdenklich.

»Ein paar Dinge wissen wir trotz allem«, fuhr Annika fort. »Wir wissen, dass Ahmed, ihr großer Bruder, im Wohnzimmer im vierten Stock vor dem Fenster steht, es ist kurz vor sieben am darauffolgenden Abend, also nachdem Jamal von der U-Bahn erfasst wurde. Anscheinend findet ein kurzes Gespräch statt – und dann dreht Faria plötzlich durch. Sie geht dermaßen auf Ahmed los, dass er aus dem Fenster stürzt. Nur warum? Weil er ihr erzählt hat, dass Jamal tot ist?«

»Klingt wahrscheinlich.«

»Ja. So muss es tatsächlich gewesen sein. Aber findet sie noch mehr heraus – etwas, was sie dazu bringt, ihre Verzweiflung und ihren Zorn ausgerechnet gegen den Bruder zu richten?«

»Das ist eine gute Frage.«

»Und vor allem: Warum sagt sie anschließend nichts? Sie kann doch eigentlich nur profitieren, wenn sie redet. Stattdessen schweigt sie wie ein Grab während sämtlicher Befragungen und während des ganzen Gerichtsverfahrens.«

»Ungefähr so wie Lisbeth.«

»Wie Lisbeth – und doch anders. Faria zieht sich in eine stille, alles beherrschende Trauer zurück. Sie lehnt es ab, sich mit der Außenwelt zu befassen, reagiert nicht auf die Vorwürfe.«

»Ist doch gut nachvollziehbar, dass es Lisbeth nicht gefällt, wenn die Leute diesem Mädchen dann auch noch das Leben zur Hölle machen.«

»Ich weiß, und das macht mir Sorgen.«

»Hatte Lisbeth in Flodberga denn Zugang zu einem Computer?«

»Was? Nein, nein«, sagte Annika. »In diesem Punkt sind sie streng. Keine Computer, keine Handys. Sämtliche Besucher werden gründlich durchsucht. Warum fragst du?«

»Ich hab das Gefühl, als hätte Lisbeth dort drin mehr über ihre Kindheit herausgefunden. Es kann natürlich auch sein, dass Holger ihr etwas erzählt hat.«

»Da musst du ihn wohl fragen. Wann wolltet ihr euch noch mal treffen?«

»Um neun.«

»Er hat versucht, mich zu erreichen.«

»Ja, das hast du schon gesagt.«

»Ich hab versucht zurückzurufen, aber irgendetwas stimmt mit seinen Telefonen nicht.«

»Mit seinen *Telefonen*?«

»Ja, ich hab sowohl auf dem Handy als auch auf dem Festnetz angerufen. Keins von beiden funktioniert.«

»Also ist mit seinem Festnetz auch was nicht in Ordnung ... Wann hast du ihn denn angerufen?«, hakte Mikael nach.

»So gegen eins?«

Mikael stand auf und sah zum Berg hinauf. Mit zerstreutem Gesichtsausdruck fragte er: »Ist es in Ordnung, wenn du diesmal die Rechnung übernimmst, Annika? Ich glaube, ich muss los.«

Im nächsten Moment war er auch schon im U-Bahnhof Zinkensdamm verschwunden.

Holger Palmgren sah wie durch aufziehenden Nebel, dass die Frau sein Handy und die Unterlagen über Lisbeth vom Nachttisch nahm und beides in die braune Ledertasche steckte. Dann hörte er, wie sie in seinen Schubladen wühlte, aber er war nicht mehr in der Lage, sich zu rühren. Er versank in einem schwarzen Meer, und für einen kurzen Augenblick glaubte er wegzudämmern.

Bereits im nächsten Moment zuckte er panisch zusammen, als wäre die Luft um ihn herum vergiftet. Sein Körper bäumte sich auf. Dann stockte ihm der Atem. Wieder schlug das Meer über ihm zusammen, er sank auf den Grund und glaubte schon, es wäre alles vorbei. Trotzdem nahm er vage etwas wahr – ein Mann, eine ihm vertraute Person, zerrte an seiner Kleidung, riss die Pflaster von seinem Rücken, und da schob Holger alles andere beiseite, konzentrierte sich mit aller Kraft und kämpfte verzweifelt und wie ein Tiefseetaucher darum, wieder an die Wasseroberfläche zu gelangen, ehe es zu spät wäre. Er riss die Augen auf und brachte ganze sechs Wörter heraus, eigentlich hätten es sieben sein sollen, aber es war dennoch eine wichtige Information.

»Sprechen Sie mit ...«

»Mit wem? Mit wem?«, schrie der Mann.

»Mit Hilda von ...«

Mikael war die Treppe hinaufgestürmt und hatte die Tür unverschlossen vorgefunden. Schon als er die Wohnung betrat und die stickige, abgestandene Luft roch, ahnte er, dass etwas passiert war. Über ein paar im Flur verstreute Unterlagen hinweg rannte er direkt ins Schlafzimmer. Holger Palmgren lag unnatürlich verrenkt mit einer braunen Decke über der Hüfte auf seinem Bett, hielt sich die rechte Hand an die Kehle, und seine Finger ragten verkrampft in die Luft. Das Gesicht war aschfahl, der Mund zu einem stummen Schrei verzerrt, zu einer verzweifelten Grimasse.

Der alte Mann sah aus wie tot – als wäre er eines fürchterlichen Todes gestorben –, und für einen Moment stand Mikael einfach nur ratlos und schockiert da. Dann nahm er etwas in dessen Augen wahr, ein Aufflackern, das ihn zum Handeln veranlasste. Erst rief er den Notarzt. Anschließend schüttelte er Holger, betrachtete seinen Brustkorb und den Mund. Er spürte, dass der alte Mann keine Luft mehr bekam, und zögerte nicht, hielt Holgers Nase zu und blies ihm kräftig und regelmäßig Luft in die Lunge. Holgers Lippen waren blau und kalt, und Mikael glaubte bereits, dass es keinen Zweck mehr hätte. Trotzdem wollte er nicht aufgeben, und vermutlich hätte er so lange weitergemacht, bis der Rettungswagen gekommen wäre, hätte der alte Mann nicht plötzlich gezappelt und mit seiner gesunden Hand herumgefuchtelt.

Erst deutete Mikael es als Krampf, als eine heftige Bewegung und ein Zeichen, dass das Leben in Holgers Körper zurückkehrte, und Hoffnung und Erleichterung keimten in ihm auf. Doch dann musterte er die Hand genauer. Wollte sie ihm etwas sagen? Sie zuckte immer wieder in Richtung des Oberkörpers. Kurz entschlossen zog Mikael ihm das Pyjamaoberteil vom Leib, entdeckte zwei Pflaster am oberen Rücken, riss sie ohne Zögern runter und starrte dann darauf hinab. Was stand da? Was zur Hölle stand da? Es flimmerte vor seinen Augen.

Aktiver Wirkstoff: Fentanyl.

Was war das? Er sah Holger an und zögerte kurz. Was war jetzt am wichtigsten? Er holte sein Handy raus und rief Wikipedia auf. Fentanyl, stand da, **ist ein synthetisches Opioid ... etwa 120-mal so potent wie Morphin ... Nebenwirkungen ... Bewusstseinsstörungen, Somnolenz und Atemdepression ... Fentanyl kann mit Naloxon antagonisiert werden.**

»Verdammte Scheiße!«

Er rief erneut in der Notrufzentrale an, teilte dort mit, wer er war und dass er gerade schon mal angerufen hatte.

»Sie müssen Naloxon mitbringen, hören Sie?«, schrie er. »Er braucht Naloxon! Er hat eine schwere Atemdepression!«

Er legte auf und wollte gerade seine Mund-zu-Mund-Beatmung fortsetzen, als Holger versuchte, etwas zu sagen.

»Später«, murmelte Mikael beschwichtigend. »Sie müssen Kräfte sparen.«

Holger schüttelte den Kopf und zischte irgendetwas, was unmöglich zu verstehen war. Es war ein heiseres, fast lautloses Krächzen und schrecklich anzuhören. Mikael biss sich auf die Lippe und wollte gerade von Neuem Luft in die Lunge des alten Mannes blasen, als er trotz allem doch etwas aufschnappte – drei Wörter: »Sprechen Sie mit ...«

»Mit wem? Mit wem?«, fragte Mikael, und da krächzte Holger mit letzter Kraft etwas, was klang wie: »Hilda von ...«

»Hilda von *was*?«

»Mit Hilda von ...«, keuchte Holger.

Mikael ahnte intuitiv, dass es um etwas Wichtiges, Entscheidendes ging.

»Von was? Essen? Rosen? Wie lautet der Name?«

Holger sah ihn verzweifelt an. Dann passierte etwas mit seinen Augen. Die Pupillen weiteten sich. Der Kiefer sackte nach unten. Sein Zustand verschlechterte sich dramatisch, und Mikael tat alles, was in seiner Macht stand – Mund-zu-Mund-Beatmung, Herzdruckmassage, einfach alles –, und für eine Sekunde glaubte er auch, dass er Erfolg hätte. Holgers Hand hob sich erneut. Die Bewegung hatte etwas Majestätisches an sich, die krummen Finger ballten sich zur Faust, und wie in einer trotzigen Geste reckte er sie einige Zentimeter über das Bett. Dann sank die Hand wieder zurück auf die Bettdecke, und er riss die Augen auf.

Der Körper zuckte ein letztes Mal, dann war es vorbei. Mikael wusste es instinktiv. Trotzdem gab er seine Anstrengungen nicht auf, presste seine Hände noch fester auf Holgers Brust und beatmete ihn. Er schlug ihm auf die Wangen, schrie ihn an, er solle leben, atmen, doch am Ende musste er sich eingestehen, dass es nichts half. Kein Puls, keine Atmung, nichts. Er rammte seine Faust so fest gegen den Nachttisch, dass ein Pillendöschen auf den Boden schleuderte und die Tabletten über den Boden kullerten. Dann trat er ans Fenster und ließ den Blick über Liljeholmen schweifen. Es war fast Viertel vor neun. Draußen auf dem Platz lachten ein paar Teenies, und es roch schwach nach Essen.

Mikael schloss Holgers Augen, deckte ihn zu und betrachtete sein Gesicht. Es ließ sich nicht allzu viel Schmeichelhaftes darüber sagen; alles war krumm und schief und alt. Und doch lag eine tiefe Würde in diesen Gesichtszügen. So kam es Mikael jedenfalls vor. Und ihm war, als wäre die Welt plötzlich ein wenig schlechter geworden. Der Hals schnürte sich ihm zu.

Kurze Zeit später kamen die Rettungssanitäter, zwei Typen Mitte dreißig. Mikael schilderte so sachlich wie möglich, was passiert war. Er erzählte von dem Fentanyl. Dass Holger vermutlich an einer Überdosis gestorben sei – die

Todesumstände seien verdächtig, die Polizei müsse informiert werden. Die beiden Sanitäter reagierten so gleichgültig, dass er am liebsten laut geschrien hätte. Aber er biss die Zähne zusammen und nickte nur stumm, als die Typen ein Laken über Holger warfen und ihn einfach im Bett zurückließen, bis ein Arzt käme, um den Totenschein auszustellen.

Mikael blieb allein in der Wohnung zurück. Er sammelte die Tabletten vom Boden, riss das Fenster und die Tür zum Balkon auf, setzte sich in den schwarzen Sessel neben dem Bett und versuchte, einen klaren Gedanken zu fassen. Doch es gelang ihm nicht, zu viel schwirrte ihm im Kopf herum. Dann fielen ihm die Papiere wieder ein, die im Flur gelegen hatten, als er in die Wohnung gestürmt war.

Er stand auf, lief aus dem Zimmer, klaubte sie vom Boden und überflog sie, noch während er draußen auf der Fußmatte stand. Obwohl er nicht sofort verstand, worum es in den Unterlagen ging, stach ihm ein Name ins Auge. Peter Teleborian. Teleborian war der Psychiater, der ein falsches Gutachten verfasst hatte, nachdem Lisbeth sich als Zwölfjährige an ihrem Vater gerächt und ihn an der Lundagatan mit einer Brandbombe schwer verletzt hatte. Teleborian war der Mann, der behauptet hatte, er würde Lisbeth behandeln, sie heilen und in ein normales Leben zurückführen, während er sie in Wahrheit Tag für Tag und Stunde um Stunde gequält und gefesselt und sie diversen ernsten Übergriffen ausgesetzt hatte. Warum um alles in der Welt lagen diese Dokumente hier im Flur?

Nachdem er die Seiten überflogen hatte, wusste Mikael immerhin, dass sie nichts Neues enthielten. Sie sahen aus wie Kopien derselben nüchternen, unheimlichen Aktennotizen, die Jahre später dazu geführt hatten, dass Teleborian wegen schwerer Dienstvergehen verurteilt worden war und seine Approbation verloren hatte. Allerdings war offensichtlich, dass die Dokumente nicht miteinander zusammenhingen. Es schien ein ganzer Teil zu fehlen. Lagen die restlichen Unterlagen hier in Holgers Wohnung? Oder hatte irgendjemand sie von hier entfernt?

Mikael überlegte kurz, ob er Holgers Schränke und Schubladen durchsuchen sollte. Doch er beschloss, lieber nicht in die Ermittlungsarbeit der Polizei einzugreifen, die höchstwahrscheinlich schon bald einsetzen würde. Stattdessen rief er Kommissar Jan Bublanski an, um zu berichten, was geschehen war. Anschließend wählte er die Nummer des Sicherheitstrakts von Flodberga. Irgendein Fred meldete sich – die Stimme klang schleppend und arrogant, und Mikael hätte fast die Beherrschung verloren, vor allem als er erneut einen Blick hinüber zum Bett warf und die Konturen von Holgers Körper unter dem weißen Laken sah. Dann riss er sich zusammen und erklärte mit aller Autorität, in Lisbeth Salanders Familie habe es einen Todesfall gegeben, und zu guter Letzt durfte er mit ihr sprechen.

Er hätte dieses Telefonat lieber nicht führen wollen.

Lisbeth legte auf und wurde von zwei Wachmännern den langen Flur entlang bis zu ihrer Zelle zurückgebracht. Die tiefe Feindseligkeit, die Fred Strömmer ausstrahlte, nahm sie nicht zur Kenntnis. Sie nahm nichts von all dem zur Kenntnis, was um sie herum passierte, und verriet auch selbst mit keiner Regung, was sie empfand. Und natürlich ignorierte sie die Frage: »Ist jemand gestorben?« Sie blickte nicht mal auf, sondern marschierte einfach nur weiter und hörte ihre eigenen Schritte und ihren Atem und sonst nichts, und sie verstand auch nicht, warum die Wachleute mit in ihre Zelle kamen. Aber natürlich wollten sie Lisbeth schikanieren. Nach dem Schlag gegen Benito nahmen sie jede Gelegenheit wahr, um Lisbeths Leben zu vergiften, und jetzt wollten sie anscheinend schon wieder ihre Zelle durchsuchen. Nicht weil sie etwas zu finden glaubten, sondern weil es ihnen die Möglichkeit gab, alles auf den Kopf zu stellen und ihre Matratze auf den Boden zu werfen. Vielleicht hofften sie ja auch auf einen Wutausbruch, damit sie sich so richtig mit ihr anlegen konnten. Doch Lisbeth biss die Zähne zusammen und sah die beiden nicht mal an, bis sie wieder gingen.

Anschließend hob sie die Matratze vom Boden, setzte sich auf die Bettkante und rief sich in Erinnerung, was Mikael erzählt hatte. Sie dachte über die Pflaster nach, die er von Holgers Rücken gezogen hatte, die im Flur verstreuten Unterlagen und den Namen *Hilda von*. Besonders daran dachte sie und kam einfach nicht darauf, wie dies alles miteinander zusammenhängen sollte. Anschließend stand sie auf, schlug mit der Faust auf den Schreibtisch und trat gegen den Kleiderschrank und das Waschbecken.

Für eine schwindelerregende Sekunde sah sie aus, als würde sie zu einem tödlichen Schlag ausholen. Dann riss sie sich zusammen. Jetzt kam es darauf an, alles der Reihe nach zu erledigen. Erst musste man die Wahrheit kennen. Und dann konnte man sich rächen.

10. KAPITEL

20. Juni

Kriminalkommissar Jan Bublanski neigte sonst zu langen, philosophischen Vorträgen, doch heute war er schweigsam. Er trug ein blaues Hemd, eine graue Leinenhose und schlichte Loafer. Es war 15.20 Uhr, heiß und schwül, und sein Team hatte den ganzen Tag hart gearbeitet. Jetzt waren alle im Konferenzraum im fünften Stockwerk des Polizeipräsidiums an der Bergsgatan versammelt.

In seinem Alter fürchtete Bublanski vieles, aber am allermeisten das Ausbleiben von Zweifeln. Er war ein gläubiger Mann, doch allzu starke Überzeugungen oder zu einfache Erklärungen bereiteten ihm Unbehagen. Ständig entwickelte er Gegenargumente und Gegenhypothesen. Nichts war so sicher, dass man es nicht auch wieder infrage stellen durfte. Dieses Verhalten führte einerseits zu einer gewissen Behäbigkeit, bewahrte ihn andererseits aber auch oft vor Fehlern. In diesem Moment hatte er wieder einmal das Bedürfnis, seine Mitarbeiter zur Besonnenheit aufzurufen, wusste aber nicht, wie er es anstellen sollte.

Bublanski war in vielerlei Hinsicht ein glücklicher Mann. Er lebte mit einer neuen Frau zusammen, der Professorin Farah Sharif, die – so behauptete er jedenfalls immer – viel schöner und klüger war, als er es verdiente. Sie waren gerade in eine Dreizimmerwohnung am Nytorget in Stockholm gezogen, hatten sich einen Labrador angeschafft und gingen gern in Restaurants oder in Kunstausstellungen. Abgesehen von seinem persönlichen Glück aber war er der Meinung, dass die Welt verrückt geworden war. Lügen und Einfalt verbreiteten sich wie nie zuvor. Auf der politischen Bühne dominierten Demagogen und Psychopathen, Vorurteile und Intoleranz vergifteten die Welt und manchmal sogar die Gedankengänge in seiner sonst vernünftigen Truppe. Zwar strahlte seine engste Vertraute Sonja Modig wie eine Sonne; man munkelte, sie sei verliebt. Doch das schien Jerker Holmberg und Curt Svensson nur umso mehr zu provozieren: Ständig fielen sie ihr ins Wort und legten sich mit ihr an. Und dass Amanda Flod, die jüngste Kollegin im Bunde, für Sonja Partei ergriff und meistens auch noch kluge Überlegungen äußerte, machte die Sache nicht besser. Vielleicht fühlten Svensson und Holmberg sich in ihrer Stellung als altgediente Respektspersonen bedroht. Bublanski versuchte, sie aufmunternd anzulächeln.

»Ehrlich gestanden kann ich mir nicht vorstellen, warum jemand einen solchen Aufwand betreiben sollte, um einen Neunzigjährigen aus dem Weg zu räumen«, sagte Jerker Holmberg.

»Einen Neunundachtzigjährigen«, korrigierte Bublanski.

»Genau. Einen neunundachtzigjährigen Mann, der seine Wohnung nicht mehr ohne fremde Hilfe verlassen konnte und der sowieso jeden Moment hätte sterben können.«

»Und trotzdem scheint es so zu sein, oder? Sonja, könntest du bitte zusammenfassen, was wir bisher haben?«

Sonja strahlte und sah so blendend aus, dass selbst Bublanski sich wünschte, sie würde sich ein wenig zurückhalten, und sei es nur um des lieben Friedens willen.

»Wir haben zum einen Lulu Magoro«, antwortete Sonja.

»Über die wurde doch jetzt schon genug geredet«, warf Curt Svensson ein.

»Nein, wurde es nicht«, ging Bublanski scharf dazwischen. »Wir müssen uns noch einmal alle Fakten vergegenwärtigen und uns einen Überblick verschaffen.«

»Wir haben ja auch nicht nur Lulu«, fuhr Sonja fort. »Wir haben ganz Sofia Care, den Pflegedienst, der für Holger Palmgren zuständig war. Gestern Vormittag wurde der dortigen Leitung mitgeteilt, Holger Palmgren sei mit schweren Schmerzen in der Hüfte ins Ersta-Krankenhaus eingeliefert worden. Es gab keinen Grund, den Anruf anzuzweifeln. Die Frau am Telefon hatte sich als Mona Landin vorgestellt und behauptet, sie sei Oberärztin in der Orthopädie. Der Pflegedienst versorgte sie mit den Details zu Holger Palmgrens Medikation und seinem Allgemeinzustand. Daraufhin wurden die Hausbesuche bei ihm ausgesetzt. Lulu Magoro, die Holger anscheinend besonders nahestand, wollte ihn im Krankenhaus besuchen. Über die Zentrale in Ersta hat sie versucht, in Erfahrung zu bringen, wo genau er lag – vergeblich. Klar, er war ja gar nicht dort. Noch am selben Nachmittag wurde sie von derselben Frau direkt kontaktiert, von Mona Landin – was offenbar ein falscher Name ist. Sie erzählte Lulu, Holgers Zustand sei stabil, er müsse sich jedoch von einem kleineren operativen Eingriff erholen und dürfe nicht gestört werden. Später am Abend hat Lulu dann versucht, Holger auf dem Handy anzurufen, aber der Anschluss war nicht mehr erreichbar. Bei seinem Telefonanbieter Telia kann uns niemand erklären, was da passiert ist. Am Vormittag wurde der Anschluss abgestellt – ohne dass man im System nachvollziehen kann, wer diese Maßnahme durchgeführt hat. Anscheinend hat irgendwer mit einer hohen technischen Kompetenz und guten Kontakten dafür gesorgt, dass Holger Palmgren von der Außenwelt isoliert wurde.«

»Aber wozu die ganze Mühe?«, fragte Jerker.

»Es gibt da einen bedenkenswerten Umstand«, erklärte Bublanski. »Wie ich schon gesagt habe, hat Holger Palmgren vor einiger Zeit Lisbeth Salander in Flodberga besucht, und weil wir wissen, dass Salander bedroht wird, müssen wir uns jetzt die Frage stellen, ob diese Bedrohung auch für Palmgren galt. Vielleicht hatte er ja irgendetwas erfahren oder ihr helfen wollen. Lulu hat erzählt, dass sie ihm am Samstag einen Stapel Unterlagen bringen sollte, in denen es um Salander ging und die Holger dann hoch konzentriert gelesen hat. Diese Unterlagen wiederum hatte er gerade erst ein paar Wochen zuvor anscheinend von einer Frau erhalten, die früher etwas mit Lisbeth Salander zu tun hatte.«

»Und wer soll das gewesen sein?«

»Das haben wir noch nicht in Erfahrung bringen können. Lulu wusste den Namen der Frau nicht, und Lisbeth Salander will sich dazu nicht äußern. Aber wir haben einen Hinweis, der uns hoffentlich weiterbringt.«

»Und der wäre?«

»Wie ihr wisst, hat Mikael Blomkvist in Holger Palmgrens Flur verstreute Unterlagen gefunden. Womöglich lagen sie dort, weil entweder Holger oder der Täter sie verloren hat. Anscheinend stammen diese Unterlagen aus der St.-Stefans-Kinderpsychiatrie, wo Lisbeth Salander als Kind untergebracht war. Zumindest wird darin der Name Peter Teleborian erwähnt.«

»Dieser Pfuscher ...«

»Dieser Dreckskerl wär wohl angemessener«, konterte Sonja Modig.

»Wurde Teleborian befragt?«

»Amanda hat heute mit ihm gesprochen. Er wohnt wirklich hübsch mit seiner Frau und seinem Schäferhund an der Amiralsgatan und sagt, er bedaure Palmgrens Tod sehr, wisse aber nicht, was vorgefallen sei. Mehr wollte er nicht sagen. Eine *Hilda von* kennt er angeblich nicht.«

»Den müssen wir uns noch mal vornehmen«, stellte Bublanski fest. »Bis dahin gehen wir Palmgrens übrige Unterlagen und Habseligkeiten durch. Aber noch mal zurück zu Lulu Magoro, Sonja.«

»Lulu Magoro hat an vier oder fünf Tagen in der Woche Holger für die Nacht fertig gemacht«, fuhr Sonja fort. »Sie hat ihm ein Pflaster, ein schmerzstillendes Präparat mit Namen Norspan und dem Wirkstoff ... Kannst du mir helfen, Jerker?«

Sehr schön, dachte Bublanski. Bezieh sie mit ein, gib ihnen das Gefühl, auch was zu wissen.

»Buprenorphin«, antwortete Jerker. »Ein Opioid, das aus Schlafmohn gewonnen wird und unter anderem auch in Subutex enthalten ist, das man Heroinabhängigen verabreicht, das aber auch in der Palliativpflege Verwendung findet.«

»Genau. Und normalerweise bekam Holger eine moderate Dosis«, erklärte Sonja Modig. »Was Mikael Blomkvist von Palmgrens Rücken abgerissen hat, war allerdings etwas ganz anderes: nämlich zwei präparierte Fentanyl-Actavis-Pflaster, die zusammen eine tödliche Dosis enthielten. So war es, oder, Jerker?«

»Ohne Zweifel. Damit hätte man ein Pferd umbringen können.«

»Richtig. Unglaublich, dass Holger überhaupt so lange durchgehalten hat und dann auch noch ein paar Wörter sagen konnte.«

»Und diese Wörter sind interessant«, bemerkte Bublanski.

»Das stimmt, auch wenn natürlich eine gewisse Skepsis angebracht ist, wenn ein stark geschwächter Mann in einem solchen Moment irgendwas sagt. Aber was er sagte, war, wie ihr wisst: *Hilda von.* Oder genauer: *Sprechen Sie mit Hilda von.* Mikael Blomkvist meint, Holger habe ihm etwas Wichtiges mitteilen wollen, und hier ließe sich natürlich spekulieren, ob es der Name der Täterin sein könnte. Wir haben eine

Zeugenbeschreibung von einer schlanken Frau unbestimmten Alters mit Sonnenbrille und schwarzem Haar, die gestern Abend mit einer braunen Tasche in der Hand die Treppe runterstürmte. Aber die Angaben sind ziemlich lückenhaft, und die Aussagekraft kann ich derzeit unmöglich einschätzen. Abgesehen davon hab ich so meine Zweifel, ob Palmgren dazu geraten hätte, ausgerechnet mit dem Menschen zu sprechen, der ihm gerade so etwas angetan hatte. Es scheint mir eher so, als wäre diese Hilda eine Person, die über wichtige Informationen verfügen könnte – oder natürlich auch eine für unseren Zusammenhang vollkommen irrelevante Person, die einfach kurz vor Holgers Tod in seinen Gedanken aufgetaucht ist.«

»Das kann natürlich sein. Aber trotzdem – was wissen wir bisher über den Namen?«

»Anfangs schien die Suche vielversprechend«, antwortete Sonja. »In Schweden ist das adlige *von* nicht wahnsinnig weit verbreitet, sodass der Personenkreis relativ begrenzt wäre. Der Vorname könnte allerdings auch darauf hindeuten, dass Hilda aus einem anderen Land kommt, vielleicht aus Deutschland, und schon wächst die Gruppe. Jan und ich sind uns einig, dass wir erst mal abwarten sollten, bevor wir alle erdenklichen Adelsdamen namens Hilda einbestellen. Aber wir suchen natürlich weiter.«

»Und Lisbeth Salander sagt zu alldem nichts?«, wollte Curt Svensson wissen.

»Leider nein.«

»Na, typisch.«

»Tja ... Das mag vielleicht stimmen«, fuhr Sonja fort. »Aber noch haben wir auch nicht mit ihr persönlich gesprochen, sondern lediglich die Kollegen aus Örebro um Hilfe gebeten, die Salander gerade erst in einem anderen Fall als Zeugin gehört haben – im Fall Beatrice Andersson, die ebenfalls in Flodberga einsaß ...«

»Wer um alles in der Welt wagt es, Benito anzugreifen?«, entfuhr es Jerker.

»Der Wachleiter des Sicherheitstrakts, Alvar Olsen. Er hat ausgesagt, er habe keine andere Wahl gehabt. Darauf komme ich aber später noch zurück.«

»Hoffentlich hat Alvar Olsen Leibwächter«, murmelte Jerker.

»Die Sicherheitsmaßnahmen in der Abteilung wurden verstärkt, und Benito wird in ein anderes Gefängnis verlegt, sobald sie wieder transportfähig ist. Derzeit wird sie im Krankenhaus in Örebro behandelt.«

»Das reicht nicht, das schwöre ich. Wisst ihr auch nur ansatzweise, was für ein Mensch diese Benito ist? Habt ihr mal eins ihrer Opfer gesehen? Glaubt mir, sie wird nicht aufgeben, bis irgendjemand diesem Alvar Olsen die Kehle durchgeschnitten hat – und zwar quälend langsam.«

»Die Gefängnisleitung und wir sind uns durchaus über den Ernst der Lage im Klaren«, sagte Sonja inzwischen leicht gereizt. »Aber eine akute Gefahr sehen wir im Moment nicht. Darf ich jetzt weitermachen? Gut. Unsere Kollegen in Örebro haben wie gesagt nicht viel aus Salander herausbekommen. Hoffen wir also, dass Bublanski – zu dem sie ja ein gewisses Vertrauen gefasst hat – mehr Erfolg hat. Wir haben immerhin alle das Gefühl, dass Salander in diesem Fall eine Schlüsselrolle spielt, nicht wahr? Mikael Blomkvist sagt, Palmgren habe sich Sorgen um sie gemacht und sei überdies der Meinung gewesen, er habe unvorsichtig und unklug gehandelt, und das ist natürlich interessant. Aber worum ging es dabei? Was kann ein alter, bettlägeriger Mensch schon Gefährliches anrichten?«

»Ein Telefonat führen. Oder eine unbedachte E-Mail verschicken«, warf Amanda Flod ein.

»Ganz genau. Nur dass wir in dieser Hinsicht nichts von Belang entdeckt haben – mal ganz abgesehen davon, dass wir sein Handy gar nicht erst finden konnten.«

»Klingt verdächtig«, bemerkte Amanda.

»Ja, auf jeden Fall. Und dann gibt es noch eine andere Sache, über die wir in diesem Zusammenhang sprechen sollten. Ich glaube, es ist besser, du übernimmst jetzt, Jan«, sagte Sonja.

Bublanski wand sich auf seinem Stuhl, als wäre er von dieser Aufgabe lieber verschont geblieben. Dann erzählte er Faria Kazis Geschichte, von der er am Vormittag in Kenntnis gesetzt worden war.

»Wie ihr bereits wisst, wollte Salander mit den Kollegen aus Örebro nicht über ihr Treffen mit Holger Palmgren sprechen«, sagte er. »Und sie wollte auch nichts zu dem Übergriff auf Benito sagen. Nur über eine Sache wollte sie sehr wohl reden, und zwar über die Ermittlungen zu Jamal Chowdhurys Tod. Sie meinte, die Kollegen hätten in dem Fall versagt, und da muss ich ihr leider recht geben.«

»Wie kommst du darauf?«

»Die Eile, mit der das Ganze als Selbstmord abgeschrieben wurde. Wäre es wirklich nur einer dieser vielen armen Teufel gewesen, die sich vor einen Zug werfen, könnte ich das womöglich verstehen. Aber das hier war kein normaler Vorfall. Gegen Chowdhury war eine Fatwa ausgesprochen worden, und die hätte man nicht leichtfertig abtun dürfen. In Stockholm gibt es eine kleine Gruppierung, die sich unter dem Einfluss islamistischer Kräfte in Bangladesch radikalisiert hat und die bereit zu sein scheint, wegen Nichtigkeiten Morde zu verüben. Von dem Moment an, da Chowdhury in Schweden eingereist war, hätten wir höchst alarmiert sein müssen, wenn er auch nur auf einer Bananenschale ausgerutscht wäre. Dann aber verliebt er sich in Faria Kazi – deren Brüder sie mit einem wohlhabenden Islamisten aus Dhaka verheiraten wollen. Ihr könnt euch sicher vorstellen, wie wütend sie sind, als Faria abhaut und sich ausgerechnet bei Jamal versteckt, denn Jamal ist jetzt nicht mehr nur der Mann, der die Ehre der Familie zerstört, sondern auch der religiöse und politische Feind. Dann stürzt er zufällig vor eine U-Bahn – und was machen unsere Kollegen? Sie legen den Fall so schnell zu den Akten wie einen Einbruch in Vällingby, weil es angeblich Selbstmord war. Dabei gibt es im Handlungsablauf eine ganze Reihe merkwürdiger Umstände. Und damit nicht genug. Was passiert am Tag nach Jamals Tod? Faria Kazi dreht durch und stößt ihren Bruder Ahmed in Sickla aus dem Fenster. Es fällt mir sehr schwer, hier keinen Zusammenhang mit dem Vorfall in der U-Bahn zu sehen.«

»Okay, verstehe. Klingt nicht gut. Aber wie hängt das mit Holger Palmgrens Tod zusammen?«, wollte Curt Svensson wissen.

»Womöglich gar nicht ... Aber immerhin landet Faria Kazi im selben Sicherheitstrakt in Flodberga, und genau wie Salander wird auch sie bedroht. Die Sorge, ihre Brüder könnten sich an ihr rächen, lässt sie einfach nicht los. Gerade eben haben wir von der Säpo die Bestätigung erhalten, dass die Brüder mit niemand Geringerem als mit Benito in Kontakt gestanden haben. Die Brüder schimpfen sich rechtgläubig, aber tatsächlich haben sie mehr mit einer Gangsterin wie Benito gemein als mit Muslimen im Allgemeinen, und wenn sie sich an Faria rächen wollten, wäre Benito das ideale Werkzeug dafür gewesen.«

»Kann ich mir vorstellen«, sagte Jerker.

»Eben. Zu allem Überfluss hat sich herausgestellt, dass Benito in dieser Hinsicht sowohl an Faria Kazi als auch an Lisbeth Salander interessiert war.«

»Woher wissen wir das?«

»Aus der internen Ermittlung, die von der Gefängnisdirektion eingeleitet wurde. Dort wollen sie herausfinden, wie es Benito gelingen konnte, ein Stilett in den Sicherheitstrakt zu schmuggeln. Alles, einfach *alles* wurde durchsucht, selbst der Papierkorb im Besucherraum in Haus H – und genau dort hat man einen zusammengeknüllten Zettel mit Benitos Handschrift und äußerst unangenehmen Informationen gefunden. Auf dem Zettel standen nämlich nicht nur die Adresse der Schule, die Alvar Olsens neunjährige Tochter erst seit ein paar Monaten besucht, sondern auch Informationen über Farias Tante Fatima, die Einzige in der Familie, die ihr noch nahesteht. Vor allem aber – und das ist auch für uns beachtenswert – waren darauf die Namen mehrerer Personen notiert, die Lisbeth Salander nahestehen: Mikael Blomkvist, ein Anwalt namens Jeremy MacMillan aus Gibraltar – nein, ich weiß noch nicht, wer das ist – und nicht zuletzt Holger Palmgren.«

»Ist das wahr?«, fragte Amanda Flod.

»Leider ja. Es ist wirklich unheimlich, das zu lesen und zu wissen, dass es vor seinem Tod aufgeschrieben worden sein muss. Neben seinem Namen standen im Übrigen Adresse, Türcode und Telefonnummern.«

»Gar nicht gut«, murmelte Jerker Holmberg.

»Nein. Es muss natürlich gar nichts mit dem Mord zu tun haben – oder mit dem, was wir derzeit für einen Mord halten. Aber es sticht einem schon ins Auge, oder?«

»Es sticht einem ins Auge«, pflichtete Sonja ihm bei.

Mikael Blomkvist ging gerade die Hantverkargatan auf Kungsholmen entlang, als sein Handy klingelte. Es war Sofie Melker aus der Redaktion. Sie wollte wissen, wie es ihm ging. »Geht so«, antwortete er und hoffte, das Thema wäre damit abgehakt. Sofie war schon die Achte, die ihm heute ihr Beileid aussprach, und daran war grundsätzlich nichts verkehrt, aber momentan ertrug er es einfach nicht. Er wollte die Situation so verarbeiten, wie er Todesfälle immer verarbeitete – indem er sich in Arbeit stürzte.

Am Vormittag war er in Uppsala gewesen und hatte die Gerichtsunterlagen vom Prozess gegen den Rosvik-Finanzchef eingesehen, der wegen fahrlässiger Tötung angeklagt worden war, nachdem er den Psychologen Carl Seger erschossen hatte. Inzwischen war er auf dem Weg zu Ellenor Hjort, Segers damaliger Verlobten.

»Danke, Sofie«, sagte er. »Bis dann. Ich hab jetzt einen Termin.«

»Okay, ich ruf dich einfach später noch mal an.«

»Weswegen denn?«

»Erika hat mich doch gebeten, eine Sache für dich zu recherchieren.«

»Richtig! Hast du etwas herausgefunden?«

»Kommt darauf an«, sagte sie.

»Worauf?«, fragte er.

»In Herman und Viveka Mannheimers Akten hab ich nichts Auffälliges finden können.«

»Damit habe ich auch nicht gerechnet. Ich war eher an Leos Akte interessiert – und daran, ob er adoptiert wurde oder ob sich in seinem Background irgendetwas Heikles oder Auffälliges verbirgt.«

»Ja, das hab ich alles schon verstanden. Und seine Akte sieht auch sehr ordentlich aus. Da steht eindeutig drin, dass er in der Gemeinde Västerled zur Welt gekommen ist, wo auch die Eltern zum Zeitpunkt der Geburt gemeldet waren. Spalte 20 – *Anmerkungen über Adoptiveltern und Adoptivkinder o. Ä.* – ist leer. Nichts in dieser Akte ist geschwärzt oder unterliegt der Geheimhaltung. Jeder Ort, an dem er in seiner Kindheit und Jugend gelebt hat, ist sorgfältig angegeben, nichts sticht hervor.«

»Trotzdem hast du gesagt: ›Kommt darauf an.‹«

»Lass es mich so sagen: Weil ich ja ohnehin schon mal im Stadtarchiv war und mich die ganze Sache neugierig gemacht hat, hab ich mir meine eigene Akte ebenfalls bestellt – gegen eine Gebühr von acht Kronen, auf die ich *Millennium* netterweise einlade.«

»Sehr großzügig von dir.«

»Und, weißt du, ich bin ja nur drei Jahre älter als Leo. Trotzdem sieht meine Akte komplett anders aus«, erklärte sie.

»Wie kommt's?«

»Sie ist nicht annähernd so sauber und ordentlich. Ich hab mich richtig alt gefühlt, als ich sie gesehen habe. Es gibt da eine Spalte – die 19 –, in die nach jedem Umzug das Datum und weitere Angaben eingetragen und an die neue Gemeinde übermittelt werden. Ich weiß ja nicht, wer diese Vermerke macht, vermutlich Bürokraten, Sachbearbeiter auf irgendwelchen Ämtern, aber es sieht komplett chaotisch aus: Mal sind sie handgeschrieben, mal mit der Schreibmaschine getippt. Mal sind es Stempel, mal sind die Zeilen total schief, als wäre es so schwer, eine Linie einzuhalten! Bei Leo ist alles perfekt und einheitlich – alles mit derselben Schreibmaschine oder auf demselben Computer getippt.«

»Als wäre es im Nachhinein korrigiert worden?«

»Tja … Wenn mich jemand anders fragen würde oder ich nur einen kurzen Blick in die Akte geworfen hätte, wäre mir der Gedanke nie gekommen. Aber du machst uns alle paranoid, Mikael, das weißt du ja selbst, da wittern wir natürlich Unrat. Also – ja. Ich kann tatsächlich nicht ausschließen, dass diese Akte im Nachhinein umgeschrieben wurde. Worum geht es hier denn eigentlich?«

»Das weiß ich selbst noch nicht genau. Sofie, du hast hoffentlich nirgends meinen Namen angegeben?«

»Ich hab von meinem Recht auf Anonymität Gebrauch gemacht, genau wie Erika es mir gesagt hat, und zum Glück bin ich ja kein Promi wie du.«

»Sehr gut. Vielen Dank – und pass auf dich auf!«

Er legte auf und sah besorgt hinüber auf den Kungsholms Torg. Es war ein strahlender Tag, aber das machte die Sache nur noch schlimmer. Er setzte seinen Weg fort zum Norr Mälarstrand 32, wo Carl Segers Verlobte Ellenor Hjort mit ihrer fünfzehnjährigen Tochter wohnte. Sie war inzwischen zweiundfünfzig und seit drei Jahren geschieden, leitete das Auktionshaus Bukowskis, engagierte sich in einer Reihe von Wohltätigkeitsorganisationen und trainierte überdies das Basketballteam ihrer Tochter. Ganz offensichtlich war sie eine aktive Frau.

Mikael blickte zum windstillen Mälaren und hinüber zu seiner eigenen Wohnung am gegenüberliegenden Ufer. Es war drückend heiß, und er war verschwitzt und müde, als er den Türcode eingab, den Ellenor ihm gegeben hatte. Dann nahm er den Aufzug zur obersten Wohnung und klingelte. Er brauchte nicht lang zu warten, bis die Tür aufging.

Ellenor Hjort sah erstaunlich jung aus. Sie hatte kurze Haare, trug einen schwarzen Blazer und eine graue Hose, hatte schöne, dunkelbraune Augen und eine kleine weiße Narbe kurz unter dem Haaransatz. Ihre Wohnung war mit Büchern und Gemälden vollgestopft. Sie servierte ihm Tee und Kekse und wirkte nervös. Die Tassen klirrten leicht, als sie sie auf dem Tablett abstellte.

Sie setzten sich auf eine hellblaue Sitzgruppe unter ein farbenfrohes Ölgemälde von Venedig. »Ich muss sagen, es erstaunt mich, dass Sie nach all den Jahren mit dieser Geschichte kommen«, sagte sie.

»Das verstehe ich gut, und es tut mir leid, wenn ich damit wieder alte Wunden aufreiße, aber ich würde wirklich gern ein bisschen mehr über Carl erfahren.«

»Warum ist er denn plötzlich von Interesse?«

Mikael zögerte und antwortete schließlich ehrlich: »Ich wünschte mir, ich könnte es Ihnen sagen ... aber ich glaube, dass sich hinter seinem Tod eine Geschichte verbirgt, die wir noch nicht kennen. Es kommt mir so vor, als würde irgendetwas daran nicht stimmen.«

»Könnten Sie etwas konkreter sagen, was Sie meinen?«

»Bisher ist es eher ein Gefühl. Ich war gerade in Uppsala und hab die alten Zeugenaussagen gelesen, und eigentlich ist nichts daran auffällig. Tja, und diese Tatsache – dass rein gar nichts daran auffällig ist ... Mit den Jahren habe ich gelernt, dass die Wahrheit oft irgendwie überraschend oder sogar unlogisch sein kann. Weil wir Menschen nun mal nicht ganz rational sind. Dagegen kommt die Lüge in der Regel – vor allem, wenn man es mit schlechten Lügnern zu tun hat – viel einheitlicher daher, irgendwie ... allgemein gehalten. Oft auch ein bisschen klischeehaft.«

»Die Ermittlungen zu Carls Tod waren also ein Klischee«, resümierte sie.

»Irgendwie hängt alles viel zu gut zusammen«, erwiderte er. »Es gibt zu wenige Inkonsequenzen und zu wenige Details, die sich irgendwie abheben würden.«

»Wollen Sie mir nicht etwas erzählen, woran ich nicht schon selbst gedacht hätte?« Ellenor Hjort klang ein wenig sarkastisch.

»Ich könnte Ihnen zum Beispiel erzählen, dass der vermeintliche Schütze, Per Fält ...«

Sie habe allen Respekt für seinen Beruf und seine Beobachtungsgabe, fiel Ellenor ihm ins Wort. Aber wenn es um diese Ermittlung gehe, könne er ihr nicht so leicht das Wasser reichen. »Ich hab die Akten hundertmal gelesen«, sagte sie, »und hab all das, was Sie erzählen, jedes Mal als einen Schlag ins Gesicht empfunden. Glauben Sie, ich hätte Herman Mannheimer und Alfred Ögren nicht zigmal angeschrien: ›Was verheimlicht ihr mir, ihr Mistkerle?‹«

»Und wie haben sie reagiert?«

»Mit einem herablassenden Grinsen und salbungsvollen Worten. *Wir verstehen ja, dass es nicht leicht für Sie ist. Es tut uns wirklich leid, armes Kleines.* Doch am Ende, als ich nicht lockerließ, wurde ich bedroht. Ich solle gut aufpassen, haben sie gesagt. Sie seien mächtig und meine Andeutungen nur Lügen und Verleumdungen, und sie hätten gute Anwälte und so weiter. Ich war einfach zu traurig und zu schwach, als dass ich noch die Kraft gehabt hätte weiterzukämpfen. Carl war mein Leben gewesen. Ich war am Boden zerstört und konnte nicht mehr studieren, nicht mehr arbeiten, gar nichts. Nicht mal die alltäglichsten Dinge hab ich mehr bewältigen können.«

»Ich verstehe.«

»Aber das Seltsame war … und nur deshalb sitze ich jetzt mit Ihnen hier, trotz allem. Was glauben Sie, wer mich mehr getröstet hat als irgendjemand anderes – mehr als meine Eltern und Geschwister und Freunde?«

»Leo?«

»Genau. Der kleine Leo. Er war genauso untröstlich wie ich. Wir saßen in unserem Haus am Grönviksvägen und haben geweint und auf die Welt und diese alten Säcke geschimpft, und wenn ich geschrien und geschluchzt habe, dass ich nur noch ein halber Mensch sei, sagte er das Gleiche. Er war nur ein Kind, aber in unserer Trauer waren wir vereint.«

»Warum war Carl so wichtig für ihn?«

»Sie haben sich jede Woche in Carls Praxis bei uns zu Hause gesehen. Aber es war natürlich mehr als das. Leo hat Carl nicht nur als Therapeuten betrachtet, sondern auch als einen Freund, vielleicht als den einzigen Freund auf der Welt, der ihn verstanden hat, und Carl wiederum …«

»Was?«

»Er wollte Leo helfen und ihm zeigen, dass er ein hochbegabter Mensch mit fantastischen Möglichkeiten war, und natürlich war Leo auch für Carls Forschung wichtig, für seine Doktorarbeit, das will ich gar nicht abstreiten.«

»Leo hatte Hyperakusis.«

Ellenor sah Mikael erstaunt an. Dann sagte sie nachdenklich: »Ja, das war der eine Aspekt. Carl wollte herausfinden, ob das zur Isolierung des Jungen beigetragen hatte und ob Leo die Welt einfach auf andere Weise betrachtete als wir anderen. Sie dürfen jetzt nicht glauben, dass Carl zynisch war – es gab diese wirklich enge Verbindung zwischen den beiden, die ich nie ganz begriffen habe.«

Mikael beschloss, es darauf ankommen zu lassen. »Leo war adoptiert, nicht wahr?«

Ellenor nahm einen Schluck von ihrem Tee und sah hinaus auf den Balkon.

»Möglich«, antwortete sie.

»Wie meinen Sie das – ›möglich‹?«

»Weil ich manchmal das Gefühl hatte, dass es irgendeinen empfindlichen Punkt in seiner Vergangenheit gab.«

Mikael riskierte es erneut: »Hatte Leo Roma-Wurzeln?«

Ellenor blickte verblüfft auf. »Das ist lustig«, sagte sie. »Manchmal muss ich an ein ganz bestimmtes Mittagessen zurückdenken – Carl hatte uns damals auf Drottningholm in ein Restaurant eingeladen.«

»Und was ist da passiert?«

»Eigentlich gar nichts, trotzdem ist es mir in Erinnerung geblieben. Carl und ich haben uns wirklich geliebt. Aber mitunter hatte ich das Gefühl, er hätte Geheimnisse vor mir, und damit meine ich nicht, was seine Therapiearbeit betraf. Das war sicher auch ein Grund für meine Eifersucht. Dieses Mittagessen war genau so ein Fall.«

»Inwiefern?«

»Leo war traurig, weil ihn irgendjemand als Zigeuner beschimpft hatte. Doch anstatt sich darüber aufzuregen, wie jemand etwas so Idiotisches sagen konnte, hat Carl nur oberlehrerhaft erklärt, dass ›Zigeuner‹ ein rassistischer Begriff aus einer dunklen Zeit sei. Leo nickte, als hätte er das schon einmal gehört. Damals war er noch jung, und trotzdem hatte er bereits vom fahrenden Volk gehört, von

Sinti, von Roma, von den Übergriffen, die es auf sie gegeben hatte – Zwangssterilisierungen, Lobotomierungen, in einigen Gegenden sogar ethnische Säuberungen. Das kam mir – ich weiß auch nicht – irgendwie seltsam vor für einen Jungen wie ihn, in seinem Alter!«

»Und was ist dann passiert?«

»Nichts, gar nichts. Als ich Carl anschließend darauf angesprochen habe, bat er mich, nicht weiter nachzufragen. Natürlich kann es sein, dass es da um etwas ging, was der Schweigepflicht unterlag. Aber es passte doch zu meinem Eindruck, dass er mir Dinge verheimlichte. Deshalb sitzt die Erinnerung an dieses Mittagessen immer noch wie ein Stachel in mir.«

»War es eins von Alfred Ögrens Kindern, das Leo als Zigeuner beschimpft hatte?«

»Ja, Ivar, der Jüngste, der Nachzügler, der als Einziger in die Fußstapfen des Vaters getreten ist. Kennen Sie ihn?«

»Nicht richtig. Er wurde mir als ziemlich boshaft beschrieben. Stimmt das?«

»Er war entsetzlich boshaft.«

»Können Sie sich erklären, warum?«

»Das fragt man sich in solchen Fällen ja immer. Es gab schon früh eine Rivalität, nicht nur zwischen den Jungen, sondern auch zwischen den Vätern. Herman und Alfred haben ihre Hahnenkämpfe auf den Rücken ihrer Söhne ausgetragen und ständig versucht, einander damit zu übertrumpfen, welches Kind das bessere, das erfolgreichere wäre. Und während Ivar in sämtlichen Disziplinen, in denen Brutalität und Muskelkraft gefordert waren, immer überlegen war, hatte Leo die Nase vorn, wenn es um geistige Fähigkeiten ging, und das hat sicherlich viel Neid erzeugt. Ivar wusste von Leos Hyperakusis. Doch statt Rücksicht darauf zu nehmen, weckte er ihn beispielsweise im Sommer in ihrem Ferienhaus in Falsterbo, indem er die Stereoanlage voll aufdrehte. Einmal kaufte er sich eine Tüte Luftballons, blies sie auf und brachte sie dann in Leos Nähe zum Platzen. Als Carl davon hörte, nahm er Ivar zur Seite und ohrfeigte ihn. Wie Sie sich vorstellen können, gab das einen Riesenärger. Alfred Ögren ist ausgeflippt.«

»Dann hat Carl in diesen Kreisen also immer auch Gegenwind gehabt?«

»Gegenwind? So kann man es ausdrücken. Trotzdem muss ich sagen, dass Leos Eltern immer für Carl eingestanden sind. Sie wussten, wie wichtig er für ihren Jungen war. Deshalb hab ich mich trotz allem mit dem Gedanken versöhnt – oder es zumindest versucht –, dass es ein Unglück war, ein Jagdunfall. Herman Mannheimer hätte nie den besten Freund seines Sohnes umgebracht.«

»Wie kam Carls Kontakt mit der Familie eigentlich zustande?«

»Über die Universität. Zur rechten Zeit am rechten Ort, nehme ich an. Früher hat man sich in Schulen kaum um die Förderung hochbegabter Kinder bemüht. Eine Zeit lang herrschte dort die Meinung vor, so etwas verstoße gegen den Gleichheitsgrundsatz. Es fehlte natürlich auch an Wissen, entsprechende Begabungen überhaupt zu entdecken und zu verstehen. Viele intelligente Schüler waren so unterfordert, dass sie verhaltensauffällig wurden und in Sonderklassen landeten. In der Psychiatrie hieß es damals, hochintelligente Kinder seien dort signifikant überrepräsentiert. Carl hat das nicht behagt, und er setzte sich für diese Mädchen und Jungen ein. Nur ein paar Jahre zuvor, und man hätte ihn als elitär beschimpft. Aber inzwischen hatten sich die Zeiten ein bisschen geändert, und er wurde in diverse staatliche Komitees berufen. Seine Betreuerin Hilda von Kanterborg hat ihm schließlich den Kontakt zu Herman Mannheimer vermittelt.«

Mikael zuckte zusammen.

»Wer ist Hilda von Kanterborg?«

»Sie war Dozentin am Institut für Psychologie, hat dort mehrere Doktoranden betreut«, antwortete Ellenor Hjort. »Sie war damals wahnsinnig jung, nicht viel älter als Carl, und galt als überaus vielversprechende Wissenschaftlerin. Deshalb war es umso tragischer, als sie …«

»Ist sie gestorben?«, fragte Mikael beunruhigt.

»Nicht soweit ich weiß, nein. Allerdings gab es wohl irgendeinen Skandal, und wie ich außerdem gehört habe, hat sie ein schweres Alkoholproblem.«

»Was war das für ein Skandal?«

Für einen Moment wirkte Ellenor Hjort zerstreut. Dann riss sie sich zusammen und sah Mikael eindringlich an.

»Das war nach Carls Tod, ich hab also kein Insiderwissen. Aber ich habe das Gefühl, dass er nicht gerechtfertigt war.«

»Was meinen Sie?«

»Hilda von Kanterborg war sicher auch nicht schlimmer als jeder männliche Akademiker mit einem großen Ego. Ich habe sie ein paarmal mit Carl zusammen getroffen und fand, dass sie eine tolle Ausstrahlung hatte. Ihr Blick zog einen sofort in den Bann … und anscheinend hatte sie Affären. Ich glaube, sie war auch mit zwei oder drei Studenten im Bett, und das war natürlich alles andere als gut. Aber es handelte sich samt und sonders um erwachsene Menschen, Hilda selbst war klug, beliebt, und es kümmerte letztlich niemanden, zumindest nicht gleich. Hilda war einfach nur begierig: begierig auf das Leben, auf neues Wissen – und auf Männer. Berechnend oder böse war sie auf keinen Fall. Wenn sie ein Mann gewesen wäre, hätte man sie einen Draufgänger genannt.«

»Was ist denn passiert?«

»Genau weiß ich es nicht. Ich weiß nur, dass die Institutsleitung auf einmal einige von Hildas Studenten aus dem Hut gezaubert hat, die behauptet oder besser gesagt ziemlich vage angedeutet haben, Hilda habe sich an sie verkauft. Das kam mir alles so billig vor – als würde ihnen nichts Besseres einfallen, als eine Hure aus ihr zu machen. Was machen Sie denn?«

Mikael war aufgesprungen und schlug auf seinem Handy etwas nach. »Ich hab hier eine Hilda von Kanterborg in der Rutger Fuchsgatan gefunden. Ob sie das ist?«

»Der Name ist ja nicht sehr häufig ... Warum ist sie denn plötzlich so interessant für Sie?«

»Weil ...« Doch Mikael beendete den Satz nicht. »Das ist eine ziemlich komplizierte Geschichte, aber es war unerhört hilfreich, mit Ihnen zu sprechen.«

»Und jetzt müssen Sie anscheinend gehen?«

»Ja, ich glaube, ich muss mich sogar beeilen. Ich hab so ein Gefühl, als ...«

Doch auch diesen Satz brachte er nicht mehr zu Ende. Malin rief an und klang mindestens genauso aufgeregt wie er. Er versprach, sie zurückzurufen. Dann gab er Ellenor Hjort zum Abschied die Hand, bedankte sich noch einmal bei ihr und stürmte die Treppe hinunter. Sowie er auf der Straße war, rief er Hilda von Kanterborg an.

Dezember, eineinhalb Jahre zuvor

Was kann man vergeben und was nicht? Leo und Carl hatten oft darüber gesprochen. Die Frage war ihnen beiden wichtig, allerdings aus unterschiedlichen Gründen, und in der Regel nahmen sie beide eine großzügige Haltung ein: Das meiste konnte man vergeben – sogar Ivars Schikanen. Für eine gewisse Zeit hatte sich Leo tatsächlich mit ihm versöhnt. Er betrachtete Ivar als jemanden, der nicht anders konnte – eine Person, die auf eine Weise gemein war wie andere Menschen bescheiden oder unmusikalisch. Ivar hatte so wenig Gespür für die Gefühle anderer wie ein Taubstummer für Klänge und Melodien. Leo hatte Nachsicht mit ihm, und ab und zu wurde seine Freundlichkeit sogar in Form eines Schulterklopfens oder eines einvernehmlichen Blicks erwidert. Oft fragte Ivar ihn um Rat, wenn auch vielleicht hauptsächlich aus Eigennutz. Und manchmal machte er ihm dann ein Kompliment: »Gar nicht so dumm, Leo!«

Doch Ivars Hochzeit mit Madeleine Bard machte all das zunichte. Leo wurde von einem Hass erfüllt, den keine Therapie aus der Welt räumen oder auch nur abmildern konnte. Er ließ das Gefühl zu und hieß es willkommen wie ein Fieber oder einen Sturm. Am schlimmsten war es nachts oder im Morgengrauen. Da fantasierte er von Jagdunfällen, Unglücken, sozialer Erniedrigung, Krankheiten wie abstoßenden Ekzemen, er schnitt Löcher in Fotografien und versuchte, Ivar kraft seiner Gedanken von Balkonen zu stürzen. Er stand an der Grenze zum Wahnsinn. Doch nichts geschah. Ivar wurde lediglich wachsamer und schmiedete womöglich seinerseits Pläne. Die Zeit verstrich, und Leos Gemütszustand wurde mal besser, mal schlechter. Bis jener Dezember vor eineinhalb Jahren kam.

Es schneite, und es war ungewöhnlich kalt. Seine Mutter lag im Sterben. Dreimal in der Woche saß er an ihrem Bett und versuchte, ihr ein guter, Trost spendender Sohn zu sein, aber das war nicht leicht. Die Krankheit hatte sie keineswegs milder gestimmt, im Gegenteil, das Morphium schien ihr auch noch den letzten Funken Selbstbeherrschung zu rauben, und sie kritisierte ihn für seine Schwäche.

»Du bist immer eine Enttäuschung gewesen, Leo.«

Er reagierte nicht darauf. Er hatte nie reagiert, wenn seine Mutter so gewesen war. Doch er träumte davon, das Land für immer zu verlassen. Abgesehen von Malin Frode traf er nicht viele Menschen. Sie ließ sich gerade scheiden und war dabei, die Firma zu verlassen. Leo hatte nie geglaubt, dass sie ihn liebte, aber es war schön, mit ihr zusammen zu sein. Sie halfen einander über eine schwere Zeit hinweg und konnten zusammen lachen, auch wenn seine Wut und seine Wahnvorstellungen deswegen noch lange nicht verrauchten. Manchmal hatte Leo richtiggehend Angst vor Ivar Ögren. Er bildete sich sogar ein, er würde verfolgt – von einem Spion, den Ivar entsandt hatte. Er machte sich keinerlei Illusionen mehr. Was Ivar Ögren anging, rechnete er mit dem Schlimmsten.

Und auch was ihn selbst anging. Vielleicht würde er eines Tages über Ivar herfallen und ihm etwas Furchtbares antun. Oder er würde selbst angefallen werden. Er versuchte, es als Paranoia oder Hirngespinste abzutun, aber es wurde nicht besser, er hörte Schritte hinter sich und spürte Blicke, die ihn heimlich beobachteten. Er fantasierte von schattenähnlichen Gestalten in Gassen und hinter Straßenecken, und ein paarmal sah er sich am Humlegården verstohlen um, konnte aber nie jemanden entdecken.

Am Freitag, den 15. Dezember, nahm der Schneefall zu. Stockholm glitzerte im Licht der Weihnachtsdekoration, und er ging früh von der Arbeit nach Hause, schlüpfte in Jeans und Wollpullover und stellte ein Glas Rotwein auf seinem Flügel bereit, einem Bösendorfer Imperial mit siebenundneunzig Tasten. Jeden Montag stimmte er ihn eigenhändig. Sein Klavierhocker war ein Jansen mit schwarzem Leder, und er setzte sich und spielte eine neue Komposition, in der er von einer dorischen Molltonleiter ausging und beinahe zwanghaft am Ende jeder Phrase auf dem sechsten Ton landete und einen Unheil verkündenden, schwermütigen Klang erzeugte. Er spielte lange und hörte nichts außer seiner Komposition, nicht mal die Schritte im Treppenhaus, so hoch konzentriert war er. Schließlich aber nahm er plötzlich etwas derart Merkwürdiges wahr, dass er für eine Minute glaubte, sein überhitztes Hirn oder das empfindliche Gehör spielten ihm einen Streich. Es klang tatsächlich, als würde jemand ihn auf der Gitarre begleiten. Er hörte auf zu spielen und lief hinaus in den Flur. Ob er die Tür aufmachen sollte? Er überlegte schon, durch den Briefschlitz zu rufen: »Wer ist denn da?«

Dann schloss er auf und öffnete die Tür, und im nächsten Moment hatte er das Gefühl, er würde sich aus der Wirklichkeit verabschieden.

11. KAPITEL
20. Juni

Die Gefangenen im Sicherheitstrakt hatten ihr Abendessen beendet und die Kantine verlassen. Manche trainierten im Fitnessraum, einige rauchten und tratschten auf dem Freistundenhof oder schauten sich einen Film an – anscheinend *Ocean's Eleven*. Die anderen spazierten zwischen den Gängen und Aufenthaltsräumen umher oder tuschelten bei geöffneter Zellentür miteinander. Es hätte ein Tag wie jeder andere sein können. Doch nichts war mehr wie zuvor. Nichts hier drinnen würde je wieder so sein wie vorher.

Es waren mehr Gefängniswärter anwesend als gewöhnlich, niemand durfte Besuch empfangen oder telefonieren, und noch dazu war es ungewöhnlich heiß und schwül. Der Anstaltsleiter Rikard Fager war persönlich vor Ort und machte das Personal nervös, dem die Stimmung unter den Häftlingen schon genug Kopfzerbrechen bereitete.

Die Luft flirrte regelrecht vor Erleichterung. In den Schritten, dem Gelächter und Gemurmel der meisten war ein neues Freiheitsgefühl spürbar, alles klang leichter und aufgekratzter, wie nach dem Fall eines Tyrannen. Andere jedoch, Tine Grönlund beispielsweise, schienen Angst zu haben, dass man sie hinterrücks überfallen könnte, und überall und ständig wurde diskutiert, was passiert war und was noch folgen würde.

Obwohl das meiste davon Lügen und Mythen waren, wussten die Häftlinge immer noch mehr als die Polizei und die Justizvollzugsbeamten. Alle wussten, dass es Lisbeth gewesen war, die Benito den Kiefer zertrümmert hatte. Und alle wussten, dass Lisbeths Leben in Gefahr war. Es kursierten Gerüchte, draußen habe man bereits damit begonnen, Lisbeths nächste Angehörige umzubringen, und die Rache falle fürchterlich aus, vor allem weil Benitos Gesicht angeblich für immer entstellt sei. Außerdem wussten alle, dass ein Kopfgeld auf Faria Kazi ausgesetzt worden war, und es wurde gemunkelt, die Belohnung stamme von reichen Scheichs und Islamisten.

Benito würde in ein neues Gefängnis verlegt werden, sobald sie wieder gesund wäre. Insofern standen große Veränderungen bevor, dessen waren sich alle bewusst. Allein die Anwesenheit des Gefängnisleiters war ein deutliches Zeichen. Rikard Fager war der meistgehasste Mensch im Knast – abgesehen von ein paar Frauen aus Haus C, die ihre eigenen Kinder umgebracht hatten. Ausnahmsweise aber betrachteten die Häftlinge ihn nicht mehr nur feindselig, sondern auch mit einer vagen Hoffnung. Vielleicht würde es ja Hafterleichterungen geben, sobald Benito nicht mehr da wäre?

Rikard Fager sah auf die Uhr und verscheuchte eine der inhaftierten Frauen, die zu ihm gekommen war, um sich über die Hitze zu beschweren. Fager war neunundvierzig Jahre alt und eine elegante Erscheinung, obwohl sein Blick ein wenig starr und leer wirkte. Er trug einen grauen Anzug, eine rote Krawatte und neue Alden-Schuhe. Normalerweise kleideten sich die Anstaltsleiter eher dezent, um keinen Neid zu provozieren, er hingegen tat das genaue Gegenteil, um seine Autorität zu untermauern. An diesem Tag bereute er es allerdings. Ihm rann der Schweiß von der Stirn, und die

Anzughose klebte an seinen Schenkeln, als er einen Anruf auf seinem Diensthandy entgegennahm.

Anschließend nickte er verbissen und marschierte zur stellvertretenden Wachleiterin Harriet Lindfors, flüsterte ihr etwas ins Ohr, und gemeinsam machten sie sich auf den Weg zu Lisbeths Zelle.

Lisbeth Salander saß an ihrem Schreibtisch und berechnete einen speziellen Wilson-Loop, der für ihre Überlegungen zur Schleifenquantengravitation die zentrale Rolle einnehmen könnte, als Rikard Fager und Harriet Lindfors ihre Zelle betraten. Sie sah keinen Grund, von ihrer Arbeit aufzublicken. Deshalb bemerkte sie auch nicht, dass der Anstaltsleiter Harriet mit dem Ellbogen anstieß und sie bat, seine Ankunft zu verkünden.

»Die Anstaltsleitung ist gekommen, um mit Ihnen zu sprechen«, sagte Harriet widerwillig, aber in scharfem Tonfall. Erst da drehte sich Lisbeth um und bemerkte, dass Rikard Fager seine Jackettärmel mit der Hand abklopfte, als fürchtete er, sich hier drinnen schmutzig zu machen.

Seine Mundwinkel zuckten kaum merklich, und er kniff die Augen zusammen. Er sah aus, als müsste er sich zusammenreißen, um nicht das Gesicht zu verziehen. Anscheinend mochte er sie nicht besonders, und das passte ihr ausgezeichnet. Sie mochte ihn genauso wenig. Sie hatte zu viele seiner Mails gelesen.

»Ich habe gute Nachrichten«, eröffnete er ihr.

Lisbeth schwieg.

»Gute Nachrichten«, wiederholte er.

Auch diesmal erwiderte sie nichts, und das schien Rikard Fager zu provozieren.

»Sind Sie taub, oder was?«

»Nein.«

Sie sah zu Boden.

»Na, dann ist ja gut«, fuhr er fort. »Sie hätten eigentlich noch neun Tage Haft vor sich. Trotzdem lassen wir Sie schon morgen früh gehen. Kommissar Jan Bublanski aus Stockholm will Sie befragen, und wir erwarten, dass Sie sich kooperativ verhalten.«

»Sie wollen mich also nicht länger hier haben?«

»Was heißt da ›wollen‹? Wir haben unsere Vorschriften, und das Personal hat Ihnen« – ihm schienen die Worte nur schwer über die Lippen zu gehen – »gute Führung bescheinigt, was als Grund für eine vorzeitige Entlassung ausreicht.«

»Das mit der guten Führung stimmt aber nicht«, erwiderte Lisbeth.

»Nicht? Mir liegen Berichte vor ...«

»Die garantiert geschönter Bullshit sind. Genau wie Ihre eigenen Berichte.«

»Was wissen Sie über *meine* Berichte?«

Lisbeth sah noch immer zu Boden und sprach sachlich und schnell, als hätte sie ihre Antwort auswendig gelernt: »Ich weiß zunächst einmal, dass sie schlecht geschrieben und viel zu ausschweifend sind. Sie verwenden oft falsche Präpositionen, und Sie drücken sich wahnsinnig gestelzt aus. Vor allem aber sind die Berichte anbiedernd, inkompetent und manchmal geradezu verlogen. Sie verschweigen Informationen, die Sie nachweislich erhalten haben. Sie haben dafür gesorgt, dass die Strafvollzugsbehörde glaubt, hier im Sicherheitstrakt stünde alles zum Besten, und das ist ein ernstes Problem, Rikard. Es hat dazu geführt, dass die Haftzeit für Faria Kazi zur reinsten Hölle wurde. Es hätte sie fast das Leben gekostet, und so was macht mich wütend.«

Rikard Fager antwortete nicht. Er staunte nur, sein Mund zuckte erneut, und das Blut wich ihm aus dem Gesicht. Trotzdem unternahm er einen weiteren Versuch, räusperte sich und sagte benommen: »Was reden Sie denn da? Was meinen Sie damit? Sie haben meine Berichte doch gar nicht gelesen? Keiner davon ist zugänglich ...«

»Tja, womöglich war es der eine oder andere ja doch.«

»Sie lügen!«

»Ich lüge nicht. Ich hab sie gelesen. Machen Sie sich mal keine Gedanken, wie das passieren konnte.«

Sein ganzer Körper bebte. »Sie sind ...«

»Was?«

Rikard Fager schien kein passendes Wort einzufallen.

»Ich will Sie daran erinnern, dass Ihre vorzeitige Entlassung jederzeit revidiert werden kann«, zischte er stattdessen.

»Dann revidieren Sie sie ruhig. Mich interessiert nur eine einzige Sache.«

Fager standen Schweißperlen auf der Lippe. »Und das wäre?«

»Dass Faria Kazi in Sicherheit ist und ihr Unterstützung gewährt wird, bis ihre Anwältin Annika Giannini sie hier rausholt. Anschließend braucht sie Zeugenschutz.«

»Sie sind nicht in der Position, hier irgendetwas zu verlangen!«, brüllte Rikard Fager.

»Da liegen Sie falsch. Und was Sie betrifft, dürften Sie überhaupt keine Position haben«, erwiderte sie. »Sie sind ein Lügner und ein Heuchler, und Sie haben zugelassen, dass die wichtigste Abteilung in Ihrem Gefängnis von Gangstern kontrolliert wurde.«

»Sie wissen nicht, wovon Sie reden!«, presste er hervor.

»Ihre Meinung ist mir egal. Ich hab Beweise gegen Sie. Ich will einfach nur wissen, wie es mit Faria Kazi weitergeht.«

Sein Blick irrte unkontrolliert umher.

»Wir werden uns schon um sie kümmern«, murmelte er. Dann schien er sich für seine Worte zu schämen und fügte drohend hinzu: »Vielleicht interessiert es Sie ja, dass Faria Kazi hier nicht die Einzige ist, gegen die eine Bedrohung vorliegt.«

»Raus«, sagte Lisbeth.

»Ich warne Sie, ich toleriere es nicht ...«
»Raus!«

Rikard Fagers rechte Hand zitterte. Sein Mund zuckte, und für ein, zwei Sekunden stand er wie gelähmt da. Anscheinend hätte er noch mehr sagen wollen, doch stattdessen drehte er sich um und wies Harriet an, die Zelle abzuschließen. Dann knallte er die Tür hinter sich zu und entfernte sich mit klappernden Schritten.

Faria Kazi hörte Schritte. Sie dachte an Lisbeth Salander. Immer wieder sah sie vor sich, wie Lisbeth zum Angriff übergegangen und Benito auf den Betonboden gestürzt war. Faria konnte kaum mehr an etwas anderes denken. In ihren Gedanken wiederholte sich die Szene ein ums andere Mal. Manchmal schweifte sie auch ab und landete bei anderen Erinnerungen – bei den Umständen, die sie letztlich hierhergebracht hatten.

Sie erinnerte sich beispielsweise daran, wie sie einige Tage nach dem Telefonat mit Jamal in ihrem Zimmer in Sickla gelegen und Tagore-Gedichte gelesen hatte. Gegen drei Uhr nachmittags hatte Bashir den Kopf zur Tür hereingesteckt und gezischt, Mädchen sollten nicht lesen, weil sie so zu Huren und Ungläubigen würden. Dann hatte er sie geohrfeigt. Ausnahmsweise hatte sie das weder gekränkt noch wütend gemacht. Es war eher so, als hätte sie aus seinem Schlag Kraft gezogen. Sie war aufgestanden und in der Wohnung hin und her gegangen und hatte ihren Bruder Khalil nicht mehr aus den Augen gelassen.

An jenem Nachmittag hatte sie minütlich ihre Pläne geändert. Sie würde Khalil bitten, sie in einem unbemerkten Augenblick hinauszulassen. Sie würde ihn dazu bringen, beim Sozialdienst, der Polizei und in ihrer alten Schule anzurufen. Sie würde ihn auffordern, einen Journalisten oder Imam Ferdousi oder ihre Tante Fatima zu kontaktieren.

Notfalls, wenn er ihr nicht helfen würde, könnte sie ihm damit drohen, sich die Pulsadern aufzuschneiden.

Doch nichts dergleichen passierte. Um kurz vor fünf hatte sie ihren Kleiderschrank geöffnet, in dem sich mittlerweile nur noch Schleier und weite Hausklamotten befanden. Sämtliche Kleider und Röcke, die sie früher getragen hatte, waren zerschnitten und weggeworfen worden, nur eine Jeans und ein schwarzes Oberteil hatte sie retten können. Sie schlüpfte hinein, zog sich Turnschuhe an und marschierte in die Küche, wo Bashir und Ahmed saßen und sie anstarrten. Am liebsten hätte sie laut geschrien und jedes Glas und jeden Teller zerschmettert. Doch sie stand einfach nur da, lauschte und hörte Schritte, die sich der Wohnungstür näherten. Khalils Schritte. Dann reagierte sie wie im Rausch, nahm unbemerkt ein Küchenmesser von der Anrichte, versteckte es unter ihrem Oberteil und ging weiter ins Wohnzimmer.

Khalil stand in seinem blauen Trainingsanzug in der Tür und sah verwirrt aus – und erbärmlich. Er musste gehört haben, dass sie ihr Zimmer verlassen hatte, weil er nervös am Sicherheitsschloss herumfummelte.

Faria atmete tief durch. »Du musst mich rauslassen, Khalil. Ich kann so nicht mehr leben. Lieber bringe ich mich um.«

Khalil sah sie mit einem so unglücklichen Blick an, dass sie zurückschreckte. Im selben Moment hörte sie, wie Bashir und Ahmed in der Küche aufstanden, und zückte das Messer.

»Tu so, als hätte ich dich bedroht, Khalil, oder was auch immer. Aber lass mich raus!«, flüsterte sie.

»Sie werden mich töten«, entgegnete er, und da knickte sie ein.

Es ging einfach nicht. Diesen Preis würde sie nicht zahlen können. Bashir und Ahmed kamen aus der Küche, und jetzt hörte sie auch im Treppenhaus Stimmen. Es war vorbei, da war sie sich sicher – doch dann passierte es. Immer noch mit unglücklicher Miene zog Khalil die Tür auf, sie ließ das Messer auf den Boden fallen und rannte los. Sie spurtete an ihrem Vater und an Razan vorbei, die draußen im Treppenhaus stehen geblieben waren, stürmte die Stufen hinunter, und für eine Weile hörte sie nichts, nur ihren eigenen Atem und ihre Schritte. Dann schwollen Stimmen über ihr an, schwere, wütende Schritte eilten ihr nach, und sie gab alles. Es war so merkwürdig – seit Monaten war sie nicht draußen gewesen, hatte sich kaum mehr bewegt und war garantiert in schlechter Verfassung, und doch war es, als würde sie von der kühlen Luft und dem Herbstwind davongetragen.

Sie rannte, wie sie noch nie in ihrem Leben gerannt war, kreuz und quer zwischen den Häusern hindurch, unten am Hafen von Hammarby entlang und dann auf die Straße über die Brücke zum Ringvägen. Dort sprang sie in einen Bus, der sie nach Vasastan brachte, rannte weiter, und mitunter stolperte und stürzte sie auch. Ihre Ellbogen bluteten, als sie den Hauseingang auf der Upplandsgatan betrat und die drei Stockwerke nach oben sprang und klingelte.

Sie wusste noch genau, wie sie dort stand und drinnen Schritte hörte. Sie hoffte und betete und schloss die Augen – und dann wurde die Tür geöffnet. Sie erschrak ganz fürchterlich. Obwohl es mitten am Tag war, trug Jamal einen Morgenmantel. Er war unrasiert und zerzaust und wirkte desorientiert und verstört. Für einen Moment glaubte sie, sie hätte einen Fehler gemacht.

Jamal selbst war einfach nur schockiert. Er konnte es nicht fassen, dass sie da war.

»Gott sei Dank!«, sagte er.

Sie fiel ihm in die Arme und zitterte am ganzen Leib und wollte ihn gar nicht mehr loslassen. Er geleitete sie in die Wohnung, schloss die Tür ab – ebenfalls mit einem Sicherheitsschloss –, aber diesmal fühlte sie sich dadurch einfach nur geborgen. Lang sprachen sie kein Wort. Sie lagen einfach nur eng umschlungen auf dem schmalen Bett, Stunden vergingen, und nach einer Weile fingen sie an zu reden und zu weinen und sich zu küssen, und am Ende schliefen sie miteinander. Allmählich fiel aller Druck von ihr ab, die Angst wurde schwächer, und Jamal und sie wuchsen auf eine Weise zusammen, wie sie es noch mit niemandem erlebt hatte.

Was sie nicht wusste – und auch nicht wissen wollte: In ihrem alten Zuhause in Sickla fand derweil eine Veränderung statt. Die Familie hatte einen neuen Feind ins Visier genommen. Und dieser Feind war ihr kleiner Bruder, Khalil.

Mikael verstand nur halb, was Malin Frode ihm sagen wollte. Er war so sehr darauf fixiert, Hilda von Kanterborg aufzuspüren, dass er kaum zuhörte. Er hatte sich ein Taxi genommen und überquerte gerade die Västerbron, um über Skanstull zur Rutger Fuchsgatan zu gelangen. Unterhalb der Brücke lagen Leute im Park in der Sonne, und auf dem Riddarfjärden glitten Motorboote vorüber.

»Hör mir bitte mal zu, Mikael«, sagte sie gerade. »Du hast mich doch überhaupt erst in diesen Schlamassel hineingezogen!«

»Ich weiß, entschuldige. Bin nur gerade ein bisschen unkonzentriert. Jetzt mal der Reihe nach. Es geht also um diesen Abend, als Leo in seinem Büro saß und irgendwas geschrieben hat, ja?«

»Genau. Irgendetwas war merkwürdig daran.«

»Du meintest, er könnte vielleicht ein Testament verfasst haben...«

»Es geht nicht darum, *was*, sondern *wie* er es geschrieben hat.«

»Was meinst du damit?«

»Er hat mit links geschrieben, Mikael – Leo ist Linkshänder, ist er immer schon gewesen –, das ist mir endlich klar geworden. Er schrieb mit links, fing mit links Äpfel,

Orangen – was auch immer. Aber plötzlich ist er Rechtshänder!«

»Klingt merkwürdig.«

»Aber deshalb ist es nicht weniger wahr. Unbewusst muss ich das schon früher bemerkt haben. Als ich Leo vor einiger Zeit im Fernsehen gesehen habe, zeigte er PowerPoint-Bilder und hielt auch da die Fernbedienung in der rechten Hand.«

»Entschuldige, Malin, aber was ...«

»Ich bin noch nicht fertig. Erst mal hab ich ja auch keine große Sache daraus gemacht. Es war mir ja nicht mal richtig bewusst. Aber irgendwas hat schon die ganze Zeit in meinem Kopf herumgespukt. Deshalb hab ich Leo im Fotografiska genau beobachtet. Du weißt ja, dass wir uns während meiner letzten Zeit bei Alfred Ögren nähergekommen sind – da hab ich natürlich alles Mögliche gesehen, wie er Dinge anfasste und so weiter ...«

»Verstehe.«

»Bei seinem Vortrag war es dann das Gleiche wieder: Er hat die Wasserflasche mit rechts vom Tisch genommen und mit links aufgeschraubt und dann wie jeder Rechtshänder mit rechts eingeschenkt und das Glas auch in die rechte Hand genommen. Erst da ist es mir richtig klar geworden. Anschließend bin ich zu ihm gegangen ...«

»Und es war ein misslungenes Gespräch.«

»Total! Er wollte mich einfach nur so schnell wie möglich wieder loswerden. Dann hat er an der Bar das Weinglas wieder mit der rechten Hand gegriffen. Da hatte ich wirklich fast schon eine Gänsehaut.«

»Könnte so was eine neurologische Ursache haben?«

»Genau das behauptet er jedenfalls selbst.«

»Was? Du hast ihn darauf angesprochen?«

»Nein, ich nicht. Aber ich kam mir schon komplett verrückt vor. Deshalb hab ich mir am Abend Aufnahmen angesehen, die ich im Internet finden konnte, und dann mit ein paar alten Kollegen telefoniert. Nur schien das meine Befürchtung, ich wäre verrückt geworden, nur zu bestätigen: Niemandem war etwas aufgefallen! Überhaupt fällt nie jemandem irgendetwas auf, ist dir der Gedanke auch schon mal gekommen? Am Ende hab ich Nina West erreicht – sie ist Devisenmaklerin und ziemlich scharfsinnig, und sie hatte es ebenfalls bemerkt. Du kannst dir vielleicht vorstellen, wie erleichtert ich war, das zu hören. Nina hat ihn auch danach gefragt.«

»Was hat er geantwortet?«

»Es war ihm sichtlich unangenehm, und erst hat er nur irgendetwas vor sich hin gemurmelt. Dann meinte er, er sei Ambidexter.«

»Er sei was?«

»Beidhänder – also weder ausschließlich das eine noch das andere. Ich hab es nachgeschlagen: So was trifft nur auf ungefähr ein Prozent der Menschheit zu. Es gibt ein paar erfolgreiche Sportler mit Ambidextrie, Jimmy Connors zum Beispiel, falls du dich an den noch erinnerst.«

»Ja, natürlich.«

»Leo meinte, nach dem Tod seiner Mutter habe er urplötzlich die Hand gewechselt. Als sei das Teil seines Loslösungsprozesses gewesen. Dass er überhaupt eine neue Art zu leben gefunden habe.«

»Könnte das eine Erklärung sein?«

»Ich weiß nicht ... Hyperakusis *und* Ambidextrie auf einmal? Das kommt mir irgendwie ein bisschen viel vor.«

Mikael war für einen Augenblick still und blickte hinaus auf den Zinkensdamm.

»Zwei ungewöhnliche Eigenschaften kann er natürlich durchaus haben, aber ...« Er dachte kurz nach. »Du könntest trotzdem recht haben, dass irgendetwas an dieser Geschichte merkwürdig ist. Wollen wir uns bald wieder treffen?«

»Auf jeden Fall«, sagte Malin.

Sie beendeten das Gespräch, und er fuhr weiter in Richtung Skanstull und Hilda von Kanterborg.

Jan Bublanski hatte mit der Zeit eine große Sympathie für Lisbeth Salander entwickelt, trotzdem fühlte er sich in ihrer Nähe nie ganz wohl. Er wusste, dass sie die Polizei nicht leiden konnte, und auch wenn das vor dem Hintergrund ihrer Geschichte durchaus verständlich war, war er Leuten gegenüber skeptisch, die zu derlei Verallgemeinerungen neigten.

»Auf lange Sicht müssen Sie anfangen, den Leuten zu vertrauen, Lisbeth, sogar der Polizei. Sonst werden Sie es schwer haben«, sagte er.

»Ich geb mir Mühe«, erwiderte sie trocken.

Er saß ihr gegenüber im Besucherraum von Haus H und rutschte auf seinem Stuhl hin und her. Sie sah erstaunlich jung aus, fand er, und er konnte einen leicht rötlichen Schimmer in ihrem Haar erahnen.

»Zuallererst will ich Ihnen mein aufrichtiges Beileid aussprechen. Holger Palmgrens Tod muss ein harter Schlag für Sie gewesen sein. Ich weiß noch gut, wie es war, als meine Frau ...«

»*Skip it*«, unterbrach sie ihn.

»Gut. Bleiben wir bei der Sache. Können Sie sich vorstellen, warum jemand Palmgren umgebracht haben sollte?«

Lisbeth Salander hob die Hand an die Schulter, direkt oberhalb der Brust, wo sie eine alte Schussverletzung hatte. Anschließend begann sie, mit merkwürdig kalter Stimme zu sprechen, und Bublanski wurde noch unbehaglicher zumute. Doch was sie sagte, hatte immerhin den Vorteil, dass es kurz und bündig war – gewissermaßen also der Traum eines jeden Vernehmungsleiters.

»Vor ein paar Wochen hatte Holger Palmgren Besuch von einer älteren Dame namens Maj-Britt Torell, die Sekretärin bei Professor Johannes Caldin war, dem früheren Chef der St.-Stefans-Kinderpsychiatrie.«

»Wo Sie als Kind untergebracht waren ...«

»Sie hatte in der Zeitung eine Meldung über mich gelesen und daraufhin eine Reihe von Unterlagen zu Holger gebracht, der erst glaubte, sie würden nichts Neues enthalten, sondern nur das bestätigen, was wir ohnehin immer vermutet hatten, was aber in seiner ganzen Tragweite nie klar gewesen war: dass es Pläne gegeben hatte, mich als Kind zwangsadoptieren zu lassen. Ich dachte immer, dass dahinter irgendein falsch verstandener guter Willen gesteckt hätte – wegen dieser ganzen Scheiße mit meinem Vater ... In Wahrheit aber sollte ich Teil eines Experiments werden, das von einer Behörde namens Register für menschliche Erblehre und Eugenik ins Leben gerufen worden war. Diese Behörde hat im Geheimen gearbeitet, und es ist mir nicht gelungen, die Namen der Verantwortlichen herauszufinden, was mich natürlich kolossal geärgert hat. Deshalb hab ich Holger angerufen und ihn gebeten, sich die Unterlagen noch mal genau anzusehen. Keine Ahnung, was er gefunden hat. Ich weiß nur, dass als Nächstes Mikael Blomkvist im Gefängnis anruft und erzählt, dass Holger gestorben sei – und dass er selbst sofort vermutet habe, dass an der Sache etwas faul sein muss. Mein Rat an Sie wäre also, dass Sie Maj-Britt Torell kontaktieren. Sie wohnt in Uppsala. Es könnte immerhin sein, dass sie noch Kopien oder ein Back-up der Dokumente hat. Wahrscheinlich wäre es sowieso gut, wenn Sie in nächster Zeit ein bisschen auf sie aufpassen könnten.«

»Danke«, sagte Bublanski. »Das war sehr hilfreich. Wofür war diese Behörde denn zuständig?«

»Ich finde den Namen eigentlich sehr aussagekräftig.«

»Namen können auch täuschen.«

»Es gibt da ein Arschloch namens Teleborian ...«

»Den haben wir bereits befragt.«

»Dann befragen Sie ihn noch einmal.«

»Haben Sie denn eine Ahnung, wonach genau wir suchen sollten?«

»Versuchen Sie, diese Eugenikleute aus Uppsala in die Mangel zu nehmen. Aber ich bezweifle, dass Sie damit etwas erreichen.«

»Könnten Sie sich vielleicht etwas präziser ausdrücken, Lisbeth? Worum geht es hier?«

»Um Wissenschaft – oder besser gesagt Pseudowissenschaft – und um Idioten, die sich eingebildet haben, sie könnten herausfinden, inwieweit wir von unseren Erbanlagen und der Umwelt beeinflusst werden, und zwar, indem sie Kinder zwangsadoptieren ließen.«

»Klingt nicht gut.«

»Eine korrekte Analyse, würde ich sagen.«

»Aber Sie haben keine weiteren Anhaltspunkte?«

»Nein.«

Bublanski wollte ihr nicht recht glauben.

»Sie wissen vielleicht, dass Holgers letzte Worte waren: *Sprechen Sie mit Hilda von* ... Sagt Ihnen das etwas?«

Es sagte Lisbeth etwas. Es hatte ihr schon etwas gesagt, als Mikael tags zuvor bei ihr angerufen hatte – aber was, das wollte sie vorerst für sich behalten. Sie hatte ihre Gründe, und daher erwähnte sie auch Leo Mannheimer und die Frau mit dem Muttermal nicht. Im weiteren Verlauf antwortete sie nur noch kurz angebunden auf Bublanskis Fragen. Anschließend verabschiedete sie sich und wurde wieder in ihre Zelle zurückgeführt. Am folgenden Morgen um neun Uhr würde sie ihre Sachen packen und Flodberga verlassen. Sie nahm stark an, dass Rikard Fager sie immer noch loswerden wollte.

12. KAPITEL
20. Juni

Rakel Greitz war mit der Reinigung nicht zufrieden. Sie hätte strenger mit den Putzfrauen sein müssen. Jetzt würde sie selbst noch einmal Staub wischen müssen, ihre Zimmerpflanzen gießen und Bücher, Gläser und Tassen geraderücken. Dass ihr übel war und ihr gerade büschelweise die Haare ausgingen, verstärkte ihre Motivation nicht gerade, aber sie biss die Zähne zusammen. Ihr stand noch einiges bevor, aber zunächst ging sie noch einmal die Unterlagen durch, die sie bei Holger Palmgren mitgenommen hatte. Es war nicht schwer zu erkennen, was ihn zu seinem Anruf bewogen hatte.

Die Vermerke an sich waren nicht weiter beunruhigend, vor allem weil Teleborian die Weitsicht besessen hatte, sie nur per Initial zu erwähnen. Außerdem wurde ihre eigentliche Forschungstätigkeit nicht weiter ausgeführt, und auch Namen der Kinder tauchten nirgends auf. Aber das war nicht das Unheimliche daran. Das Unheimliche war, dass Holger Palmgren die Dokumente ausgerechnet jetzt gelesen hatte, nach all den Jahren.

Das mochte natürlich alles Zufall sein, und dieser Ansicht war auch Martin Steinberg gewesen. Vielleicht hatte Holger das Material schon seit Jahren besessen und nur zufällig gerade jetzt darin geblättert und sich dann über einige Details gewundert, ohne viel Aufhebens davon zu machen. Wenn das zuträfe, wäre ihre Operation ein großer Fehler gewesen. Allerdings glaubte Rakel Greitz nicht an Zufälle, nicht jetzt, da sie am Rande eines Abgrunds balancierte, und sie wusste auch, dass Holger Palmgren erst vor nicht allzu langer Zeit Lisbeth Salander im Frauengefängnis Flodberga besucht hatte.

Rakel Greitz würde Lisbeth Salander nicht noch einmal unterschätzen, erst recht nicht, nachdem Hilda von Kanterborg in dem Dokument erwähnt war. Hilda war die einzig denkbare Verbindung, mittels derer Lisbeth ihr auf die Schliche kommen konnte. Zwar war Rakel sich verhältnismäßig sicher, dass Hilda seit ihrer unglückseligen Freundschaft mit Agneta Salander nie wieder etwas ausgeplappert hatte. Aber hundertprozentige Sicherheit gab es nicht, und es war auch nicht unwahrscheinlich, dass Kopien der Unterlagen in Umlauf waren. Deshalb war es jetzt von äußerster Wichtigkeit zu erfahren, wie Palmgren überhaupt darangekommen war. Im Zusammenhang mit den Ermittlungen gegen Teleborian? Oder hatte er sie später erhalten – und wenn ja, von wem? Rakel war überzeugt gewesen, dass sie sämtliche kritischen Unterlagen aus der St.-Stefans-Kinderpsychiatrie beseitigt hätten. Aber vielleicht …

Plötzlich schoss ihr etwas durch den Kopf. Johannes Caldin, der Leiter der Einrichtung! Er war ihnen schon immer ein Dorn im Auge gewesen. Konnte es sein, dass er die Unterlagen vor seinem Tod beiseitegeschafft hatte? Oder jemand aus dem Kreis seiner Vertrauten, wie zum Beispiel seine …

Rakel fluchte in sich hinein. »Na klar! Die alte Schachtel!«

Sie ging in die Küche und spülte mit einem Glas Zitronenwasser zwei Schmerztabletten hinunter. Dann rief sie Martin Steinberg an – irgendetwas musste dieser Waschlappen schließlich auch tun – und forderte ihn dazu auf, Maj-Britt Tourette zu kontaktieren, wie Rakel sie mehr oder weniger unbeabsichtigt nannte.

»Und zwar auf der Stelle«, befahl sie. »Jetzt sofort!«

Anschließend machte sie sich einen Rucolasalat mit Tomaten und Walnüssen. Dann putzte sie das Bad. Es war halb sechs am Abend, und obwohl die Balkontür offen stand, war es heiß. Am liebsten hätte sie den Rollkragenpullover ausgezogen und wäre in eine Leinenbluse geschlüpft, aber sie widerstand der Versuchung. Abermals musste sie an Hilda denken – diese Säuferin und Schlampe. Rakel verachtete sie. Auch wenn sie sie vor langer Zeit einmal beneidet hatte. Wie magisch schlug sie Männer in ihren Bann, Frauen und Kinder ebenso, und sie hatte immer wieder freie, große Gedanken geäußert, damals in der guten alten Zeit, in der sie alle noch so guter Dinge gewesen waren.

An sich war ihr Projekt nicht unbedingt einzigartig gewesen. Die Inspiration dazu war aus New York gekommen. Doch Martin und sie hatten ihre Forschung weitergetrieben, und obwohl die Ergebnisse sie manchmal erstaunt oder sogar enttäuscht hatten, war sie nie der Meinung, der Preis dafür wäre zu hoch gewesen. Manchen Kindern ging es schlechter als anderen, das stimmte natürlich, aber das war nun mal die Lotterie des Lebens.

Projekt 9 war im Grunde edel und wichtig – so sah sie es zumindest. Die Welt würde daraus lernen, wie man durchsetzungsfähigere, aber auch ausgeglichenere Individuen hervorbrachte, und deshalb war es umso ärgerlicher, dass LM und DB alles riskiert und sie zu solchen Exzessen gezwungen hatten. Dass sie eine Grenze überschritten hatten, störte sie an sich nicht sehr, und das fand sie mitunter merkwürdig, denn sie war schließlich trotz allem nicht frei von Selbstkritik. Aber sie wusste auch, dass sie keine Veranlagung zur Reue besaß. Nur die Konsequenzen beunruhigten sie.

Draußen auf dem Karlbergsvägen waren vereinzelt Rufe und Gelächter zu hören. Aus der Küche roch es nach Reinigungs- und Desinfektionsmitteln. Sie sah wieder auf die Uhr, stand vom Schreibtisch auf, nahm eine zweite Arzttasche zur Hand, die schwarz und moderner war als die andere, sowie eine diskretere Perücke und eine neue Sonnenbrille. Dann suchte sie ein paar Kanülen und Ampullen zusammen, griff nach einer kleinen Flasche mit einer hellblauen Flüssigkeit und legte sie in die Tasche, ehe sie einen Spazierstock mit Silberbeschlag aus dem Schrank und einen grauen Hut von der Ablage im Flur nahm. Dann ging sie nach draußen und wartete dort auf Benjamin, der sie abholen und nach Skanstull bringen würde.

Hilda von Kanterborg schenkte sich ein Glas Weißwein ein. Sie trank langsam. Alkoholikerin war sie unbestritten, aber sie trank nicht annähernd so viel, wie die meisten glaubten. Sie übertrieb ihren Konsum ein bisschen, so wie sie auch ihre anderen Laster übertrieb. Hilda von Kanterborg war auch keine Adelsdame auf Abwegen, obwohl das viele vermuteten – genauso wenig, wie sie eine Frau war, die sich einfach nur treiben und volllaufen ließ. Unter dem Pseudonym Leonard Bark veröffentlichte sie nach wie vor Artikel zu Themen der Psychologie.

Ihr Vater hatte Wilmer Karlsson geheißen und war Unternehmer und Gauner gewesen, bis er vom Amtsgericht in Sundsvall wegen schweren Betrugs verurteilt worden war. Nach seiner Haft war er in irgendwelchen Unterlagen über einen jungen Leutnant bei den Leibdragonern gestolpert, Johan Fredrik Kanterberg, der 1787 bei einem Duell gestorben und der letzte Spross seines Geschlechts gewesen war. Mit ein wenig Verhandlungsgeschick und einer Reihe von

Finten war es Wilmer Karlsson trotz der strengen Regeln des Adelsstands gelungen, seinen Namen zu ändern – allerdings nicht zu Kanterberg, sondern zu Kanterborg, und dann fügte er in Eigeninitiative noch ein »von« hinzu, das dann nach und nach in die öffentlichen Register Einzug hielt.

Hilda fand den Namen bemüht und aufgesetzt, erst recht seit der Vater die Familie verlassen hatte und sie in eine heruntergekommene Zweizimmerwohnung im Zentrum von Timrå hatten ziehen müssen. In einer solchen Umgebung war »von Kanterborg« genauso fehl am Platz, wie sie sich im Riddarhuset, dem Versammlungshaus der Adligen, gefühlt hätte, und vielleicht hatte sich ein Teil ihrer Persönlichkeit auch durch die Rebellion gegen den Namen geformt. Als Jugendliche hatte sie mit Drogen experimentiert und in der Stadt mit Rockern herumgehangen.

Trotzdem war sie keine Versagerin gewesen. Sie war gut in der Schule, und nach dem Abitur studierte sie in Stockholm Psychologie. Obwohl sie anfangs vor allem Partys feierte, fiel sie schon bald den Dozenten ins Auge. Sie war hübsch, intelligent und innovativ – und integer obendrein, allerdings nicht so, wie man es damals von einem Mädchen erwartete. Sie hielt mit ihrer Meinung nicht hinterm Berg, war weder still noch niedlich. Ungerechtigkeit hasste sie, und das Vertrauen, das andere ihr entgegenbrachten, enttäuschte sie nie.

Kurz nach ihrer Disputation begegnete sie in einem kleinen Restaurant in der Rörstrandsgatan in Vasastan zufällig dem Soziologieprofessor Martin Steinberg. Wie alle Doktoranden kannte sie ihn: Er war groß, elegant und erinnerte mit seinem gepflegten Oberlippenbart ein wenig an David Niven. Er war mit einer untersetzten Frau namens Gertrud verheiratet, die mitunter für seine Mutter gehalten wurde, weil sie vierzehn Jahre älter war als er und seltsam unattraktiv, gerade im Vergleich zu Martins eigener Strahlkraft.

Mitunter wurde geunkt, Martin Steinberg treffe andere

Frauen. Er sei ein hohes Tier mit sehr viel mehr Macht, als sein Lebenslauf vermuten lasse, obwohl auch der ziemlich beeindruckend war. Er war Rektor der Sozialhochschule gewesen und hatte schon diversen staatlichen Ausschüssen vorgestanden. Obwohl Hilda ihn schon damals für viel zu dogmatisch und langweilig gehalten hatte, war sie fasziniert von ihm, allerdings nicht unbedingt von seinem Äußeren und seiner Aura, sie betrachtete ihn eher als ein Rätsel, das es zu lösen galt.

Deshalb stutzte sie, als sie ihn im Restaurant nicht mit seiner Ehefrau, sondern mit einer Dame von ganz anderem Format antraf. Die Dame hatte kurzes, aschblondes Haar und ausdrucksstarke Augen, eine schlanke Figur, lange, feingliedrige Finger mit rot lackierten Nägeln und die Ausstrahlung einer Königin. Hilda war sich nicht sicher, ob die beiden ein Rendezvous hatten. Aber Martin Steinberg war es offenbar unangenehm, als Hilda ihn entdeckte. Im Grunde war die Begegnung nicht weiter bemerkenswert, trotzdem hatte sie das Gefühl, einen Blick auf jenes verborgene Leben von Martin Steinberg geworfen zu haben, von dem sie immer schon gehört hatte. Sie schlüpfte wieder zur Tür hinaus.

In den darauffolgenden Tagen und Wochen beäugte Steinberg sie mit einer gewissen Neugier. Eines Abends bat er sie, ihn auf einen Spaziergang durch den Wald hinter dem Institut zu begleiten. Der Himmel war dunkel, und Martin blieb lange stumm, als würde er sich darauf vorbereiten, ihr etwas Großes, Geheimes zu eröffnen. Dann aber brach er das Schweigen mit einer Frage, deren Banalität sie erstaunte: »Hilda, haben Sie je darüber nachgedacht, warum Sie so sind, wie Sie sind?«

»Ja, habe ich«, antwortete sie höflich.

»Das ist eine der wichtigsten Fragen überhaupt – nicht nur für Ihre und meine Geschichte, sondern für unsere Zukunft«, sagte er.

So fing alles an. Er warb sie für das Projekt 9 an, das zu Beginn noch harmlos auf sie wirkte. Ein paar Kinder, die in Pflegefamilien aus unterschiedlichsten sozialen Schichten untergebracht worden waren, hatten seit dem Kleinkindalter an Tests und Untersuchungen teilgenommen. Mehr war es zunächst nicht. Einige der Kinder waren sehr begabt, andere weniger. Die Ergebnisse wurden nie veröffentlicht, und anfangs konnte sie auch nirgends Anzeichen dafür erkennen, dass mit diesen Kindern zynisch umgegangen würde, ganz im Gegenteil, sie wurden mit Achtsamkeit und Fürsorge behandelt, und auf einigen Gebieten lieferte das Projekt neue, wenn auch nicht bahnbrechende Forschungserkenntnisse.

Dennoch kamen im Nachhinein Fragen auf: Wie waren die Kinder ausgewählt worden, und wie kam es, dass sie in so unterschiedlichen sozialen Milieus gelandet waren? Erst allmählich verstand sie die Zusammenhänge. Doch da war die Tür bereits zugeschlagen. Trotzdem betrachtete sie das Projekt als akzeptabel. Immerhin war es möglich, nicht nur seine Gesamtheit, sondern auch jeden Einzelfall in einem versöhnlichen Licht zu sehen.

Dann aber kam ein neuer Herbst und mit ihm die Nachricht, dass Carl Seger bei der Elchjagd erschossen worden sei. Spätestens da packte sie die Angst, und sie beschloss, sich loszusagen. Martin und Rakel Greitz ahnten es sofort und boten ihr die Möglichkeit, einer anderen guten Sache zu dienen, weshalb sie noch eine Zeit lang blieb. Sie sollte ein Mädchen retten, das Teil des Projekts war, das zusammen mit seiner Zwillingsschwester in der Stockholmer Lundagatan lebte und die reinste Hölle durchmachte. Dennoch hatten die Behörden nie reagiert, und Hilda sollte nun eine Lösung finden – und eine Pflegefamilie.

Doch dann verhielt sich der Fall anders, als man es ihr beschrieben hatte – und wesentlich komplizierter. Sie baute

Nähe zu dem Mädchen und zu seiner Mutter auf. Sie setzte sich für die beiden ein, was sie am Ende die Karriere und fast auch das Leben kostete. Manchmal bereute sie es. Aber noch viel häufiger war sie stolz auf sich und betrachtete es als das Beste, was sie während ihrer Zeit beim Register je geleistet hatte.

Der Abend nahte, und Hilda trank ihren Chardonnay und sah aus dem Fenster. Leute flanierten vorbei und wirkten glücklich. Ob sie selbst auch hinausgehen und sich mit einem Buch vor ein Café setzen sollte? Doch weiter kam sie mit ihren Gedanken nicht. Ein Stück weiter die Straße hinunter entdeckte sie eine Person, die aus einem schwarzen Renault stieg. Es war Rakel Greitz, was an sich nicht verwunderlich war. Sie kam immer noch hin und wieder vorbei, um Hilda einen Besuch abzustatten und sie mit Komplimenten und Schmeicheleien zu überhäufen. Doch in letzter Zeit war Hilda an Rakel irgendetwas seltsam vorgekommen. Die Frau hatte am Telefon angespannt und nervös geklungen – und sie hatte Hilda wie früher gedroht.

Als sie jetzt auf dem Bürgersteig stand, war sie trotz ihrer Verkleidung leicht zu erkennen. An ihrer Seite stand Benjamin, Benjamin Fors, Rakels Mann für alles, der nicht nur Erledigungen für sie machte, sondern auch gerufen wurde, wann immer Muskelkraft oder Zwangsmaßnahmen erforderlich waren. Schlagartig bekam Hilda es mit der Angst zu tun, und dann traf sie eine schnelle, drastische Entscheidung.

Sie schnappte sich ihr Portemonnaie, ihren Mantel und ihr Handy, das stumm geschaltet auf dem Schreibtisch gelegen hatte. Anschließend lief sie hinaus und schloss hinter sich ab. Als sie unten an der Haustür Schritte hörte, blieb sie wie angewurzelt stehen. Wenn sie jetzt die Treppe hinunterrennen würde, könnte sie ihnen direkt in die Arme laufen. Doch dann hörte sie, wie sie den Aufzug nahmen. Unbemerkt flüchtete Hilda durch den Hinterausgang auf den

Hof. Dort würde sie über die gelbe Mauer klettern können, wenn sie den Gartentisch näher heranrückte.

Die Tischbeine quietschten über die Steinplatten am Boden. Wie ein tollpatschiges Kind krabbelte sie hinüber, sprang in den Nachbarhof und gelangte von dort hinaus auf die Bohusgatan. Von der Straße bog sie in Richtung Eriksdalsbadet und hinunter zum Wasser ab. Sie lief, so schnell es ging, auch wenn ihr linker Fuß nach dem Sprung von der Mauer schmerzte und sie nicht mehr ganz nüchtern war.

Unten am Trimm-dich-Platz beim Årstaviken zog sie das Handy aus der Tasche. Irgendwer hatte mehrmals versucht, sie anzurufen, und als sie die Mailbox abhörte, erstarrte sie. Jetzt hatte sie die Bestätigung, dass irgendetwas im Busch war. Der Journalist Mikael Blomkvist wollte sie sprechen, und obwohl er sich höflich entschuldigte, klang seine Stimme aufgeregt, vor allem als er in seiner zweiten Nachricht darauf hinwies, dass es jetzt – nach Holger Palmgrens Tod – »dringenden Redebedarf« gebe.

»Holger Palmgren«, murmelte sie. *Holger Palmgren.* Woher kam ihr der Name so bekannt vor? Sie schlug ihn im Internet nach, und sofort wusste sie es wieder: Holger Palmgren war Lisbeth Salanders Vormund gewesen! Irgendwas bahnte sich an, und das war nicht gut. Wenn die Medien jetzt Jagd auf Informationen machten, wäre sie das schwächste Glied in der Kette.

Sie eilte weiter und blickte hinüber aufs Wasser, auf die Bäume und all die Menschen, die draußen waren und spazieren gingen oder im Gras saßen und picknickten. Auf der weit offenen Fläche zwischen Trimm-dich-Platz und Bootshafen lagen drei ältere Jungs betont gelangweilt und lässig auf einer Decke und tranken Bier. Hilda blieb stehen und sah erneut auf ihr Telefon hinab. Von Technik verstand sie nicht viel, aber sie wusste, dass man übers Handy geortet werden konnte.

Eilig rief sie ihre Schwester an und bereute es sofort wieder, weil jedes Gespräch mit ihr zwangsläufig in Vorwürfe und Schuldzuweisungen mündete. Anschließend marschierte sie auf die Jugendlichen zu, pickte sich einen Jungen mit langem, fettigem Haar und einer ausgefransten Jeansjacke heraus und drückte ihm ihr Handy in die Hand.

»Hier«, sagte sie. »Ein nagelneues iPhone. Kannst du haben, tausch einfach die SIM-Karte aus oder so.«

»Und wie komm ich verdammt noch mal dazu?«

»Weil du wie ein netter Junge aussiehst. Mach's gut, und keine Drogen nehmen!«, rief sie noch und lief dann in der Abendsonne davon.

Dreißig Minuten später hob sie am Bankautomaten in Hornstull dreitausend Kronen ab und fuhr zum Hauptbahnhof. Sie würde nach Nyköping fahren, in ein kleines, abgelegenes Hotel, wo sie sich vor vielen Jahren schon einmal versteckt hatte, als die Kollegen an der Universität sie beschuldigt hatten, eine Schlampe und Hure zu sein.

Im Hauseingang begegnete Mikael Blomkvist einer älteren Dame mit Hut. Sie wirkte scheu, ging am Stock, und hinter ihr her lief ein kräftiger Mann etwa in Mikaels Alter mit rundem Gesicht, kleinen Augen und muskulösen Armen. Mikael dachte nicht weiter darüber nach, er war einfach nur froh, dass er sofort ins Haus gelangt war, jetzt die Treppe zu Hilda von Kanterborgs Wohnung hocheilen und an der Tür klingeln würde. Doch es schien niemand zu Hause zu sein.

Er lief wieder nach draußen und spazierte zum Clarion Hotel beim Skanstull, von wo aus er sie erneut anrief. Diesmal meldete sich ein arroganter junger Typ. War das ihr Sohn?

»Hallo?«

»Hallo«, erwiderte Mikael, »kann ich bitte mit Hilda sprechen?«

»Hier gibt's keine Hilda. Das ist jetzt mein Handy.«
»Wie meinst du das?«
»So eine verrückte alte Säuferin hat es mir gerade geschenkt.«
»Wann?«
»Gerade eben.«
»Was hat sie auf dich für einen Eindruck gemacht?«
»Gestresst und bekloppt.«
»Wo bist du jetzt?«
»Geht dich 'nen Scheiß an.«

Mikael fluchte. In Ermangelung einer besseren Idee marschierte er in die Hotelbar und bestellte sich ein Guinness.

Er musste nachdenken. Er ließ sich in einen Sessel neben dem Fenster zum Ringvägen fallen. Hinter ihm an der Rezeption stand ein älterer Glatzkopf, der lautstark seine Hotelrechnung diskutierte. Unweit von Mikaels Fenstertisch saßen zwei Mädchen und unterhielten sich flüsternd.

Seine Gedanken überschlugen sich, und immer wieder kam ihm Lisbeth in den Sinn. Sie hatte Leo Mannheimer erwähnt und von irgendwelchen Namenslisten gesprochen, und dann hatte er im Flur des ermordeten Holger Palmgren auch noch alte Unterlagen gefunden ...

Sprechen Sie mit Hilda von ...

Konnte er jemand anderen gemeint haben als Hilda von Kanterborg? Möglich, aber unwahrscheinlich. Erst recht angesichts des Umstands, dass Hilda sich derzeit höchst merkwürdig verhielt und anscheinend gerade erst ihr Handy verschenkt hatte.

Mikael bekam ein Bier serviert und sah zu den Mädchen hinüber, die ganz offensichtlich über ihn tuschelten. Dann holte er sein Telefon hervor und tippte »Hilda von Kanterborg« in die Suchleiste. Vermutlich würde das, was ihn interessierte, von der Suchmaschine eher nicht sehr weit oben angezeigt werden, vielleicht würde er es online auch überhaupt nicht finden, aber zur Not ließe sich ja vielleicht etwas zwischen den Zeilen herauslesen. Man konnte nie wissen. Manchmal verbargen sich weiterführende Hinweise selbst in den ausweichendsten Antworten, die jemand in Interviews gab, oder in der Wahl der Themen und Interessen.

Doch er wurde nicht fündig. Hilda von Kanterborg hatte früher fleißig wissenschaftliche Artikel publiziert, ehe sie ihre Stelle an der Stockholmer Universität verloren hatte. Seither war sie allem Anschein nach verstummt. In dem alten Material stieß Mikael auf keinen roten Faden, auf nichts, was geheim oder zwielichtig gewesen wäre oder mit adoptierten Kindern zu tun gehabt hätte, geschweige denn mit unter ihrer Hyperakusis leidenden Jungen, die von Links- zu Rechtshändern geworden waren.

Was sie indes veröffentlicht hatte, wirkte scharfsinnig und vernünftig: wenn sie beispielsweise gegen die unterschwellige rassistische Agenda argumentierte, die zu jener Zeit in der Forschung über die Bedeutsamkeit der Gene für die Intelligenz eines Menschen immer noch zu spüren war. Im *Journal of Applied Psychology* hatte sie unter anderem einen Artikel verfasst, in dem es um den sogenannten Flynn-Effekt ging, demzufolge die messbare Begabung des Menschen seit 1930 stetig gestiegen war, vermutlich weil das menschliche Gehirn seither einer immer höheren Stimulanz ausgesetzt war.

Davon abgesehen fand er keine weiterführenden Hinweise. Er sah erneut zur Straße, bestellte sich ein weiteres Guinness und überlegte, wen er diesbezüglich anrufen sollte. Er suchte nach Koautoren und Kollegen und fand stattdessen noch eine weitere Person namens Kanterborg – die einzige in Schweden, die ebenfalls so hieß. Ihr Vorname war Charlotta, und sie wohnte ein paar Straßen von der Renstiernas Gata entfernt. Anscheinend war sie Friseurin und besaß einen eigenen Salon an der Götgatan. Mikael suchte nach Bildern von Hilda und Charlotta von Kanterborg, und nach der Ähnlichkeit zu urteilen waren sie Schwestern. Ohne groß darüber nachzudenken, wählte er Charlottas Nummer.

»Lotta«, meldete sie sich.

»Hallo, ich heiße Mikael Blomkvist und bin Journalist bei *Millennium*«, sagte er und spürte sofort, wie sie nervös wurde.

Das war an sich nicht ungewöhnlich, aber nicht selten bedauerte er, wie Menschen auf ihn reagierten, und scherzte dann gern, er müsse wohl mehr positive Artikel schreiben, damit die Leute keine Angst mehr hätten, wenn er anriefe. Diesmal hatte er allerdings das Gefühl, dass hinter der Nervosität mehr steckte.

»Bitte entschuldigen Sie die Störung. Ich rufe an, weil ich dringend mit Hilda von Kanterborg sprechen muss«, sagte er.

»Was ist passiert?«

Nicht etwa: *Ist ihr etwas zugestoßen?* Sondern: *Was ist passiert?*

»Wann haben Sie zuletzt mit ihr gesprochen?«, wollte er wissen.

»Gerade erst vor einer Stunde.«

»Und wo war sie da?«

»Darf ich fragen, warum Sie überhaupt anrufen? Ich meine ...« Sie zögerte.

»Was?«

»Heutzutage kommt es ja nicht mehr allzu häufig vor, dass Journalisten mit ihr sprechen wollen.«

Sie atmete schwer.

»Ich will Sie nicht beunruhigen«, sagte er eilig.

»Sie klang gehetzt und ängstlich ... Was ist eigentlich los?«

»Ehrlich gesagt weiß ich es auch nicht«, antwortete er. »Aber ein wirklich ehrenwerter alter Herr namens Holger Palmgren wurde ermordet. Ich war bei ihm, als er um sein

Leben gekämpft hat, und seine letzten Worte waren: *Sprechen Sie mit Hilda*. Es könnte sein, dass sie wichtige Informationen hat.«

»Und worum soll es dabei gehen?«

»Das versuche ich gerade herauszufinden. Ich will ihr helfen. Ich will, dass wir uns gegenseitig helfen.«

»Ganz sicher?«

Er antwortete ehrlich: »In meinem Beruf ist es nicht gerade leicht, irgendetwas zu versprechen. Die Wahrheit – wenn es mir denn gelingt, ihr auf den Grund zu gehen – kann immer auch denen schaden, auf deren Seite ich eigentlich stehe. Aber den meisten von uns geht es besser, wenn sie erzählen, was sie quält.«

»Es geht ihr dreckig«, sagte Lotta.

»Verstehe.«

»An und für sich geht es ihr schon seit zwanzig Jahren dreckig. Aber vorhin kam es mir schlimmer vor denn je.«

»Und was glauben Sie, warum?«

»Ich habe ... keine Ahnung.«

Er hörte das Zögern in ihrer Stimme und ging zum Angriff über wie eine Kobra.

»Dürfte ich vielleicht ganz kurz vorbeikommen? Ich hab gesehen, dass Sie in der Nähe wohnen.«

Lotta von Kanterborg schien noch nervöser zu werden. Trotzdem war er sich sicher, dass sie nachgeben würde. Deshalb erstaunte es ihn, als sie mit einem scharfen, unerschütterlichen Nein antwortete.

»Ich will da nicht mit reingezogen werden«, fügte sie hinzu.

»In was denn überhaupt?«

»Also ...«

Sie verstummte, und Mikael hörte, wie schwer sie atmete. Er ahnte, dass sie die Alternativen abwägte, das hatte er als Journalist schon oft erlebt. Menschen erreichen einen Punkt, an dem sie überlegen, ob sie mit der Sprache herausrücken sollen oder nicht. In solchen Moment sind sie hoch konzentriert und versuchen, sämtliche möglichen Konsequenzen einzuschätzen. Und dieses Einschätzen, so wusste er, führte nicht selten dazu, dass sie am Ende redeten. Der Zweifel machte sich in ihnen breit und setzte unterbewusste Kräfte frei. Allerdings gab es dafür keine Garantie, und er bemühte sich, nicht zu eifrig zu klingen. »Gibt es etwas, was Sie mir sagen wollen?«

»Hilda schreibt manchmal noch unter dem Pseudonym Leonard Bark«, antwortete Lotta von Kanterborg.

»Was, das ist sie?«

»Sie kennen den Namen?«

»Ich bin zwar nur ein alter Reporter, aber die Kulturseiten hab ich im Blick. Ich mag ihn – oder besser gesagt sie. Aber worauf wollen Sie hinaus?«

»Darauf, dass Hilda unter dem Pseudonym Leonard Bark auch einen Essay unter dem Titel ›Zusammen geboren, getrennt aufgewachsen‹ veröffentlicht hat. Das dürfte drei Jahre her sein.«

»Aha?«

»In dem Artikel ging es um eine wissenschaftliche Studie der University of Minnesota. An sich war der Artikel nicht spektakulär – aber er war wichtig für sie. Das merkte man, wenn sie darüber sprach.«

»Und was wollen Sie mir damit sagen?«

»Im Grunde gar nichts Bestimmtes – mir ist nur aufgefallen, dass sie irgendetwas an dieser Sache bedrückte.«

»Könnten Sie ein bisschen konkreter werden?«

»Leider weiß ich auch nicht mehr. Ehrlich gesagt habe ich nicht die Energie gehabt, mich selbst schlauzumachen, und von sich aus hat Hilda nie ein Wort darüber verloren, nicht mal wenn ich nachgefragt habe. Aber ich wette, dass Sie die gleichen Schlüsse aus dem Artikel ziehen wie ich, wenn Sie ihn lesen.«

»Vielen Dank, der Sache gehe ich nach.«

»Versprechen Sie mir, dass Sie nichts allzu Schlechtes über sie schreiben.«

»Ich hab so eine Ahnung, als könnte es hier um wesentlich größere Schurken als Ihre Schwester gehen«, antwortete er.

Sie verabschiedeten sich, und Mikael bezahlte für seine zwei Guinness und verließ das Clarion Hotel. Er überquerte die Kreuzung zur Götgatan und ging weiter in Richtung Medborgarplatsen und St. Paulsgatan. Unterwegs verscheuchte er bekannte ebenso wie unbekannte Gesichter, die das Gespräch mit ihm suchten. Er war nicht in der Stimmung für Gesellschaft, er wollte nur noch diesen Artikel lesen. Trotzdem wartete er, bis er zu Hause war und am Computer saß, ehe er ihn aufrief.

Er las den Text gleich dreimal hintereinander und noch eine Reihe weiterer Artikel zum Thema, dann tätigte er ein paar Anrufe. Eine halbe Stunde nach Mitternacht hatte er endlich das Gefühl, fertig zu sein. Er schenkte sich ein Glas Barolo ein und fragte sich, ob er nicht allmählich doch halbwegs verstand, was passiert war, auch wenn ihm Lisbeths Rolle immer noch nicht ganz einleuchten wollte.

Er würde mit ihr reden müssen, dachte er. Egal was die Gefängnisleitung dazu sagte.

Teil 2
Beunruhigende Klänge
21. Juni

Ein Moll-Sextakkord besteht aus einem Grundton, einer Terz, einer Quinte und einer Sexte aus der melodischen Molltonleiter.

In der amerikanischen Jazz- und Popmusik ist dagegen die Moll-Septime der häufigste Mollakkord. Er wird als elegant und wohlklingend angesehen.

Der Moll-Sextakkord findet nur selten Verwendung. Sein Klang wird als herb und unheilvoll empfunden.

13. KAPITEL
21. Juni

Lisbeth Salander hatte den Sicherheitstrakt ein für alle Mal hinter sich gelassen. Jetzt stand sie vor dem Wachhaus von Flodberga und wurde von oben bis unten von einem kurz geschorenen Typen in ihrem Alter beäugt, der rot gefleckte Haut und kleine, arrogante Augen hatte.

»Mikael Blomkvist hat angerufen und wollte Sie sprechen.«

Lisbeth sah nicht einmal auf, sondern ignorierte den Typen einfach. Es war halb zehn am Vormittag, und sie wollte einfach nur noch weg. Sie ärgerte sich über den Verwaltungskram, der noch erledigt werden musste, und kritzelte ein paar unleserliche Zeilen auf die Formulare, die man ihr reichte, ehe sie endlich ihren Laptop und ihr Handy wieder in Empfang nehmen konnte. Anschließend wurde sie hinausgelassen.

Sie ging an Zäunen, Mauern und einer Stahlwand entlang, setzte sich auf die verwitterte rote Bank an der Landstraße und wartete auf den Bus 113 in Richtung Örebro. Es war ein drückend heißer, klarer Vormittag, kein Lüftchen wehte. Fliegen schwirrten um Lisbeth herum. Obwohl sie das Gesicht in die Sonne hielt und das Wetter genoss, war sie nicht wahnsinnig froh darüber, frei zu sein.

Sie war bloß froh, ihre Geräte wiederzuhaben. Noch während sie auf der Bank saß und die schwarze Jeans an ihren Beinen klebte, zog sie den Laptop auf ihren Schoß und loggte sich ein. Sie sah nach, ob Annika Giannini wie versprochen die Ermittlungsunterlagen zu Jamal Chowdhurys Tod gemailt hatte. Tatsächlich lag das Material schon in ihrem Posteingang, und das war gut. Damit würde Lisbeth sich auf der Heimfahrt beschäftigen.

Annika Giannini hatte eine Theorie, einen Verdacht, der teils auf dem seltsamen Umstand beruhte, dass Faria Kazi in allen Polizeivernehmungen geschwiegen hatte, teils aber auch auf einer kurzen Videosequenz aus der U-Bahn-Haltestelle Hornstull. Anscheinend hatte Annika auch schon mit Hassan Ferdousi, einem Imam aus Botkyrka, darüber gesprochen, und er hatte ihren Verdacht bestätigt. Daraufhin war Annika auf die Idee gekommen, dass Lisbeth mit ihrem Wissen über Computer einen Blick darauf werfen sollte.

Sie klickte sich bis zu dem entsprechenden Anhang durch, doch ehe sie sich die Filmsequenz ansah, blickte sie noch einmal auf, ließ den Blick über die Straße und die gelben Felder schweifen und dachte an Holger Palmgren, der ihr schon die ganze Nacht nicht aus dem Kopf gegangen war. *Sprechen Sie mit Hilda von ...*

Die einzige *Hilda von*, die sie kannte, war Hilda von Kanterborg – die alte Hilda mit den ausladenden Gesten, die in Lisbeths Kindheit oft bei ihnen in der Küche in der Lundagatan gesessen hatte und eine der wenigen Freundinnen ihrer Mutter gewesen war. Hilda hatte zu ihr gehalten, selbst als alles um sie herum zusammengebrochen war. Sie war eine Unterstützung für sie gewesen, das hatte Lisbeth jedenfalls bisher geglaubt, und niemand, der etwas zu verbergen gehabt hätte. Genau deshalb hatte Lisbeth sie auch irgendwann vor rund zehn Jahren mal besucht. Sie hatten den ganzen Abend lang zusammengesessen und billigen Rosé getrunken, weil

Lisbeth mehr über ihre Mutter hatte erfahren wollen. Hilda hatte ihr wirklich einiges berichten können, und auch Lisbeth selbst hatte das eine oder andere erzählt, ja Hilda sogar Dinge anvertraut, die sie nicht einmal mit Holger geteilt hatte. Es war ein langer Abend geworden, und sie hatten auf Agnetas Wohl getrunken und auf das all jener Frauen, deren Leben von irgendwelchen Dreckskerlen zerstört worden war.

Damals hatte Hilda mit keinem Wort durchblicken lassen, dass sie irgendetwas über das Register wusste. Hatte sie ihr das Allerwichtigste vorenthalten? Eigentlich wollte Lisbeth das nicht glauben. Normalerweise witterte sie es sofort, wenn sich etwas unter der Oberfläche verbarg. Aber es konnte schon sein, dass sie sich von Hildas kaputter Erscheinung hatte täuschen lassen. Sie musste wieder an die Dateien denken, die sie auf Alvar Olsens Computer geladen hatte, und erinnerte sich auch wieder daran, dass in einem Dokument die Initialen HK gestanden hatten. Standen sie für Hilda von Kanterborg?

Sowie Lisbeth begann, im Internet zu recherchieren, dämmerte ihr, dass Hilda eine Psychologin mit größerem Einfluss gewesen war, als sie damals geahnt hatte. Zorn flackerte in ihr auf. Trotzdem beschloss sie, kein voreiliges Urteil zu fällen.

Der Bus 113 in Richtung Örebro näherte sich am Ende der Landstraße und wirbelte eine Wolke aus Staub und Kies hinter sich auf. Sie löste beim Busfahrer eine Fahrkarte und setzte sich nach ganz hinten. Dort schaute sie sich den Film von den U-Bahn-Zugangsschranken in Hornstull an, der am 10. Oktober vor zwei Jahren um kurz nach Mitternacht aufgenommen worden war. Nach einer Weile biss sie sich an einem kleinen Detail fest, einer Absonderlichkeit in der Handbewegung des verdächtigen Mannes. War die bedeutsam? Sie war sich nicht sicher.

Wie sie wusste, war die Technik zur Erkennung von Bewegungsmustern bislang unausgereift. Zweifellos verfügte jedes Individuum über eine Art motorischen Fingerabdruck – nur dass sich Gestik schwer vermessen ließ. Jede noch so dezente Bewegung enthielt theoretisch tausend winzige Informationseinheiten und war indeterminiert: Wenn wir uns am Kopf kratzen, gehen wir nie auf komplett identische Weise vor. Die Bewegung ist jedes Mal ähnlich, aber nie zu hundert Prozent deckungsgleich. Um Bewegungen genau zu beschreiben und auch vergleichen zu können, bräuchte man Sensoren, Signalprozessoren, Kreiselinstrumente, Akzelerometer, Tracking-Algorithmen, Fourieranalysen und Frequenz- und Abstandsmessungen. Natürlich konnte man im Internet Programme dieser Art herunterladen, aber Lisbeth glaubte noch nicht an deren Erfolg. Außerdem würde es damit zu lang dauern. Stattdessen kam ihr ein anderer Gedanke.

Ihre Freunde aus der Hacker Republic, Plague und Trinity, beschäftigten sich schon seit geraumer Zeit mit tiefen neuronalen Netzwerken. Ob man die auf Bewegungserkennung trainieren konnte? Nicht unwahrscheinlich. Sie würde zwar eine größere Datenbank mit Handbewegungen anlegen müssen, die von den entsprechenden Algorithmen studiert werden konnten, damit sie daraus lernten. Aber möglich sollte es sein.

Auch nachdem sie in den Zug gestiegen war, arbeitete sie weiter und hatte am Ende eine gewagte Idee. Den Strafverfolgungsbehörden würde sie nicht gefallen, vor allem nicht an Lisbeths erstem Tag in Freiheit. Aber das tat jetzt nichts zur Sache. Sie stieg am Hauptbahnhof aus und nahm sich ein Taxi zu ihrer Wohnung in der Fiskargatan, wo sie ihre Arbeit fortsetzte.

Dan Brody legte die Gitarre – eine brandneue Ramirez – auf dem Sofatisch ab und machte sich in der Küche einen doppelten Espresso, den er so hastig hinunterkippte, dass er sich die Zunge daran verbrannte. Es war schon zehn nach neun, die Zeit war wie im Flug vergangen. Viel zu lang hatte er sich in die »Recuerdos de la Alhambra« vertieft. Jetzt würde er zu spät zur Arbeit kommen. Das kümmerte zwar niemanden groß, aber er wollte auch nicht zu nachlässig wirken. Deshalb lief er ins Schlafzimmer und zog die Schranktüren auf, suchte sich ein weißes Hemd und einen dunklen Anzug, dazu schwarze Church's-Schuhe. Anschließend eilte er die Treppe nach unten und bemerkte erst draußen vor der Tür, dass es drückend heiß war. Der Sommer hatte seine volle Kraft entfaltet, was ihn nicht sonderlich freute.

Der Anzug war die falsche Wahl für diese Jahreszeit. Schon nach wenigen Metern schwitzte er am Rücken und unter den Armen. Überhaupt wirkte die Kleidung im Sonnenlicht zu steif und angepasst, und sie verstärkte sein Gefühl, hier fremd zu sein. Er sah hinüber zu den Gärtnern im Humlegården, verzog beim Lärm der Rasenmäher gequält das Gesicht und eilte weiter zum Stureplan. Obwohl ihm nach wie vor ein wenig unwohl war, stellte er dort mit einer gewissen Zufriedenheit fest, dass auch andere Anzugträger glänzende, leicht leidvolle Gesichter hatten. Nach einer langen Regenphase war mit einem Mal die Hitze wieder da. Ein Stück entfernt auf der Birger Jarlsgatan stand ein Krankenwagen, und unwillkürlich musste er an seine Mutter denken.

Sie war im Kindbett gestorben. Den Vater, einen umherziehenden Musiker und Säufer, dem der Sohn nie wichtig gewesen war, hatte eine Leberzirrhose dahingerafft. Daniel Brodin, wie er damals noch geheißen hatte, war in einem Kinderheim in Gävle aufgewachsen und später, im Alter von sechs Jahren, als eins von vier Pflegekindern auf einen Bauernhof nördlich von Hudiksvall gekommen. Obwohl er noch ein Kind gewesen war, hatte er dort schwer schuften müssen, sich um die Tiere, das Ausmisten und die Ernte gekümmert und sogar um das Schlachten und Zerlegen der Schweine. Der Bauer und Pflegevater, Sten, hatte nie ein Geheimnis daraus gemacht, dass er die Kinder nur als zusätzliche Arbeitskräfte bei sich aufnahm. Als man ihm die Obhut für die Jungen übertragen hatte, war er noch mit einer rothaarigen, untersetzten Frau namens Kristina verheiratet gewesen. Doch die ergriff schon bald die Flucht und ließ nie wieder etwas von sich hören. Angeblich war sie nach Norwegen gezogen, und niemand, der Sten kannte, war besonders verwundert darüber, dass sie ihn sattgehabt hatte.

Auf den ersten Blick war Sten nicht unbedingt abschreckend: Er war groß, stattlich, hatte einen gepflegten Bart, der früh ergraut war – aber er hatte eben auch einen grimmigen Zug um Mund und Stirn, der den Leuten Angst machen konnte. Er lachte nur selten, war ungesellig und sagte kein überflüssiges Wort. Vor allem aber hasste er Dünkel und Getue.

»Spielt euch ja nicht auf!«, sagte er ständig. »Glaubt bloß nicht, dass ihr was Besseres seid.« Wenn die Jungen in einem Anfall von Ausgelassenheit hinausposaunten, sie wollten später Fußballstar, Anwalt oder Millionär werden, fauchte er immer: »Man muss wissen, wo man hingehört.« Er geizte mit Lob, Ermutigung und Geld. Er brannte seinen eigenen Schnaps, aß Fleisch von Tieren, die er selbst gejagt oder geschlachtet hatte, und lebte so gut wie autark. Er kaufte nichts, was nicht verramscht wurde oder gerade im Angebot war. Möbel erstand er auf dem Trödelmarkt oder übernahm sie von Nachbarn und Verwandten. Das Wohngebäude war grellgelb gestrichen, was niemand verstehen konnte – bis sich herausstellte, dass Sten die Farbe kostenlos bei einem Fabrikverkauf abgestaubt hatte.

Sten besaß keinen Sinn für Ästhetik und las weder Bücher noch Zeitungen. Daniel störte das nicht. Er hatte schließlich die Schulbibliothek. Größere Schwierigkeiten bereitete ihm indes Stens Aversion gegen alle Musik, die nicht fröhlich und nicht schwedisch war. Von seinem leiblichen Vater hatte Daniel nicht viel mehr geerbt als den Nachnamen und eine Levin-Gitarre mit Nylonsaiten, die lang auf dem Dachboden vor sich hin verstaubte, bis Daniel sie im Alter von elf Jahren in die Hand nahm – und liebte. Nicht nur weil das Instrument nur auf ihn gewartet zu haben schien. Er fühlte sich auch zum Spielen geboren.

Im Handumdrehen brachte er sich die grundlegenden Akkorde und Harmonien bei. Irgendwann stellte er fest, dass er Lieder aus dem Radio nachklimpern konnte, auch wenn er sie nur ein einziges Mal gehört hatte. Lang spielte er das für einen Jungen seiner Generation übliche Repertoire: ZZ-Tops »Tush«, »Still Loving You« von den Scorpions, »Money for Nothing« von den Dire Straits sowie den einen oder anderen Rockklassiker. Dann aber passierte etwas. An einem kalten Herbsttag schlüpfte er aus dem Kuhstall. Zu diesem Zeitpunkt war er vierzehn Jahre alt, und die Schule war die reinste Hölle für ihn. Das Lernen fiel ihm leicht, aber es gelang ihm einfach nicht, den Lehrern zuzuhören. Der Lärm um ihn herum lenkte ihn ab, und er sehnte sich permanent in die Ruhe und Stille des Bauernhofs zurück, obwohl er die Arbeit und die langen Tage dort hasste. Trotzdem konnte er sich dort zumindest hin und wieder zurückziehen und hatte Zeit für sich.

An jenem Tag – es war kurz nach halb sechs am Abend – kam er in die Küche und stellte das Radio an, in dem irgendeine banale Schnulze lief. Er drehte am Regler und landete zufällig bei P2. Er hatte keine Ahnung von P2, bisher hatte er immer geglaubt, der Sender wäre vor allem etwas für ältere Herren, und was er hörte, bestätigte im Grunde seine Vorurteile: ein nervtötendes Klarinettensolo, das wie eine Biene klang ... oder wie eine Sirene.

Trotzdem blieb er daran hängen. Und dann passierte es. Eine Gitarre setzte ein, eine zögerliche, spielerische Gitarre – und er erzitterte. Ein Gefühl von Andacht, von Verdichtung ergriff von ihm Besitz, und er dachte an nichts anderes mehr, nahm keine anderen Geräusche mehr wahr, weder seine streitenden, fluchenden Pflegebrüder noch die Vögel oder Traktoren oder Autos in der Ferne, nicht mal die näher kommenden Schritte. Er stand einfach nur da, von einem plötzlichen, unverhofften Glück beseelt, und versuchte zu verstehen, warum sich diese Töne von allen anderen unterschieden, die er je gehört hatte, und warum sie ihn so stark berührten. Dann packte ihn jemand im Nacken.

»Du faules Stück – glaubst wohl, ich merke nicht, wie du dich ständig davonstiehlst?«

Es war Sten. Er riss ihn an den Haaren, brüllte und fluchte, und trotzdem bemerkte Daniel es kaum. Er hatte nur mehr eines im Sinn: das Stück zu Ende hören zu dürfen. Die Musik schien auf etwas Neues, Unbekanntes zu verweisen, das reicher und größer war als sein bisheriges Leben. Wer der Interpret war, durfte er nicht mehr erfahren, aber er fixierte die Küchenuhr über dem Kachelofen, während Sten ihn aus der Küche schleifte. Die Uhrzeit würde wichtig sein. Tags darauf bat er in der Schule darum, das Telefon benutzen zu dürfen, und rief bei Sveriges Radio an.

So etwas hatte er noch nie getan. Normalerweise fehlte es ihm an der nötigen Entschlusskraft und an Selbstvertrauen. Er meldete sich im Unterricht nicht, auch wenn er die Antwort wusste, und hatte Stadtleuten gegenüber riesige Komplexe, vor allem wenn sie für etwas so Glamouröses wie das Radio oder das Fernsehen arbeiteten. Trotzdem rief er dort an und wurde zu Kjell Brander aus der Jazzredaktion durchgestellt. Mit zitternder Stimme fragte er, welches Lied am Vorabend um kurz nach halb sechs gespielt worden sei. Sicherheitshalber summte er auch ein Stück daraus, und Kjell Brander musste es nicht mal mehr nachschlagen.

»Sieh einer an. Hat es Ihnen gefallen?«

»Ja«, antwortete er.

»Dann haben Sie einen guten Geschmack, junger Mann. Das war Django Reinhardts ›Nuages‹.«

Daniel, der noch nie »junger Mann« genannt worden

war, bat Brander darum, den Namen zu buchstabieren, und fragte noch nervöser: »Wer ist das?«

»Einer der besten Gitarristen der Welt, würde ich sagen – und das, obwohl er seine Solos nur mit zwei Fingern gespielt hat.«

Im Nachhinein war Daniel sich nicht mehr sicher, was Kjell Brander ihm damals schon erzählt und was er später dazugelernt hatte. Doch er verstand Schritt für Schritt, dass es auch noch eine Geschichte gab, die alles, was er gehört hatte, nur umso wertvoller machte: Django war im belgischen Liberchies in ärmlichen Verhältnissen aufgewachsen. Er hatte Hühner stehlen müssen, um nicht zu hungern. Schon im frühen Kindesalter spielte er Gitarre und Geige und galt als vielversprechendes Talent – bis er mit achtzehn eine Kerze in dem Wohnwagen umstieß, in dem er mit seiner Frau lebte, und ihre Papierblumen – von deren Verkauf sie lebte – in Flammen aufgingen. Das Feuer breitete sich rasend schnell aus, Django erlitt schwere Verbrennungen, und lange rechnete niemand mehr damit, dass er je wieder würde spielen können, vor allem nachdem zwei Finger seiner linken Hand unbrauchbar geworden waren. Doch mithilfe einer neuen Technik gelang es ihm, sich zurückzukämpfen und weiterzuentwickeln, bis er schließlich weltberühmt und zum Kult erklärt wurde.

Vor allem aber war Django Zigeuner – oder Rom, wie man später sagen würde. Auch Daniel stammte von Roma ab, vom fahrenden Volk. Er hatte es auf die denkbar brutalste Weise erfahren – indem er herumgeschubst und als Zigeuner und Lump beschimpft worden war. Er hätte nie von sich aus zu träumen gewagt, dass diese Zugehörigkeit je etwas anderes sein würde als eine tiefe Schande. Doch Django sei Dank konnte er seine Herkunft nun mit neuem Stolz betrachten und fing an zu denken: Ich bin vielleicht anders, aber ich kann etwas Gutes daraus machen. Wenn

Django selbst mit einer verletzten Hand zu den Weltbesten gehört hatte, dann konnte vielleicht auch aus Daniel etwas werden.

Nachdem er sich von einem Mädchen in der Klasse Geld geliehen hatte, kaufte er ein Sammelalbum mit Django Reinhardts Stücken, lernte dessen Klassiker – »Minor Swing«, »Daphne«, »Belleville« und »Djangology« – und veränderte binnen kürzester Zeit sein Gitarrenspiel. Er gab seine Bluestonleitern auf und spielte stattdessen Sext-Arpeggios und Solos mit verminderten Akkorden und Moll-Septfolgen, und seine Leidenschaft wuchs mit jedem Tag. Er übte, bis sich an seinen Fingerspitzen Hornhaut bildete, und mit einer Glut, die nie erlosch, nicht einmal wenn er schlief. Er träumte vom Gitarrenspiel. Er dachte an nichts anderes mehr, und sobald sich die Möglichkeit ergab, flüchtete er in den Wald und setzte sich auf einen Stein oder Baumstumpf und improvisierte stundenlang. Immerzu saugte er neues Wissen und Inspiration in sich auf, nicht nur von Django, sondern auch von John Scofield, Pat Metheny und Mike Stern, all den großen Jazzgitarristen.

Im selben Maße verschlechterte sich sein Verhältnis zu Sten. »Du glaubst wohl, du wärst was Besonderes, hä? Dabei bist du ein kleiner Scheißer«, zischte er ständig und behauptete, Daniel habe seine Nase schon immer zu hoch getragen. Für Daniel, der sich stets unterlegen und minderwertig gefühlt hatte, waren Stens Worte unbegreiflich. Er versuchte, so gut es ging, mitzuhelfen, auch wenn er nicht mit der Musik aufhören konnte oder wollte. Es hagelte Ohrfeigen, manchmal auch Fausthiebe, und teilweise halfen seine Pflegebrüder mit: Sie boxten ihn in den Bauch und gegen die Arme und erschreckten ihn mit lauten Geräuschen, indem sie Metall über Metall ratschten oder Topfdeckel aufeinanderschlugen. Daniel fing an, die Arbeit auf den Feldern zu hassen – und zwar umso leidenschaftlicher, wenn sich ihm keine Fluchtmöglichkeit bot, weil gedüngt, gepflügt, geerntet und neu gesät werden musste. Denn da arbeiteten die Jungen von früh bis spät.

Daniel kämpfte darum, wieder akzeptiert und gemocht zu werden, und ab und an gelang es ihm sogar. Abends spielte er seinen Brüdern manchmal Lieder vor, die sie sich wünschen durften, und hin und wieder erntete er Applaus. Trotzdem war ihm klar, dass er für alle eine Belastung war, weil er sich so oft zurückzog, statt mit anzupacken.

Eines Nachmittags, als ihm die Sonne in den Nacken brannte, hörte er eine Amsel singen. Er war sechzehn, würde in zwei Jahren sein Abitur machen und träumte davon, endlich volljährig zu werden und in die Ferne zu ziehen. Er wollte sich an einer Musikhochschule bewerben oder einen Job als Jazzmusiker ergattern und hart und ehrgeizig arbeiten, bis er eines Tages eine Platte einspielen würde. Diese Träume beschäftigten ihn Tag und Nacht und immer dann, so wie jetzt, wenn er irgendetwas in der Natur hörte, was eine Gedankenschleife in seinem Kopf auslöste und ihn vom Acker weg entführte.

Er pfiff der Amsel eine Antwort zu, eine Variation des Vogelgesangs, der sich in seinem Kopf zu einer Melodie weiterentwickelt hatte. Seine Finger bewegten sich wie auf einer unsichtbaren Gitarre, und plötzlich ging ein Zittern durch seinen Körper. Später, als Erwachsener, sollte er noch oft an diesen Augenblick zurückdenken, in dem er das Gefühl gehabt hatte, irgendetwas würde unwiderruflich verloren gehen, wenn er sich nicht sofort hinsetzte, um zu komponieren. In derlei Momenten konnte ihn nichts auf der Welt mehr daran hindern, sich davonzuschleichen und die Gitarre zu holen. Daniel erinnerte sich noch gut an die verbotene Erregung in seiner Brust, als er barfuß und in flatterndem Overall mit der Gitarre in der Hand zum Blackåstjärnen rannte, sich auf den morschen Badesteg setzte, die Melodie der Amsel wieder heraufbeschwor und sie auf der Gitarre begleitete. Es waren wunderbare Minuten.

Doch das Glück währte nicht lang. Einer der anderen Jungen musste ihn beobachtet und verpfiffen haben. Sten tauchte in kurzen Hosen und mit nacktem Oberkörper auf und war fuchsteufelswild, und Daniel, der nicht wusste, ob er sich entschuldigen oder einfach abhauen sollte, zögerte einen Moment zu lange. Ehe er sichs versah, hatte Sten die Gitarre gepackt und sie Daniel mit einem so heftigen Ruck entrissen, dass er dabei nach hinten taumelte und schmerzhaft auf den Ellbogen aufkam. Es war kein schwerer Sturz, in erster Linie sah es ulkig aus, wie Sten dort auf dem Boden lag und zappelte. Trotzdem brannte die Sicherung bei ihm durch. Mit hochrotem Gesicht rappelte er sich auf und schmetterte die Gitarre mit voller Wucht gegen den Holzsteg. Anschließend wirkte er schockiert – als könnte er selbst nicht fassen, was er getan hatte. Aber das spielte keine Rolle mehr.

Für Daniel war es, als hätte man ihm ein lebenswichtiges Organ aus dem Körper gerissen. »Schwein!«, brüllte er, »Idiot!« – Worte, wie er sie Sten gegenüber nie benutzt hatte. Dann rannte er über die Felder zum Wohngebäude, nahm seine Platten, klaubte ein paar Klamotten zusammen, packte sie in einen Rucksack und verschwand vom Hof.

Stundenlang lief er an der E4 entlang, bis ihn ein Sattelzug mitnahm nach Gävle. Von dort aus setzte er seinen Weg fort in Richtung Süden, schlief im Wald, aß geklaute Äpfel und Pflaumen sowie Beeren, die er von den Büschen pflückte. Eine ältere Frau, die ihn nach Södertälje mitnahm, schenkte ihm ein Schinkenbrot. Ein jüngerer Mann, der ihn bis nach Jönköping brachte, lud ihn zum Mittagessen ein. Am späten Abend des 22. Juli erreichte er Göteborg. Dort fand er ein paar Tage später einen mies bezahlten Job im Hafen, und sechs Wochen darauf, nachdem er von so gut wie nichts gelebt und in Hauseingängen geschlafen hatte, kaufte er sich eine neue Gitarre, zwar keine Selmer Maccaferri – Djangos Gitarre, von der Daniel immer geträumt hatte –, aber immerhin eine gebrauchte Ibanez.

Er beschloss, auf einem Schiff anzuheuern und sich bis nach New York durchzuschlagen. Doch ganz so leicht, wie er immer gehört und gelesen hatte, war es nicht. Er besaß weder einen Pass, noch hatte er ein Visum, und man konnte nicht mehr einfach so auf einem Schiff aushelfen, nicht mal als Putzmann.

Eines frühen Abends, als er gerade seinen Arbeitstag im Hafen beendet hatte, wartete am Kai eine Frau auf ihn. Sie hieß Ann-Catrine Lidholm, war übergewichtig und ganz in Rosa gekleidet und hatte freundliche Augen. Sie sei Sozialarbeiterin, erzählte sie ihm, und habe einen Anruf erhalten. Er sei als vermisst gemeldet worden, nach ihm werde gesucht. Widerstrebend folgte er ihr zum Jugendamt am Järntorget.

Dort erzählte Ann-Catrine, sie habe am Telefon mit Sten gesprochen und einen guten Eindruck von ihm gehabt – und das machte Daniel nur noch misstrauischer.

»Er vermisst dich«, sagte sie.

»Unsinn«, erwiderte er und erklärte, er könne nicht dorthin zurück. Er beziehe dort Prügel, und sein Leben sei die Hölle. Tatsächlich ließ Ann-Catrine ihn erzählen und erklärte ihm anschließend, welche Alternativen er habe. Keine davon erschien ihm verlockend. Er komme schon allein zurecht, sagte er, sie brauche sich keine Sorgen zu machen, woraufhin Ann-Catrine erwiderte, er sei noch zu jung und auf Rat und Unterstützung angewiesen. In diesem Moment fielen ihm die Stockholmer wieder ein, wie er sie insgeheim immer genannt hatte. Die Stockholmer waren Psychologen und Ärzte, die ihn in seiner Kindheit jedes Jahr besucht, gemessen, gewogen und befragt hatten, die sich Notizen über ihn gemacht und ihn allen möglichen Tests unterzogen hatten.

Er hatte sie nie gemocht. Manchmal hatte er nachher

geweint und sich einsam und zugleich überwacht gefühlt. Er hatte wieder an seine Mutter denken müssen und daran, dass ihm ein Leben mit ihr nie vergönnt gewesen war. Gehasst hatte er die Stockholmer indes nicht. Sie hatten ihm aufmunternd zugelächelt und ihn tüchtig und klug genannt. Keiner von ihnen hatte je ein böses Wort verloren. Er hatte die Besuche auch nie als seltsam empfunden, sondern hielt es für ganz natürlich, dass die Behörden erfahren wollten, wie es ihm bei der Pflegefamilie erging. Er fand es auch nie problematisch, dass über ihn Akten und Protokolle angelegt wurden. Vielmehr wertete er es als Zeichen dafür, dass er doch etwas bedeutete, trotz allem. Manchmal, je nachdem, wer kam, sah er die Besuche auch als willkommene Unterbrechung von seiner Arbeit auf dem Hof, vor allem in der späteren Zeit, als sich die Stockholmer für seine Musik zu interessieren begannen und ihn beim Gitarrespielen filmten. Hin und wieder, wenn er meinte, dass er sie staunen und miteinander tuscheln sah, träumte er anschließend davon, dass die Filme verbreitet würden und eines Tages in die Hände von Agenten und Musikproduzenten gelangten.

Die Psychologen und Ärzte – oft waren es unterschiedliche Personen – stellten sich nie anders als mit dem Vornamen vor. Abgesehen davon wusste er nichts über sie. Nur eine Frau hatte mal – vermutlich aus Versehen – seine Hand genommen und sich mit vollem Namen vorgestellt. Doch das war nicht der Grund, warum er sich an sie erinnerte. Er war wie verzaubert gewesen, und das nicht nur wegen ihres langen, rotblonden Haars, ihrer weiblichen Formen und der hohen Absätze, die so schlecht zu den unbefestigten Wegen vor dem Haus gepasst hatten. Die Frau hatte ihn angelächelt, als würde sie ihn wirklich mögen. Sie hieß Hilda von Kanterborg, trug tief ausgeschnittene Blusen und Kleider, hatte große Augen und volle rote Lippen, die er am liebsten geküsst hätte.

Genau an diese Hilda von Kanterborg dachte er im Jugendamt in Göteborg, als er darum bat, ein Telefonat führen zu dürfen. Die Sozialarbeiterin brachte ihm das Telefonbuch für den Großraum Stockholm. Nervös blätterte er darin herum. Für einen kurzen Moment fürchtete er, dass sie ihm bloß einen Decknamen genannt hätte, und zum ersten Mal streifte ihn auch der Gedanke, dass die Stockholmer nicht einfach nur gewöhnliche Beamte einer schwedischen Sozialbehörde gewesen sein könnten. Doch dann stieß er tatsächlich auf ihren Namen und wählte die Nummer. Niemand meldete sich, aber er hinterließ eine Nachricht auf dem Anrufbeantworter.

Als er am nächsten Tag, nachdem er in einem Heim der Stadtmission übernachtet hatte, in die Behörde zurückkehrte, hatte sie zurückgerufen und eine andere Nummer hinterlassen, unter der er sie erreichen konnte. Sie schien sich zu freuen, seine Stimme zu hören, und er ahnte, dass sie bereits von seiner Flucht vom Hof erfahren hatte. Es tue ihr »unendlich leid«, sagte sie, und dass sie ihn für »hoch talentiert« halte. Daniel fühlte sich unglaublich einsam und musste sich zusammenreißen, um nicht zu weinen.

»Dann helfen Sie mir doch«, bettelte er.

»Lieber Daniel, ich täte nichts lieber als das – aber unsere Aufgabe«, sagte sie, »besteht nur darin zu forschen. Eingreifen dürfen wir nicht.«

Zu dieser Antwort sollte Daniel später immer wieder in Gedanken zurückkehren, und sie war schließlich auch der Grund dafür, dass er eine neue Identität annahm, die er mit aller Macht zu schützen suchte. Doch während ihres Gesprächs wurde er lediglich von Unbehagen gepackt.

»Wie?«, platzte es aus ihm heraus. »Was meinen Sie damit?«

Daraufhin wurde Hilda nervös. Sie fing an, über andere Dinge zu reden – dass er das Gymnasium beenden müsse und keine voreiligen Entscheidungen treffen dürfe. Er sagte, er wolle nur noch Gitarre spielen, und Hilda von Kanterborg erwiderte, er könne doch Musik studieren. Darauf entgegnete er, er würde lieber zur See fahren und nach New York gehen und dort in den Jazzclubs spielen. Sie riet ihm entschieden ab: nicht in seinem Alter, nicht mit seinen Voraussetzungen.

Nachdem sie so lang hin und her diskutiert hatten, bis Ann-Catrine und die anderen Sozialarbeiter ungeduldig wurden, versprach er ihr, darüber nachzudenken. Er hoffe, sie eines Tages wiederzusehen, sagte er, woraufhin sie erwiderte, sie hoffe, *ihn* wiederzusehen. Doch daraus wurde nie etwas. Er sollte ihr nie mehr begegnen und auch nie wieder Zeit haben, um über seine Zukunft nachzudenken.

Er hatte erwähnt, dass er zur See fahren und in New York spielen wolle, und ohne dass er wusste, wie es dazu gekommen war, tauchten plötzlich Leute auf, die ihm bei der Beschaffung von Pass und Visum halfen und ihm einen Job als Küchenjunge auf einem Containerschiff der Reederei Wallenius vermittelten. Auf einem Zettel, der mit einer Büroklammer an seinen Anstellungsvertrag geheftet war, stand mit blauem Kugelschreiber: *Berklee College of Music, Boston, Massachusetts. Viel Glück! H.*

Sein Leben sollte nie wieder so sein wie zuvor. Er würde Amerikaner werden und den Namen Dan Brody annehmen und fantastische, spannende Dinge erleben, in der Tiefe seines Herzens jedoch immer einsam und enttäuscht bleiben. Zwar stand er am Anfang seiner Musikerlaufbahn kurz vor dem Durchbruch. Eines Tages, als er mit gerade einmal achtzehn Jahren im Jazzclub Ryles an der Hampshire Street in Boston jammte und ein Solo spielte, das Django zitierte und doch ganz anders und neuartig war, ging ein Raunen durchs Publikum. Man fing an, über ihn zu sprechen, und er traf Manager und Leute von Plattenlabels. Anscheinend war man dort aber der Meinung, es mangele ihm an irgendwas – an Mut vielleicht, an Selbstvertrauen. Sämtliche Deals platzten im letzten Moment, und er sollte sein Leben lang von Leuten übertroffen werden, die weniger begabt, dafür aber umtriebiger waren. Irgendetwas fehlte ihm, und mit der Zeit verlor er zusehends die Glut, mit der er früher auf dem Steg am Blackåstjärnen gespielt hatte.

Lisbeth hatte mehrere große Datenbanken mit Berechnungen von Handbewegungen gefunden, die für die medizinische Forschung und für die Entwicklung von Robotern verwendet wurden, und die Daten in das tiefe neuronale Netzwerk der Hacker Republic eingespeist. Sie hatte so hart gearbeitet, dass sie trotz der Hitze vergessen hatte zu essen und zu trinken. Als sie schließlich den Blick vom Computer hob und trank, war es kein Wasser, wie sie es eigentlich nötig gehabt hätte, sondern Tullamore Dew.

Sie hatte sich nach Alkohol gesehnt. Sie hatte sich nach Sex gesehnt, nach Sonne, Fast Food, dem Duft des Meeres, dem Stimmengewirr der Bars und dem Gefühl der Freiheit. Fürs Erste begnügte sie sich mit Whisky. Es würde auch nicht schaden, wenn sie wie eine Säuferin roch, dachte sie. Von einer Schnapsdrossel erwartete niemand etwas. Sie blickte hinaus auf den Riddarfjärden. Dann schloss sie die Augen, schlug sie wieder auf und streckte den Rücken. Während die Algorithmen im neuronalen Netzwerk arbeiteten und dazulernten, ging Lisbeth in die Küche und schob eine Tiefkühlpizza in die Mikrowelle. Danach rief sie Annika Giannini an.

Annika war nicht sonderlich begeistert von Lisbeths Plänen. Sie riet ihr vehement davon ab, doch als es ihr nicht gelang, Lisbeth zu überzeugen, empfahl sie ihr, den Tatverdächtigen allenfalls zu filmen. Mehr dürfe sie auf gar keinen Fall tun. Und sie verwies sie auch auf Imam Hassan

Ferdousi: Er könne ihr mit den »menschlicheren Aspekten« des Falls weiterhelfen. Doch Lisbeth hörte nicht auf den Rat, und als hätte Annika es geahnt, kontaktierte sie den Imam ganz einfach selbst.

Lisbeth aß also Pizza, trank Whisky und hackte sich dann in Mikaels Computer.

Zu Hause. Wurde heute entlassen, schrieb sie.
Hilda von *ist Hilda von Kanterborg. Finde sie.*
Überprüf auch Daniel Brolin. Er ist Gitarrist, begabt.
Hab anderes zu tun. Melde mich wieder.

Mikael sah Lisbeths Mitteilung, freute sich, dass sie entlassen worden war, und versuchte, sie anzurufen. Doch sie ging nicht ans Telefon, und er fluchte in sich hinein. Sie wusste also, dass Hilda von Kanterborg gemeint gewesen war. Aber was hatte das zu bedeuten? Kannte sie Hilda? Oder hatte sie sich irgendwo eingehackt und war so an die Information gekommen? Er hatte keine Ahnung. Doch so viel war sicher: Er brauchte keine Aufforderung mehr, um diese Frau zu suchen. Er war längst dabei.

Was ihm hingegen nicht gelang, war herauszufinden, was dieser Mann namens Daniel Brolin mit der ganzen Sache zu tun hatte. Im Internet fand er alle möglichen Personen dieses Namens, aber niemanden, der Gitarrist oder Musiker gewesen wäre. Vielleicht verwendete er auch nicht so viel Energie darauf, wie er sollte, weil er sich zu sehr auf andere Spuren konzentrierte.

Am Vorabend hatte er mit der Lektüre des Artikels begonnen, auf den ihn Hilda von Kanterborgs Schwester hingewiesen hatte. Auf den ersten Blick war er nicht wahnsinnig bemerkenswert und viel zu allgemein gehalten, um exklusive oder gar heikle Informationen zu enthalten. Das Thema war das alte, klassische – Erbgut oder Umwelt: Was prägt uns?

Hilda von Kanterborg hatte unter ihrem Pseudonym Leonard Bark formuliert, was Mikael bereits wusste, nämlich dass die Frage schon seit Langem eine politische war. Die Linke hätte natürlich am liebsten gesehen, dass es die sozialen Faktoren waren, die ein menschliches Leben bestimmten, während die Konservativen eher an die Macht der Gene glaubten.

Hilda von Kanterborg hielt die Politisierung für unglücklich und wies darauf hin, dass sich die Wissenschaft meist genau dann geirrt hatte, wenn sie sich von einer Ideologie oder einem Wunschdenken hatte leiten lassen. Die ersten Absätze ihres Artikels hatten etwas geradezu Ängstliches an sich, als wollte sie auf eine schockierende These hinleiten. Davon abgesehen war der Artikel durchaus ausgewogen, obwohl er gegen die Marxisten und Psychoanalytiker der älteren Generation polemisierte und darlegte, dass erbliche Faktoren unsere Persönlichkeit stärker prägten, als es sich die Wissenschaftler und die Allgemeinheit in den Sechziger- und Siebzigerjahren vorgestellt hatten.

Von irgendwelchen deterministischen Ansätzen war jedoch keine Spur: nichts, was angedeutet hätte, dass unsere Gene ein bestimmtes Schicksal für uns bereithielten. Es wurde lediglich erwähnt, dass manche Eigenschaften, wie beispielsweise unsere Intelligenz – unsere kognitive Kompetenz –, von gewissen erblichen Komponenten bestimmt waren, vor allem im Erwachsenenalter. Im Großen und Ganzen aber kam Hilda von Kanterborg zu dem Schluss, dass Erbgut und Umwelt uns gleichermaßen beeinflussten, und ungefähr das hatte Mikael auch erwartet.

Trotzdem erstaunte ihn eine Sache: dass die äußeren Faktoren, die uns prägten, ausgerechnet nicht diejenigen waren, die er sich vorgestellt hatte – unter welchen Umständen wir aufwuchsen, wie sich unsere Eltern verhielten oder wie sie uns erzogen. Hilda von Kanterborg zufolge waren Eltern gern davon überzeugt, dass sie die Entwicklung ihres Kindes entscheidend beeinflussten. »Aber damit schmeicheln sie sich lediglich selbst.«

Was unser Schicksal wirklich bestimme, schrieb sie, sei vielmehr, was sie als »unsere einzigartige Umgebung« bezeichnete, also jene, die wir mit niemandem sonst teilten, nicht einmal mit unseren Geschwistern: Umgebungen, die wir aufsuchen und für uns selbst erschaffen, zum Beispiel wenn wir etwas finden, was uns amüsiert und fasziniert und uns in eine gewisse Richtung treibt. Womöglich etwa in der Art, wie Mikael als Kind einmal *Die Unbestechlichen* gesehen und fortan nichts lieber gewollt hatte, als Journalist zu werden.

Erbgut und Umwelt wirkten diesbezüglich jedoch zusammen, meinte von Kanterborg: Ereignisse und Aktivitäten weckten unser Interesse, das wiederum unsere Gene stimulieren und aufblühen lasse. Was uns Unbehagen oder Angst bereite, mieden wir. Dieses Zusammenwirken forme unsere Persönlichkeit mehr als die bloßen Lebensverhältnisse, schrieb sie. Selbstverständlich schenkten uns kulturelle, aber auch finanzielle Voraussetzungen unterschiedliche Möglichkeiten, unsere Talente zu entwickeln, und natürlich übernähmen wir fast zwangsläufig die Meinungen und Überzeugungen aus unserer Umgebung. Doch in allererster Linie würden wir von Erlebnissen geprägt, die wir mit niemand anderem teilten, die nach außen hin sogar unsichtbar sein könnten, auf lange Sicht aber Bedeutung hätten und uns Schritt für Schritt im Leben vorantreiben würden.

Hilda von Kanterborg stützte ihre Argumentation auf eine Reihe von Studien, unter anderem die MISTRA, die Minnesota Study of Twins Reared Apart, und Untersuchungen, die vom Schwedischen Zwillingsregister am Karolinska Institutet durchgeführt worden waren.

Eineiige Zwillinge besitzen nahezu identische Genome.

Deshalb sind sie ideal dazu geeignet, den Einfluss der Erbanlagen einerseits und der Umwelt andererseits zu erforschen. Auf der Welt gibt es Tausende eineiiger Zwillinge, die getrennt voneinander aufgewachsen sind, weil einer oder beide zur Adoption freigegeben oder – in einigen unglücklichen Fällen – aufgrund einer Verwechslung auf der Entbindungsstation auseinandergerissen wurden. Oft stecken dahinter herzzerreißende menschliche Schicksale, die den Forschern jedoch einzigartige Möglichkeiten bieten, um die Einflussfaktoren auf unsere Entwicklung zu analysieren.

Die Gruppe der eineiigen Zwillinge, die nach der Geburt getrennt wurden, wird beispielsweise mit einer Gruppe von eineiigen Zwillingen verglichen, die gemeinsam aufgewachsen sind. Eine andere Vergleichsgröße sind zweieiige Zwillinge, bei denen nur die Hälfte der DNA übereinstimmt – und auch hier kann unterschieden werden zwischen Zwillingspärchen mit einer geteilten versus einer gemeinsamen Sozialisation. Kanterborg zufolge kamen derlei Studien alle zu etwa dem gleichen Ergebnis: dass nämlich erbliche Faktoren im engen Zusammenspiel mit der jeweils einzigartigen Umgebung die Persönlichkeit formten.

Mikael wäre es nicht schwergefallen, kritische Gegenhypothesen zu diesen Schlussfolgerungen aufzustellen; schließlich konnte das Forschungsmaterial unterschiedlich interpretiert werden. Trotzdem fand er den Essay ganz allgemein betrachtet interessant, und als i-Tüpfelchen bescherte er ihm ein paar schier unglaubliche Geschichten von eineiigen Zwillingen, die in unterschiedlichen Familien gelebt und sich erst als Erwachsene kennengelernt hatten. Mikael war erstaunt, wie ähnlich sie sich waren, und zwar nicht nur äußerlich, sondern auch von ihrer Wesensart. Da waren beispielsweise die sogenannten Jim-Zwillinge aus Ohio, die – ohne voneinander zu wissen – beide Kettenraucher waren und sogar dieselbe Zigarettenmarke bevorzugten, die Fingernägel kauten, regelmäßig unter heftigen Kopfschmerzen litten, sich eine Holzwerkstatt in der Garage eingerichtet hatten und jeweils einen Hund namens Toy besaßen, die je zweimal mit Frauen verheiratet gewesen waren, die den gleichen Namen getragen hatten, die beide ihre Söhne James-Allen getauft hatten und so weiter und so fort.

Mikael war natürlich klar, dass die Boulevardpresse so etwas ganz gehörig aufbauschte. Er selbst gab nicht allzu viel darauf. Er wusste, wie einfach es war, sich an Ähnlichkeiten und Übereinstimmungen blindzusehen, wie leicht gerade das Sensationelle, Augenfällige in Erinnerung blieb und immer wieder unterstrichen wurde – auf Kosten des Gewöhnlichen, das vielleicht gerade kraft seiner Anspruchslosigkeit etwas viel Wesentlicheres über die Realität auszusagen vermochte.

Klar war aber auch, dass diese Serie von Zwillingsuntersuchungen zu einem Paradigmenwechsel in der epidemiologischen Wissenschaft geführt hatte. Man war dazu zurückgekehrt, eher an die Macht der Gene zu glauben, die sich jedoch in einem intrikaten Zusammenspiel mit äußeren Faktoren entfaltete. Vor allem in den Sechziger- und Siebzigerjahren war den sozialen Faktoren wesentlich mehr Bedeutung beigemessen worden. Auch die Forschung hatte unter dem Einfluss der großen Ideologien jener Zeit gestanden, und es herrschte die allgemeine Überzeugung, dass wir zu beinahe allem geformt werden könnten. Dies führte zu einer Reihe mehr oder weniger mechanischer Vorstellungen über den Menschen. Gewisse soziale Umgebungen oder Erziehungsmethoden, so hieß es, brächten geradezu zwangsläufig eine spezielle Ausprägung des Individuums hervor, und viele träumten davon, dies wissenschaftlich untermauern zu können und so womöglich ein Verständnis dafür zu entwickeln, wie wir bessere, glücklichere Menschen erschaffen konnten. Nur deshalb war damals auch so viel Zwillingsforschung betrieben worden – sogar Studien, die Hilda von Kanterborg in einer etwas schwammigen Formulierung als »determiniert und radikal« bezeichnete.

An diese Stelle wurde Mikael stutzig, und er recherchierte weiter zu dem Thema. Er hatte keine Ahnung, ob er auf der richtigen Fährte war. Doch er grub weiter, unter anderem indem er die Suchbegriffe »determiniert und radikal« mit »Zwillingsforschung« kombinierte. So stieß er auf den Namen Roger Stafford.

Stafford war ein amerikanischer Psychoanalytiker und Psychiater und emeritierter Professor in Yale. Er hatte eng mit Freuds Tochter Anna zusammengearbeitet, der ein umwerfender Charme und ungeheures Charisma nachgesagt wurde. Es gab Bilder von ihm mit Jane Fonda, mit Henry Kissinger und Gerald Ford, er hatte sich also in illustren Kreisen bewegt und erinnerte auf den Fotos auch selbst ein wenig an einen Filmstar.

Womit Stafford berühmt geworden war, schien allerdings weniger schmeichelhaft zu sein und hing mit den Attributen »determiniert und radikal« zusammen. Im September 1989 hatte die *Washington Post* nämlich enthüllt, dass Stafford gegen Ende der Sechzigerjahre eine enge Verbindung zu fünf Leiterinnen von Adoptionsbüros in New York und Boston gepflegt hatte. Drei der Frauen waren ausgebildete Psychologinnen, und zwei von ihnen waren offenbar eine Beziehung mit ihm eingegangen. Staffords Machenschaften hatten an Heiratsschwindel gegrenzt, wobei er das kaum nötig gehabt hätte. Zu jener Zeit galt er bereits als große Kapazität. Seine Bücher standen in den Referenzbibliotheken der Adoptionsbüros, und in einem davon – *Das egoistische Kind* – behauptete er, eineiigen Zwillingen ergehe es besser und sie würden selbstständiger, wenn sie ohne ihre Zwillingsgeschwister aufwüchsen. Wie sich später herausstellte, entbehrten seine Schlussfolgerungen jeder Grundlage, aber unter Therapeuten an der Ostküste waren sie damals weitverbreitet und anerkannt, und die Leiterinnen besagter Adoptionsbüros glaubten, gute Gründe zu haben, ihm zu vertrauen.

Sie vereinbarten, dass die Frauen sich melden würden, sobald Zwillinge zur Adoption freigegeben würden. In Absprache mit Stafford wurden die Kinder dann auf Familien aufgeteilt. Insgesamt ging es um sechsundvierzig Säuglinge, darunter achtundzwanzig eineiige und achtzehn zweieiige Zwillinge. Die Adoptiveltern erfuhren nicht, dass ihr Sohn oder ihre Tochter Teil eines Zwillingspärchens war und es irgendwo dort draußen noch ein Geschwisterkind gab. Sie mussten jedoch zusichern, dass Stafford und sein Stab das Kind einmal im Jahr untersuchen und Persönlichkeitstests mit ihm durchführen durften – zum Wohle des Kindes, wie es hieß.

Die Auswahl der Eltern schien nach außen hin mit großer Sorgfalt betrieben zu werden. Doch anscheinend spielten hinter den Kulissen auch noch andere Interessen eine Rolle. Einer der Leiterinnen – eine Frau namens Rita Bernhard – fiel schon früh auf, dass Stafford darauf beharrte, die Zwillinge an Adoptiveltern zu geben, die sich deutlich voneinander unterschieden – in Sachen Status, Bildung, Religionszugehörigkeit, Temperament, Persönlichkeit, Ethnizität, Erziehungsvorstellungen. Anstatt das Beste für die Zwillinge zu erwirken, habe Stafford offenbar in erster Linie seine Forschung über soziale und genetische Einflussfaktoren betreiben wollen, sagte sie.

Stafford leugnete nie, dass er wissenschaftlich gearbeitet und all die Fälle dokumentiert hatte. Für ihn sei es eine weitere Möglichkeit gewesen zu verstehen, wie eine individuelle Persönlichkeit gebildet werde. Zu seiner Verteidigung und dabei durchaus hochmütig behauptete er, die Ergebnisse seiner Arbeit würden eines Tages noch zur »unschätzbaren wissenschaftlichen Ressource«, und er dementierte mit Nachdruck, dass er das Kindeswohl nicht an erste Stelle gesetzt habe. »Aus Gründen des Persönlichkeitsschutzes« weigerte er sich, sein Material zu veröffentlichen. Stattdessen übergab er es an das Yale Child Study Center unter der Auflage, dass es erst 2078, wenn sämtliche Beteiligten verstorben wären, der Allgemeinheit zugänglich gemacht werden dürfte. Schließlich wolle er, so behauptete er, das Schicksal der Zwillinge nicht ausschlachten.

Das klang natürlich edel, aber es fehlte nicht an Kritikern, die behaupteten, er habe das Material nur deshalb der Geheimhaltung unterlegt, weil es seine eigenen Erwartungen enttäuscht habe. Die meisten waren sich einig, dass das Experiment zutiefst unethisch gewesen war und Stafford die Zwillinge einer glücklichen gemeinsamen Kindheit beraubt hatte. Ein Psychiaterkollege aus Harvard verglich sein Handeln sogar mit Josef Mengeles Zwillingsexperimenten in Auschwitz, woraufhin Stafford wild und hochmütig und mit zwei, drei Anwälten zurückschlug. Kurz darauf flaute die Debatte ab. Als er 2001 starb, wurde Stafford mit Prunk und Pomp und im Beisein diverser Promis beerdigt. Die Nachrufe in der Fachpresse und in den Tageszeitungen waren respektvoll. Das Experiment hatte seinen Ruf nicht schädigen können, womöglich weil die Kinder, die man so skrupellos voneinander getrennt hatte, samt und sonders aus unteren sozialen Schichten gestammt hatten.

Mikael wusste, dass es in dieser Zeit häufig so gewesen war. Im Namen der Wissenschaft und der feinen Gesellschaft hatte man Übergriffe auf ethnische und andere Minoritäten verübt und war damit davongekommen. Deshalb weigerte Mikael sich auch – und mit ihm viele andere –, Staffords Experiment als singuläres Ereignis zu betrachten. Als er versuchte, der Geschichte weiter auf den Grund zu gehen, fand er heraus, dass Roger Stafford in den Siebziger- und Achtzigerjahren auch Schweden besucht hatte. Es gab Aufnahmen von ihm mit damals führenden schwedischen Psychoanalytikern und Soziologen: Lars Malm, Birgitta Edberg, Liselotte Ceder, Martin Steinberg.

Zu dieser Zeit war über Staffords Zwillingsexperiment hierzulande nichts bekannt gewesen, und vielleicht hatte er Schweden ja auch aus anderen Gründen besucht. Doch Mikael ließ nicht locker, und natürlich musste er die ganze Zeit an Lisbeth denken. Auch sie war ein Zwilling – und ihre Zwillingsschwester Camilla ein Albtraum. Mikael wusste, dass die Behörden Lisbeth schon als kleines Kind immer wieder hatten untersuchen wollen und dass sie es gehasst hatte. Dann wanderten seine Gedanken zu Leo Mannheimer, dem Jungen mit dem hohen IQ, und Ellenor Hjorts Vermutung, er könnte vom fahrenden Volk abstammen. Und ihm fiel Malins Beobachtung wieder ein, dass Leo mit einem Mal kein Linkshänder mehr war, und jetzt konnte er es nicht länger als unrealistisch abtun, im Gegenteil.

Trotzdem versuchte er herauszufinden, welches medizinische Phänomen zu einer solchen Veränderung führen mochte, und vertiefte sich in einen *Nature*-Artikel, der noch mal eingehend darlegte, wie sich ein befruchtetes Ei in der Gebärmutter teilte und daraus eineiige Zwillinge entstanden. Anschließend stemmte er sich von seinem Schreibtisch hoch, blieb dann aber ein, zwei Minuten wie erstarrt stehen und murmelte unverständlich vor sich hin. Dann rief er noch einmal bei Lotta von Kanterborg an und erzählte ihr von seiner Vermutung. Oder vielmehr: Er setzte alles auf eine Karte, indem er seinen neuen, haarsträubenden Verdacht einfach als Tatsache präsentierte.

»Das klingt vollkommen absurd«, erwiderte sie.

»Ich weiß. Aber können Sie es Hilda trotzdem ausrichten, wenn sie sich meldet? Sagen Sie ihr, die Lage ist kritisch.«

»Natürlich. Versprochen«, erwiderte Lotta von Kanterborg.

Mikael hatte das Handy auf dem Nachttisch bereitgelegt, aber es hatte niemand angerufen. Trotzdem hatte er kaum geschlafen und saß jetzt, tags darauf, schon wieder am Schreibtisch. Diesmal überprüfte er die Personen, die Roger Stafford in Schweden getroffen hatte, und zu seiner Überraschung stieß er dabei auch auf Holger Palmgrens Namen.

Holger und der Soziologieprofessor Martin Steinberg hatten vor mehr als zwei Jahrzehnten in einem Strafverfahren zusammengearbeitet. Mikael glaubte nicht, dass das von Bedeutung war – Stockholm war eben doch klein. Hier liefen sich alle früher oder später über den Weg.

Trotzdem notierte er sich Martin Steinbergs Telefonnummer und Adresse in Lidingö und wühlte dann weiter in dessen Vergangenheit – allerdings nicht mehr annähernd so konzentriert. Er war hin- und hergerissen und wusste nicht, was er als Nächstes tun sollte. Lisbeth eine verschlüsselte Nachricht schicken? Ihr berichten, worauf er gestoßen war? Leo Mannheimer konfrontieren, um herauszufinden, ob er auf der richtigen Spur war?

Er trank noch einen Espresso und fühlte plötzlich, wie sehr er Malin vermisste. Wie eine Naturgewalt war sie in null Komma nichts in sein Leben gewirbelt.

Er ging ins Badezimmer und stellte sich auf die Waage. Er hatte zugenommen und beschloss kurzerhand, endlich etwas dagegen zu unternehmen und außerdem auch gleich zum Friseur zu gehen. Seine Haare standen in alle Richtungen ab, und er zupfte sich die Stirnfransen zurecht. Unvermittelt platzte ein »Ach, Unsinn!« aus ihm heraus, und er kehrte an seinen Schreibtisch zurück, wo er versuchte, Lisbeth zu erreichen, ihr dann eine E-Mail und eine SMS schickte und eine Nachricht für sie in einem speziellen Ordner auf seinem Computer hinterlegte.

Melde Dich! Ich glaube, ich habe etwas gefunden!

Er betrachtete die Sätze. Sie waren ungelenk, und das lag natürlich an dem Wort »glaube«. Halbe Sachen waren nicht Lisbeths Ding, deshalb schrieb er schnell:

Ich habe etwas gefunden.

Er hoffte, dass es stimmte. Anschließend trat er an seinen Kleiderschrank, zog ein frisch gebügeltes Baumwollhemd an, lief auf die Bellmansgatan hinaus und weiter zur U-Bahn am Mariatorget.

Am Bahnsteig holte er seine Aufzeichnungen aus der Nacht hervor und ging sie noch einmal durch. Er betrachtete all die Fragezeichen, die Spekulationen. War er verrückt geworden? Die Digitalanzeige über ihm kündigte bereits die Bahn an, als sein Handy klingelte. Es war Lotta von Kanterborg, und sie atmete schwer.

»Sie hat angerufen«, stieß sie hervor.

»Hilda?«

»Sie sagt, was Sie über Leo Mannheimer erzählt haben, ist total verrückt. Das kann nicht stimmen.«

»Verstehe.«

»Aber sie will Sie treffen«, fuhr sie fort. »Sie will Ihnen erzählen, was sie weiß, und das glaube ich wirklich. Sie hat sich in ... Nein, das sollte ich Ihnen vielleicht nicht am Telefon sagen.«

»Das scheint mir vernünftig zu sein.«

Mikael schlug vor, sich in der »Kaffebar« in der St. Paulsgatan zu treffen, und eilte die U-Bahn-Treppen wieder hinauf.

14. KAPITEL
21. Juni

Jan Bublanski saß in einer altmodisch möblierten Wohnung in Aspudden und sprach mit Maj-Britt Torell, jener Frau, die Lisbeth Salander zufolge ein paar Wochen zuvor Holger Palmgren besucht hatte. Bublanski hielt Maj-Britt für eine durchaus wohlmeinende alte Dame, doch irgendetwas an ihr war merkwürdig. Sie fingerte nervös an den Gebäckstücken herum, die sie ihm servieren wollte, und schien seltsam vergesslich und zerstreut zu sein, vor allem wenn man bedachte, dass sie ein langes Berufsleben als Sekretärin hinter sich hatte.

»Ich weiß wirklich nicht mehr ganz genau, was ich ihm übergeben habe«, teilte sie ihm mit. »Ich hatte gerade so viel über dieses Mädchen gelesen und fand, es wäre an der Zeit, dass er alles darüber erfuhr – wie schlimm man sie behandelt hatte.«

»Sie haben Palmgren also die Originalakten übergeben?«

»Ja, das muss wohl so gewesen sein. Die Praxis ist ja schon seit Langem geschlossen. Was mit den anderen Akten passiert ist, weiß ich nicht, aber einige Unterlagen hatte ich hier bei mir. Professor Caldin hatte sie mir im Vertrauen gegeben.«

»Das heißt also heimlich?«

»So könnte man es ausdrücken.«

»Wichtige Dokumente, nehme ich an?«

»Vermutlich, ja.«

»Hätten Sie dann nicht Kopien oder Scans davon machen müssen?«

»Das sollte man meinen, aber ich …«

Bublanski schwieg. Für sein Empfinden war dies ein guter Zeitpunkt, um zu schweigen. Leider hatte es aber nur zur Folge, dass Maj-Britt das Gebäck noch weiter zerbröselte. Ihren Satz beendete sie nicht.

»Es ist nicht zufällig so …«, setzte Bublanski erneut an.

»Ja?«

»Dass man Sie wegen dieser Akten besucht oder angerufen hat und Sie jetzt Angst haben?«

»Auf keinen Fall«, antwortete Maj-Britt ein wenig zu schnell und zu nervös, und da stand Bublanski auf.

Es war höchste Zeit zu gehen. Er sah sie mit seinem wehmütigsten Lächeln an, das, wie er wusste, starken Eindruck auf Menschen machte, die mit ihrem Gewissen haderten.

»Dann lasse ich Sie jetzt besser in Ruhe«, sagte er.

»Nein, wirklich?«

»Sicherheitshalber rufe ich Ihnen ein Taxi, das Sie zu einem netten Café in der Stadt bringen soll. Diese Angelegenheit ist so wichtig, dass Sie sich einen Moment zum Nachdenken nehmen sollten. Ist es nicht so, Frau Torell?«

Mit diesen Worten reichte er ihr seine Visitenkarte und kehrte zu seinem Auto zurück.

Dezember, eineinhalb Jahre zuvor

Dan Brody – oder Daniel Brolin, wie er vor seiner Emigration geheißen hatte –, sollte an diesem Tag mit dem Klaus-Ganz-Quintett im Jazzclub »A-Trane« in Berlin spielen. Jahre waren ins Land gegangen. Inzwischen war er fünfunddreißig, hatte sein langes Haar abgeschnitten und den Ring aus dem Ohr genommen und trug neuerdings graue Anzüge. Er sah aus wie ein Beamter, und er fühlte sich wohl damit – wahrscheinlich steckte er gerade in irgendeiner Umbruchphase, nahm er an.

Er hatte die Tourneen und Reisen satt, sah aber auch keinen anderen Weg. Ihm fehlten die Ersparnisse: Er besaß nichts von Wert, keine Wohnung, kein Auto, wirklich nichts, und die Chance auf einen Durchbruch, auf Reichtum und Popularität, schien längst an ihm vorbeigezogen zu sein. Anscheinend war er auf immer und ewig dazu verdammt, im Hintergrund zu sitzen, obwohl er oft der beste Musiker auf der Bühne war und ein Engagement nach dem anderen hatte – wenn auch mit immer geringerer Gage. Aber so waren die Zeiten. Als Jazzmusiker zu überleben wurde von Jahr zu Jahr schwieriger, und vielleicht spielte er auch nicht mehr mit derselben Glut wie früher.

Er übte auch nicht mehr sonderlich viel. Es klappte schließlich auch so, und oft fühlte er sich unterfordert, vor allem während der Pausen, die sich auf seinen Reisen auftaten. Statt dann wie früher zu proben, las er. Er verschlang Bücher, zog sich zusehends zurück. Leeres Gerede konnte er nicht ertragen, den Geräuschteppich und das Grölen in den Bars noch viel weniger. Es ging ihm eindeutig besser, wenn er weniger trank und sich geistig weiterentwickelte. Womöglich war am Ende doch ein Spießbürger aus ihm geworden: Er sehnte sich immer mehr nach einem normalen Leben – nach einer Frau und einem Zuhause, einer festen Arbeit, einem gewissen Maß an Geborgenheit.

Er hatte in seinem Leben schon mit allen möglichen Drogen experimentiert und genügend Liebesbeziehungen und Affären gehabt, doch irgendetwas schien immer gefehlt zu haben, und dann hatte er sich wieder in die Einsamkeit und in die Musik geflüchtet. Die Musik war immer sein Trost gewesen, doch inzwischen half nicht mal mehr sie. Allmählich fragte er sich, ob er nicht doch den falschen Weg eingeschlagen hatte. Vielleicht hätte er einfach Lehrer werden sollen. An seiner alten Schule, dem Berklee College of Music in Boston, hatte er diesbezüglich mal ein einschlägiges Erlebnis gehabt. Er war gefragt worden, ob er einen Workshop über Django Reinhardt halten wolle, und erst war er in Panik geraten.

Er hatte angenommen, dass er vor anderen Menschen nicht sprechen könnte. Möglicherweise war das auch der Grund gewesen, warum die Plattenfirmen nicht auf ihn gesetzt hatten. Ihm fehlte es schlicht an Präsenz. Nichtsdestoweniger hatte er zugesagt und sich penibel vorbereitet. Er redete sich ein, dass er es schon überleben würde, wenn er sich nur an sein Manuskript hielte und mehr spielte als redete. Doch als er schließlich vor zweihundert Studenten stand, reichte es nicht. Seine Knie wurden weich, er zitterte, brachte kein Wort heraus, und erst nach einer halben Ewigkeit sagte er: »Da hab ich immer davon geträumt, als cooler Typ an meine alte Schule zurückzukehren, und stattdessen stehe ich hier wie ein Idiot.«

Es war nicht einmal als Scherz gedacht gewesen, sondern eher als eine verzweifelte Wahrheitsbekundung, doch die Studenten lachten, und dann fing er an zu erzählen: von Django, von Stéphane Grappelli und dem Quintette du Hot Club de France, vom Alkoholismus und von der dürftigen Quellenlage. Er spielte »Minor Swing« und »Nuages« und Varianten von Solos und Riffs und wurde immer kühner. Er hatte komische und ernste Einfälle und sprach irgendwann auch darüber, dass Django dem Untergang geweiht gewesen war: Unter Hitler hatte ihm wie allen Roma die Deportation gedroht, das Vernichtungslager. Doch ausgerechnet ein Nazi hatte ihm das Leben gerettet: ein Luftwaffenoffizier, der Djangos Musik liebte. Er überlebte den Krieg und starb am 16. Mai 1953 in Frankreich an einem Schlaganfall. Er sei ein großer Mann gewesen, sagte Dan, und: »Er hat mein Leben verändert.«

Es wurde still, und er hatte keine Ahnung, was nun folgen würde.

Nur Sekunden später brandete donnernder Applaus im Saal auf. Viele Studenten standen sogar auf und pfiffen und johlten, und Dan ging aufgewühlt, aber glücklich nach Hause.

Dieses Erlebnis trug er seither im Herzen, und manchmal, selbst jetzt auf Deutschlandtournee, sagte er hie und da zwischen den Stücken ein paar Sätze oder streute eine Anekdote ein und brachte die Leute zum Lachen, obwohl gar nicht er der Star auf der Bühne war. Oft bereiteten ihm die Geschichten sogar mehr Freude als seine Solos. Vielleicht gerade weil sie etwas Neues für ihn waren.

Dass die Schule ihn nie wieder beauftragt hatte, enttäuschte ihn. Er hatte sich vorgestellt, wie die Lehrer und Professoren über ihn sprachen und sagten: *Endlich mal jemand, der die Studenten begeistern kann.* Trotzdem war keine weitere Einladung erfolgt, und er war zu stolz, um sich selbst zu melden und sie wissen zu lassen, wie gern er wieder an die Schule zurückkehren würde. Ihm war nicht klar, dass genau dies sein grundlegendes Problem war: dass ihm die Eigeninitiative fehlte – in einem Land, in dem Eigeninitiative als Antrieb der Gesellschaft galt, sogar als Schlüssel zur Gesellschaft. Das Schweigen vonseiten des Colleges lag ihm schwer im Magen. Seine Stimmung war gedrückt, er kapselte sich ab, spielte nur mehr ohne großen Enthusiasmus.

Inzwischen war es zwanzig nach neun am Abend. Es war Freitag, der 8. Dezember, und der Club war voll. Das Publikum wirkte schicker als sonst, besser gekleidet, leicht versnobt, vielleicht auch etwas lässiger, desinteressierter als sonst. Bestimmt Finanzleute, mutmaßte er. Jedenfalls schien es ihnen an Geld nicht zu fehlen, und schlagartig hatte er schlechte Laune. Von Zeit zu Zeit hatte er ordentlich verdient, und seit seinen ersten Jahren auf der Flucht hatte er nie hungern müssen. Doch immer wenn er Geld gehabt hatte, war es ihm wieder zwischen den Fingern zerronnen. In dieser Hinsicht war er nie diszipliniert gewesen. Und mit Finanzleuten hatte er auch keine guten Erfahrungen gemacht. Diese Typen sollte der Teufel holen.

Er beschloss, das Publikum zu ignorieren und sich auf die Musik zu konzentrieren, obwohl er sie zunächst eher abspulte. Doch dann kam »Stella by Starlight«, ein Stück, das er schon tausendmal gespielt hatte und mit dem er brillieren würde. Er war als Vorletzter mit seinem Solo dran, direkt vor Klaus, und schloss die Augen. Sie spielten es in B-Dur, doch statt der II-V-I-Verbindung zu folgen, fing er an, fast komplett außerhalb der Tonart zu improvisieren. Wenn man sein sonstiges Niveau in Betracht zog, war es kein glänzendes Solo. Schlecht war es aber auch nicht. Sowie er anfing, hörte er spontanen Applaus. Er blickte auf, um dem Publikum zu danken – und sah etwas Seltsames.

Eine junge Frau in einem eleganten roten Kleid und einem glitzernden grünen Anhänger um den Hals sah ihn eindringlich an. Sie war blond, feingliedrig, hübsch, hatte leicht spitze Gesichtszüge, die ihn an einen Fuchs erinnerten – und sie sah reich aus. Bestimmt gehörte sie zu diesen Finanzleuten. Doch im Gegensatz zu den anderen wirkte sie kein bisschen desinteressiert. Sie war hingerissen. Er konnte sich nicht daran erinnern, dass ihn eine Frau jemals so angesehen hätte – jedenfalls keine, der er nie zuvor begegnet war, und schon gar keine Schönheit aus besseren Kreisen. Doch das erstaunte ihn nicht mal am meisten. Das Seltsamste war das Gefühl von Intimität, das in ihrem Blick lag – von etwas, was vertraut und doch aufregend war. Es wirkte fast so, als würde diese Frau nicht einen unbekannten Gitarristen anstarren, sondern einen engen Freund betrachten, der gerade etwas tat, was sie einfach nur verblüffte. Sie wirkte überrascht, verzaubert, und am Ende seines Solos schien sie ihm etwas sagen zu wollen. Sie hauchte tonlos irgendwas, ganz so als würde sie ihn kennen. Er strahlte sie übers ganze Gesicht an und schüttelte ganz leicht den Kopf. Sie hatte Tränen in den Augen.

Nach dem Auftritt kam sie auf ihn zu, doch jetzt war sie scheuer. Vielleicht hatte er sie verletzt, indem er ihre Blicke nicht erwidert hatte. Sie nestelte nervös an ihrem Anhänger herum und sah auf seine Hände, auf seine Gitarre. Zwischen ihren Augen bildete sich eine Kummerfalte, und dann sah sie ihn beinahe ängstlich an. Er verspürte intuitiv Sympathie für sie, eine Art Beschützerinstinkt, stieg von der Bühne und lächelte sie an. Sie legte ihm die Hand auf die Schulter und sagte auf Schwedisch:

»Das war einfach unglaublich! Ich wusste ja, dass du genial Klavier spielst, aber das ... das war Magie. Es war unfassbar gut, Leo.«

»Ich heiße nicht Leo«, erwiderte er.

Lisbeth Salander wusste, dass sie und ihre Schwester Camilla im Register für menschliche Erblehre und Eugenik erfasst worden waren. Dahinter steckte eine Behörde, die nur wenigen bekannt und Teil des Instituts für medizinische Genetik in Uppsala war, das bis 1958 Staatliches Institut für Rassenbiologie geheißen hatte.

Die Liste, auf der sie stand, enthielt noch weitere sechzehn Namen von Personen, die zumeist älter waren. Sie alle waren mit Codes gekennzeichnet – MZA und DZA –, und Lisbeth Salander hatte sofort geschlussfolgert, dass MZ für »monozygot« stand und eineiige Zwillinge benannte, während DZ die dizygoten, zweieiigen Zwillinge bezeichnete. A stand für das englische *apart*, wie in *reared apart*, voneinander getrennt aufgewachsen.

Lisbeth konnte sich also leicht ausrechnen, dass die Personen auf der Liste eineiige und zweieiige Zwillinge waren, die nach einem ausgeklügelten Plan voneinander getrennt worden waren, vor allem nachdem bei Camilla und ihr selbst im Gegensatz zu allen anderen der Vermerk *DZ – failed A* notiert worden war. Davon abgesehen war die Verteilung gleichmäßig: Es handelte sich um acht eineiige und acht zweieiige Zwillinge, die man im frühen Kindesalter voneinander getrennt hatte. Unter den Namen standen Ergebnisse einer Reihe von Intelligenz- und Persönlichkeitstests.

Ein Zwillingspaar hatte sich schon sehr früh von den anderen abgehoben: Leo und Daniel Brolin. Die beiden waren Spiegelzwillinge und wurden als »außergewöhnlich« beschrieben. Ihre Testresultate waren weitgehend deckungsgleich und dabei in mehreren Punkten einzigartig. Vermerkt war auch, dass sie Wurzeln im fahrenden Volk hatten. In einer Anmerkung, die mit MS unterschrieben war, stand zu lesen:

Überdurchschnittlich intelligent und extrem musikalisch, fast »Wunderkinder«, allerdings mangelhaft eigeninitiativ. Veranlagung zu Selbstzweifeln und Depression, ggf. auch Psychosen. Beide leiden an Hyperakusis und akustischen Halluzinationen. Einzelgänger, allerdings mit gespaltenem Verhältnis zu ihrer Isolation: suchen diese, berichten aber zugleich von »einem starken Gefühl der Entbehrung« und »einer überwältigenden Einsamkeit«. Beide empathisch und aggressionsgehemmt – abgesehen von vereinzelten Wutausbrüchen im Zusammenhang mit lauten Geräuschen. Bemerkenswerte Ergebnisse auch in Kreativitätstests. Ausgeprägte verbale Fähigkeiten. Dennoch schwaches Selbstwertgefühl, bei L ausgeprägter, jedoch nicht so stark wie erwartet. Könnte durch das problematische Verhältnis zur Mutter begründet sein, zu der nicht die erhoffte Bindung entwickelt wurde.

… nicht die erhoffte Bindung entwickelt wurde.

Lisbeth war ganz schlecht geworden, als sie diese Formulierung gelesen hatte, und sie gab auch sonst nicht viel auf die Charakterisierung, vor allem nachdem sie gesehen hatte, welcher Blödsinn über Camilla und sie selbst notiert worden war. Camilla zum Beispiel sei *auffällig hübsch, wenngleich ein wenig kalt und narzisstisch veranlagt. Ein wenig* kalt und narzisstisch? *Ein wenig?* Was für ein Quatsch! Lisbeth erinnerte sich noch genau daran, wie Camilla die Psychologen mit ihren Rehaugen angesehen und ihnen vermutlich den Kopf verdreht hatte. Trotzdem … Hie und da stieß sie in dem Material auch auf etwas Nützliches, was ihr Anhaltspunkte bot, unter anderem eine Zeile, in der es um *unglückliche Umstände* ging, aufgrund derer die Behörde gezwungen gewesen sei, *unter der Auflage strengster Vertraulichkeit Leos Eltern zu informieren.* Worüber sie informiert worden waren, ging aus den Unterlagen nicht hervor. Allerdings lag durchaus nahe, dass es dabei um die Tätigkeit der Behörde im Allgemeinen gegangen war, und das war natürlich interessant.

An die Dokumente über die Zwillinge war Lisbeth gekommen, indem sie sich in die Datenbank des Instituts für medizinische Genetik gehackt hatte und zwischen dem Servernetz und dem Intranet des Registers für menschliche Erblehre und Eugenik, des REE, eine Brücke gebaut hatte. Diese Operation war nicht ganz einfach gewesen; sie hatte stundenlang daran getüftelt. Sie wusste sehr genau, dass nur wenige andere dazu in der Lage gewesen wären – erst recht angesichts der geringen Vorbereitungszeit.

Insgeheim hatte sie auf eine bessere Ausbeute gehofft. Doch diejenigen, die in das Projekt involviert gewesen waren, mussten extrem vorsichtig vorgegangen sein. Nicht einen einzigen Namen eines Verantwortlichen hatte sie gefunden, allenfalls Initialen wie HK oder MS. Insofern betrachtete sie die Aufzeichnungen über Daniel und Leo als letzte Hoffnung. Auch die waren indes nicht vollständig, allem Anschein nach fehlte ein Großteil oder war auf andere Weise archiviert worden. Trotzdem weckte das Material ihr Interesse – auch weil jemand neben Leos Namen ein Fragezeichen gesetzt und es dann nachlässig wieder ausradiert hatte.

Daniel Brolin war anscheinend mit dem Ziel ausgewandert, Gitarrist zu werden. Er hatte ein Jahr lang mithilfe eines Stipendiums das Bostoner Berklee College of Music besucht und war dann von der Bildfläche verschwunden. Wahrscheinlich hatte er einen neuen Namen angenommen.

Leo hatte an der Handelshochschule in Stockholm studiert. In einer späteren Anmerkung stand, er sei *zutiefst verbittert nach Trennung von Partnerin (aus seiner Gesellschaftsschicht)* und zeige *erstmals Gewaltfantasien. Gefährlich? Neuer Anfall von Hyperakusis?*

Dann – anscheinend aber erst vor Kurzem – war in einem Dokument, das abermals von MS unterschrieben worden war, der Beschluss kommuniziert worden, das REE werde offiziell geschlossen. *Projekt 9 wird eingestellt*, stand dort. *Fall Mannheimer beunruhigend.*

Lisbeth wusste nicht, was das bedeutete, und weil sie im Gefängnis gesessen und Leo oder seine Familie und Freunde nicht selbst hatte aufsuchen können, hatte sie Mikael gebeten, sich die Sache näher anzusehen. In letzter Zeit war Mikael unmöglich gewesen, hatte sich wie ein besorgter Vater aufgespielt. Manchmal hätte sie ihm am liebsten die Kleider vom Leib gerissen und ihn auf die Gefängnismatratze gezerrt, um ihn zum Schweigen zu bringen. Aber er gab nicht so schnell auf, und mitunter – auch wenn sie das nur sehr ungern zugab – entdeckte er Dinge, die sie selbst übersah. Deshalb hatte sie ihm auch bewusst nicht alles erzählt, was ihr bekannt gewesen war. Mikael würde klarer sehen, wenn er sich unvoreingenommen auf die Suche machte. Trotzdem würde sie ihn alsbald anrufen. Und dieses Dickicht entwirren.

Sie saß auf einer Bank am Flöjtvägen in Vallholmen, hatte den Laptop mit ihrem Handy verbunden und spähte zu den graugrünen Hochhäusern hinauf, deren Farbe im Sonnenlicht zu changieren schien. Es war schrecklich schwül, und mit ihrer schwarzen Jeans und der Lederjacke war sie alles andere als passend angezogen. Vallholmen galt als Getto. Nachts brannten hier Autos. Jugendliche Gangs zogen durch die Straßen und raubten Leute aus. Irgendein gesuchter Vergewaltiger lief frei herum, und in der Presse war oft von einer Atmosphäre die Rede, in der es niemand wagte, überhaupt mit der Polizei zu sprechen.

Doch in diesem Moment wirkte Vallholmen wie das reinste Idyll. Auf dem Rasen vor den Hochhäusern saßen verschleierte Frauen mit Picknickkörben, neben ihnen spielten ein paar kleine Jungs Fußball. Links davon standen zwei Männer vor einem Hauseingang, spritzten mit einem Gartenschlauch in die Luft und lachten wie kleine Kinder. Lisbeth wischte sich den Schweiß von der Stirn und widmete sich wieder ihrem neuronalen Netz.

Wie erwartet hatte sich die Aufgabe als schwierig erwiesen. Die Filmsequenz von der U-Bahn-Sperre in Hornstull war zu kurz und zu verschwommen und der Körper des Verdächtigen zu sehr von den anderen Passagieren verdeckt, die vom Bahnsteig heraufgekommen waren. Auch das Gesicht war nicht zu sehen. Er – denn es war eindeutig ein junger Mann – trug Mütze und Sonnenbrille und hielt den Kopf gesenkt. Lisbeth konnte nicht einmal den Abstand zwischen seinen Schultern messen.

Eigentlich standen ihr nur eine signifikante Bewegung der gespreizten Finger und eine ruckartige, dysmetrische Geste mit der rechten Hand zur Verfügung. Sie wusste nicht, inwieweit beides charakteristisch war. Vielleicht war es auch nur eine nervöse Reaktion, eine Anomalie im üblichen Bewegungsmuster. Und doch war beides auffällig und von einer spasmodischen Unregelmäßigkeit geprägt, die in diesem Augenblick in den Knotenpunkten ihres Netzwerks mit einer Sequenz verglichen wurde, die sie von einem jungen Mann aufgenommen hatte, der vierzig Minuten zuvor auf seiner Trainingsrunde an ihr vorbeigejoggt war.

Zwischen den Bewegungsmustern gab es Ähnlichkeiten, und das war vielversprechend, reichte aber nicht aus. Sie würde den Läufer in einer Situation einfangen müssen, die stärker an jene in der U-Bahn erinnerte. Deshalb hob sie ab und zu den Blick und spähte hinüber zu der Rasenfläche und dem asphaltierten Fußweg, auf dem der Typ verschwunden war. Noch war er nicht wieder zu sehen. Also nahm sie sich die Zeit, ihre E-Mails und sonstigen Nachrichten zu lesen.

Mikael hatte geschrieben. Er hatte etwas gefunden, und

wieder wollte sie ihn anrufen. Doch es wäre verheerend, jetzt ihre Konzentration zu verlieren. Sie musste sich bereithalten. Mit dem Rechner auf dem Schoß blieb sie sitzen und observierte weiter den Weg. Nach fünfzehn Minuten kam der Typ am Hang wieder zum Vorschein. Er war groß und hatte einen guten Laufstil, lief wie ein Profi und war fast anorektisch mager. Doch das interessierte sie nicht. Sie hatte nur Augen für seinen rechten Arm – für die Unregelmäßigkeit in der Aufwärtsbewegung und für die gespreizten Finger. Sie filmte ihn mit dem Handy und erzielte augenblicklich einen Treffer. Diesmal war die Korrelation allerdings deutlich geringer, vielleicht infolge der Erschöpfung, nachdem er schon eine Weile lief.

Es war ein Schuss ins Blaue gewesen – und doch eine realistische Annahme. Der Mann auf der Videosequenz war einer der wenigen Passagiere, die nach Jamal Chowdhurys Tod von den Gleisen heraufgekommen waren und den man nicht hatte identifizieren können. Definitiv hatte er sich am scheusten verhalten, und die Ähnlichkeiten zu dem Läufer waren augenfällig. Wenn ihr Verdacht stimmte, würde das auch Farias Schweigen in den Vernehmungen erklären. Deshalb musste er noch lang nicht der Täter sein, aber auch falsche Vermutungen konnten am Ende zu mehr Klarheit führen.

Lisbeth würde mehr Bildmaterial brauchen. Sie schob ihren Laptop in die Tasche, stand von der Bank auf und rief dem Läufer nach, und sofort wurde der junge Mann langsamer und sah sie im Gegenlicht mit zusammengekniffenen Augen an. Sie zog ihren Flachmann mit Whisky aus der Innentasche, nahm einen Schluck, torkelte leicht, doch den Typen schien das nicht zu stören. Er blieb stehen und verschnaufte.

Lisbeth gab sich Mühe zu lallen. »Krass, wie du laufen kannst!«

Er antwortete nicht. Anscheinend wollte er sie nun doch

möglichst schnell wieder loswerden, aber so leicht gab sie sich nicht geschlagen.

»Kannst du mal so machen?«, fragte sie und machte eine Handbewegung.

»Warum sollte ich?«

Sie machte einen Schritt auf ihn zu. »Weil ich es will?«

»Bist du bescheuert?«

Sie sagte nichts, sondern starrte ihn nur finster an, was ihm unangenehm zu sein schien, und das beschloss sie auszunutzen. Bedrohlich schwankte sie auf ihn zu.

»Jetzt komm schon«, sagte sie, und da machte der Junge tatsächlich eine Handbewegung, vielleicht weil er wirklich Angst hatte. Oder sie schleunigst loswerden wollte. Dann lief er heim, ohne bemerkt zu haben, dass sie ihn mit dem Handy gefilmt hatte.

Sie lief wieder zu ihrer Bank zurück, fischte ihren Computer hervor. Die Knotenpunkte in ihrem Netzwerk waren wieder aktiviert, und mit einem Mal war alles klar. Sie hatte einen Treffer erzielt, eine Korrespondenz in der Asymmetrie der Finger. Nichts, was vor Gericht als Beweismittel Bestand gehabt hätte, aber doch genug, um sie selbst zu überzeugen.

Sie klaubte ihre Sachen und marschierte auf den Hauseingang zu, in dem der junge Mann verschwunden war. Erst wusste sie nicht, ob sie hineinkommen würde, aber es ging ganz leicht: Unter Druck gab die Tür nach, und sie betrat das heruntergekommene Treppenhaus. Der Aufzug war außer Betrieb, und es roch nach Rauch und Urin. Im Erdgeschoss konnte man, wo die Sonne hinfiel, Schmierereien an den grauen Wänden erkennen, doch schon im ersten Stock wurde es dunkler. Hier gab es keine Fenster mehr und nur noch wenige funktionierende Lampen, auf den Treppen lag Müll, und die Luft war stickig.

Langsam stieg Lisbeth die Stufen hinauf und konzentrierte sich auf ihren Rechner, den sie in der linken Hand hielt. Im zweiten Stock blieb sie kurz stehen und schickte die Bewegungsanalyse an Bublanski und seine Verlobte Farah Sharif, Professorin der Informatik, sowie an Annika Giannini. Im dritten Stock schob sie den Laptop in die Tasche und suchte die Namensschilder ab. Ganz links stand K. Kazi – das war Farias Bruder Khalil. Sie streckte den Rücken durch und machte sich bereit. Von Khalil selbst ging keine Gefahr aus, aber Lisbeth wusste, dass er oft von seinen großen Brüdern besucht wurde. Sie klopfte an, kurz darauf waren Schritte zu hören, und die Tür ging auf. Khalil starrte sie an, diesmal allerdings nicht mehr ganz so ängstlich.

»Hallo«, sagte sie.
»Was willst du?«
»Ich will dir was zeigen. Einen Film.«
»Was denn für einen Film?«
»Das wirst du schon sehen«, sagte sie, und er ließ sie tatsächlich herein.

Das ging zu leicht, dachte Lisbeth noch, und im nächsten Moment verstand sie auch, warum.

Khalil war tatsächlich nicht allein zu Hause. Bashir Kazi – den sie von ihrer Recherche wiedererkannte – starrte sie verächtlich an. Es würde genauso anstrengend werden, wie sie befürchtet hatte.

Dezember, eineinhalb Jahre zuvor

Dan Brody verstand überhaupt nichts mehr. Die Frau wollte einfach nicht glauben, dass er nicht Leo war – wen immer sie damit meinte. Sie nestelte an ihrer Kette und an ihrem Haar herum. Sie könne ja verstehen, sagte sie, dass er den Ball flach halten wolle. Sie sei immer der Meinung gewesen, er habe etwas Besseres verdient.

»Du begreifst ja gar nicht, wie unglaublich gut du bist, Leo«, sagte sie. »Und das war schon immer so. Niemand bei Alfred Ögren hat das gesehen – von Madeleine ganz zu schweigen.«

»Madeleine?«

»Madeleine muss ja komplett bescheuert gewesen sein – Ivar zu nehmen statt dich! Das war so unfassbar dumm von ihr! Dabei ist Ivar einfach nur ein fettes Arschloch.«

Die Frau hatte eine unmögliche Ausdrucksweise, fand er. Vielleicht hatte sie ja zu lang im Ausland gelebt, um ein gepflegtes Schwedisch zu sprechen. Außerdem wirkte sie nervös, sah geradezu beunruhigt aus. Um sie herum war es laut. Leute drängelten sich an ihnen vorbei, um sich an der Bar Drinks zu holen. Dann kamen Klaus und die anderen und fragten, ob er mit ihnen essen gehen wolle. Mit einem Seitenblick zu der Frau schüttelte er den Kopf. Sie kam ihm so seltsam nah, ihre Brust hob und senkte sich, und ein Hauch von Parfüm streifte ihn. Sie war wirklich ausgesprochen hübsch, und es war wie in einem Traum. In einem guten Traum, glaubte er, obwohl er sich nicht ganz sicher war. Er war wie benommen.

In der Ferne ging ein Glas zu Bruch. Ein junger Mann keifte laut, und Dan verzog das Gesicht.

»Entschuldige«, sagte die Frau. »Ihr seid wahrscheinlich immer noch Freunde, Ivar und du.«

»Ich kenne keinen Ivar«, sagte er in einem viel zu scharfen Ton.

Die Frau sah ihn so verzweifelt an, dass er es sofort bereute. Am liebsten hätte er ihr all das bestätigt – dass er Leo hieß, Madeleine kannte und ebenfalls fand, dass Ivar ein Arschloch war. All das, was sie von ihm erwartete. Er wollte sie nicht verunsichern und enttäuschen.

Nein, er wollte sie wieder so glücklich und beseelt sehen wie während seines Solos.

»Entschuldige ...«, sagte er.

»Schon in Ordnung.«

Er strich ihr übers Haar, obwohl er fremden Frauen sonst nie übers Haar strich. Von Haus aus war er eher schüchtern und zurückhaltend, doch das schüttelte er mit einem Mal ab. Er wollte einfach nur noch so tun, als wäre er jemand anderes. Er wollte sie wieder strahlen sehen, und deshalb gab er ihr recht – natürlich war er Leo. Oder besser gesagt: Er dementierte es nicht mehr. Dann verstaute er seine Gitarre und schlug vor, an einem ruhigeren Ort noch ein Glas Wein trinken zu gehen.

»Sehr gern!«, antwortete sie.

Seite an Seite schlenderten sie die Pestalozzistraße entlang. Er rang um jedes Wort, das er sagte – weil jedes Wort ihn enttarnen konnte. Zeitweise fühlte er sich tatsächlich enttarnt. Kam es ihm nur so vor, oder beäugte sie ihn kritisch – seinen Anzug, seine Schuhe? Die Kleidung, die ihm gerade noch elegant vorgekommen war, erschien ihm jetzt ungenügend, unvorteilhaft. Fast kam es ihm vor, als wäre sie diejenige, die nun ein Spiel mit ihm spielte. Andererseits hatte sie gewusst, dass er Schwede war. Dabei kannte kaum jemand seine wahren Wurzeln.

Sie landeten in einer kleinen Bar und bestellten Margaritas. Er ließ sie reden, und sie gab ihm eine Reihe von Hinweisen. Noch immer wusste er nicht, wie sie hieß, und er traute sich auch nicht, sie zu fragen. Immerhin erzählte sie ihm, dass sie inzwischen für die Deutsche Bank arbeitete und dort für einen Arzneimittelfonds verantwortlich oder teilweise verantwortlich war.

»Kannst du dir in etwa vorstellen, was das für eine

Verbesserung ist? Wenn ich das mit dem Scheiß vergleiche, den ich immer für Ivar machen musste!«

Ivar merkte er sich – Ivar, der anscheinend auch Ögren hieß, wie die Investmentgesellschaft, bei der die Frau noch vor nicht allzu langer Zeit gearbeitet hatte und wo es anscheinend eine gewisse Malin Frode gab, in der sie eine Konkurrentin sah.

»Ich hab gehört, dass ihr jetzt auch privat Sachen unternehmt, Malin und du.«

»Nicht direkt, nein«, antwortete er ausweichend. »Eigentlich nicht.«

Im Grunde antwortete er auf alles ausweichend. Ganz ehrlich erzählte er nur, wie es dazu gekommen war, dass er jetzt mit Klaus Ganz spielte. Über Kontakte, sagte er. Till Brönner und Chet Harold hätten ihn empfohlen.

»Ich hab in New York mit ihnen zusammen gespielt. Und Klaus hat sofort die Gelegenheit ergriffen.«

Gewissermaßen stimmte das natürlich, und gleichzeitig war es Unsinn. Niemand hatte die Gelegenheit ergreifen müssen, um ihn zu engagieren.

»Aber Gitarre, Leo? Das ist doch echt unglaublich! Du musst ja wahnsinnig viel geübt haben. Wann hast du denn damit angefangen?«

»Als Jugendlicher«, antwortete er.

»Und ich dachte, für Viveka wären nur Flügel und Geige infrage gekommen.«

»Ich hab heimlich gespielt«, erklärte er.

»Aber das Klavier muss dir dabei geholfen haben. Ich hab ein paar Harmonien wiedererkannt, als du dein Solo hattest. Natürlich bin ich keine Expertin auf dem Gebiet, aber ich weiß noch, wie ich dich mal bei Thomas und Irene gehört hab. Das war dasselbe Gefühl, derselbe magische Sog.«

Dasselbe Gefühl ... wie auf dem Klavier? Was in aller Welt meinte sie damit? Was hatte das zu bedeuten? Er hätte sie zu gern gefragt, um weitere Anhaltspunkte zu erhalten, aber er traute sich nicht. Die meiste Zeit schwieg er oder lächelte oder stimmte ihr zu. Manchmal sagte er irgendwas Unverfängliches oder gab etwas wieder, was er gelesen hatte. Zum Beispiel erzählte er aus irgendeinem Grund, dass der Grönlandhai bis zu vierhundert Jahre alt werden konnte, weil er sein Leben quasi in Zeitlupe lebte.

»Wie trostlos«, sagte sie.

»Wie wunderbar lang«, erwiderte er und zog dabei jedes Wort so übertrieben in die Länge, dass sie lachen musste.

Nach einer Weile wurde er mutiger. Er gab sogar eine Antwort auf die Frage, was denn mit dem Börsenkurs passieren würde, »jetzt wo die Bewertungen so schwierig sind und die Zinsen so niedrig.«

»Er steigt«, antwortete er. »Oder fällt.«

Auch das fand sie anscheinend witzig, und er hatte das Gefühl, er würde eine neue Art Instinkt entwickeln. Es gefiel ihm, eine fremde Rolle anzunehmen, seine eigene Persönlichkeit zu erweitern und ihr mehr Raum zur Entfaltung zu geben. Er erlebte einen Moment der Befreiung. Die neue Rolle half ihm, in eine Welt einzutauchen, die ihm bisher verschlossen gewesen war, eine Welt voller Geld und Möglichkeiten. Vielleicht lag es an den Drinks. Vielleicht auch an ihren Blicken. Jedenfalls redete er immer mehr und fand Gefallen an seinen eigenen Assoziationen und Ideen.

Vor allem aber wollte er mit ihr gesehen werden. Er mochte ihre edle Ausstrahlung, die sich nur schwer beschreiben und auch nicht nur auf ihre Kleidung, ihren Schmuck und die Schuhe reduzieren ließ. Sie fand ihren

Ausdruck in kleinen Mienen und Gesten, in ihrem leichten Lispeln und der natürlichen Art, mit dem Barkeeper zu reden und die Welt zu betrachten. Allein kraft ihres Wesens verlieh sie auch ihm Würde. Er betrachtete ihre Hüften und Beine und Brüste und spürte, dass er sie haben wollte. Er küsste sie mitten im Satz. Überhaupt legte er eine größere Verwegenheit an den Tag, als er es als Dan Brody je getan hätte. Als sie hintereinander die Bar verließen, presste er sein Geschlecht an sie.

In ihrem Hotel – dem Adlon Kempinski am Brandenburger Tor – nahm er sie hart und wild. Endlich war er nicht länger ein gehemmter Liebhaber. Später sagte sie wunderbare Dinge zu ihm, und er war glücklich – glücklich wie ein Betrüger, der einen waghalsigen Coup gelandet hatte. Aber doch glücklich. Vielleicht auch verliebt, nicht nur in sie, sondern auch in sein neues Ich. Dennoch konnte er nicht schlafen. Er wollte die Namen googeln, die sie ihm gegenüber erwähnt hatte, er wollte verstehen. Trotzdem wartete er damit. Er wollte es allein erleben. Er überlegte kurz, ob er sich in der Dämmerung davonschleichen sollte, doch so herzlos wollte er nicht sein. Sie sah so lieblich aus, wie sie da neben ihm lag, so rein und klar, als gehörte sie auch im Schlaf zu einer auserlesenen Sorte Mensch. Auf der Schulter hatte sie einen roten Fleck, doch ihm gefiel jede kleine Eigenheit an ihr.

Um kurz vor sechs schlang er erneut die Arme um sie, flüsterte ihr einen Dank ins Ohr und dass er leider gezwungen sei zu gehen. Er habe noch einen Termin, sagte er. Sie hatte Verständnis und gab ihm ihre Visitenkarte. Erst jetzt erfuhr er, dass sie Julia Damberg hieß. Er versprach, sie bald anzurufen, zog sich an, ging und winkte draußen ein Taxi heran.

Noch während der Heimfahrt machte er sich auf

seinem Handy über die Investmentgesellschaft Alfred Ögren schlau. Der Vorstandsvorsitzende war tatsächlich besagter Ivar Ögren. Er sah aus wie ein richtiger Fiesling: arrogant, mit Doppelkinn und kleinen, wässrigen Augen. Doch das war nur eine Nebensächlichkeit im größeren Zusammenhang. Denn direkt unter Ivar Ögrens Bild stieß er auf das Foto des Chefanalysten und Teilhabers Leo Mannheimer, und dieses Foto ... raubte ihm den Atem.

Lange weigerte er sich, es zu glauben. Es war einfach zu irrsinnig. Aber der Mann auf dem Foto war er. Das heißt, natürlich konnte er es nicht sein. Aber der andere sah ihm so ähnlich, dass ihm ganz schwindlig wurde. Er löste den Sicherheitsgurt und beugte sich vor, um sein Gesicht im Rückspiegel zu betrachten, doch das machte die Sache nur noch schlimmer. Er konnte ohne Anstrengung genauso lächeln wie Alfred Ögrens Chefanalyst, er erkannte die Grübchen um den Mund und die Falten auf der Stirn wieder und dann den Blick, die Nase, die Locken – alles, einfach alles, sogar die Körperhaltung, obwohl der Typ auf dem Foto viel gepflegter wirkte. Sein Anzug war definitiv teurer gewesen.

In seinem Hotelzimmer setzte Dan die Suche fort. Er vergaß Zeit und Raum und fluchte und schüttelte den Kopf und war völlig außer sich. Leo Mannheimer gehörte einer anderen Welt an, einer anderen Schicht. Er selbst war Lichtjahre von ihm entfernt – und doch wieder nicht. Es war unbegreiflich, und am meisten erschütterte Dan die Sache mit der Musik. Er fand eine alte Filmaufnahme aus einem Stockholmer Konzerthaus, da war Leo vielleicht zwanzig, einundzwanzig, wirkte angespannt, hatte aber einen feierlichen Ausdruck im Gesicht. Der Saal war voll, es handelte sich wohl um eine offizielle Veranstaltung, bei der Leo als Gastinterpret auftrat.

Zum Zeitpunkt der Filmaufnahme hätte sie nie jemand verwechselt. Während Dan als langhaariger Künstler in Jeans und Pulli durch die Gegend gelaufen war, war Leo bereits derselbe gepflegte Mann gewesen wie auf dem Foto bei Alfred Ögren – ein bisschen jünger zwar, aber schon damals mit der gleichen Frisur und im maßgeschneiderten Anzug. Nur die Krawatte fehlte.

Als Dan sich das Video ansah, kamen ihm die Tränen. Er weinte nicht nur wegen der Erkenntnis, dass er einen Zwillingsbruder hatte, sondern auch um sein eigenes Leben – die Kindheit auf dem Hof, Stens Schläge und Anweisungen, die Arbeit auf dem Feld, die Gitarre, die auf dem Steg zerschmettert worden war. Er weinte wegen seiner Flucht, der Reise nach Boston und der ersten Monate, die er im Elend zugebracht hatte. Er weinte um all das, was er nie erfahren, und wegen der Sehnsucht, die er immer gespürt hatte. Am meisten aber weinte er wegen dem, was er gerade hörte. Am Ende packte er seine Gitarre aus und stimmte ein – aus der Ferne. Fünfzehn Jahre später.

Nicht nur das wehmütige Stück – offenbar eine Eigenkomposition – berührte ihn, sondern auch der Klangboden, die Harmonien. Leo Mannheimer spielte mit den gleichen Dreiklang-Arpeggios wie Dan zu jener Zeit, einen Halbton über der Tonika, als er seine II-V-I-Progressionen beendete. Genau wie Dan verwendete Leo verminderte Akkorde anstelle der halbverminderten Septakkorde oder Septnonakkorde wie die meisten anderen, und auch er landete oft auf dem sechsten Ton der dorischen Molltonleiter.

Dan hatte sich für einzigartig gehalten, als er erst Django und schließlich seinen eigenen Weg gefunden hatte, der ihn so unendlich weit weg von einer Generation zu führen schien, die sich nur noch mit Rock und Pop und Hip-Hop beschäftigte. Doch dann auf einmal gab es da einen Typen in Stockholm, in einer ganz anderen Welt, der aber genauso aussah wie er und die gleichen Harmonien und Tonleitern für sich entdeckt hatte. Es war kaum zu fassen, und mit einem Mal drängte unendlich viel an die Oberfläche: Sehnsüchte und Hoffnungen und vielleicht auch Liebe, vor allem aber Erstaunen.

Er hatte einen Bruder.

Einen Bruder, der bei einer wohlhabenden Familie in Stockholm aufgewachsen war. Diese Tatsache war nicht nur unglaublich, sondern auch zutiefst ungerecht. Wenn er sich im Nachhinein daran erinnerte, dann musste er sich eingestehen, dass die Wut schon damals in ihm aufgestiegen war, als pochende Kraft inmitten von allem anderen. Dan verstand zwar zu diesem Zeitpunkt noch nicht, was überhaupt passiert war, aber er ahnte es, und er musste wieder an die Stockholmer mit ihren Tests und Fragen und Filmen denken. Hatten sie es gewusst?

Natürlich hatten sie es gewusst. Als er endlich eins und eins zusammenzählte, ging es mit ihm durch, und er schmetterte vor Wut ein Glas an die Wand. Dann suchte er Hilda von Kanterborgs Nummer heraus und rief sie an. Es konnte noch nicht spät sein – auch wenn die Stunden schneller verflogen waren, als ihm bewusst gewesen war.

Von Kanterborg klang angetrunken. Es war Vormittag, trotzdem hatte sie getrunken oder war von irgendeiner anderen Substanz benebelt, und das regte ihn auf.

»Hier ist Daniel Brolin«, sagte er. »Erinnern Sie sich noch an mich?«

»Was haben Sie gesagt – wie war Ihr Name?«

»Daniel Brolin.«

Er hörte, wie sie am anderen Ende nach Luft schnappte, und vielleicht, da war er sich nicht ganz sicher, hörte er auch die blanke Angst.

»Lieber Daniel«, sagte sie dann. »Natürlich erinnere ich mich an dich! Wie geht es dir? Wir haben uns solche Sorgen gemacht, als du dich nie wieder gemeldet hast.«

»Wussten Sie, dass ich einen Zwillingsbruder habe? Wussten Sie das?«

Ihm versagte die Stimme, und es wurde still in der Leitung. Sie schenkte sich ein neues Glas ein, und das Gluckern in der Stille war ihm Antwort genug. Ja, sie hatte es gewusst – nur deshalb hatte sie ihn auf dem Hof besucht. Und endlich verstand er auch, was sie gemeint hatte, als sie Jahre zuvor gesagt hatte: *Unsere Aufgabe besteht nur darin zu forschen. Eingreifen dürfen wir nicht.*

»Warum haben Sie denn nie etwas gesagt?«

Sie antwortete immer noch nicht, und er wiederholte seine Frage, diesmal jedoch aggressiver.

»Ich durfte nicht«, stieß sie hervor. »Ich hatte mich zur Geheimhaltung verpflichtet.«

»Irgendein Vertrag war Ihnen also wichtiger als mein Leben?«

»Es war ein Fehler, Daniel, ein Fehler! Ich hab damals schon nicht mehr bei der Behörde gearbeitet. Sie hatten mich rausgeworfen. Ich hatte zu viel protestiert...«

»Also war es eine beschissene Behörde.«

Dann verlor er vollends die Beherrschung und wusste hinterher nicht einmal mehr, was er noch gesagt hatte. Er erinnerte sich nur noch an ihre Frage: »Habt ihr euch wiedergefunden, Leo und du?«

Ab da ging für ihn gar nichts mehr. Erst verstand er nicht, warum, wahrscheinlich war es die familiäre Art, mit der sie über Leo und ihn gesprochen hatte, als wäre all das für sie altbekannt, während es für ihn einem Erdbeben gleichkam.

»Weiß er es?«, fragte Daniel.

»Leo?«

»Ja, natürlich.«

»Ich glaube nicht, Daniel. Ich glaube nicht. Mehr kann ich nicht sagen. Wirklich nicht. Ich hab schon viel zu viel gesagt.«

»Viel zu viel? Ich hab angerufen, als ich in der Krise steckte, als ich gar nichts hatte, und was haben Sie da gesagt? Kein Wort. Sie haben mich aufwachsen lassen und mir das Wichtigste in meinem Leben vorenthalten, Sie haben mich beraubt ...«

Er rang nach Worten, fand aber keine, die seinem Gefühl gerecht geworden wären.

»Entschuldige, Daniel, bitte entschuldige«, stammelte sie, doch er warf ihr ein letztes Schimpfwort an den Kopf und legte auf. Dann bestellte er sich Bier aufs Zimmer, und zwar nicht nur eins. Er war gezwungen, seine Nerven zu beruhigen und klar zu denken, denn schon in diesem Moment wusste er, dass er mit Leo in Verbindung treten musste. Ihn treffen musste. Aber wie? Sollte er ihm schreiben, ihn anrufen, einfach auftauchen? Leo Mannheimer war reich. Er war anders als Dan, garantiert glücklicher und durchsetzungsfähiger, und vielleicht – Hilda hatte diese Möglichkeit immerhin angedeutet – wusste Leo längst von ihm, hatte aber davon abgesehen, Kontakt zu ihm aufzunehmen. Vielleicht schämte er sich für seinen armen, unterlegenen Zwillingsbruder. Das war schließlich nicht unwahrscheinlich.

Dan rief erneut Alfred Ögrens Homepage und Leos Foto auf. Verbarg sich in seinem Blick nicht auch ein Hauch Unsicherheit? Womöglich. Und das machte ihm Mut. Vielleicht war Leo gar nicht versnobt. Er dachte daran zurück, wie ungezwungen er sich mit Julia unterhalten hatte, und hing für eine Weile seinen Träumen und irrealen Vorstellungen nach. Er spürte, wie die Wut ein wenig verrauchte und sich sein Verstand zurückmeldete.

Was sollte er tun? Er googelte sich selbst, suchte nach Aufnahmen von seinen Auftritten. Am Ende fand er einen Beitrag, der gerade erst ein halbes Jahr alt war. Er war gerade beim Friseur gewesen und saß in seinem grauen Anzug in einem Jazzclub in San Francisco und spielte das Solo in »All the Things You Are«, bei dem er die gleichen melodischen Grundelemente verwendete wie Leo im Konzerthaus. Dann schrieb er eine lange Mail und hängte die Aufnahme als Dateianhang an. An die ersten Zeilen, die er schrieb, erinnerte er sich noch genau.

Lieber Leo, lieber Zwillingsbruder,

mein Name ist Dan Brody, und ich bin Jazzgitarrist. Bis zum heutigen Morgen wusste ich nicht, dass es Dich überhaupt gibt, und ich bin so ergriffen und erschüttert, dass ich kaum schreiben kann.

Ich möchte Dich nicht behelligen oder Dir Unbehagen bereiten. Ich verlange nichts, nicht einmal eine Antwort. Ich möchte Dir hiermit nur sagen: Die Tatsache und die Erkenntnis, dass es Dich gibt und Du die gleiche Musik machst wie ich, wird für immer das Größte sein, was mir je passiert ist.

Ich weiß nicht mal, ob Du an meinem Leben interessiert bist, so wie ich darauf brenne, etwas über Deines zu erfahren, aber ich will Dir trotzdem davon erzählen. Hast Du je unseren Vater kennengelernt? Er war ein Versager und Säufer, aber er war unglaublich musikalisch. Unsere Mutter starb im Kindbett. Die Geburt muss kompliziert gewesen sein, vielleicht weil sie Zwillinge zur Welt gebracht hat. Ich habe nie viel darüber erfahren ...

Dan schrieb und schrieb, Absatz um Absatz – und schickte die E-Mail nie ab. Er hatte nicht den Mut. Stattdessen rief er Klaus Ganz an und teilte ihm mit, es habe in seiner Familie einen Todesfall gegeben. Anschließend buchte er ein Ticket nach Stockholm und flog schon am nächsten Morgen dorthin.

Zum ersten Mal seit achtzehn Jahren war er wieder in Schweden. Ein eisiger Wind wehte, und es schneite. Es war der 10. Dezember, der Tag der Nobelfeier. Weihnachtsbeleuchtung erhellte die Straßen, und er sah sich verwundert um. In seiner Kindheit war Stockholm immer die unerreichbare feine Stadt gewesen. Er war nervös und fiebrig, aber auch erwartungsvoll wie ein kleiner Junge. Dennoch sollte es noch fünf Tage dauern, bis er sich traute, Kontakt aufzunehmen und nicht länger Leo Mannheimers Schatten, ein unsichtbarer Stalker zu sein.

15. KAPITEL
21. Juni

Bashir Kazi hatte einen dichten, langen Bart, trug Militärhosen und eine beigefarbene Jägerweste. Seine Arme waren muskulös. Rein körperlich bot er einen imposanten Anblick. Doch er hing träge auf dem Ledersofa und sah fern, und nachdem er Lisbeth mit einem herablassenden Blick in Augenschein genommen hatte, beachtete er sie nicht weiter. Mit etwas Glück wäre er bekifft. Sie wankte sicherheitshalber ein bisschen und nahm noch einen Schluck aus ihrem Flachmann. Bashir grinste nur und wandte sich Khalil zu.

»Was hast du denn da für eine Schlampe nach Hause geschleppt?«

»Ich hab sie noch nie gesehen – steht einfach plötzlich vor der Tür und redet von einem Film, den ich mir ansehen soll. Bitte schmeiß sie raus!«

Khalil hatte Angst vor ihr, das war deutlich. Aber noch mehr Angst hatte er vor seinem Bruder, und das würde Lisbeth in die Karten spielen. Sie stellte ihre Computertasche auf eine graue Kommode im Flur.

»Na, wer bist du denn, kleines Mädchen?«, fragte Bashir.

»Niemand Besonderes«, antwortete sie, und auch darauf reagierte Bashir kaum, doch er stand immerhin auf und gähnte, wahrscheinlich vor allem, um zu demonstrieren, wie leid er Gören wie sie war.

»Wie konntest du wieder hierher zurückziehen«, sagte er zu Khalil. »Hier wohnen doch nur Nutten und Idioten.«

Lisbeth sah sich um. Die Wohnung bestand aus einem Zimmer und einer kleinen Küche, war spärlich möbliert und verstaubt, und überall lagen Klamotten herum. Es gab ein Hochbett und dann das Ledersofa und einen Couchtisch. Neben der Kommode lehnte ein Hockeyschläger an der Wand.

»Solche Verallgemeinerungen find ich ja immer wenig hilfreich«, sagte sie.

»Was hast du gesagt?«

»Die Formulierung war wenig hilfreich, *Bashir*.«

»Woher weißt du, wie ich heiße?«

»Ich komm gerade aus dem Knast und soll dir Grüße von Benito ausrichten.«

Es war ein Schuss ins Blaue. Oder auch nicht. Denn Lisbeth war sich ziemlich sicher, dass es eine Verbindung zwischen den beiden gab, und tatsächlich horchte Bashir sofort auf. Benito war also kein unbekannter Name für ihn. In seinen glasigen Augen war ein kurzes Funkeln zu erkennen.

»Was sollen das für Grüße sein?«

»Eine Videobotschaft. Willst du sie sehen?«

»Kommt darauf an.«

»Ich glaube, das wird dir gefallen«, sagte sie, kramte ihr Handy hervor und tat so, als hätte sie Schwierigkeiten, es zu bedienen. In Wirklichkeit tippte sie ein paar Kommandos ein und wählte sich ins Netzwerk der Hacker Republic ein. Anschließend trat sie einen Schritt vor und sah Bashir starr in die Augen.

»Benito tut ihren Freunden gern mal einen Gefallen, wie du ja weißt. Aber es gibt da ein paar Aspekte, die wir noch mal diskutieren müssten.«

»Und zwar?«

»Flodberga ist ein Gefängnis, und allein das ist ja leicht problematisch. Aber ein Messer in die Abteilung zu schmuggeln war schon ziemlich gut. Da kann man echt nur gratulieren.«

»Komm zur Sache.«

»Die Sache ist Faria.«

»Was ist mit ihr?«

»Wie konntet ihr sie so schlecht behandeln?«

»Was?«

»Ihr habt euch benommen wie Schweine.«

Bashir sah völlig verwirrt aus.

»Schweine. Dreckskerle. Arschlöcher. Es gibt viele Bezeichnungen, die aber allesamt untertrieben sind, wenn man die Umstände bedenkt. Ihr habt eine Strafe verdient, findest du nicht auch?«

Lisbeth hatte durchaus mit einer Reaktion gerechnet. Aber sie hatte die Heftigkeit unterschätzt, den plötzlichen Wutausbruch, der auf die anfängliche Verwirrung folgte. Ohne auch nur eine Sekunde zu zögern, rammte Bashir ihr die Faust gegen das Kinn. Sie konnte sich gerade noch so aufrecht halten, konzentrierte sich davon abgesehen aber nur mehr darauf, ihr Handy vor der Hüfte ruhig zu halten, sodass das Display direkt auf sein Gesicht gerichtet blieb.

»Du scheinst wütend zu sein«, stellte sie fest.

»Das war erst der Anfang!«

Sie kassierte einen neuerlichen Faustschlag und geriet ins Wanken, machte aber keine Anstalten, sich zu wehren oder auch nur den Arm zum Schutz vors Gesicht zu heben. Bashir sah sie rasend vor Wut und zugleich erstaunt an. Ihr Mund war inzwischen blutig, trotzdem ging sie aufs Ganze.

»Ob es so klug war, Jamal umzubringen?«, fragte sie.

Bashir schlug erneut zu, und diesmal wäre sie um ein Haar zu Boden gegangen. Sie schwankte, schüttelte den Kopf, um wieder klarer zu sehen, und fing dabei Khalils erschrockenen Blick von der Seite auf. Würde er ebenfalls auf sie losgehen? Sie war sich nicht sicher, Khalil war nicht leicht zu durchschauen. Trotzdem rechnete sie eher damit, dass er wie gelähmt stehen bleiben würde. Der magere Kerl wirkte vor allem kläglich.

»Ob es so klug war«, wiederholte sie und sah Bashir so höhnisch an, wie sie nur konnte. Und genau wie sie gehofft hatte, verlor er vollends die Beherrschung.

»Es war wohl so klug, dass es gar nicht in deinen Schädel reingeht, du Nutte!«

»Warum?«

»Er hat eine Hure aus Faria gemacht!«, schrie Bashir. »Eine Hure! Sie haben Schande über uns alle gebracht.«

Lisbeth bekam einen neuerlichen Schlag verpasst und war sich nicht mehr sicher, ob es ihr gelungen war, das Telefon richtig zu halten.

»Aber müsste Faria dann nicht auch sterben?«, stieß sie hervor.

»Wir werden sie töten wie eine Ratte! Wir werden nicht aufgeben, bis sie in der Hölle schmort!«

»Gut«, sagte Lisbeth. »Dann sind wir ja so langsam fertig. Willst du den Film jetzt sehen?«

»Warum sollte ich, verdammt?«

»Weil Benito sonst enttäuscht wäre, und das wäre nicht gut. Das müsstest du doch inzwischen kapiert haben.«

Bashir zögerte. Sein Blick war unstet, und sein Arm zitterte. Doch einen allzu großen Unterschied machte das nicht – er war noch immer außer sich vor Wut, und Lisbeth würde nicht mehr viele weitere Schläge verkraften können. Sie maß mit dem Blick den Abstand zwischen ihnen, kalkulierte, überschlug und analysierte die möglichen Konsequenzen. Sollte sie ihm eine Kopfnuss verpassen? Ihm das Knie zwischen die Beine rammen? Sie beschloss, noch ein wenig durchzuhalten und nach Möglichkeit gebrochen und besiegt auszusehen. Dafür musste sie sich nicht einmal besonders anstrengen.

Der nächste Schlag kam von der Seite und war brutaler als alle bisherigen. Ihre Lippe platzte auf, und ihr Kopf dröhnte. Wieder geriet sie ins Wanken.

»Zeig den Film jetzt endlich her«, zischte er.

Sie wischte sich über die Lippe, hustete, spuckte Blut und ließ sich auf das Ledersofa fallen.

»Ich hab den Film auf meinem Handy«, keuchte sie.

»Los, zeig ihn mir«, fauchte Bashir und setzte sich neben sie, und unbeholfen fummelte sie an ihrem Telefon herum.

Auch Khalil kam jetzt näher, und das war gut, schoss es ihr durch den Kopf. Ohne sich zu beeilen oder allzu versiert zu erscheinen, gab sie ihre Kommandos ein, und auf dem Display erschienen die ersten Programmiercodes. Die Brüder schienen allmählich nervös zu werden.

»Was geht ab, Mann?«, fragte Bashir. »Ist das Teil kaputt? Was für ein Schrott ist das?«

»Nein, nein«, sagte sie. »Das ist ganz normal – der Videofilm wird jetzt in ein sogenanntes Botnetz eingespeist, und jetzt – seht ihr? Jetzt benenne ich die Datei und drücke auf *Command* und *Control* und verbreite sie.«

»Was meinst du, verdammt?«

Stechender Schweißgeruch stieg ihr in die Nase.

»Das erklär ich euch gern«, fuhr sie fort. »Ein Botnetz ist ein Netzwerk aus gehackten Computern, die mit einem Virus infiziert sind – mit einem Trojaner. Das ist ein kleines bisschen illegal, aber echt praktisch. Bevor ich mehr erzähle, sollten wir uns aber doch erst mal den Film anschauen. Ich hab ihn selbst noch gar nicht gesehen, und er ist noch komplett unbearbeitet. Wartet kurz … Da ist er schon!«

Bashir sah verwirrt aus, wie ein Junge, dem man eine schwierige Frage gestellt hatte, denn soeben war sein eigenes Gesicht auf dem Display aufgetaucht.

»Was zur Hölle ist das?«, fragte Bashir.

»Das bist natürlich du. Ein bisschen unrasiert – und auch leicht unscharf ... Aber so aus der Hüfte zu filmen ist nun mal nicht leicht. Aber gleich wird es besser. Temperamentvoller. Hier – du bist ein richtig guter Schläger. Und hör mal hin! Scheint ganz so, als würdest du gerade den Mord an Jamal Chowdhury gestehen.«

»Was soll das?«

Auf der Aufnahme schrie Bashir jetzt, dass Faria wie eine Ratte sterben und in der Hölle schmoren werde. Anschließend wackelte das Bild erneut, weiteres Geschrei folgte, dann Fausthiebe, die man nicht richtig erkennen konnte, weil das Bild wild von der Decke über die Wände fegte.

»Was soll das?«, brüllte er und schlug mit der Faust auf den Couchtisch.

»Nur die Ruhe«, erwiderte Lisbeth. »Kein Grund zur Panik.«

»Wie meinst du das? Sag was, du Schlampe!«

Seine Stimme überschlug sich.

»Ein Großteil der Weltbevölkerung hat die Datei immer noch nicht erhalten«, sagte sie. »Ich würde meinen, dass es bisher nicht mehr als hundert Millionen sind, und bei den meisten Empfängern wird der Film wahrscheinlich im Spam landen, und sie löschen ihn. Allerdings hab ich ihn umbenannt – er heißt jetzt *Bashir Kazi*. Deine Freunde werden ihn doch höchstwahrscheinlich anklicken – und dann natürlich auch die Polizei und die Säpo, Freunde von Freunden und weiß der Teufel, wer noch. Vielleicht wird er ja sogar ein YouTube-Hit. So was lässt sich schwer kontrollieren. Das Internet ist ein unberechenbarer Ort, ich hab es nie richtig durchschaut.«

Bashir schien jetzt ziemlich durch den Wind zu sein. Ruckartig bewegte sich sein Kopf hin und her.

»Ich verstehe ja, dass das anstrengend für dich ist«, fuhr Lisbeth fort. »Mit plötzlicher Berühmtheit umzugehen ist nie leicht. Ich weiß noch, wie ich das erste Mal auf den Titelseiten war. Um ehrlich zu sein, hab ich mich davon immer noch nicht ganz erholt. Aber das Gute ist: Es gibt einen Ausweg.«

»Und welchen?«

»Das erzähl ich dir gleich, ich muss nur noch …«

Sie nutzte sein Erstaunen, seine Verzweiflung, und packte mit einer blitzschnellen Bewegung seinen Kopf, donnerte ihn zweimal auf den Couchtisch und stand dann auf.

»Du könntest fliehen, Bashir«, sagte sie. »Du könntest so schnell wegrennen, dass dich deine Scham nicht einholt.«

Bashir starrte sie wie paralysiert und benebelt an. Sein rechter Arm zitterte immer noch, und er fasste sich an die Stirn.

»Es könnte funktionieren«, fuhr sie fort. »Nicht übertrieben lange, aber doch für eine gewisse Zeit. Renn einfach, wie dein Bruder, du rennst wahrscheinlich nicht ganz so schnell, du hast ja in letzter Zeit ganz schön zugenommen, oder? Aber irgendwie wirst du schon vorwärtsstolpern …«

»Ich bring dich um«, murmelte Bashir. Er stand auf, als wollte er sich auf sie stürzen, schien aber selbst nicht ganz daran zu glauben, was er da sagte, und schielte stattdessen nervös zur Haustür und zum Fenster hinüber.

»Du solltest dich aber beeilen«, sagte sie. »Ich glaube wirklich, du solltest bald los.«

»Ich werd dich finden«, fauchte er.

»Dann sehen wir uns ja wieder.«

Ihre Stimme klang monoton und komplett gefühlskalt. Sie trat einen Schritt auf die Kommode zu, drehte sich zur

Wand, kehrte ihm den Rücken und gab ihm tatsächlich die Gelegenheit, sich auf sie zu stürzen. Aber er war immer noch genauso verblüfft und gelähmt, wie sie es erwartet hatte. Noch dazu klingelte jetzt sein Handy.

»Das ist bestimmt jemand, der den Film gesehen hat. Aber kein Grund zur Sorge, geh einfach nicht ran – und immer schön zu Boden gucken, wenn du in der Stadt unterwegs bist«, sagte sie.

Bashir stieß eine Drohung aus und bewegte sich auf sie zu, doch er kam nicht weit. Lisbeth hatte sich den Hockeyschläger von der Wand geschnappt und drosch jetzt damit auf seinen Hals, auf Wangen und Bauch ein.

»Das ist für Faria«, fauchte sie.

Bashir krümmte sich zusammen und bekam einen weiteren Schlag ab, konnte sich aber wieder aufrappeln. Mit unsicheren Schritten stolperte er zur Tür hinaus, das dunkle Treppenhaus hinab und in die Nachmittagssonne.

Lisbeth hielt noch immer den Hockeyschläger in der Hand. Khalil Kazi stand hinter ihr neben dem Ledersofa, in Sportklamotten und roten Laufschuhen und mit flackerndem Blick und offenem Mund: ein Teenager, sehnig und dürr wie ein Strich. Panik lag in seinem Blick. Von dem ging kein Risiko mehr aus. Aber womöglich würde auch er weglaufen und die Nerven verlieren. Annika hatte von Selbstmordgefährdung gesprochen.

Lisbeth sah kurz auf die Uhr. Es war jetzt zwanzig nach vier am Nachmittag. Sie rief ihre Mails ab. Weder Bublanski noch Farah Sharif hatten geantwortet, aber Annika hatte geschrieben: *Hervorragend, das sieht doch vielversprechend aus. Fahr jetzt sofort nach Hause!*

Khalil atmete schwer. Als sie ihn ansah, schien er irgendetwas sagen zu wollen.

»Du bist das, oder?«, flüsterte er nach einer Weile.

»Wer?«

»Die Frau aus den Zeitungen.«
Sie nickte.
»Wir beide müssen uns übrigens noch einen Film ansehen«, sagte sie dann. »Der ist allerdings nicht ganz so spannend. Da geht's vor allem um Bewegungen.«

Sie lehnte den Hockeyschläger wieder an die Wand, nahm ihre Computertasche von der Kommode und bat ihn, sich zu setzen. Er war blass, konnte sich kaum mehr auf den Beinen halten, gehorchte sofort und nahm auf dem Sofa Platz.

Knapp und sachlich erzählte sie ihm von tiefen neuronalen Netzwerken, von Möglichkeiten der Bewegungserkennung, von seiner jüngsten Laufrunde und der Videoaufnahme aus der U-Bahn. Und er schien sofort zu begreifen, worum es ging. Er erstarrte, murmelte irgendetwas Unverständliches, woraufhin sie sich neben ihn setzte und die Dateien heraussuchte. Sie versuchte, es ihm zu erklären, aber er schien nichts davon wahrzunehmen, starrte nur wie paralysiert weiter auf den Bildschirm, bis sein Handy klingelte. Er sah sie fragend an.

»Geh ruhig ran«, sagte sie.

Khalil meldete sich, und der steifen Ehrfurcht in seiner Stimme war anzuhören, dass es jemand sein musste, den er respektierte.

Und tatsächlich: Es war sein Imam – wahrscheinlich hatte Annika ihn alarmiert. Gerade fragte er Khalil, ob er hochkommen dürfe.

Lisbeth nickte. Warum auch nicht – mit Beichten kannte sich der Imam sicher besser aus als sie. Außerdem hatte Annika sich positiv über ihn geäußert.

Wenige Minuten später klopfte es an der Tür. Ein großer, eleganter Mann um die fünfzig mit kleinen Augen, einem langen Bart und einem roten Turban auf dem Kopf betrat die Wohnung. Er nickte ihr zu und wandte sich dann mit einem wehmütigen Lächeln an Khalil.

»Hallo, mein Junge. Du willst mir sicher etwas erzählen.«

In seinen Worten lag eine traurige Schwere, und für einen Moment waren sie alle still. Mit einem Mal fühlte sich Lisbeth unangenehm berührt. Sie wusste nicht recht, was sie tun sollte, und stand am Ende auf.

»Ich glaube, das hier ist kein sicherer Ort für Sie«, stellte sie fest. »Ich würde vorschlagen, dass Sie ins Freie gehen ... oder in die Moschee.«

Dann ließ sie die beiden allein zurück, ohne sich zu verabschieden, und verschwand mit ihrem Computer ins dunkle Treppenhaus.

Dezember, eineinhalb Jahre zuvor

Dan Brody saß auf einer Bank auf dem Norrmalmstorg. Es war immer noch derselbe Tag, an dem er in Stockholm angekommen war, aber inzwischen schneite es nicht mehr. Der Himmel war klar und eisig, und er trug einen schwarzen Mantel, eine Sonnenbrille und eine graue Wollmütze, die er tief in die Stirn gezogen hatte. Er las ein Buch über die Lehman-Brothers-Pleite, weil er etwas über die Welt seines Bruders lernen wollte.

Er hatte sich in der Jugendherberge af Chapman auf Skeppsholmen einquartiert, einem umgebauten alten Schiff. Ein Zimmer dort kostete sechshundertneunzig Kronen pro Nacht, was er sich gerade so leisten konnte. Schon auf dem Weg dorthin hatten ihn mehrere Leute angesehen, als würden sie ihn wiedererkennen, und das war schmerzlich gewesen, weil es sich angefühlt hatte, als wäre er nicht mehr er selbst, sondern nur noch die ärmliche Kopie eines anderen. Er, der eben noch ein weltgewandter Musiker gewesen war, war wieder zum Bauernjungen aus Hälsingland geworden, der gegenüber Stockholmern Minderwertigkeitskomplexe hatte. Auf der Birger Jarlsgatan war er in einen Laden geschlichen und hatte die Sonnenbrille und die graue Mütze gekauft, um sich dahinter zu verstecken.

Er fragte sich, was er tun sollte. Sollte er doch eine Mail schicken und das Video anhängen oder lieber anrufen? Aber das traute er sich nicht. Erst wollte er Leo sehen, und deshalb saß er jetzt auch auf dem Norrmalmstorg vor dem Sitz der Investmentgesellschaft Alfred Ögren und wartete.

Nach einer Weile eilte Ivar Ögren zielstrebig und allem Anschein nach gereizt aus dem Gebäude, wurde von einem schwarzen BMW mit getönten Scheiben abgeholt und rollte davon wie ein Staatsmann, ein Würdenträger.

Doch von Leo keine Spur. Er befand sich irgendwo in einer der oberen Etagen in dem roten Backsteingebäude. Dan hatte in der Zentrale angerufen, auf Englisch nach Leo gefragt und erfahren, dass er in einer Besprechung saß, die aber nicht mehr lang dauern würde. Jedes Mal, wenn die Tür aufging, zuckte Dan zusammen, doch Leo ließ auf sich warten. Die Dunkelheit war längst über Stockholm hereingebrochen, und ein scharfer Wind fegte vom Wasser herauf, sodass es irgendwann zu kalt wurde, um auf der Bank sitzen zu bleiben und zu lesen.

Er stand auf, tigerte auf dem Platz hin und her und massierte sich die kalten Fingerspitzen in den Lederhandschuhen. Außer dass der Berufsverkehr allmählich nachließ, passierte nichts. Dan sah zu einem Restaurant mit großen Glasfenstern hinüber. Die Gäste dort drinnen lachten und redeten. Er fühlte sich ausgeschlossen. Das Leben schien an ihm vorbeizuziehen. Er nahm das Gemurmel wahr, als stammte es von einem Fest, zu dem er nicht eingeladen war, und ihm schoss durch den Kopf, dass er eigentlich schon immer am Rand gestanden hatte.

Und in diesem Moment kam Leo. Den Augenblick würde Dan nie vergessen. Die Zeit schien stillzustehen, sein Blickfeld verengte sich, und alle Geräusche verstummten.

Es war nicht bloß ein beglückendes Erlebnis – nicht dort, in der Kälte, im Lichtschein des Restaurants. Leos Anblick verstärkte seinen Schmerz auch umso mehr, denn er war ihm überwältigend ähnlich: Leo ging wie er, lächelte wie er, bewegte die Hände auf die gleiche Weise, hatte die gleichen Fältchen um die Wangen und Augen. Alles war gleich – und doch kam es ihm vor, als würde er sich selbst in einem vergoldeten Spiegel betrachten. Der Mann dort drüben war er selbst und doch wieder nicht.

Leo Mannheimer war derjenige, der Dan hätte sein können.

Je genauer er hinsah, umso mehr Unterschiede entdeckte er: Nicht nur der Mantel, die Schuhe und der teure Anzug darunter waren anders, sondern auch der Elan seiner Schritte, der Glanz seiner Augen. Leo Mannheimer strahlte ein Selbstvertrauen aus, das Dan nie besessen hatte, und das versetzte ihm einen Stich und raubte ihm die Luft zum Atmen.

Sein Herz klopfte wie wild. Dann wandte er sich der Frau zu, die neben Leo herging und den Arm um seine Mitte gelegt hatte. Sie sah intelligent aus, elegant und schien in Leo verliebt zu sein. Sie lachte – beide lachten. Das musste diese Malin Frode sein, von der Julia mit einem Hauch Eifersucht gesprochen hatte. Mit einem Mal war er wie gelähmt. Nichts hätte ihn dazu bewegen können, zu ihnen zu gehen. Stattdessen sah er sie in die Biblioteksgatan verschwinden. Doch irgendetwas trieb ihn an, ihnen zu folgen. Langsam, mit Abstand. Auch wenn das Risiko, dass sie ihn entdeckten, gering war. Sie hatten nur Augen füreinander, als sie kichernd in Richtung Humlegården schlenderten. Ihr sorgloses Lachen wehte zu ihm herüber.

Dan fühlte sich schwer, als würde das Leichte, Flüchtige in ihrer Zweisamkeit seinen eigenen Körper zu Boden drücken. Nach einer Weile wandte er den Blick von ihnen ab und kehrte in seine Jugendherberge zurück, ohne auch nur eine Sekunde zu bedenken, wie leicht der Schein trügen konnte, und noch viel weniger, dass er möglicherweise selbst auch schon auf diese Weise wahrgenommen worden war – als ein vom Glück Begünstigter.

Aus der Ferne betrachtet war das Leben oft am schönsten. Aber das verstand er damals noch nicht.

Mikael machte sich auf den Weg nach Nyköping. Er hatte seine Tasche mit Notizblock und Diktiergerät und drei Flaschen Rosé geschultert. Lotta von Kanterborg hatte ihm geraten, den Wein mitzunehmen. Ihre Schwester Hilda hatte unter dem Namen Fredrika Nord im Hotel Forsen am Nyköpingsån eingecheckt. Unter gewissen Voraussetzungen sei sie zum Reden bereit, hatte Lotta ihm mitgeteilt, und dazu gehöre eben auch der Wein.

Eine weitere Bedingung sei extreme Vorsicht. Hilda fühle sich verfolgt, und was Mikael erzählt habe, bestärke sie nur in dem Glauben. Es sei fast so, als hätten die Informationen Hilda völlig aus der Bahn geworfen. Deshalb hatte Mikael auch niemandem gegenüber erwähnt, wohin er unterwegs war, nicht einmal Erika.

Jetzt saß er in einem Café am Stockholmer Hauptbahnhof

im Übergang von den Fernzügen zur U-Bahn und wartete auf Malin. Er wollte unbedingt noch einmal mit ihr sprechen. Er würde jeden Stein umdrehen und jede seiner Theorien überprüfen müssen, um zu sehen, ob sie stichhaltig genug waren.

Malin kam zehn Minuten zu spät. Sie trug Jeans und eine blaue Bluse und sah hinreißend aus, auch wenn sie, wie die halbe Stadt, vollkommen durchgeschwitzt war.

»Entschuldige«, sagte sie. »Ich musste erst noch Love bei Mama abliefern.«

»Du hättest ihn ruhig mitbringen können. Ich hab nur ein paar kurze Fragen.«

»Ich weiß, aber ich muss im Anschluss direkt weiter.«

Er gab ihr einen flüchtigen Kuss und kam dann direkt auf den Punkt: »Als du Leo im Fotografiska getroffen hast – ist dir da, außer dass er Rechtshänder war, noch etwas anderes aufgefallen? Irgendein weiterer Unterschied?«

»Was denn zum Beispiel?«

Mikael blickte hoch zur Bahnhofsuhr.

»Ein Muttermal an einer anderen Stelle, ein Wirbel, der sich in eine neue Richtung dreht … Leo ist ja ziemlich lockig.«

»Du machst mir Angst, Mikael. Was willst du damit andeuten?«

»Ich arbeite gerade an einer Geschichte über eineiige Zwillinge, die bei der Geburt voneinander getrennt wurden. Mehr kann ich zurzeit nicht sagen, und ich möchte auch nicht, dass du irgendjemandem davon erzählst. Kannst du mir das versprechen?«

Erschrocken packte sie ihn am Arm.

»Du meinst …«

»Ich meine gar nichts, Malin. Noch nicht«, sagte er. »Aber ich frage mich …« Er zögerte. »Eineiige Zwillinge sind von Haus aus genetisch identisch – oder so gut wie. Aber bei jedem von uns finden genetische Veränderungen statt, kleine Mutationen ...«

»Komm zur Sache.«

»Ich muss dir nur erst ein paar grundlegende Dinge erklären, sonst wird das Ganze unbegreiflich. Eineiige Zwillinge entstehen aus ein und derselben befruchteten Eizelle, die sich in der Gebärmutter teilt. Das Interessante ist dabei aber, *wie schnell* das passiert. Wenn sie sich später als vier Tage nach der Befruchtung teilt, haben die Zwillinge einen gemeinsamen Mutterkuchen, und das erhöht das Risiko für die Föten. Wenn sich die Eizelle aber erst nach einer Woche oder noch später teilt – bis zu zehn Tage danach –, werden diese Föten oft Spiegelzwillinge. Zwanzig Prozent aller eineiigen Zwillinge sind Spiegelzwillinge.«

»Und was bedeutet das?«

»Dass sie quasi identisch sind – und doch wieder nicht. Einer wird zum Spiegelbild des anderen: Der eine wird Rechts-, der andere Linkshänder. Sogar die Herzen können auf entgegengesetzten Seiten des Körpers liegen.«

»Du willst also sagen, dass ...«

Sie stammelte so sehr, dass er ihr über die Wange strich, um sie ein wenig zu beruhigen.

»Es kann sein, dass ich damit völlig falschliege«, sagte er. »Aber selbst wenn es so wäre – wenn der Mann im Fotografiska tatsächlich Leos Spiegelzwilling war und nicht er selbst –, muss alldem noch lange kein Verbrechen zugrunde liegen, ein Identitätsraub im Stil des talentierten Mr. Ripley oder so was in der Art. Vielleicht haben die zwei einfach nur die Rollen getauscht, ein bisschen geschauspielert, mal was Neues ausprobiert ... Kannst du mich zum Zug begleiten, Malin? Ich muss mich ein bisschen beeilen.«

Sie blieb kurz wie versteinert sitzen, ehe sie sich endlich in Bewegung setzte und mit ihm an den Läden vorbei in Richtung Gleis elf lief. Um nicht die wahren Beweggründe für seine Reise preiszugeben, behauptete er beiläufig, er müsse beruflich nach Linköping, und fuhr dann fort: »Ich hab inzwischen das eine oder andere über eineiige Zwillinge gelesen, die sich erst im Erwachsenenalter kennengelernt haben und zuvor nichts von der Existenz des jeweils anderen wussten. Diese Treffen werden fast immer als fantastisch beschrieben, es heißt, ein so einschneidendes Erlebnis gebe es kein zweites Mal. Stell dir das vor: Du glaubst dein Leben lang, du wärst allein, der Einzige deiner Art – und dann taucht plötzlich noch einer auf. Diese eineiigen Zwillinge aus den Artikeln geben unisono an, dass sie gar nicht mehr aufhören wollten mit dem Reden. Sie gingen alles durch, Stärken, Schwächen, Gewohnheiten, Gesten, Erinnerungen – einfach alles. Sie vereinen sich zu einem Ganzen und wachsen daran. Viele dieser Geschichten haben mich sehr berührt, Malin, und du hast ja selbst erzählt, dass Leo eine Zeit lang ganz euphorisch war.«

»Ja – aber anschließend war er dann das genaue Gegenteil.«

»Das stimmt.«

»Er ist auf Reisen gegangen, und wir haben uns aus den Augen verloren.«

»Genau«, sagte Mikael. »Darüber habe ich auch nachgedacht. Aber wenn dir noch irgendetwas einfällt – zu seinem Aussehen, irgendetwas anderes, was mir helfen könnte zu verstehen, was passiert sein könnte –, musst du es mir sagen.«

Am Gleis blieben sie stehen. Der Zug wartete bereits.

»Ich weiß nicht ...«

»Denk nach, Malin.«

»Doch, vielleicht eine Sache ... Weißt du noch, wie ich erzählt hab, dass er sich mit Julia Damberg verlobt hat?«

»Da warst du ziemlich geknickt, oder?«

»Nein, nicht geknickt ...«

Er wollte ihr nicht recht glauben.

»Es hat mich eher erstaunt«, sagte sie. »Julia hat früher bei uns gearbeitet. Dann ist sie nach Frankfurt gezogen, und jahrelang hat niemand mehr etwas von ihr gehört. Und auf einmal hat sie wieder angerufen – kurz bevor ich bei der Investmentgesellschaft aufgehört habe – und wollte Leo sprechen. Ich glaube allerdings nicht, dass er sie je zurückgerufen hat. Ihr Anruf schien ihm eher lästig zu sein. Aber in diesem Zusammenhang hat Julia etwas Merkwürdiges gesagt.«

»Was denn?«

»Sie fragte, ob ich gewusst hätte, dass Leo sogar noch besser Gitarre spielen könne als Klavier. Er sei der reinste Virtuose. Davon hatte ich nun wirklich noch nie etwas gehört, und ich hab Leo danach gefragt.«

»Und was hat er geantwortet?«

»Eigentlich hat er nicht viel dazu gesagt. Er wurde rot und lachte nur. Das war zu dieser Zeit, als er strahlte wie die Sonne.«

»Das klingt ganz so …«, sagte Mikael, ohne seinen Satz zu beenden.

Das Wort »Gitarrenvirtuose« hallte beunruhigend in seinem Kopf wider. Als er sich von Malin verabschiedete und in den Zug stieg, war er tief in Gedanken versunken.

Dezember, eineinhalb Jahre zuvor

Dan hielt sich ein paar Tage lang fern. Es war eine unruhige Zeit. Entweder blieb er auf seinem Zimmer im Schiff und las, oder er unternahm nervöse Spaziergänge auf Skeppsholmen und Djurgården. Manchmal ging er auch in seinem grauen Trainingsanzug joggen. Die Abende verbrachte er damit, an der Bar der Jugendherberge mehr als gewöhnlich zu trinken. Er schlief schlecht, und nachts schrieb er sein bisheriges Leben in Notizbücher mit rotem Ledereinband nieder.

Am Mittwochnachmittag, den 13. Dezember, war er wieder am Norrmalmstorg. Auch diesmal wagte er sich nicht näher an Leo heran. Am darauffolgenden Freitag nahm er seine Gitarre mit und setzte sich auf eine Bank direkt neben dem Restaurant am Platz. Es hatte wieder angefangen zu schneien, und er fror. Es war erbärmlich kalt geworden, und sein Mantel reichte nicht mehr aus, aber einen wärmeren konnte er sich nicht leisten. Allmählich wurde sein Geld knapp. Trotzdem wollte er nicht wieder als Jazzmusiker anheuern. Er konnte nur noch an Leo denken, alles andere war unwichtig.

An jenem Freitag verließ Leo das Büro überraschend früh. Er trug einen dunkelblauen Kaschmirmantel und einen weißen Schal und marschierte im Eiltempo davon. Dan lief ihm nach und blieb ihm dicht auf den Fersen, und das war ein Fehler. Vor dem Park-Kino drehte Leo sich argwöhnisch um, als ahnte er, dass er verfolgt wurde. Aber er entdeckte Dan nicht. Auf der Straße waren zu viele Leute unterwegs, und Dan trug Mütze und Sonnenbrille und drehte sich sofort in Richtung Stureplan um. Leo setzte seinen Weg fort und überquerte den Karlavägen.

Vor der Malaysischen Botschaft in der Floragatan hielt Dan inne und sah zu, wie Leo in seinem Haus verschwand. Die Tür fiel mit einem dumpfen Schlag zu, während Dan draußen auf der Straße in der Kälte stehen blieb. Hier hatte er schon mehrmals gewartet, und er wusste, dass es jetzt ein bisschen dauern würde. Erst nach ein paar Minuten würden im obersten Stockwerk die Lampen angehen.

Das Licht flammte auf wie ein Schein aus einer schöneren Welt. Hin und wieder erklang nur Momente später Leos Flügel, oft erkannte Dan die Harmonien, und ihm stiegen die Tränen in die Augen. Doch heute war ihm vor allen Dingen kalt, und er fluchte in sich hinein. Ein Stück entfernt heulten Sirenen. Es wehte ein eisiger Wind.

Er näherte sich dem Haus und nahm die Sonnenbrille ab. Im nächsten Moment hörte er in seinem Rücken die Schritte einer Frau und das Trippeln eines Hundes. Eine ältere Dame mit schwarzem Hut und grünem Mantel und einem Mops an der Leine ging an ihm vorbei und sah ihn freundlich an.

»Wollen Sie denn heute gar nicht nach Hause, Leo?«

Für einen kurzen Augenblick sah er sie erschrocken an. Dann lächelte er, als hätte sie etwas Lustiges und Treffendes von sich gegeben.

»Manchmal weiß man einfach nicht, was man will«, sagte er.

»Wohl wahr. Aber kommen Sie doch rein – es ist viel zu kalt, um auf der Straße herumzustehen und zu philosophieren.«

Die Dame gab den Türcode ein, und zusammen traten sie ein und warteten auf den Aufzug. Sie sah ihn erneut an und fragte dann mit einem amüsierten Grinsen: »Was tragen Sie heute bloß für einen Mantel?«

Schlagartig war er nervös.

»Ach, das ist nur ein altes Teil«, antwortete er.

Die Frau lachte.

»Ein altes Teil? So was sag ich auch immer, wenn ich mich in meinen feinsten Zwirn hülle und auf Komplimente hoffe.«

Er versuchte, ebenfalls zu lachen, doch es wollte ihm nicht recht gelingen, und da biss sich die Frau auf die

Lippe und blickte ihn ernst an. Er war sich sicher, dass sie ihn durchschaut hatte – als hätten nicht nur seine Klamotten, sondern auch seine ungeschliffene Ausdrucksweise seinen Mangel an Stil und Klasse offenbart.

»Entschuldigen Sie bitte, Leo. Ich weiß doch, dass Sie gerade eine schwere Zeit durchmachen. Wie geht es Viveka?«

Er konnte ihrem Tonfall anhören, dass »gut« nicht die richtige Antwort gewesen wäre.

»Es geht so«, murmelte er.

»Hoffentlich muss sie nicht zu lang leiden.«

»Ja, hoffentlich ...« Ihm dämmerte, dass er die Fahrt mit ihr im Aufzug nicht überstehen würde. »Wissen Sie, was? Ich könnte ein bisschen Bewegung vertragen. Ich nehme die Treppe.«

»So ein Unsinn, Leo! Sie sind doch schlank wie eine Gazelle! Richten Sie Viveka ganz herzliche Grüße von mir aus und sagen Sie ihr, dass ich in Gedanken bei ihr bin.«

»Das mache ich auf jeden Fall«, erwiderte er und eilte mit seiner Gitarre die Treppe hinauf.

Auf Leos Stockwerk verlangsamte er seine Schritte. Falls sein Zwillingsbruder nur halb so gut hörte wie er selbst, würde er leise wie eine Maus sein müssen. Das letzte Stück schlich er auf Zehenspitzen. Leo lebte allein im obersten Stock, und das war von Vorteil, hier waren sie abgeschieden. Er schlich den Flur entlang, so lautlos er konnte, und lehnte sich mit dem Rücken an die Wand. Was sollte er jetzt tun? Sein Herz raste, und sein Mund war ganz trocken.

Es roch sauber und frisch gebohnert, und er blickte hinauf zum aufgemalten blauen Himmel an der Decke. Wer malte denn bitte einen Himmel an die Decke eines

Treppenhauses? Weiter unten hörte er Schritte, ein Scharren, mehrere Fernseher und in der Wohnung hinter sich einen Stuhl, der verrückt, den Deckel eines Flügels, der aufgeklappt, und eine Klaviertaste, die angeschlagen wurde. Ein A.

Erst erklangen nur ein paar zögerliche Basstöne – als wüsste Leo nicht recht, ob er wirklich spielen sollte. Dann kam er in Schwung. Er improvisierte – oder vielleicht auch nicht. Eine wehmütige, Unheil verkündende Melodiephrase wiederholte sich ein ums andere Mal, und genau wie in der alten Aufnahme aus dem Konzerthaus landete Leo immer wieder auf dem sechsten Ton der Mollskala, beinahe schon rituell und manisch, aber diesmal auch raffinierter und reifer, als wüsste er genau, wie er ein Gefühl von etwas Zerbrochenem, Verlorenem heraufbeschwören konnte. Zumindest erlebte Dan es so, und er erschauderte.

Er konnte es sich nicht erklären, und es überkam ihn urplötzlich: Tränen schossen ihm in die Augen, er zitterte, und das lag nicht allein an der Musik, sondern an der Verwandtschaft der Harmonien und der Tatsache, dass Leo mit solchem Schmerz spielte, als könnte er, der von Beruf gar nicht Musiker war, ihrer beider Trauer unendlich viel besser Ausdruck verleihen als Dan.

Ihrer beider Trauer?

Es war ein seltsamer Gedanke. Trotzdem erschien er ihm in diesem Moment wahr. Noch vor Kurzem war Leo ihm wie ein Fremder vorgekommen, wie ein anderes, glücklicheres Wesen. Doch mit einem Mal erkannte Dan sich selbst in ihm, und mit weichen Knien stieß er sich von der Wand ab. Eigentlich hatte er klingeln wollen, doch stattdessen nahm er die Gitarre aus dem Koffer, stimmte sie eilig und spielte mit. Es war nicht schwer, die Akkorde zu finden und den Tönen des Hooks zu folgen. Leos Methode, die Synkopen zu strecken und die triolischen Phrasen durch gerade Achtel zu ersetzen, glich seiner eigenen.

Er fühlte sich ... heimisch. Er konnte es nicht anders erklären. Es war, als hätte er schon unzählige Male mit Leo zusammen gespielt, und er machte einfach weiter, sicher mehrere Minuten lang. Womöglich hatte Leo ja doch kein so ausgeprägtes Gehör wie er. Vielleicht war er ganz in sein Spiel versunken.

Doch dann verstummte das Klavier mitten im Thema – auf einem Fis. Dennoch war kein Schritt zu hören, keine Bewegung. Leo musste mucksmäuschenstill innehalten, und auch Dan rührte sich nicht mehr und wartete. Was war passiert?

Plötzlich hörte er tiefe Atemzüge aus der Wohnung, und er spielte die Phrase erneut, diesmal etwas schneller und mit einer eigenen Ergänzung, einer neuen Variante. Der Klavierhocker scharrte über den Boden, und dann hörte Dan Schritte, die sich der Tür näherten. Er stand mit seiner Gitarre in der Hand da und fühlte sich wie ein Bettler, ein Straßenmusiker, der sich in einen feinen Salon verirrt hatte und jetzt darauf hoffte, dass man ihn dort tolerieren würde. Aber natürlich fühlte er noch so viel mehr: In ihm brannten die Hoffnung und die Sehnsucht, und er schloss die Augen und lauschte darauf, wie von innen mit unsicheren Fingern die Sicherheitskette zurückgezogen wurde.

Die Tür ging auf, und Leo sah ihn an. Erst schien er gar nichts zu verstehen. Dann klappte ihm die Kinnlade herunter. Er sah schockiert, fast panisch aus.

»Wer bist du?«

Das waren seine ersten Worte, und was sollte Dan darauf antworten? Was sollte er sagen?

»Ich heiße …« Er verstummte wieder. »Dan Brody«, sagte er nach einer Weile. »Ich bin Jazzgitarrist. Und ich glaube, dass ich dein Zwillingsbruder bin.«

Leo machte keinen Mucks. Er sah aus, als würde er gleich zu Boden sinken, und sein Gesicht war kreidebleich.

»Ich …«

Das war alles, was er schließlich hervorbrachte, und auch Dan konnte nicht mehr sprechen. Sein Herz pochte, und die Worte stauten sich in ihm auf. Irgendwann versuchte er es ebenfalls mit: »Ich …«

»Was?«

In Leos Stimme lag eine Verzweiflung, die Dan kaum verkraften konnte. Mit aller Kraft wehrte er sich gegen den Impuls, auf der Stelle davonzulaufen. Stattdessen sagte er: »Als ich dich auf dem Flügel spielen gehört hab …«

»Ja?«

»… da hab ich daran denken müssen, dass ich mich mein ganzes Leben lang immer nur halb gefühlt habe und dass ich jetzt endlich …«

Weiter kam er nicht, und er wusste nicht mal mehr, ob die Worte wahr waren oder wenigstens zur Hälfte wahr oder ob es einfach nur Formulierungen waren, Phrasen, die wie von selbst kamen.

»Ich kann das nicht glauben«, sagte Leo. »Wie lang weißt du es schon?«

Jetzt zitterten seine Hände.

»Erst seit ein paar Tagen.«

»Ich kann das nicht glauben«, wiederholte er.

»Ich weiß, es ist schwer. Es ist so unwirklich.«

Leo streckte ihm die Hand entgegen, eine seltsam formelle Geste in Anbetracht der Umstände.

»Ich hab immer …«, sagte er.

»Was?«

Er biss sich auf die Lippe. Seine Hände hörten nicht auf zu zittern.

»... das Gleiche gespürt. Willst du nicht reinkommen?«

Dan nickte und betrat eine Wohnung, die schöner war als alles, was er je in seinem Leben gesehen hatte.

Teil 3
Verschwundener Zwilling
21.–30. Juni

Schätzungen zufolge ist annähernd jede achte Schwangerschaft zu Beginn eine Zwillingsschwangerschaft, auch wenn einer der Föten häufig schon im Mutterleib am sogenannten Vanishing Twin Syndrome, VTS, stirbt.

Andere verlieren ihren Zwilling nach der Geburt, weil sie auf der Entbindungsstation verwechselt oder durch Adoption getrennt werden. Einige lernen sich erst im Erwachsenenalter kennen, manche nie. Die eineiigen Zwillinge Jack Yufe und Oskar Stöhr begegneten sich zum ersten Mal im Jahr 1954 auf einem westdeutschen Bahnhof. Jack Yufe hatte im Kibbuz gelebt und als Soldat bei der israelischen Armee gedient, Oskar Stöhr war in der Hitlerjugend gewesen.

Viele von ihnen vermissen jemanden.

16. KAPITEL
21. Juni

Mikael ging in Nyköping am Fluss entlang bis zum Hotel Forsen. Es war eine einfache Unterkunft, eher eine Pension als ein Hotel, ein Gebäude aus braunem Holz mit rotem Ziegeldach, aber schön am Wasser gelegen. Im Foyer stand das Modell einer Mühle, und an den Wänden hingen Fotos von Sportfischern in Gummistiefeln.

An der Rezeption saß ein blondes Mädchen, vermutlich die Ferienaushilfe. Sie war höchstens siebzehn, trug Jeans und ein rotes T-Shirt und spielte mit ihrem Handy herum. Für einen kurzen Moment fürchtete Mikael, sie könnte ihn erkennen und seinen Besuch auf Facebook kundtun, doch ihr gleichgültiger Blick beruhigte ihn sofort wieder. Er nahm die Treppe in den zweiten Stock und klopfte an einer grauen Tür mit der Nummer 214. Es war halb neun am Abend.

»Wer ist da?«, rief eine brüchige Stimme von drinnen.

Er nannte seinen Namen, woraufhin sie die Tür öffnete. Für einen Moment stockte ihm der Atem. Hilda von Kanterborg sah abenteuerlich aus: Ihre Haare standen zu Berge, und ihr Blick flackerte nervös wie der eines verängstigten Tiers. Sie hatte einen ausladenden Busen und breite Schultern und Hüften, die fast ihr hellblaues Kleid sprengten, und

Schweiß rann ihr über die Stirn und den Hals. Ihr Gesicht war voller Pigmentflecken. Es sah aus, als hätte ihr jemand mit einer Harke die Haut heruntergekratzt.

»Es ist wirklich freundlich von Ihnen, dass ich kommen durfte«, sagte er.

»Freundlich? Ich habe Angst. Was Sie zu Lotta gesagt haben, klingt vollkommen wahnsinnig!«

Er ging fürs Erste nicht darauf ein, weil er wollte, dass sie sich erst einmal beruhigte.

Stattdessen holte er die Weinflaschen aus der Tasche und stellte sie auf einen runden Eichentisch neben dem geöffneten Fenster.

»Ich fürchte, er ist nicht mehr besonders kalt«, sagte er.

»Es gibt Schlimmeres.«

Sie lief ins Bad, holte zwei Duralex-Gläser und stellte sie auf den Tisch.

»Wollen Sie schlau sein und nüchtern bleiben oder mit mir zusammen trinken?«

»Wie es Ihnen am liebsten ist«, antwortete er.

»Säufer brauchen Gesellschaft. Deshalb müssen Sie mit mir trinken. Betrachten Sie es einfach als journalistischen Kniff.«

Sie füllte sein Glas bis zum Rand, und er nahm einen großen Schluck, um zu beweisen, dass es ihm ernst war. Dann blickte er hinaus auf die Stromschnelle und den sich verdunkelnden Himmel.

»Ich kann Ihnen garantieren …«, hob er an, doch sie fiel ihm ins Wort.

»Garantieren Sie mir nichts. Das können Sie auch gar nicht – mit irgendeinem hochtrabenden Geschwätz über Quellenschutz brauchen Sie mir gar nicht erst kommen. Ich erzähl Ihnen, was ich erzähle, weil ich nicht länger schweigen will.«

Sie kippte den Wein hinunter und sah ihm direkt in die Augen. Trotz ihrer Erscheinung hatte sie etwas Einnehmendes an sich, etwas Sorgloses und zugleich Nachsichtiges, was er befreiend fand.

»Gut, ich verstehe. Falls ich Sie beunruhigt haben sollte, tut es mir leid. Sollen wir dann gleich loslegen?«

Sie nickte, und er zückte sein Diktiergerät und schaltete es ein.

»Das Staatliche Institut für Rassenbiologie sagt Ihnen was?«

»Du liebe Güte, ja«, erwiderte er. »Eine abscheuliche Behörde.«

»Wie wahr. Aber immer mit der Ruhe, Herr Starjournalist. Das Ganze ist nicht halb so aufregend, wie es klingt. Alte Rassenbiologen werden Sie in Schweden heutzutage nicht mehr so leicht finden, und wie Sie vielleicht wissen, wurde das Institut 1958 geschlossen. Ich erwähne es nur, weil es hier eine Linie gibt, eine Kontinuität. Allerdings war mir das lange nicht klar. Als ich meine Stelle beim Register angetreten habe, dachte ich, ich sollte Forschung mit hochbegabten Kindern betreiben. Eigentlich …«

Sie füllte ihr Glas aufs Neue.

»… weiß ich gar nicht, wo ich anfangen soll.«

»Reden Sie einfach drauflos«, sagte er. »Wir wursteln uns schon durch.«

Sie zündete sich eine Gauloise an, auf die sie amüsiert hinabblickte.

»Hier drin darf man nicht rauchen«, stellte sie fest. »Und genau da könnte die Geschichte anfangen: beim Rauchen – und dem Verdacht, dass es schädlich sein könnte. Schon in den Fünfzigerjahren behaupteten die ersten Wissenschaftler, Rauchen könne Lungenkrebs verursachen. Können Sie sich das vorstellen?«

»Unglaublich.«

»Allerdings. Und wie Sie sicher verstehen, regte sich massiver Widerstand. Raucher bekämen vielleicht öfter Lungenkrebs, hieß es, aber das müsse doch noch lang nicht mit dem Tabak zu tun haben. Es könne genauso gut daran liegen, dass sie zu viel Gemüse essen. *Ärzte rauchen Camel* war ein bekannter Slogan dieser Zeit. Humphrey Bogart und Lauren Bacall hielten als Musterbeispiele dafür her, wie cool Zigaretten waren. Trotzdem erhärtete sich der Verdacht, und auf einmal war es keine kleine Sache mehr. Das britische Gesundheitsministerium hatte herausgefunden, dass die Sterberate infolge von Lungenkrebs innerhalb von zwei Jahrzehnten um das Fünfzehnfache gestiegen war, und im Karolinska Institutet in Stockholm beschloss ein Ärzteteam, die Zusammenhänge an Zwillingen zu erforschen. Mit ihrer quasi identischen DNA waren Zwillinge natürlich ein ideales Forschungsobjekt. Im Lauf von nur zwei Jahren wurde ein Register mit mehr als elftausend Zwillingen angelegt. Sie wurden über ihre Rauch- und Trinkgewohnheiten befragt, und die Studie leistete tatsächlich einen wichtigen Beitrag zu der traurigen Einsicht, dass Rauchen und Saufen doch nicht ganz so gesund sind ...«

Sie lachte traurig, nahm einen tiefen Zug von ihrer Zigarette und einen weiteren Schluck von ihrem lauwarmen Rosé.

»Leider blieb es nicht dabei«, fuhr sie fort. »Das Register wurde weitergeführt: Immer neue Zwillinge kamen hinzu, und viele davon waren zusammen aufgewachsen. In den Dreißigern, muss man wissen, wurden in Schweden nämlich mehrere Hundert Zwillinge bei der Geburt getrennt, vor allem aus Gründen der Armut, und viele lernten sich erst als Erwachsene kennen. Das wissenschaftliche Material, das sich daraus ergab, war von unschätzbarem Wert. Die Forscher konnten anhand der Daten nicht nur neue Krankheiten und deren Ursachen auf den Grund gehen, sondern auch die klassische Frage stellen: Was formt einen Menschen? Was ist erblich bedingt und was durch äußere Faktoren?«

»Ich hab davon gelesen«, sagte Mikael, »und ich kenne auch das Zwillingsregister. Aber was dort passiert ist, war doch wohl legitim, oder?«

»Auf jeden Fall – die Forschung, die dort stattfand, war wertvoll und wichtig. Ich versuche nur, Ihnen einen Hintergrund zu vermitteln. Während also das Zwillingsregister wuchs, nannte sich das Rassenbiologische Institut um in Institut für medizinische Genetik und wurde der Universität Uppsala zugeordnet. Der letzte Institutsleiter, Jan Arvid Böök, wurde also vom Professor der Rassenbiologie zu einem Professor der medizinischen Genetik. Tatsächlich war das nicht nur eine Worthülse, denn allmählich begannen sich die Herren wirklich mit etwas zu beschäftigen, was zumindest annähernd an Wissenschaft erinnerte. Mit Schädelvermessungen und diesem ganzen unsinnigen Gerede über die Reinheit der schwedisch-germanischen Rasse war endlich Schluss.«

»Aber die alten Verzeichnisse über Roma und andere Minderheiten bestanden weiterhin?«

»Die bestanden weiterhin. Aber vor allem blieb auch noch etwas anderes, bedeutend Schlimmeres bestehen.«

»Das da wäre?«

»Das Menschenbild. Es ging jetzt vielleicht nicht mehr unbedingt um eine Rasse, die besser sein sollte als die andere, denn am Ende gab es gar keine menschlichen Rassen. Trotzdem ... Viele der sogenannten ›reinen Schweden‹ wurden als strebsamer und tüchtiger als andere erachtet. Und warum? Womöglich weil sie eine bessere, ordentlichere, ›schwedischere‹ Erziehung genossen hatten? Vielleicht würde man ja doch erforschen können, wie man einen richtig guten, braven Schweden formt – einen, der eben keine Gauloises raucht und sich mit Rosé volllaufen lässt.«

»Klingt nicht gut.«

»Nein. Der Zeitgeist hatte sich verändert, und Leute, die

früher kompromisslos die eine Seite vertreten hatten, wechselten ins andere Extrem. Und plötzlich fing diese Gruppe in Uppsala an, im gleichen Maß an Freud und Marx zu glauben, wie sie früher an Rassenbiologie geglaubt hatte. Allerdings hieß man nun Institut für medizinische Genetik, insofern durfte die Bedeutung des Erbguts nicht ganz ausgeblendet werden. Aber vor allem glaubte man nun an soziale und materielle Faktoren. Natürlich ist das nicht komplett verkehrt – vor allem weil soziale Barrieren oft unüberwindbare Mauern darstellen. Aber diese Forscher – und allen voran ein gewisser Professor der Soziologie namens Martin Steinberg – waren der Meinung, dass wir mehr oder weniger zwangsläufig von äußeren Umständen beeinflusst würden. Ein bestimmter Muttertyp, bestimmte soziale und kulturelle Faktoren sollten mehr oder weniger automatisch einen bestimmten Menschenschlag hervorbringen. Aber so ist es nicht – bei Weitem nicht. Der Mensch ist viel komplexer. Trotzdem wollten diese Herren also experimentieren und herausfinden, durch welche Erziehung und vor welchem Hintergrund ein Prachtschwede herauskommt. Sie standen in engem Kontakt mit dem Zwillingsregister und verfolgten die dortige Forschung, und irgendwann trafen sie sich mit Roger Stafford, dem amerikanischen Psychoanalytiker.«

»Von dem hab ich gelesen.«

»Hab ich gehört. Aber Sie haben ihn nie persönlich erlebt, oder? Er war unglaublich charismatisch und der Star bei jeder Konferenz, und vor allem bei einer Frau aus der Gruppe hat er nachhaltigen Eindruck hinterlassen. Sie heißt Rakel Greitz und ist Psychiaterin und Psychoanalytikerin, und sie ... Ich könnte Ihnen eine ganze Menge über sie erzählen. Sie war nicht nur hingerissen von Roger Stafford persönlich, sondern auch besessen von seiner Forschung und wollte sie weitertreiben. Zu irgendeinem Zeitpunkt – genau weiß ich es nicht – beschlossen sie und ihr Team, Zwillinge ganz gezielt voneinander zu trennen, und zwar sowohl eineiige als auch zweieiige Zwillinge, und sie in diametral entgegengesetzten Familien unterzubringen. Weil aber ja immer noch die unterschwellige Zielsetzung lautete, gute, tüchtige Schweden zu formen, waren sie überaus sorgfältig bei der Auswahl ihrer Versuchsobjekte. In allen Ecken und Winkeln wurde gesucht, unter anderem durchforstete man das Register nach Roma und Sami und anderen Minderheiten und fahndete regelrecht nach Menschen, die so talentiert waren, dass selbst die Rassenbiologen sie verschont hatten. Man suchte nach hochbegabten Eltern, die Zwillinge bekommen hatten. Man wollte – um es zynisch auszudrücken – nur das beste Forschungsmaterial zugrunde legen.«

Mikael musste wieder an den Gitarrenvirtuosen denken, den Lisbeth erwähnt hatte.

»Und unter diesen Zwillingspaaren waren auch Leo Mannheimer und Daniel Brolin?«

Hilda von Kanterborg sah schweigend aus dem Fenster.

»Ja. Deshalb sitzen wir doch hier, oder?«, fragte sie nach einer Weile. »Was Sie Lotta erzählt haben, klang völlig abstrus: dass Leo nicht mehr Leo sein sollte. Ehrlich gesagt glaube ich auch nicht daran – ich *kann* es einfach nicht glauben. Wissen Sie, Anders und Daniel Brolin, wie sie eigentlich hießen, waren Roma. Ihre leibliche Familie war unglaublich musikalisch. Die Mutter, Rosanna, war eine fantastische Sängerin. Es ist eine Aufnahme von ihr erhalten, da singt sie ›Strange Fruit‹ von Billie Holiday, dass es einem das Herz zerreißt. Sie starb wenige Tage nach der Geburt an Puerperalfieber. Sie hatte nie ein Gymnasium besucht, aber auf ihren Volksschulzeugnissen hatte sie in sämtlichen Fächern Bestnoten. Der Vater hieß Kenneth und war manisch depressiv, aber ein Gitarrengenie. Er war wirklich keine gemeine oder gefühlskalte Person, eher ein Vollblutneurotiker, der es einfach nicht schaffte, sich um die Zwillinge zu kümmern. Deshalb landeten die beiden zunächst in einem Kinderheim in Gävle. Dort entdeckte Rakel Greitz sie nach kürzester Zeit und trennte sie sofort voneinander. Ich will lieber gar nicht wissen, wie genau Rakel Greitz und Martin Steinberg dabei vorgingen und vor allem, wie sie an die potenziellen Adoptivfamilien kamen. Bei Daniel und Anders, der später in Leo umbenannt wurde, war es wohl besonders schlimm.«

»Inwiefern?«

»Ach, es war einfach so ungerecht: Daniel blieb noch jahrelang im Kinderheim. Dann landete er bei einem stumpfsinnigen und ziemlich rücksichtslosen Bauern in der Nähe von Hudiksvall, der vor allem Hilfe auf seinem Hof brauchte. Anfangs hatte er noch eine Frau, die aber schon bald Reißaus nahm, und spätestens ab diesem Zeitpunkt kann man ohne jede Übertreibung von reinster Kinderarbeit sprechen. Daniel und seine Pflegebrüder mussten von morgens bis abends schuften, oft durften sie nicht mal in die Schule gehen. Leo dagegen ... Er kam nach Nockeby in eine wohlhabende, einflussreiche Familie.«

»Zu Herman und Viveka Mannheimer.«

»Genau. Herman hatte Macht und war ein harter Knochen, sodass Martin Steinberg keine Chance gegen ihn hatte. Für Steinberg war das Allerwichtigste, dass die Adoptiveltern nicht das Geringste über die Herkunft des Kindes erfuhren – und vor allen Dingen nicht, dass es sich um einen Zwilling handelte. Doch Herman Mannheimer ließ nicht locker, zog irgendwelche Strippen oder hatte sogar etwas gegen diese Gruppe in der Hand – und letztlich knickte Martin ein. Unter dem Siegel absoluter Verschwiegenheit informierte er Herman, und das allein war schlimm genug. Aber es kam noch schlimmer. Herman begann zu zweifeln – und zwar nicht an der Sache. Er hatte ›Zigeuner‹ und ›Landstreicher‹, wie er sie nannte, noch nie leiden können, und ohne dass

Rakel oder Martin davon Wind bekamen, fragte er seinen Geschäftspartner Alfred Ögren um Rat.«

»Verstehe«, sagte Mikael. »So hat auch dessen Sohn Ivar davon erfahren.«

»Ja, aber das war viel später. Zu der Zeit war Ivar dann schon länger eifersüchtig auf Leo, der ja als viel talentierter und klüger galt. Und Ivar, das darf man nicht vergessen, hat alles dafür getan, um Leo überlegen zu sein und ihn auf seinen Platz zu verweisen. Das Ganze wuchs sich aus zu einer regelrechten Fehde, bis dann mein Kollege Carl Seger zurate gezogen wurde.«

»Wenn Herman Mannheimer so ein vorurteilsbehafteter Idiot war, warum hat er den Jungen dann überhaupt erst zu sich genommen?«

»Herman war wohl in erster Linie ein alter Reaktionär, aber an sich kein herzloser Mensch. Nein, das glaube ich nicht, trotz der Sache mit Carl. Alfred Ögren hingegen … Der war ein waschechter Rassist und ein Schwein und hat Herman von Anfang an von der Adoption abgeraten. Sie wäre wohl auch im Sande verlaufen, hätten nicht da schon Untersuchungsergebnisse vorgelegen, die belegten, dass der Junge motorisch schon früh extrem weit entwickelt war und so weiter. Das hat am Ende dann wohl überwogen. Außerdem war Viveka ganz vernarrt in ihn.«

»Er durfte also kommen, weil er schon so reif für sein Alter war?«

»So kann man es ausdrücken. Er war gerade sieben Monate alt und hatte wache Augen, und sowohl die Forschungsgruppe als auch die Mannheimers setzten schon in jungen Jahren große Hoffnungen in ihn.«

»In seiner Personenakte steht, er sei der biologische Sohn der Mannheimers. Wie kamen die Eltern damit durch, obwohl er erst so spät adoptiert wurde?«

»Ihre engsten Freunde und Verwandten kannten die Wahrheit natürlich, aber für die war es eine Ehrensache, Stillschweigen zu bewahren. Alle wussten, wie sehr Viveka darunter litt, dass sie keine eigenen Kinder bekommen konnte.«

»Wusste Leo selbst, dass er adoptiert war?«

»Er hat es wohl mit sieben, acht Jahren erfahren, als Ögrens Söhne anfingen, ihn zu hänseln. Da sah sich Viveka gezwungen, es ihm zu erzählen. Allerdings hat sie ihn gebeten, es für sich zu behalten – der Familienehre wegen.«

»Verstehe.«

»Tja, und die Eltern hatten es auch nicht ganz leicht mit Leo ...«

»Er litt an Hyperakusis.«

»Richtig, und überdies an einem Phänomen, das wir heute als Hypersensibilität beschreiben. Er war unglaublich sensibel. Die Welt war zu brutal für ihn, er zog sich zusehends zurück und wurde ein ungeheuer einsames Kind. Manchmal glaube ich, Carl war sein einziger echter Freund. Zu Beginn hatten Carl und ich und die anderen jüngeren Psychologen gar keinen rechten Überblick – wir glaubten allen Ernstes, wir würden lediglich eine Gruppe hochbegabter Kinder erforschen. Wir wussten nicht mal, dass wir es mit Zwillingen zu tun hatten. Allerdings waren wir auch so aufgeteilt worden, dass wir immer nur eines der Geschwister kennenlernten. Irgendwann sickerte es durch, und nach und nach schluckten wir die Kröte ... mehr oder weniger, muss ich wohl sagen. Carl tat sich von uns allen am schwersten. Er fand die Vorstellung unerträglich, dass die Zwillinge absichtlich voneinander getrennt worden waren – und sicher ging es ihm so, weil er Leo so nahestand. Die anderen Kinder schienen zumindest nicht erkenntlich das Gefühl zu haben, irgendetwas oder jemanden zu vermissen. Aber Leo war anders. Er wusste zwar nicht, dass er ein eineiiger Zwilling, nur dass er adoptiert worden war, und trotzdem war es, als hätte er etwas geahnt. Er redete oft davon, dass er sich nur halb fühle. Für Carl wurde die Situation zusehends unhaltbar. Er fragte mich ständig, ob Daniel auf seinem Bauernhof womöglich das Gleiche empfand. Aber alles, was ich dazu sagen konnte, war, dass es ihm dort nicht gut ging. ›Er ist einsam‹, erzählte ich und erwähnte auch, dass Daniel durchaus Symptome einer Depression zeige. ›Wir müssen es ihnen erzählen‹, sagte Carl. ›Das geht nicht‹, erwiderte ich, ›damit machen wir uns nur alle unglücklich.‹ Doch Carl ließ nicht locker, und am Ende beging er den größten Fehler seines Lebens. Er wandte sich an Rakel, und wie Sie wissen …«

Hilda entkorkte die zweite Weinflasche.

»Rakel Greitz«, fuhr sie fort, »mag vielleicht einen seriösen, sachlichen Eindruck vermitteln. Sie hat auch Leo über Jahre hinters Licht geführt. Die beiden haben Kontakt gehalten, gehen jedes Jahr in der Weihnachtszeit zusammen mittagessen und so weiter. In Wahrheit ist sie völlig skrupellos. Nur ihretwegen sitze ich jetzt hier unter falschem Namen und zittere und lass mich volllaufen. Sie hat mich in all den Jahren nicht aus den Augen gelassen und mich abwechselnd bedroht und mir geschmeichelt. Ich hab gesehen, wie sie auf dem Weg zu mir war, und deshalb bin ich auch hierhergeflohen. Ich hab sie draußen auf der Straße gesehen …«

»Carl ist also zu ihr gegangen«, rief Mikael ihr wieder in Erinnerung.

»Ja, er hat sich vor ihr aufgebaut und erklärt, dass er an die Öffentlichkeit gehen wolle. Ein paar Tage später war er tot – einfach abgeknallt wie Wild.«

»Wollen Sie mir damit sagen, es sei Mord gewesen?«

»Ich weiß es nicht. Ich habe den Gedanken nie zugelassen. Ich wollte mir nicht eingestehen, dass ich Teil eines Projekts war, dessen Mitarbeiter nicht mal davor zurückschreckten, jemanden umzubringen.«

»Aber insgeheim haben Sie das Gegenteil befürchtet?«, hakte Mikael nach.

Hilda antwortete nicht, sondern nahm nur einen großen Schluck Rosé und sah stumm aus dem Fenster.

»Ich hab die Ermittlungsakten gelesen«, fuhr Mikael fort. »Schon da kam mir der Fall verdächtig vor, und jetzt liefern Sie mir plötzlich ein Motiv. Ich kann ehrlich gestanden keine andere Erklärung sehen, als dass sie alle darin verwickelt gewesen sein müssen: Mannheimer, Ögren und Greitz. Sonst hätten sie riskiert, dass man ihnen auf die Schliche käme und sie mit einer Tätigkeit in Verbindung brächte, bei der Kinder, die zusammengehörten, voneinander getrennt wurden ... wie durch einen Schwerthieb. Sie waren gezwungen, sich der Bedrohung zu entledigen, die sie alle in den Schmutz gezogen hätte.«

Hilda von Kanterborg saß immer noch schweigend da. Sie sah zutiefst verängstigt aus.

»Der Preis war auf jeden Fall enorm hoch«, sagte sie schließlich. »Leo hat sich davon nie erholt. Trotz seines Reichtums und allem, was man für ihn getan hat, wurde er nie glücklich. Sein Selbstwertgefühl blieb auffällig gering, und nur widerwillig ist er in Ögrens Unternehmen eingestiegen, musste dort aber erleben, wie er von Kretins wie Ivar ausgespielt wurde.«

»Und sein Bruder Daniel?«

»In gewisser Weise war er womöglich stärker, weil ihm gar keine andere Wahl blieb. All das, wozu man Leo ermuntern musste – ein lesender, gebildeter, musikalischer Junge zu werden –, wurde Daniel heimlich und im Trotz. Aber auch ihm ging es schlecht. Er wurde von seinen Pflegebrüdern gemobbt, verprügelt, fühlte sich immer als Sonderling und Außenseiter.«

»Was ist aus ihm geworden?«

»Irgendwann ist er vom Hof abgehauen und verschwand aus dem Register. Aber ich wurde kurz darauf entlassen, deshalb bin ich mir in diesem Punkt nicht ganz sicher. Ein letztes Mal hab ich mich für ihn eingesetzt, indem ich ihm einen Tipp gab und ihn auf eine Musikschule in Boston hinwies. Danach hab ich nie wieder von ihm gehört, bis ...«

Die Art und Weise, wie sie ihr Glas anfasste und wie ihr Blick flackerte – all das sagte Mikael, dass sie gleich etwas Dramatisches erzählen würde.

»Bis was?«

»Ich saß zu Hause, es war an einem Vormittag im Dezember vor eineinhalb Jahren. Ich hab Zeitung gelesen und mir ein Gläschen genehmigt, als auf einmal das Telefon klingelte. Beim Register hatten wir die strikte Vorgabe, unter keinen Umständen unseren Namen zu nennen. Aber ich ... Ich hatte wohl schon damals mit dem Trinken angefangen und es ein paarmal nicht genau genommen ... denn Daniel war es früher schon einmal gelungen, mich ausfindig zu machen. Und jetzt rief er urplötzlich wieder an, komplett aus dem Blauen heraus, und sagte, dass er es verstanden habe ...«

»Was denn verstanden?«

»Dass es Leo gab. Dass sie eineiige Zwillinge waren.«

»Spiegelzwillinge sogar, wenn ich es richtig sehe.«

»Ja. Aber das wusste er natürlich nicht. Und dieses Detail spielt ja auch keine Rolle. Er war einfach nur furchtbar aufgeregt und fragte mich, ob ich es gewusst hätte. Ich hab zu lang gezögert und am Ende mit Ja geantwortet, und da ist er verstummt. Sagte nur noch, das würde er mir nie verzeihen, und hat aufgelegt. Ich war drauf und dran, schreiend zusammenzubrechen. Auf dem Display konnte ich die Nummer sehen, von der aus er mich angerufen hatte. Ich landete in einem Berliner Hotel, wo niemand einen Daniel Brolin kannte. Ich hab alles versucht, um ihn zu erreichen, aber es ist mir nicht gelungen.«

»Glauben Sie, dass er sich mit Leo getroffen hat?«

»Nein, das kann ich mir trotz allem nicht vorstellen.«

»Warum denn nicht?«

»Weil sich so eine Nachricht rasend schnell verbreitet hätte. Mehrere unserer Zwillinge haben sich später, als Erwachsene, kennengelernt. Im digitalen Zeitalter ist so etwas wohl unausweichlich. Irgendwer entdeckt ein Foto auf Facebook oder Instagram und erzählt daraufhin, die Person sehe diesem oder jenem ähnlich, und schon macht das Gerücht die Runde. Oft gelangt das Ganze sogar in die Medien. Journalisten lieben solche Geschichten. Allerdings hat keiner unserer Zwillinge je den kompletten Zusammenhang verstanden. Es gab immer Erklärungen – falsche Erklärungen, die von Anfang an so vorbereitet worden waren –, und die Zeitungen haben sich nur auf die positiven Aspekte dieser Begegnungen gestürzt. Niemand ist der Sache jemals auf den Grund gegangen. Ich verstehe ehrlich gesagt auch nicht, wie es Ihnen gelungen ist, all das herauszufinden – wo es doch alle mit der Geheimhaltung so genau genommen haben.«

Auch Mikael nahm sich noch einen Wein, obwohl er Rosé eigentlich gar nicht mochte. Er überlegte, wie er sich am besten ausdrücken sollte.

»Ehrlich gesagt glaube ich, Hilda, das ist Wunschdenken Ihrerseits. Es deutet vieles darauf hin, *dass* sie sich getroffen haben. Irgendetwas stimmt da nämlich nicht. Ich hab einen Freund, der Leo gut kennt.« Sicherheitshalber wollte Mikael nicht von einer Freundin sprechen. »Er hat Leo genau beobachtet. Und wie ich Ihrer Schwester schon erzählt habe, ist er davon überzeugt, dass Leo mit einem Mal Rechtshänder geworden ist. Außerdem konnte er von einem Tag auf den anderen unglaublich gut Gitarre spielen.«

»Dann hat er auch das Instrument gewechselt?« Hilda verkrampfte sich auf ihrem Stuhl. »Sie wollen also andeuten ...«

»Ich frage mich nur, welche Schlüsse Sie ohne Ihr Wunschdenken ziehen würden.«

»Da würde ich – wenn das, was Sie erzählt haben, denn

tatsächlich stimmen sollte – annehmen, dass Leo und Daniel die Identitäten getauscht hätten.«

»Und warum?«

»Weil ...« Sie rang nach Worten. »Weil sie zutiefst melancholische Menschen sind – und hoch talentiert. Beide könnten sich mit Leichtigkeit in eine andere Umgebung einfinden, vielleicht wäre das ja sogar etwas Neues und Spannendes für sie. Carl hat immer gesagt, Leo würde sich wie ein Gefangener in einer unliebsamen Rolle fühlen.«

»Und Daniel?«

»Für ihn ... Ich weiß es nicht. Aber für ihn wäre es sicher spannend, in Leos Welt einzutauchen.«

»Sie haben erwähnt, dass Sie am Telefon mit einer irrsinnigen Wut konfrontiert wurden«, sagte Mikael. »Es muss furchtbar schmerzhaft für Daniel gewesen sein, als er entdeckte, dass sein Zwillingsbruder bei wohlhabenden Eltern aufgewachsen war, während er selbst wie ein Leibeigener auf einem Bauernhof geschuftet hatte.«

»Ja, aber ...«

Hilda schielte zu den Weinflaschen hinüber, als hätte sie Angst, dass der Vorrat nicht mehr lang reichen würde.

»Sie müssen wissen, dass diese Jungen ungeheuer sensibel und empathisch sind. Carl und ich haben oft darüber gesprochen. Aber sie waren auch einsam. Sie waren für ein Miteinander geschaffen. Sollten sie sich tatsächlich getroffen haben, dann würde ich vermuten, dass es für beide ein fantastisches Erlebnis war, vielleicht das Schönste und Glücklichste, was ihnen je widerfahren ist.«

»Sie sehen also nicht die Gefahr, dass etwas Schlimmes passiert sein könnte?«

Hilda schüttelte den Kopf, allerdings eher krampfhaft als aus Überzeugung, wie er fand.

»Haben Sie je irgendjemandem erzählt, dass Daniel Sie angerufen hat?«

Für seinen Geschmack dachte Hilda von Kanterborg ein wenig zu lang über seine Frage nach. Andererseits war sie nicht leicht zu durchschauen. Sie steckte sich an der glimmenden Kippe eine neue Zigarette an.

»Nein«, sagte sie. »Ich hab schon lang keinen Kontakt mehr zum Register. Mit wem sollte ich gesprochen haben?«

»Sie haben erwähnt, Rakel Greitz käme Sie regelmäßig besuchen.«

»Zu ihr würde ich kein Wort sagen! Vor ihr war ich immer auf der Hut.«

Mikael überlegte kurz und fuhr anschließend in einem strengeren Tonfall fort, als er beabsichtigt hatte: »Es gibt da noch eine Sache, auf die ich eine Antwort brauche.«

»Geht es um Lisbeth Salander?«

»Woher wissen Sie das?«

»Es ist kein Geheimnis, dass Sie beide einander ziemlich nahestehen.«

»War sie auch Teil des Projekts?«

»Lisbeth hat Rakel Greitz mehr Sorgen bereitet als alle anderen zusammen.«

Dezember, eineinhalb Jahre zuvor

Leo Mannheimer winkte den Mann, der wie er selbst aussah, in die Wohnung – einen Mann in einem abgewetzten schwarzen Mantel mit weißem Pelzkragen, grauer Anzughose und abgelaufenen rotbraunen Stiefeln. Er stellte die Gitarre ab und zog Mütze und Mantel aus. Sein Haar war zerzauster als sein eigenes, die Koteletten etwas länger und die Wangen rauer, röter, doch das betonte die schockierende Ähnlichkeit nur umso mehr. Für Leo war es, als würde er sich selbst ansehen. Ihm war leicht übel, und der kalte Schweiß brach ihm aus. Er betrachtete erst die Hände und Finger des Mannes, dann seine eigenen, und sehnte sich nach einem Spiegel. Er wollte jedes Grübchen und jede Falte in ihren Gesichtern vergleichen. Aber noch viel mehr wollte er Fragen über Fragen stellen und nicht mehr damit aufhören. Er erinnerte sich wieder an die Klänge aus dem Treppenhaus und an die Worte des Mannes – dass er sich immer halb gefühlt habe. Genauso war es ihm selbst die ganze Zeit ergangen. Ihm schnürte sich der Hals zu.

»Wie ist das möglich?«, fragte er nach einer Weile.

»Wir waren Teil eines Experiments«, erklärte der andere.

Leo wusste nicht, was er aus dieser Antwort machen sollte. Er dachte an Carl, an die Schritte des Vaters auf der Treppe an jenem Herbsttag, und dann schwankte er leicht und ließ sich auf das rote Sofa unter das Bror-Hjorth-Gemälde sinken. Der Mann nahm auf dem Sessel neben ihm Platz, und allein die Bewegung – wie sein Körper auf das Polster sank – wirkte auf schier unheimliche Weise vertraut.

»Ich hab immer geahnt, dass etwas nicht stimmte«, sagte Leo.

»Wusstest du, dass du adoptiert wurdest?«

»Meine Mutter hat es mir erzählt.«

»Aber du hattest keine Ahnung, dass es mich gab?«

»Nein, wobei ...«

Der andere horchte auf.

»Ich hab mir immer schon Gedanken gemacht. Ich hab geträumt, hab mir alles Mögliches vorgestellt ... Wo bist du aufgewachsen?«

»Auf einem Bauernhof außerhalb von Hudiksvall. Dann bin ich nach Boston gezogen.«

»Boston«, murmelte Leo.

Er hörte ein Herz schlagen und glaubte, es wäre sein eigenes, aber es war das des anderen Mannes, das Herz seines Zwillingsbruders.

»Kann ich dir irgendetwas anbieten?«

»Danke, ja, ich könnte etwas zu trinken gebrauchen.«

»Champagner? Ist das in Ordnung? Der geht direkt ins Blut.«

»Klingt gut.«

Leo stand auf und lief in Richtung Küche, blieb dann aber stehen, ohne richtig zu wissen, weshalb. Er war einfach viel zu verwirrt und aufgewühlt.

»Entschuldigung«, sagte er.

»Wofür?«

»Ich war so schockiert, als ich dich vor der Tür gesehen hab – ich kann mich nicht mal mehr an deinen Namen erinnern.«

»Dan«, sagte der Mann. »Dan Brody.«

»Dan?«, wiederholte Leo. »Dan.«

Anschließend holte er eine Flasche Dom Pérignon und zwei Gläser. Womöglich fing es nicht genau da an; ihr Gespräch war sicherlich noch eine ganze Zeit lang surreal und unbegreiflich. Draußen schneite es, und die Geräusche eines ganz normalen Freitagabends wehten von der Straße und aus den benachbarten Wohnungen herüber, Gelächter, Stimmen und Musik. Sie lächelten, hoben ihre Gläser, öffneten sich einander immer mehr. Bald redeten sie, wie es keiner von ihnen je getan hatte.

Sie gingen einfach alles miteinander durch, und anschließend hätte keiner von ihnen die Unterhaltung und deren Wendungen mehr nachvollziehen können. Jeder Gesprächsfaden, jedes Thema wurde von Fragen und neuerlichen Exkursen unterbrochen. Es war, als würden die Wörter nicht mehr ausreichen – und als könnten sie nicht schnell genug reden. Es wurde Nacht, ein neuer Tag brach an, und nur hin und wieder machten sie eine Pause, um zu essen, ein bisschen zu schlafen oder gemeinsam Musik zu machen. Sie spielten stundenlang, und das war für Leo das Größte von allem.

Er war immer schon ein Einzelgänger gewesen. Seit er denken konnte, hatte er an jedem Tag in seinem Leben Stunden am Klavier verbracht – immer allein. Dan hingegen hatte mit unzähligen Leuten auf der Bühne gestanden, mit Amateuren ebenso wie mit Profis, mit Virtuosen, Unbegabten, Hellhörigen, mit denen, die nur ein Musikgenre, und anderen, die jedes einzelne beherrschten, die leichthändig mitten in einem Lied die Tonart wechseln konnten und jede rhythmische Verschiebung erfassten. Und doch hatte Dan noch nie mit jemandem zusammengespielt, der ihn so intuitiv, so direkt verstand. Sie jammten nicht nur, sondern sprachen auch über ihre Musik, tauschten Erfahrungen aus, und immer wieder kletterte Leo auf einen Stuhl oder den Tisch und brachte einen Toast aus. »Ich bin so stolz! Du bist so gut, so unglaublich gut!«

Mit seinem Zwillingsbruder zusammen zu musizieren war ein derart überwältigendes Glücksgefühl, dass er sich steigerte und immer wagemutiger und kreativer in seinen Solos wurde. Und obwohl Dan besser, versierter war, gewann auch Leo zunehmend die Leidenschaft für seine Musik zurück, und manchmal redeten und spielten sie gleichzeitig.

Sie erzählten einander aus ihrem Leben und entdeckten Verbindungen und Sinnzusammenhänge, die sie zuvor nie geahnt hatten. Die Geschichten flossen zusammen, färbten aufeinander ab.

Doch auch wenn Dan es sich bei dieser ersten Begegnung noch nicht eingestand, war die Euphorie nicht vollends beidseitig. Hier und da flackerte Neid in ihm auf. Er musste wieder daran denken, wie er als Kind gehungert hatte, erinnerte sich an seine Flucht vom Hof und Hilda von Kanterborgs Worte: *Unsere Aufgabe besteht nur darin zu forschen. Eingreifen dürfen wir nicht.*

Er spürte eine leise Wut in sich aufsteigen, und in gewissen Momenten, wenn Leo darüber klagte, dass er es nie gewagt habe, alles auf die Musik zu setzen, und sich stattdessen gezwungen gesehen habe, Teilhaber bei Alfred Ögren zu werden – *gezwungen, Teilhaber zu werden!* –, kam Dan die Ungerechtigkeit so unendlich groß vor, dass er es kaum mehr ertragen konnte. Doch diese Momente waren Ausnahmen. An jenem Wochenende im Dezember schwelgte auch er in einer großen, überwältigenden Freude.

Es war ein solches Wunder, nicht nur den eigenen Zwillingsbruder kennenzulernen, sondern auch einen Menschen, der so dachte und fühlte und sogar hörte wie er. Wie lang sprachen sie nicht allein darüber – über Geräusche! Wie zwei Freaks vertieften sie sich in das Thema, und es war überwältigend, sich endlich über all das auslassen zu können, was sonst niemand verstand. In derlei Momenten stellte auch Dan sich auf einen Stuhl und hob das Glas auf seinen Bruder.

Sie versprachen einander, für immer zusammenzuhalten. Sie schworen einander, unzertrennlich zu bleiben. Sie schworen sich vieles, was großartig und schön war – und dann taten sie es auch. Sie mussten begreifen, was eigentlich passiert war und warum. Sie sprachen in aller Ausführlichkeit über Personen, von denen sie in der Kindheit untersucht worden waren, von den Fragen, von Tests und Filmen. Dan erzählte von Hilda von Kanterborg, und Leo berichtete von Carl Seger und

Rakel Greitz, mit der er in all den Jahren den Kontakt gehalten hatte.

»Rakel Greitz«, murmelte Dan. »Wie sieht die aus?«

Sobald Leo das Muttermal an ihrem Hals erwähnte, erstarrte Dan. Auch er war Rakel Greitz begegnet. Diese Erkenntnis kam einem Wendepunkt gleich. Mittlerweile war es Sonntagabend, der 17. Dezember. Es schneite nicht mehr, und auf der Straße war es dunkel und still, nur in der Ferne waren Schneepflüge zu hören.

»Diese Greitz ist eine Hexe …«

»Nach außen hin wirkt sie sehr kühl«, erwiderte Leo.

»Sie hat mir immer kalte Schauer über den Rücken gejagt.«

»Im Grunde hab ich sie auch nie richtig gemocht.«

»Und trotzdem hast du dich immer weiter mit ihr getroffen?«

»Irgendwie gehörte sie schon immer zum Dunstkreis der Familie«, antwortete Leo zu seiner Verteidigung.

»Wir haben wohl alle unsere schwachen Momente«, sagte Dan tröstend.

»Ja, das haben wir. Aber Rakel war auch meine Verbindung zu Carl. Sie hat immer Geschichten von ihm erzählt – genau wie ich sie hören wollte, nehme ich an. Wir sind nächste Woche wieder zum Essen verabredet.«

»Hast du sie jemals nach deiner Herkunft gefragt?«

»Tausendmal, und sie hat immer gesagt …«

»… dass du anonym vor der Tür eines Kinderheims in Gävle zurückgelassen worden wärst, ohne dass man deine leiblichen Eltern je hätte ausfindig machen können.«

»Ich hab sogar in diesem verdammten Kinderheim angerufen, und sie haben die Version bestätigt.«

»Aber woher hätten sie da wissen können, dass wir Roma sind?«

»Sie meinte, das alles wär immer nur ein Gerücht gewesen.«

»Sie lügt.«

»Sieht ganz so aus.«

Leo sah verbissen aus.

»Aber dann ist Rakel Greitz doch so was wie die Spinne im Netz, glaubst du nicht?«, fuhr Dan fort.

»Vermutlich, ja.«

»Die sollten alle ins Gefängnis wandern!«, platzte es aus ihm heraus.

In Leos Wohnung in der Floragatan entbrannte eine wilde Rachlust in ihm. In der Nacht von Sonntag auf Montag einigten sie sich darauf, fürs Erste keine Aufmerksamkeit zu erregen und niemandem von ihrer Begegnung zu erzählen. Leo würde Rakel Greitz anrufen, das Weihnachtsessen im Restaurant absagen, sie stattdessen zu sich nach Hause einladen und in Sicherheit wiegen, während Dan sich in einem angrenzenden Zimmer versteckte. Rakel Greitz würde ihr blaues Wunder erleben.

Hilda von Kanterborg hatte ein Glas nach dem anderen gekippt. Trotzdem wirkte sie nicht betrunken, allenfalls ein wenig fahrig, und sie schwitzte so sehr, dass ihr Hals und das Dekolleté ganz nass waren.

»Rakel Greitz und Martin Steinberg wollten wie üblich sowohl eineiige als auch zweieiige Zwillinge für ihr Projekt rekrutieren. Um eine Kontrollgruppe zu haben, war beides nötig. Dann tauchten Lisbeth Salander und ihre Schwester Camilla im Register des Instituts für medizinische Genetik auf, und die beiden galten als ideal für Rakels und Martins Zwecke. Vor Agneta hatte wohl niemand übertrieben großen Respekt – allerdings war der Vater ...«

»Ein Monster.«

»Ein hochbegabtes Monster, muss man wohl sagen. Und das machte auch die Töchter interessant. Rakel Greitz wollte sie voneinander trennen. Sie war ganz besessen von dem Gedanken.«

»Obwohl die Mädchen ein Zuhause und eine Mutter hatten ...«

»Ja, trotzdem. Und ich will Rakel wirklich nicht in Schutz nehmen, keine Sekunde, aber ... damals mangelte es ihr wirklich nicht an Argumenten. Der Vater, Zalatschenko, war Alkoholiker, gewalttätig ...«

»Das weiß ich alles.«

»Ich weiß, dass Sie es wissen. Trotzdem muss ich das zu unserer Verteidigung sagen. Dieses Zuhause war die Hölle, Mikael. Und damit meine ich nicht nur die Vergewaltigungen durch den Vater und seine Gewaltexzesse. Er hatte von klein auf Camilla den Vorzug gegeben, und die Stimmung zwischen den beiden Töchtern war schon seit Jahren vergiftet. Die Mädchen waren regelrecht dazu gemacht, einander zu hassen.«

Unwillkürlich musste Mikael an Camilla denken, die seinen Kollegen Andrei Zander auf dem Gewissen hatte. Er umklammerte sein Glas, sagte aber nichts.

»Es gab tatsächlich gute Gründe, Lisbeth in eine andere Familie zu geben. Das hab ich eine Zeit lang selbst so gesehen«, fuhr Hilda fort.

»Aber sie hat ihre Mutter geliebt!«

»Das weiß ich, glauben Sie mir. Ich hab viel über diese Familie in Erfahrung gebracht. Agneta wirkte zwar wie ein gebrochener Mensch, wann immer Zalatschenko da war und sie grün und blau geprügelt hat. Aber für ihre Kinder hat sie gekämpft wie eine Löwin. Man hat ihr Geld angeboten. Sie bedroht. Ihr unangenehme Behördenschreiben mit offiziellen Stempeln geschickt. Aber sie weigerte sich hartnäckig. ›Lisbeth bleibt bei mir‹, sagte sie. ›Ich werde sie nie im Stich lassen.‹ Sie verteidigte ihre Tochter mit Klauen und Zähnen, und die Teilnahme am Projekt verzögerte sich ein ums andere Mal, bis es genau genommen längst zu spät gewesen wäre, die Mädchen zu trennen – vor allem nach den damals geltenden Vorstellungen. Doch für Rakel war es zu einer Prinzipiensache geworden, zu einer fixen Idee, und irgendwann wurde ich hinzugezogen, um zu vermitteln.«

»Und was ist dann passiert?«

»Zunächst einmal hat Agneta mich zusehends beeindruckt. Zu der Zeit hatten wir viel Kontakt und haben uns angefreundet, und ich hab angefangen, mich dafür einzusetzen, dass sie Lisbeth behalten durfte. Ich hab wirklich darum gekämpft. Aber Rakel gab sich nicht so leicht geschlagen, und eines Abends tauchte sie mit ihrem Gorilla auf, mit Benjamin Fors.«

»Wer ist das?«

»Eigentlich ist er Sozialarbeiter, aber er arbeitet schon seit einer Ewigkeit für Rakel. Martin Steinberg hat die beiden zusammengebracht. Benjamin ist nicht unbedingt der Hellste, aber groß und stark und unerschütterlich loyal. Rakel hat ihm in schwierigen Zeiten geholfen, unter anderem nachdem er seinen Sohn bei einem Autounfall verloren hatte, und im Gegenzug tut er alles für Rakel. Inzwischen dürfte er gut Mitte fünfzig sein. Er ist über zwei Meter lang und durchtrainiert und sieht eigentlich freundlich aus mit seinem milden, wehmütigen Blick und seinen buschigen Augenbrauen, die ihn ein wenig seltsam aussehen lassen. Aber wenn Rakel ruft, dann greift er hart durch, und an diesem Abend in der Lundagatan ...«

Hilda zögerte und nahm noch einen Schluck Wein.

»Ja?«

»Es war ein kalter Oktobertag, kurz nachdem Carl Seger

während der Elchjagd erschossen worden war. Es gab eine Art Gedenkfeier, auch ich war eingeladen, und das war sicher kein Zufall. Diese Operation war akribisch geplant. Camilla übernachtete an dem Abend bei einer Freundin, und nur Agneta und Lisbeth waren zu Hause. Lisbeth war damals sechs Jahre alt. Sie hat doch im April Geburtstag, oder? Agneta und sie saßen also in der Küche und tranken Tee und aßen Toast, und draußen auf dem Skinnarviksberget tobte ein Sturm.«

»Woher kennen Sie solche Details?«

»Ich habe drei Quellen. Unsere eigenen offiziellen Protokolle, auf die man sich wahrscheinlich am wenigsten verlassen kann, und dann Agnetas Version von dem Vorfall. Wir haben anschließend stundenlang darüber geredet.«

»Und die dritte Quelle?«

»Lisbeth selbst.«

Mikael sah sie verblüfft an. Er wusste, wie verschwiegen Lisbeth war, wenn es um ihr Leben ging. Er selbst hatte von ihr nie auch nur ein Wort über die Begebenheit gehört, nicht einmal via Holger.

»Wie kam es dazu?«, fragte er.

»Es ist vielleicht zehn Jahre her«, sagte sie, »da hatte Lisbeth eine Phase, in der sie mehr über ihre Mutter erfahren wollte, und ich hab ihr von Agneta berichtet, so gut ich eben konnte. Hab ihr erzählt, dass sie eine starke und intelligente Person gewesen sei, und ich konnte Lisbeth ansehen, dass es sie freute. Wir saßen zu Hause bei mir in Skanstull und haben uns lang unterhalten, und am Ende hat sie mir diese Geschichte erzählt, die mich traf wie ein Schlag in die Magengrube.«

»Wusste Lisbeth, dass Sie zum Register gehörten?«

Hilda entkorkte die dritte Weinflasche.

»Nein«, sagte sie. »Sie hatte keine Ahnung. Sie kannte nicht einmal Rakel Greitz' Namen. Sie nahm an, das Ganze wäre lediglich ein Sorgerechtsfall gewesen, eine Zwangsmaßnahme des Jugendamts. Sie wusste nichts von der Zwillingsforschung, und ich ...«

Sie fingerte an ihrem Glas herum.

»Sie haben ihr die Wahrheit vorenthalten.«

»Ich war höchst alarmiert, Mikael. Ich hatte mich zum Stillschweigen verpflichtet, und ich wusste schließlich auch, was mit Carl passiert war.«

»Verstehe«, sagte er. Und meinte es ehrlich.

Für Hilda von Kanterborg war all das sicher nicht leicht gewesen. Beeindruckend genug, dass sie jetzt hier saß und auspackte. Er hatte keinen Grund, sie zu verurteilen.

»Was ist also passiert?«, fragte er.

»An jenem Abend in der Lundagatan?«

»Ja.«

»Wie gesagt, es stürmte. Am Vortag war der Vater da gewesen, und Agneta hatte blaue Flecken und Schmerzen in Magen und Unterleib. Sie trank mit Lisbeth in der Küche Tee, und die beiden genossen für einen Moment die Ruhe. Da klingelte es an der Tür, und wie Sie sich bestimmt vorstellen können, gerieten sie in Panik. Sie glaubten, es wäre wieder Zalatschenko.«

»Aber es war Rakel Greitz.«

»Es waren Rakel und Benjamin, und das war auch nicht viel besser. Sie erklärten ihnen feierlich, dass sie Lisbeth jetzt auf Grundlage dieses oder jenes Gesetzes abholen würden, natürlich nur zu ihrem eigenen Besten, und was dann passierte, war grausam für Lisbeth.«

»Inwiefern?«

»Sie muss sich schrecklich verraten gefühlt haben. Sie war ja noch klein, und als Rakel anfangs gekommen war, um verschiedene Tests mit ihr durchzuführen, war sie Lisbeths geheime Hoffnung gewesen. Wissen Sie, man kann viel über Rakel Greitz sagen, aber sie strahlt Macht und

Autorität aus. Sie hat beinahe etwas Königinnenhaftes an sich – mit ihrem geraden Rücken und dem geflammten Muttermal am Hals. Ich glaube, Lisbeth hat insgeheim davon geträumt, Rakel könnte Agneta und ihr helfen und dafür sorgen, dass der Vater nicht mehr zu ihnen käme. Doch dann musste sie einsehen, dass Rakel genauso war wie alle anderen.«

»Alle anderen, die Übergriffe und Misshandlungen einfach geschehen ließen.«

»Die all das einfach geschehen ließen, ja. Und jetzt wollte Rakel sie obendrein auch noch entführen und in Sicherheit bringen. *Sie*. Rakel kramte sogar bereits eine Spritze hervor – sie wollte das Mädchen sedieren und mitnehmen. Da wurde Lisbeth fuchsteufelswild. Sie biss Rakel in den Finger, sprang auf den Tisch im Wohnzimmer, riss das Fenster auf und stürzte sich hinaus. Sie wohnten im ersten Stock, es ging mehrere Meter in die Tiefe, und Lisbeth war ein kleines, mageres Mädchen. Sie hatte keine Schuhe an den Füßen, nur Strümpfe, dazu Jeans und irgendeinen Pullover, und draußen stürmte es wie gesagt, und ich glaube, es regnete auch. Sie landete auf den Füßen, fiel dann aber vornüber und schlug mit dem Kopf auf. Trotzdem hat sie sich sofort aufgerappelt und ist im Dunkeln weitergerannt. Sie rannte und rannte, kreuz und quer in Richtung Slussen und nach Gamla Stan, bis sie am Mynttorget und vor dem Schloss ankam. Inzwischen war sie steif gefroren und vollkommen durchnässt. Ich glaube, in jener Nacht schlief sie in einem Hauseingang. Sie blieb zwei Tage weg.« Hilda verstummte. »Ich hätte eine Bitte ...«

»Welche denn?«

»Mir geht es heute wirklich schlecht«, fuhr sie fort. »Könnten Sie zur Rezeption gehen und noch ein paar Biere besorgen? Ich brauche etwas Kälteres als diese lauwarme Brühe«, sagte sie und deutete auf den Rosé.

Mikael war hin- und hergerissen. Dann nickte er, lief in den Flur hinaus und die Treppe nach unten zu dem Mädchen an der Rezeption. Dort kaufte er nicht nur sechs Flaschen Carlsberg, sondern verschickte auch noch eilig eine verschlüsselte Nachricht, was vielleicht nicht besonders durchdacht war, aber er hatte das Gefühl, dass er es ihr schuldig war.

Die Frau mit dem Muttermal am Hals, die Dich als kleines Kind wegholen wollte, heißt Rakel Greitz. Sie ist Psychoanalytikerin und Psychiaterin und war eine der Verantwortlichen beim Register.

Anschließend kehrte er mitsamt dem Bier zu Hilda von Kanterborg zurück und hörte sich auch noch den Rest der Geschichte an.

17. KAPITEL
21.–22. Juni

Lisbeth saß in der »Operabaren«, um ihre Freilassung zu feiern. Besonders gut gelang es ihr allerdings nicht. Am Tisch hinter ihr krakeelte eine Gruppe junger Frauen mit Kränzen im Haar, vermutlich ein Junggesellinnenabschied. Ihr Lachen gellte in Lisbeths Ohren, und sie blickte hinaus auf den Kungsträdgården, wo gerade ein Mann mit einem schwarzen Hund vorüberging.

Sie war wegen der Drinks hergekommen und vielleicht auch ein bisschen wegen der Stimmung und Geselligkeit, aber es funktionierte nicht wie erhofft. Ab und zu spähte sie auf der Suche nach irgendwem, den sie mit nach Hause würde nehmen können, sei es nun Mann oder Frau, an den Junggesellinnen vorbei. Zwischendurch warf sie rastlose Blicke aufs Handy. Sie hatte eine Mail von Hanna Balder bekommen, der Mutter von August, jenem autistischen Jungen mit dem fotografischen Gedächtnis, der den Mord an seinem eigenen Vater bezeugt hatte und anschließend von Lisbeth in einem kleinen Haus auf Ingarö versteckt worden war.

Mittlerweile war der Junge nach einem längeren Auslandsaufenthalt wieder nach Schweden zurückgekehrt. Es gehe ihm »den Umständen entsprechend gut«, hatte die Mutter geschrieben, was an sich vielversprechend klang. Dennoch musste Lisbeth immer wieder an seine glasigen Augen denken, die mehr gesehen und verstanden hatten, als für ihn gut gewesen wäre, und an den starren Blick, hinter dem er sich versteckte. Aber manche Erlebnisse, so wusste sie aus eigener leidvoller Erfahrung, brannten sich trotzdem ein. Man wurde sie nie wieder los. Man musste mit ihnen leben, und unwillkürlich erinnerte sie sich wieder daran, wie der Junge auf Ingarö in einem wilden, frustrierten Anfall den Kopf an die Tischkante geschlagen hatte. Für einen Moment hätte sie am liebsten das Gleiche getan – einfach die Stirn gegen den Tresen hämmern. Doch sie begnügte sich damit, die Zähne aufeinanderzubeißen. Im selben Augenblick sah sie, wie sich ihr jemand näherte.

Es war ein junger Mann in einem blauen Anzug, mit dunkelblondem Haar und einem missbilligenden Zug um den Mund. Er setzte sich neben sie und sagte: »Krass, wie sauer du aussiehst«, und dann kommentierte er ihre aufgeplatzte Lippe, und beides war keine gute Idee. Trotzdem kam sie nicht mal mehr dazu, ihm einen vernichtenden Blick zuzuwerfen, weil im selben Moment eine verschlüsselte Nachricht von Mikael einging. Sie klickte sie an und erstarrte. Dann stand sie auf, warf ein paar Hundertkronenscheine auf den Tresen und verpasste dem jungen Anzugträger im Hinausgehen einen Seitenhieb.

Die Stadt glitzerte, und in der Ferne spielte irgendwo Musik. Für all diejenigen, die einen Sinn dafür hatten, war es ein herrlicher Sommertag. Doch für Lisbeth war es nichts dergleichen. Sie sah aus, als würde sie dem Nächstbesten an die Kehle gehen wollen. Sie tippte den Namen, den Mikael geschickt hatte, in eine Suchmaschine ein. Im Handumdrehen hatte sie herausgefunden, dass Rakel Greitz unter einer falschen Identität lebte. Im Grunde stellte das jedoch kein Problem dar. Jeder hinterließ Spuren – wenn er beispielsweise in Onlineshops einkaufte und so unvorsichtig war, seine Adresse anzugeben. Doch in diesem Augenblick, da sie die Strömbron in Richtung Gamla Stan überquerte, waren ihr die Hände gebunden. Sie würde im Moment nicht mal einen Internetbuchhandel oder eine andere Seite hacken können, wo Rakel Greitz vielleicht etwas gekauft hatte. Ihre Gedanken schweiften ab ... zu Drachen.

Sie wusste noch gut, wie sie als kleines Mädchen auf Socken durch Stockholm gerannt war und schließlich ein Schloss und eine selbst nachts erleuchtete Kirche erreicht hatte – die Storkyrkan, auch wenn sie das damals noch nicht gewusst hatte. Wie magisch hatte das Bauwerk sie angezogen. Ihre Füße waren nass, ihr war eiskalt, und sie musste sich ausruhen und aufwärmen. Sie lief an einer hohen Säule vorbei durch einen Innenhof und betrat das Kirchenschiff. Die Decke war so hoch, dass sie bis in den Himmel zu reichen schien. Lisbeth schlich weiter, immer tiefer hinein, und dann entdeckte sie eine Statue, deren Bedeutung sie erst viel später in Erfahrung bringen sollte. Sie stellte den Ritter und Heiligen Georg dar, der einen Drachen tötete und eine Jungfrau in Not rettete. Doch auch das ahnte Lisbeth damals noch nicht, und es hätte sie auch nicht interessiert. An jenem Abend interpretierte sie die Szene ganz anders. Sie sah einen Übergriff darin: Der Drache – daran erinnerte sie sich noch heute ganz deutlich – lag von einer Lanze durchbohrt auf dem Rücken, während ein gleichgültig dreinblickender Mann mit einem Schwert auf ihn einhieb. Der Drache war wehrlos und allein, und Lisbeth musste sofort an ihre Mutter denken.

Sie erkannte ihre Mutter in dem Drachen wieder und spürte mit jeder Faser ihres Körpers, dass sie sie retten wollte – oder besser noch, dass sie selbst der Drache sein und zurückschlagen und Feuer speien und den Ritter von seinem Pferd zerren und ihn töten wollte. Denn der Ritter war niemand Geringeres als Zala, ihr Vater, das Böse, das ihr Leben zerstörte. Aber das war noch nicht alles.

Neben dem Ritter und dem Drachen gab es noch eine weitere Gestalt, eine Frau, die man leicht übersehen konnte, weil sie ein Stück seitlich versetzt stand. Sie hatte eine Krone auf dem Kopf und die Hände erhoben, als hielte sie ein Buch, das es nicht gab. Das Seltsamste aber war, dass sie so ruhig wirkte, als würde sie nicht einen Kampf vor sich sehen, sondern eine Wiese, ein Meer. Lisbeth wäre im Traum nicht darauf gekommen, dass es sich dabei um die Jungfrau handelte, die gerettet werden sollte. In ihren Augen war diese Person einfach nur gleichgültig und eiskalt. Sie glich der Frau mit dem Muttermal, vor der sie geflohen war und die sämtliche Übergriffe und Vergewaltigungen bei ihnen zu Hause einfach untätig zur Kenntnis genommen hatte, genau wie alle anderen.

So hatte sie es aufgefasst. Die Mutter und der Drache wurden gequält, während die Welt gleichgültig zusah. Lisbeth empfand eine tiefe Abscheu gegenüber dem Ritter und der Frauengestalt und rannte bebend vor Kälte und Zorn wieder in den Sturm und den Regen hinaus. Das war inzwischen lange her, aber immer noch merkwürdig präsent.

Und als sie jetzt, Jahre später, auf dem Heimweg die Brücke nach Gamla Stan überquerte, murmelte sie den Namen vor sich hin: *Rakel Greitz*.

Endlich hatte sie die Verbindung zum Register gefunden, nach der sie seit Holgers Besuch in Flodberga gesucht hatte.

Hilda von Kanterborg öffnete ein Pils. Inzwischen schielte sie leicht auf dem linken Auge und verlor immer wieder den Faden. Mal schienen Gewissensbisse sie zu quälen, mal wirkte sie wieder erstaunlich wach im Kopf, als hätte der Alkohol ihre Sinne geschärft.

»Ich weiß nicht, was genau Lisbeth gemacht hat, nachdem sie aus der Storkyrkan gerannt ist, nur dass sie tags darauf am Hauptbahnhof betteln ging und bei Åhléns Schuhe und eine Daunenjacke klaute. Agneta war natürlich mit den Nerven am Ende, und ich ... war ebenfalls außer mir. Ich sagte Rakel auf den Kopf zu, dass sie ihr ganzes Projekt aufs Spiel setzte, wenn sie jetzt auf Teufel komm raus ihre Pläne durchdrücken wollte. Am Ende gab sie tatsächlich nach und ließ Lisbeth in Ruhe. Aber sie hat nie aufgehört, sie dafür zu hassen, und ich glaube, sie hatte damals auch ihre Finger im Spiel, als Lisbeth in St. Stefans eingewiesen wurde.«

»Wie kommen Sie darauf?«

»Weil Rakels guter Freund Peter Teleborian in der Klinik arbeitete.«

»Die beiden waren befreundet?«

»Teleborian war bei Rakel mal in Therapie gewesen. Beide glaubten daran, dass der Mensch aktiv Erinnerungen verdrängen konnte und all den Quatsch, und er war ihr gegenüber immer wahnsinnig loyal. Das Interessanteste hierbei ist aber, dass Rakel Lisbeth nicht bloß hasste: Sie fürchtete sie auch immer mehr. Ich glaube, sie hat viel früher als viele andere begriffen, wozu Lisbeth fähig ist.«

»Glauben Sie, dass Rakel Greitz etwas mit Holger Palmgrens Tod zu tun haben könnte?«

Hilda von Kanterborg starrte auf ihre Fußspitzen. Von draußen drangen Stimmen herein.

»Sie hat zumindest keine Skrupel. Das weiß ich besser als jeder andere. Die Schmutzkampagne, die sie gegen mich losgetreten hat, nachdem ich beschlossen hatte, das Register zu verlassen, hat mich zu einem gebrochenen Menschen gemacht. Aber Mord? Ich weiß nicht. Das kann ich nicht glauben – oder *will* es zumindest nicht glauben, und noch viel weniger kann ich ...«

Hilda verzog das Gesicht.

»Was können Sie noch viel weniger?«, hakte er nach.

»... glauben, dass Daniel Brolin zu so etwas fähig wäre.

Er könnte keiner Fliege etwas zuleide tun, erst recht nicht seinem Zwillingsbruder, wenn Sie darauf hinauswollen. Die beiden waren dafür geschaffen, zusammen zu sein.«

Mikael hätte am liebsten erwidert, dass genau das die Leute immer sagten, wenn Freunde oder Bekannte ein Verbrechen verübt hatten: *Wir begreifen es nicht. Das ist doch unmöglich. Nicht er. Nicht sie.* Und trotzdem passiert es. Man kann noch so gut von einer Person denken, und doch wird sie mitunter schier blind vor Wut, und dann geschieht das Unvorstellbare. Trotzdem schwieg Mikael und versuchte, keine voreiligen Schlüsse zu ziehen. Es gab schließlich eine ganze Reihe von denkbaren Szenarien. Hilda und er unterhielten sich noch eine Weile, besprachen, wie sie in den kommenden Tagen miteinander kommunizieren wollten, und gingen noch ein paar praktische Details durch. Er ermahnte sie, vorsichtig zu sein und gut auf sich aufzupassen, ehe er sein Handy zur Hand nahm, um nachzuschauen, ob zu dieser späten Stunde überhaupt noch Züge nach Stockholm gingen. Tatsächlich würde einer in fünfzehn Minuten fahren. Er bedankte sich bei ihr, packte eilig sein Diktiergerät ein, umarmte sie zum Abschied und lief zum Bahnhof. Unterwegs versuchte er, Lisbeth zu erreichen. Es war an der Zeit, dass sie sich trafen.

Noch auf der Heimfahrt im Zug sah er sich ein verwackeltes Video an, das seine Schwester ihm geschickt hatte und auf dem ein fuchsteufelswilder Bashir Kazi gestand, dass er hinter Jamal Chowdhurys Ermordung steckte.

Das verwackelte Video war nicht nur ein viraler Hit geworden. Es hatte auch für hektische Betriebsamkeit im Präsidium an der Bergsgatan gesorgt, vor allem nachdem es durch zwei komplexe Bewegungsanalysen ergänzt worden war, die ebenfalls bei Jan Bublanski von der Mordkommission eingegangen waren. Die Filme waren auch der Grund, warum jetzt ein junger Mann mit Läuferstatur und wirrem Blick zusammengesunken im Vernehmungsraum im siebten Stock saß. Er war in Begleitung seines Imams, Hassan Ferdousi.

Bublanski kannte Ferdousi seit einer Weile sogar persönlich. Er war nicht nur ein alter Studienfreund von Farah Sharif, Bublanskis Verlobten, sondern engagierte sich darüber hinaus auch gegen den zunehmenden Antisemitismus und die Islamophobie im Land und versuchte, den Dialog zwischen den Religionen zu fördern. Bublanski war nicht immer einer Meinung mit dem Imam, vor allem nicht, was Nahostfragen anging, hegte aber großen Respekt für ihn, und deshalb begrüßte er ihn nun auch mit einer leichten Verbeugung.

Der Imam hatte tatsächlich dazu beigetragen, bei den Ermittlungen im Fall Jamal Chowdhury einen Durchbruch zu erzielen. Dafür war Bublanski ihm natürlich dankbar, andererseits bedrückte es ihn auch – zum einen weil es seine Kollegen, die nichts dergleichen erreicht hatten, in ein ungeheuer schlechtes Licht rückte. Zum anderen wegen des zusätzlichen Arbeitsaufwands. Dabei war Bublanski schon zuvor völlig überlastet gewesen. Maj-Britt Torell hatte sich schließlich doch gemeldet und zugegeben, dass sie wegen der Dokumente, die sie an Holger Palmgren weitergegeben hatte, kontaktiert worden war. Ein gewisser Martin Steinberg – offenbar ein hoch angesehener Mann, der unter anderem für die Sozialbehörden und die Regierung arbeitete – sei bei ihr zu Hause aufgetaucht und habe ihr zu verstehen gegeben, dass die von ihr verbreiteten Unterlagen gewisse Personen bereits jetzt in Schwierigkeiten gebracht hätten. Sie habe bei Gott und dem seligen Professor Caldin schwören müssen, nie wieder darüber zu sprechen – und noch viel weniger über Steinbergs Besuch, angeblich »aus Rücksicht auf die ehemaligen Patienten«. Steinberg hatte ein Back-up der Unterlagen in Form eines USB-Sticks mitgenommen, und nun besaß Maj-Britt Torell keine weiteren Informationen mehr darüber, was in den Unterlagen gestanden hatte. Sie wusste nur, dass es Aktenvermerke über Salander gewesen waren. Sie hatte kein gutes Gefühl bei der Sache gehabt, vor allem nachdem Steinberg anschließend nicht mehr erreichbar gewesen war.

Bublanski wäre der Sache nur zu gern nachgegangen. Doch momentan konnte er das natürlich vergessen. Er war gebeten worden, Khalil Kazis Befragung zu übernehmen, und das konnte er natürlich nicht ablehnen, ganz gleich ob er gerade Zeit dafür hatte oder nicht. Jetzt hieß es, die Zähne zusammenzubeißen.

Er sah auf die Uhr. Es war Viertel vor neun, draußen war strahlendes Wetter, doch davon würde er weder an diesem Morgen noch den restlichen Tag über viel mitbekommen.

Er musterte den jungen Mann, der schweigend neben dem Imam saß und auf den Pflichtverteidiger wartete. Dabei hatte Khalil Kazi bereits zugegeben, den Mord an Jamal Chowdhury verübt zu haben – aus Liebe zu seiner Schwester. *Aus Liebe?*

Bublanski hatte sich vorgenommen, zumindest zu versuchen, das Unbegreifliche zu begreifen. Genau das war Bublanskis unglückliches Los im Leben: Menschen verübten Grausamkeiten, und seine Aufgabe war es, die Gründe nachzuvollziehen und die Täter vor Gericht zu bringen.

Mikael wachte in Lisbeths Doppelbett in der Fiskargatan auf. So hatte er sich das eigentlich nicht vorgestellt – aber er war selbst daran schuld. Als er unangekündigt bei ihr zu Hause aufgetaucht war, hatte sie ihn mit einem stummen Nicken hereingelassen. Zuerst hatten sie tatsächlich nur gearbeitet und Informationen ausgetauscht, aber sie waren beide nach einem aufreibenden Tag erledigt gewesen, und am Ende hatte Mikaels Disziplin versagt. Er hatte ihr das getrocknete Blut von den Lippen gewischt und sich nach dem Drachen in der Storkyrkan erkundigt – um halb zwei in der Nacht, draußen hatte es bereits wieder gedämmert, und sie hatten nebeneinander auf ihrem roten Ikea-Sofa gesessen.

»Hast du dir deshalb den Drachen auf den Rücken tätowieren lassen?«, fragte er.

»Nein«, antwortete sie.

Anscheinend wollte sie nicht darüber sprechen, und er hatte auch keine Lust, deswegen nachzubohren. Er war müde und wollte gerade aufstehen, um endlich nach Hause zu gehen, als Lisbeth ihn wieder aufs Sofa zog und ihm die Hand auf die Brust legte.

»Ich hab ihn mir tätowieren lassen, weil er mir geholfen hat.«

»Inwiefern?«

»Ich hab immer wieder an ihn gedacht, als ich in der St.-Stefans-Kinderpsychiatrie ans Bett gefesselt war.«

»Und woran genau hast du da gedacht?«

»Dass er mit einer Lanze im Leib zwar unterlegen war, sich aber eines Tages erheben und Feuer speien und seine Feinde vernichten würde.«

Ihre Augen funkelten dunkel und unruhig. Sie sahen einander an, und es fehlte nicht mehr viel, und sie hätten sich geküsst. Doch es wurde nichts daraus. Lisbeth hing wieder ihren finsteren Gedanken nach, blickte über die Stadt und einem Zug hinterher, der in Richtung Hauptbahnhof fuhr. Dann eröffnete sie ihm, dass sie Rakel ausfindig gemacht habe: Sie sei ihr über einen Onlinehandel für Pflege- und Desinfektionsmittel auf die Spur gekommen. Gut, erwiderte Mikael, doch gleichzeitig beunruhigte es ihn. Aber schon kurz darauf – wie ein Kontrapunkt zu der Leidenschaft, die gerade noch in ihnen aufgeflackert war – nickte er im Sitzen ein. Als er sie Minuten später fragte, ob er sich für eine Weile auf ihr Bett legen dürfe, hatte Lisbeth nichts dagegen einzuwenden. Dann legte auch sie sich hin und schlief sofort ein.

Jetzt, am Morgen danach, hörte Mikael Geräusche aus der Küche und kroch aus dem Bett. Während er selbst die Kaffeemaschine anstellte, holte Lisbeth eine Pizza Hawaii aus der Mikrowelle und setzte sich damit an den Küchentisch. Er zog ihren Kühlschrank auf, fand aber nichts Essbares und fluchte. Dann fiel ihm wieder ein, dass sie ja im Gefängnis gesessen und an ihrem ersten Tag in Freiheit sicher Besseres zu tun gehabt hatte, als sich Vorräte anzulegen. Er begnügte sich mit dem Kaffee, stellte P1 im Küchenradio ein und hörte gerade noch das Ende der Nachrichten, in denen von einem Hitzerekord im Großraum Stockholm die Rede war. Dann erst wünschte er Lisbeth einen guten Morgen, erhielt aber nur ein Brummeln zur Antwort.

Sie trug Jeans und ein schwarzes T-Shirt, war ungeschminkt, hatte blaue Flecken im Gesicht und eine geschwollene Lippe. Sie solle es behutsam angehen lassen, riet er ihr, und sie nickte. Wenig später traten sie zusammen hinaus auf die Straße und verständigten sich noch einmal knapp über ihre Pläne. Beim Slussen trennten sich ihre Wege.

Er würde bei der Investmentgesellschaft Alfred Ögren vorbeischauen.

Sie wollte Rakel Greitz einen Besuch abstatten.

Der Pflichtverteidiger Harald Nilsson fingerte nervös an seinem Kugelschreiber, während sie im Vernehmungsraum Khalil Kazis Ausführungen lauschten. Für Bublanski waren sie zwischendurch kaum zu ertragen. Khalil hätte eine Zukunft vor sich gehabt, doch stattdessen hatte er sich und andere ins Verderben gestürzt.

Nachdem Faria aus der Wohnung in Sickla geflohen war, hatte sie heimlich den Kontakt zu Khalil aufrechterhalten und ihm erzählt, dass sie vorhabe, mit der Familie zu brechen. Deshalb habe sie sich auch von ihrem kleinen Bruder verabschieden wollen. Sie hatten sich in einem Café am

Norra Bantorget verabredet. Khalil schwor hoch und heilig, er habe niemandem davon erzählt, doch die Brüder mussten ihn beschattet haben: Sie zerrten die Schwester auf offener Straße in ihr Auto, verschleppten sie in die Wohnung in Sickla und behandelten sie dort wie ein Stück Vieh. In den ersten Tagen fesselten und knebelten Bashir und Ahmed ihre Schwester sogar mit Panzerband und hängten ihr ein Schild mit der Aufschrift *Hure* um den Hals. Sie schlugen und bespuckten sie, und wenn andere Männer zu Besuch kamen, forderten sie sie auf, Faria ebenfalls zu schlagen.

Von Khalils Warte aus betrachtet behandelten sie Faria nicht länger als Schwester, ja nicht mal mehr wie einen Menschen. Sie hatten ihr das Recht auf Selbstbestimmung und körperliche Unversehrtheit genommen, und er glaubte zu wissen, was ihr als Nächstes bevorstand. Sie würden sie an irgendeinen abgelegenen Ort bringen, wo die Polizei nicht hinkam, um dort mit ihrem Blut die Ehre der Familie zu sühnen. Zwischendurch hieß es zwar, die Hochzeit mit Qamar könne sie noch retten, aber Khalil selbst glaubte nicht mehr daran. Schließlich war sie nicht mehr unschuldig, und wie hätten die Brüder sie außerdem unbemerkt außer Landes bringen sollen?

Khalil war sich sicher, dass Faria nur noch den Tod zu erwarten hatte. Und nachdem sie ihm das Handy weggenommen hatten und ihn ebenfalls wie einen Gefangenen behandelten, konnte er nicht einmal mehr Alarm schlagen. Ihm blieb nichts anderes übrig, als zu verzweifeln oder auf ein Wunder zu hoffen – und ein kleines Wunder geschah wirklich. Zumindest eine Besserung. Faria wurden Fesseln und Knebel abgenommen, und sie durfte duschen und in der Küche essen und ohne Schleier in der Wohnung herumlaufen. Es gab sogar Geschenke – als wollte man sie, statt sie zu bestrafen, für ihr Leid entschädigen.

Dann schenkten die Brüder Faria ein Radio, und Khalil selbst bekam einen gebrauchten Stepper, den ein Bekannter aus Huddinge vorbeibrachte. Das bescherte ihm wieder ein wenig Auftrieb. Er hatte das Laufen vermisst. Dass die potenzielle Fluchtmöglichkeit, die ihm das Laufen geboten hatte, nun dahin war, hatte ihn umso mürber gemacht. Jetzt trainierte er Stunde um Stunde, strampelte sich auf dem Gerät ab und begann allmählich wieder, ein Licht am Ende des Tunnels zu sehen, ein Stück Hoffnung, auch wenn er noch immer mit dem Schlimmsten rechnete.

Wenig später kamen Bashir und Ahmed in sein Zimmer und setzten sich auf sein Bett. Bashir hielt eine Pistole in der Hand. Obwohl sie bewaffnet waren, sahen die Brüder nicht wütend aus. Sie trugen frisch gebügelte blaue Hemden und lächelten ihn an.

»Wir haben gute Neuigkeiten«, verkündete Bashir.

Faria dürfe leben, oder besser gesagt: Sie dürfe leben, sofern jemand anderes einen Preis dafür zahle. Ansonsten würden sie alle Allahs Wut zu spüren bekommen, und die Ehre werde nicht mehr wiederhergestellt werden können, die Schande werde sich ausbreiten und sie alle vergiften. Dann wurde Khalil vor die Wahl gestellt: Er dürfe sich aussuchen, gemeinsam mit seiner Schwester zu sterben – oder Jamal Chowdhury umzubringen und Faria und sich selbst auf diese Weise zu retten.

Erst verstand er es nicht. Er wollte es nicht verstehen. Er strampelte nur weiter auf seinem Stepper, und die zwei Brüder wiederholten die Frage.

»Aber warum denn ausgerechnet ich? Ich hab noch nie jemandem wehtun können«, erwiderte er verzweifelt.

Doch wie Bashir erklärte, war Khalil als Einziger von ihnen nicht polizeibekannt und genoss einen anständigen Ruf, selbst unter Feinden der Familie. Vor allem aber würde Khalil durch diese Handlung den Verrat an seiner Familie wiedergutmachen.

Zu irgendeinem Zeitpunkt – entweder an diesem Tag oder

später – willigte er schließlich ein. Er würde Jamal töten. Die Lage sei ausweglos gewesen und er selbst vollkommen verzweifelt, sagte er bei der Vernehmung. Er habe seine Schwester schließlich geliebt – und er habe um sein Leben fürchten müssen.

Allerdings gab es einen Punkt, den Bublanski nicht begreifen wollte: warum Khalil nicht die Polizei verständigt hatte, als man ihn am Ende aus der Wohnung ließ, damit er den Mord verübte. Khalil behauptete, genau das habe er vorgehabt – er habe alles aufdecken und dann um Schutz ansuchen wollen. Doch dann sei er einfach nur überrumpelt und wie gelähmt gewesen, weil die Aktion so perfekt durchdacht und allem Anschein nach von langer Hand geplant gewesen sei. Schon im Vorfeld seien noch andere Personen beteiligt gewesen, vermutlich andere Islamisten, die ihn im Auge behalten hatten und keine Gelegenheit hätten verstreichen lassen, um ihm einzuflüstern, was für ein schlechter Mensch Jamal sei. Gegen ihn sei eine Fatwa ausgesprochen worden, erzählten sie. Er sei von frommen, rechtgläubigen Menschen in Bangladesch verurteilt worden, und nun habe er auch noch die Ehre der Familie und die seiner Schwester befleckt. Und so war Khalil Schritt für Schritt in den Sumpf und in die Dunkelheit hineingezogen und dazu getrieben worden, das Unvorstellbare zu tun: Er hatte Jamal vor die U-Bahn gestoßen. Er hatte die Tat nicht allein begangen, aber er war derjenige gewesen, der nach vorn gesprungen war und ihn ins Gleisbett geschubst hatte.

»Ich habe ihn umgebracht«, sagte er.

Faria Kazi saß im Besucherraum von Haus H des Frauengefängnisses Flodberga. Ihr gegenüber hatten Kriminalkommissarin Sonja Modig und die Anwältin Annika Giannini Platz genommen. Die Stimmung war verhalten und angespannt, als Annika gerade zum zweiten Mal das verwackelte

Video abspielte, in dem Bashir zugab, dass er hinter Jamals Ermordung steckte. Annika erklärte Faria, wie sie die Bewegungsanalyse deuten würden, und erzählte ihr auch, dass Khalil ein detailliertes Geständnis abgelegt habe. Er habe Jamal vor die U-Bahn gestoßen.

»Er hat geglaubt, das wäre der einzige Weg gewesen, Sie zu retten, Faria – und auch sich selbst. Und er sagt, dass er Sie liebt.«

Faria antwortete nicht. All das wusste sie bereits, und am liebsten hätte sie geschrien: *Dass er mich liebt? Ich hasse ihn!* Sie hasste ihn wirklich. Allerdings wusste sie auch, dass dies nicht die alleinige Wahrheit war. Nur deshalb hatte sie so lang geschwiegen. Sosehr er sie verletzt hatte, verspürte sie doch immer noch eine Art Beschützerinstinkt. Wahrscheinlich hing es vor allem mit ihrer Mutter zusammen: Ihr hatte Faria einst versprochen, sich um Khalil zu kümmern. Aber gab es jetzt überhaupt noch etwas zu beschützen? Sie biss die Zähne zusammen, blickte die beiden Frauen an und fragte:

»Ist das Lisbeth Salander, die man auf dem Film hört?«

»Ja, das ist Lisbeth.«

»Geht es ihr gut?«

»Ja, es geht ihr gut. Sie hat sich für Sie geprügelt.«

Faria schluckte. Dann gab sie sich einen Ruck und fing an zu erzählen. Wie immer, wenn ein Zeuge oder Tatverdächtiger nach langer Zeit endlich beschloss zu reden, senkte sich eine fast schon andächtige Ruhe über sie herab. Annika Giannini und Sonja Modig waren so konzentriert, dass sie nicht einmal hörten, wie draußen auf dem Flur die Haustelefone klingelten und Wachleute immer aufgeregter durcheinanderredeten.

Im Besucherraum herrschte eine unerträgliche Hitze. Sonja Modig wischte sich den Schweiß von der Stirn und wiederholte noch einmal, was Faria Kazi inzwischen zweimal erzählt hatte. Die beiden Versionen waren zwar ähnlich, aber nicht deckungsgleich gewesen. Irgendetwas schien noch immer zu fehlen.

»Sie hatten also das Gefühl, dass alles besser und dass Ihre Brüder milder geworden wären. Dass Sie vielleicht doch irgendeine Art von Freiheit erlangen könnten … trotz allem.«

»Ich weiß ehrlich nicht, was ich geglaubt habe«, erwiderte Faria. »Ich war am Boden zerstört. Aber sie haben sich bei mir entschuldigt. Das hatten Bashir und Ahmed noch nie getan. Sie behaupteten, sie hätten eine Grenze überschritten und würden sich schämen und dass sie doch einfach nur wollten, dass ich ein anständiges Leben führte. Außerdem sei ich schon hinreichend bestraft worden. Dann schenkten sie mir dieses Radio.«

»Und Sie haben nie darüber nachgedacht, dass es eine Falle gewesen sein könnte?«

»Ich hab die ganze Zeit daran gedacht! Ich hatte ja von anderen Mädchen gelesen, die man erst in Sicherheit gewiegt hatte und dann …«

»… wurden sie umgebracht.«

»Ich war mir darüber im Klaren, dass dieses Risiko bestand. Ich hatte Bashirs Körpersprache beobachtet und mich einfach nur vor ihm gefürchtet. Ich hab es kaum mehr gewagt zu schlafen. Mir war, als wäre mein Bauch versteinert. Dass es sich dann plötzlich anders anfühlte, war vielleicht Wunschdenken, aber das müssen Sie verstehen – ich hätte die Situation sonst nicht mehr ausgehalten. Ich hab Jamal so sehr vermisst, dass ich fast verrückt geworden wäre. Und aus diesem Grund hab ich auch die Hoffnung nie aufgegeben. Die Hoffnung hat immer überwogen. Ich hoffte, dass Jamal irgendwo dort draußen wäre und für mich kämpfte. Also hab ich gewartet und mir eingebildet, dass sich die Lage bessern würde. Khalil dagegen drehte völlig durch. Er trainierte so viel auf seinem Stepper, dass es nicht mehr normal war.

Selbst nachts hörte ich das Gerät quietschen. Es hat mich ganz wahnsinnig gemacht, und ich konnte nicht verstehen, wie er es überhaupt aushielt. Er strampelte und strampelte, und nur hin und wieder kam er raus, umarmte mich und bat mich immer wieder um Verzeihung. Ich hab ihm gesagt, ich würde ihn beschützen und dafür sorgen, dass Jamal und seine Freunde sich um uns beide kümmern und vielleicht, ich weiß nicht ... Es ist schwer, das im Nachhinein zu sagen.«

»Versuchen Sie, sich klar auszudrücken. Es ist wirklich wichtig«, warf Sonja Modig unerwartet scharf ein.

Annika Giannini fuhr sich mit einer energischen Geste durchs Haar. »Jetzt ist aber mal gut!«, sagte sie, und die Wut war ihr deutlich anzuhören. »Wenn sich Faria nicht klar ausdrückt, dann liegt es daran, dass die Situation als solche nicht klar ist. Sondern schwierig. Ich finde, wenn man die Umstände bedenkt, drückt sie sich bewundernswert klar aus.«

»Ich will es doch nur verstehen«, fuhr Sonja Modig fort. »Faria, Sie müssen doch verstanden haben, dass irgendetwas im Busch war. Sie haben gesagt, Khalil sei überspannt gewesen und habe so viel trainiert, dass er am Ende nur noch Haut und Knochen war ...«

»Es ging ihm dreckig. Er war ebenfalls ein Gefangener. Und trotzdem habe ich geglaubt, dass sich sein Zustand bessern würde. Erst im Nachhinein musste ich an seinen Blick denken.«

»Wie war er denn, der Blick?«

»Verzweifelt. Er sah aus wie ein gehetztes Tier. Das wollte ich in dem Moment aber nicht wahrhaben.«

»Und Sie haben nicht gehört, wie Ihre Brüder am Abend des 9. Oktober die Wohnung verlassen haben?«

»Nein, da hab ich geschlafen oder es zumindest versucht. Ich weiß aber noch, wie sie mitten in der Nacht nach Hause kamen und sich in der Küche zugeflüstert haben. Ich konnte nicht verstehen, worum es ging, aber am nächsten Tag haben sie mich seltsam angesehen, und das hab ich erst als gutes Zeichen gewertet. Ich hab mir eingebildet, Jamal wäre nicht weit weg – ich konnte seine Nähe förmlich spüren. Aber dann sind Stunden vergangen, und die Stimmung wurde immer merkwürdiger und nervöser. Es wurde dunkel, und dann war da Ahmed, genau, wie ich es schon erzählt habe ...«

»Er stand am Fenster.«

»Seine Haltung hatte etwas Wütendes, Bedrohliches an sich, und er atmete schwer. Ich spürte einen Druck auf der Brust, und in diesem Moment meinte Ahmed, er sei tot. Erst hab ich nicht verstanden, von wem er sprach. ›Jamal ist tot‹, sagte er dann. Da wurde mir schwarz vor Augen. Ich glaube, meine Knie haben nachgegeben, aber verstanden hab ich es immer noch nicht.«

»Sie haben einen Schock erlitten«, sagte Annika.

»Und trotzdem haben Sie im nächsten Moment eine furchtbare Kraft entwickelt«, fuhr Sonja Modig fort.

»Aber das habe ich doch schon erklärt«, erwiderte Faria.

»Allerdings«, sagte Annika.

»Ich würde es gern noch einmal hören.«

»Mit einem Mal war Khalil da«, holte Faria aus. »Vielleicht war er auch schon die ganze Zeit da gewesen. Er hat geschrien, dass er Jamal umgebracht habe, und das hab ich noch weniger verstanden. Dann faselte er irgendetwas – dass er es mir zuliebe getan habe. Dass sie ansonsten *mich* umgebracht hätten. Dass er sich zwischen mir und Jamal habe entscheiden müssen. In dem Augenblick hab ich rotgesehen. Ich bin ausgerastet und auf Ahmed zugestürzt.«

»Warum nicht auf Khalil?«

»Weil ich ...«

»Weil Sie ...«

»Weil ich es mittendrin plötzlich verstanden haben muss.«

»Was? Dass die anderen Khalils Loyalität zu Ihnen ausgenutzt hatten, um ihn zu erpressen?«

»Dass sie ihn dazu gezwungen hatten und dass sie auf einen Schlag Jamals und mein Leben zerstört haben. Deshalb bin ich durchgedreht. Können Sie das denn nicht verstehen?«

»Doch, das kann ich«, sagte Sonja. »Das kann ich durchaus. Bei anderen Dingen fällt mir das schon schwerer – zum Beispiel warum Sie in den Vernehmungen geschwiegen haben. Sie sagten, Sie hätten sich rächen wollen. Sie hätten sich rächen wollen, als Sie sich auf Ahmed stürzten. Aber Sie hätten sich doch auch an Bashir rächen können, dem größten Schurken von allen. Sie hätten ihn wegen Anstiftung zum Mord hinter Gitter bringen können, und Sie hätten von uns Hilfe bekommen.«

»Sie begreifen es einfach nicht!« Farias Stimme überschlug sich.

»Was begreifen wir nicht?«

»Dass mein Leben mit Jamals Tod ebenfalls aufgehört hat. Was hätte es denn noch genutzt? Dann wäre doch auch Khalil im Gefängnis gelandet. Er war doch der Einzige in der Familie, den ich ...«

Sie starrte mit leeren Augen zur Tür.

»Den Sie was?«

»Den ich geliebt habe.«

»Sie müssen ihn doch gehasst haben. Er hat Ihre große Liebe umgebracht.«

»Ich habe ihn gehasst. Geliebt und gehasst. Ist das denn so kompliziert?«

Annika Giannini war drauf und dran, die Befragung mit dem Hinweis zu unterbrechen, dass ihre Mandantin eine Pause brauchte, als es an der Tür klopfte. Es war der Anstaltsleiter Rikard Fager, der Sonja Modig sprechen wollte.

Sonja Modig wusste auf der Stelle, dass etwas Ernstes passiert sein musste. Der Gefängnisdirektor sah zutiefst verunsichert aus, und sie ärgerte sich darüber, wie umständlich er sich äußerte. Er verfranzte sich in unwichtigen Details und kam nicht auf den Punkt, als wollte er seine eigene Verteidigungsrede halten, statt irgendetwas zu erklären. Jemand habe Wache geschoben, und es habe Metalldetektoren gegeben, sagte er, und außerdem sei Benito doch in einem erbärmlichen Zustand gewesen – immerhin habe sie ja Schädelverletzungen und eine Gehirnerschütterung und einen Kieferbruch erlitten.

»Sie ist aus dem Krankenhaus geflohen. Ist es das, was Sie mir sagen wollen?«, hakte Sonja nach.

So war es. Doch er redete unbeirrt weiter: »Niemand hat damit gerechnet, dass sie in der Lage sein könnte, die Klinik zu verlassen ...«

Sämtliche Besucher seien abgetastet worden – oder zumindest sei es so vorgesehen gewesen. Dann allerdings sei irgendetwas mit dem Computersystem der Abteilung schiefgelaufen. Es war zusammengebrochen, und ein Teil der medizinischen Apparate hatte nicht mehr funktioniert. Die Lage war ernst, Ärzte und Krankenschwestern eilten hin und her, und ausgerechnet in diesem Moment tauchten drei Männer in Anzügen auf, die vorgaben, einen anderen Patienten besuchen zu wollen, einen Ingenieur von ABB, der ebenfalls auf der Station lag. Und dann ging alles sehr schnell.

Sie seien mit Nunchakus bewaffnet gewesen, erzählte Rikard Fager, und dann glaubte dieser Idiot tatsächlich, er hätte die Zeit und Gelegenheit, ihr zu erklären, was Nunchakus waren – stabförmige Schlagwaffen, wie man sie im Kampfsport verwendete ... Doch Sonja gebot ihm mit einer Geste Einhalt.

»Was ist passiert?«

»Die Männer haben die Wachleute niedergeschlagen und Benito befreit und sind mit ihr in einem grauen Lieferwagen mit falschen Nummernschildern geflohen. Einer der Männer konnte als Esbjörn Falk identifiziert werden, ein Mitglied des Svavelsjö MC, eines kriminellen Bikerclubs ...«

»Ich weiß, was der Svavelsjö MC ist«, ging sie dazwischen. »Welche Maßnahmen sind bisher eingeleitet worden?«

»Es läuft eine landesweite Fahndung nach Benito. Wir sind auch an die Medien gegangen. Und Alvar Olsen ist in Sicherheit gebracht worden.«

»Und Lisbeth Salander?«

»Was soll mit ihr sein?«

»Trottel«, murmelte Sonja Modig. Dann kehrte sie ihm den Rücken, rief Bublanski an und setzte ihn über Benito und Faria Kazi ins Bild. Nachdem sie ihm eine kurze Zusammenfassung von der Befragung des Mädchens gegeben hatte, musste er an eine alte jüdische Weisheit denken.

Man kann einem Menschen ins Gesicht sehen, aber nicht immer ins Herz.

18. KAPITEL

22. Juni

Dan Brody war auch an diesem Tag spät dran, als er zur Arbeit aufbrach. Er war unruhig, antriebslos und wurde von finsteren Gedanken geplagt. Diesmal war er allerdings passender gekleidet. Er trug einen hellblauen Leinenanzug und ein T-Shirt. Keine Krawatte, keine viel zu warmen Lederschuhe, sondern Sneakers. Die Sonne brannte, als er die Birger Jarlsgatan entlangging und seine Gedanken zu Leo schweiften. Plötzlich bremste neben ihm ein Wagen, dass die Reifen quietschten, und er strauchelte, genau wie schon im Fotografiska Museuet.

Für einen kurzen Augenblick blieb ihm die Luft weg. Dann setzte er seinen Weg fort und tauchte erneut in seine Erinnerungen ab. Jene Tage im Dezember nach ihrem ersten gemeinsamen Wochenende waren zwar mitunter von Schmerz und Neid getrübt gewesen, trotzdem gehörten sie zur glücklichsten Zeit seines Lebens. Leo und er hatten ununterbrochen miteinander geredet und musiziert. Sie waren allerdings nie gemeinsam vor die Tür gegangen, nur einzeln.

Allmählich hatte ihr Plan Gestalt angenommen. Sie würden Rakel Greitz konfrontieren, und damit sie nichts ahnte, durften keine Gerüchte die Runde machen.

Dezember, eineinhalb Jahre zuvor

Leo hatte das Weihnachtsessen im Restaurant mit Rakel Greitz abgesagt und sie stattdessen am 23. Dezember zu sich nach Hause eingeladen. In der Zwischenzeit übten die Brüder weiter ihren Rollentausch. Draußen in der Stadt waren sie beide Leo, und es bereitete ihnen unendlich viel Spaß. Dan lieh sich Leos Anzüge, Hemden und Schuhe. Sie legten sich den gleichen Haarschnitt zu und trainierten regelrecht in Sketchen und kleinen Theaterszenen, und Leo behauptete oft, Dan spiele ihn selbst viel glaubwürdiger.

»Ich hab den Eindruck, du ruhst viel mehr in diesem Charakter.«

Für gewöhnlich kam Leo früh von der Arbeit nach Hause. Nur an einem Abend ging er mit seinen Kollegen ins »Riche«. Auch da wurde es nicht allzu spät, doch als er zurückkam, erzählte er, dass er Malin Frode um ein Haar von ihm erzählt habe.

»Aber du hast es nicht getan?«
»Nein, nein. Sie scheint zu glauben, ich sei verliebt.«
»Hat es sie verletzt?«
»Nicht besonders.«

Dan wusste inzwischen, dass Leo eine Affäre mit Malin hatte, die sich gerade scheiden ließ und nicht mehr lang bei Alfred Ögren arbeiten würde. Leo behauptete, von ihrer Seite sei es garantiert nichts Ernstes. In Wahrheit sei sie in diesen Journalisten, Blomkvist, verschossen, und wahrscheinlich liebe er selbst sie auch nicht wirklich. Es sei vor allem ein Spiel, sagte er, wobei das vielleicht doch untertrieben war.

Dan und Leo analysierten ständig alles Mögliche, tauschten Gedanken, Erinnerungen, Gerüchte aus. Und sie schlossen einen Pakt, den auf den ersten Blick nichts würde brechen können. Dan erinnerte sich noch genau daran, wie sie das Treffen mit Rakel Greitz vorbereitet hatten. In allen Einzelheiten hatten sie ihren Plan besprochen: Dan würde sich zunächst verstecken und Leo Rakel ausfragen, anfangs vorsichtig, dann immer offensiver.

Am Tag vor dem Weihnachtsessen, am Freitag, den 22. Dezember, hatte Malin Frode zu einem Abschiedsfest bei sich zu Hause in der Bondegatan eingeladen. Genau wie Dan hatte auch Leo Schwierigkeiten mit Feiern in kleinen Wohnungen. Dort wurde es einfach zu laut. Das würde er nicht aushalten, beteuerte er, hatte stattdessen aber eine andere Idee: Er würde Dan sein Büro bei Alfred Ögren zeigen. Die Firma sei zu dem Zeitpunkt ganz sicher leer, nachdem die Kollegen überwiegend bei Malin seien. Und an einem Freitagabend, noch dazu so kurz vor Weihnachten, würde auch keiner mehr Überstunden machen. Dan gefiel Leos Einfall, und er war neugierig auf dessen Arbeitsplatz.

Gegen acht Uhr abends verließen sie im Abstand von zehn Minuten das Haus: Leo als Erster – mit einer Flasche Champagner und einer Flasche Burgunder in der Tasche – und anschließend Dan, der fast wie Leo gekleidet war, nur im helleren Anzug und mit einem dunkleren Mantel. Es war kalt. Es schneite. Und sie wollten feiern.

Am Morgen nach ihrem Treffen mit Greitz würden sie mit ihrer Geschichte an die Öffentlichkeit gehen. Obwohl Dan sich dagegen sträubte, wollte Leo ihm eine Menge Geld übereignen. Die Ungerechtigkeit müsse endlich ein Ende haben, sagte er, genau wie das Leben als Analyst und die Tristesse bei Alfred Ögren. Stattdessen würden sie zusammen Musik machen.

Der Abend fing wunderbar an. Sie stießen miteinander an und tranken, und ein Gefühl von Verheißung lag in der Luft. »Morgen«, sagten sie immer wieder. »Morgen!«

Doch dann ging irgendetwas schief. Dan war sich sicher, dass es an Leos Büro bei Alfred Ögren lag. An der Decke schwebten Renaissanceengel, an der Wand hingen Jugendstilgemälde, die Kommoden hatten vergoldete Handgriffe, darauf standen chinesische Vasen. Alles war so protzig und pompös, dass Dan kaum an sich halten konnte und den Bruder provozierte: »Du scheinst es ja nicht sonderlich schwer zu haben im Leben«, stichelte er, und Leo pflichtete ihm bei.

»Ich weiß – und dafür schäme ich mich auch. Ich mochte diesen Raum nie. Er hat meinem Vater gehört«, erklärte er, doch Dan trieb das Ganze noch weiter.

»Und trotzdem wolltest du mich unbedingt herbringen, ja? Wolltest dich aufspielen und mir reinwürgen, wie gut du es hast.«

»Nein, nein, entschuldige! Ich wollte es dir nur zeigen – ich weiß, dass es ungerecht ist.«

»*Ungerecht?*«

Dan war laut geworden. Er hatte das Gefühl, dass *ungerecht* es nicht annähernd traf. Es war mehr, es war *unanständig*. Es überstieg alle Grenzen. Sie diskutierten hin und her, Dan machte Leo Vorwürfe und besann sich wieder, bat um Verzeihung, ging dann erneut zum Angriff über. Und an irgendeinem Punkt, der sich nur schwer exakt bestimmen ließ, ging etwas zwischen ihnen unwiederbringlich kaputt. Was bereits von Anfang an unter der Oberfläche geschwelt hatte und von dem überwältigenden Glück, einander begegnet zu sein, überlagert worden war, stieg nun in Dan hoch und riss nicht nur eine Kluft, sondern warf auch ein neues Licht auf die Situation.

»Du hattest all das – und meckerst und jammerst

trotzdem nur rum. *Meine Mutter hat mich nicht verstanden, mein Vater hat gar nichts begriffen. Ich durfte nicht spielen, ich war ja so arm dran, ich armer kleiner reicher Junge!* Ich will kein Wort mehr davon hören, kein einziges, kapierst du das? Ich hab Prügel bezogen, ich hab hungern müssen, ich hatte *nichts*, kein bisschen, und du ...«

Er zitterte am ganzen Leib. Sicher spielte auch eine Rolle, dass sie beide betrunken waren. Jedenfalls warf er Leo vor, durch und durch falsch und ein Mistkerl zu sein, ein versnobter Idiot, der mit seinen Depressionen kokettiere. Er war drauf und dran, sich ein, zwei chinesische Vasen zu schnappen und sie zu zerschmettern. Stattdessen stürmte er davon, knallte die Tür hinter sich zu und verschwand nach draußen.

Eine Weile wusste er nicht, wohin er gehen sollte, und streifte frierend durch die Gegend. Am Ende kehrte er zu seiner Jugendherberge auf Skeppsholmen zurück und übernachtete dort. Am nächsten Morgen um elf kehrte er zu Leo in die Floragatan zurück, fiel ihm um den Hals und bat um Verzeihung. Sie entschuldigten sich beieinander und bereiteten sich weiter auf das Treffen mit Rakel Greitz vor. Trotzdem stand etwas zwischen ihnen, und das sollte Folgen haben.

Dan verzog unmerklich das Gesicht, als er daran zurückdachte, was vor eineinhalb Jahren passiert war. Er bog in die Smålandsgatan ab, lief an der »Konstnärsbar« vorbei zum Norrmalmstorg. Die Luft war heiß und stickig, es war zehn Uhr vormittags, und es ging ihm nicht gut. Er fühlte sich nicht bereit, den berühmtesten Investigativreporter Schwedens zu treffen.

Rakel Greitz und Benito Andersson – die, abgesehen von ihrem Sadismus und der Tatsache, dass sie in keiner guten Verfassung waren, nicht viel gemein hatten – fühlten sich dafür umso bereiter, Lisbeth Salander zu treffen. Keine von ihnen wusste, wer die andere war, und wären sie sich zufällig begegnet, hätten sie nur Verachtung füreinander übrig gehabt. Doch sie waren beide darauf aus, Lisbeth unschädlich zu machen, und verfügten über gute Netzwerke, eines so intelligent wie das andere, auch wenn ihr Hintergrund unterschiedlicher nicht hätte sein können.

Benito bewegte sich im Dunstkreis des Bikerclubs Svavelsjö MC, der seine Informationen von Lisbeths Schwester Camilla und deren Hackern bezog. Rakel Greitz hatte eine gänzlich andere Organisation im Rücken, die sich jedoch ebenfalls durch eine hohe technische Kompetenz auszeichnete. Vor allem aber profitierte sie trotz ihrer Erkrankung von ihrer eigenen Willensstärke und Wachsamkeit. So wohnte sie beispielsweise gerade vorübergehend in einem Hotel auf Kungsholmen.

Sie wusste genau, dass gerade alles auf der Kippe stand. Insgeheim hatte sie damit schon länger gerechnet – seit jenem 23. Dezember vor gut eineinhalb Jahren, als die Dinge eskaliert waren. Damals hatte sie tatsächlich keinen anderen Ausweg gesehen. Es war ein Wagnis gewesen. Und jetzt stand sie vor einem neuerlichen Wagnis.

Am liebsten hätte sie sich Salander und von Kanterborg gleich vorgeknöpft, aber die beiden Frauen waren unauffindbar. Also fing sie stattdessen mit Daniel Brolin an. Er war ein Weichei, das schwächste Glied in der Kette, und deshalb ging sie jetzt auf der Hamngatan bei NK vorbei. Sie trug ein leichtes graues Kostüm und einen schwarzen Rollkragenpullover aus Baumwolle, und trotz der Übelkeit und der Schmerzen fühlte sie sich stark.

Allerdings quälte sie die Hitze. Was war nur aus Schweden

geworden? Solche Sommer hatte es in ihrer Kindheit nicht gegeben. Es herrschte das reinste Tropenwetter, es war zum Verrücktwerden. Sie war verschwitzt und verklebt. Trotzdem biss sie die Zähne zusammen und streckte den Rücken durch. Ein Stück weiter hing fauliger Gestank in der schwülen Luft, und sie kam an einer Baustelle vorbei und an zwei übergewichtigen, unansehnlichen Männern in blauen Overalls. Sie setzte ihren Weg in Richtung Norrmalmstorg fort und steuerte schon auf die Tür von Alfred Ögren zu, als sie etwas zutiefst Beunruhigendes entdeckte: Der Journalist Mikael Blomkvist – dem sie auch schon in Hildas Hauseingang in Skanstull begegnet war – betrat soeben das Gebäude der Investmentgesellschaft. Rakel wich zurück. Dann rief sie Benjamin an.

Sollte er doch mal was für sein Geld tun.

Dan Brody – oder Leo Mannheimer, wie er sich inzwischen nannte – saß in seinem viel zu schönen Büro und spürte, wie sein Puls raste und die Wände auf ihn zuzustürzen schienen. Was sollte er tun? Sein Junior Advisor – so bezeichnete sich sein Sekretär, der sich für alles andere zu männlich-überlegen fühlte – hatte ihm mitgeteilt, dass Mikael Blomkvist am Empfang auf ihn warte. Er sei in zwanzig Minuten so weit, hatte er erwidert.

Er kam sich unhöflich vor, aber er brauchte noch ein bisschen Zeit, um zu überlegen, wie er Rakel Greitz ans Messer liefern konnte. Wer weiß, vielleicht würde Mikael Blomkvist ihm ja sogar dabei helfen, auch wenn er sicher einen hohen Preis dafür zahlen müsste. Der Gedanke kam ihm nicht zum ersten Mal.

Dezember, eineinhalb Jahre zuvor

Es hatte geschneit an jenem Tag, als sie in der Floragatan auf Rakel Greitz warteten, und Dan hatte sich immer wieder entschuldigt.

»Schon gut«, antwortete Leo. »Ich hab übrigens gestern noch Besuch bekommen, nachdem du fort warst.«

»Von wem?«

»Von Malin«, antwortete er. »Wir haben den Champagner getrunken. Es war eine ziemlich misslungene Begegnung ... Aber ich hab was aufgeschrieben – willst du es sehen?«

Dan nickte, und Leo stand vom Klavierhocker auf und verschwand. Mit einem Blatt Papier in einer Plastikhülle kam er wieder und blickte zugleich schuldgeplagt und feierlich drein. Übertrieben langsam reichte er seinem Bruder das Dokument – ein Bogen Büttenpapier mit Wasserzeichen.

»Ich nehme an, so etwas muss beglaubigt werden«, sagte er.

Seine Schrift war ordentlich und trotzdem leicht verschnörkelt. Der Text besagte, dass Leo ihm die Hälfte seines Vermögens schenkte.

»Du liebe Güte«, sagte Dan.

»Ich hab mit meiner Anwältin einen Termin zwischen den Jahren vereinbart und werde sie informieren«, erklärte Leo. »In Anbetracht der Umstände sollte all das problemlos vonstattengehen. Ich sehe das nicht mal als Schenkung an. Du bekommst nur das, was dir längst zusteht.«

Dan war sprachlos. Er ahnte, dass er seinem Bruder eigentlich um den Hals fallen und gerührt sein und sagen müsste: *Das ist viel zu viel, das ist nicht normal, das ist viel zu großzügig!*

Doch in seinem Inneren veränderten die Zeilen nichts. Nichts wurde dadurch besser oder einfacher, und zunächst verstand er nicht, warum. Er kam sich gereizt und kleinlich vor. Dann wurde ihm klar, dass dieses Geschenk etwas Aggressives an sich hatte. Leo schenkte ihm das Geld aus seiner haushoch überlegenden Position heraus – und so groß die Geste auch war, machte sie Dan letztlich umso kleiner.

Er sagte ein paar freundliche Worte, fügte am Ende dann aber verbissen hinzu: »Ich kann es nicht annehmen.«

Aus Leos Blick sprach die Verzweiflung.

»Warum denn nicht?«

»Das funktioniert so nicht. So einfach lässt sich das nicht reparieren.«

»Ich will damit doch auch nichts reparieren. Ich will eine Schuld begleichen. Mich interessiert dieses verdammte Geld sowieso nicht.«

»Es interessiert dich nicht?«

Dan verlor erneut die Beherrschung, und zu einem gewissen Grad erkannte er sogar selbst, wie absurd die Situation war. Ihm waren soeben mehrere Millionen angeboten worden, die sein Leben von Grund auf verändern könnten – und er war verletzt und wütend. Womöglich wegen ihres Streits am Vorabend. Weil er zu viel getrunken und dann kaum ein Auge zugetan hatte. Vielleicht waren es auch seine Minderwertigkeitskomplexe oder was auch immer. Jedenfalls schrie er, statt sich zu besinnen: »Du kapierst gar nichts! So was kann man doch nicht zu einem Menschen sagen, der immer am Rande der Gesellschaft gelebt hat. Es ist zu spät, Leo. Zu spät!«

»Nein, nein, wir fangen einfach noch mal von vorn an.«

»Es ist zu spät«, wiederholte er.

»Hör auf!« Jetzt fauchte Leo zurück. »Du bist ungerecht.«

»Du gibst mir das Gefühl, käuflich zu sein. Verstehst du das? Käuflich!«

Er trieb es zu weit. Er war sich darüber im Klaren, und es tat ihm weh, dass Leo nicht mit gleicher Wut reagierte, sondern nur traurig antwortete: »Ich weiß.«

»Was weißt du?«

»Dass sie zu viel kaputt gemacht haben. Und dafür hasse ich sie. Aber trotzdem ... Wir haben einander gefunden. Das ist doch letztlich das Entscheidende, oder?«

Seine Stimme klang so verzweifelt, dass Dan nur leise murmelte: »Natürlich bin ich dankbar, aber ...«

Weiter kam er nicht. Das »Aber« gefiel ihm nicht, und er wollte sich dafür entschuldigen. Später würde er sich genau daran erinnern: Sie waren drauf und dran, sich zu versöhnen, und sie hätten wieder zueinandergefunden, wenn ihnen nur die Zeit geblieben wäre. Doch dazu kam es nicht mehr: Sie hörten Geräusche im Treppenhaus, Schritte, die plötzlich innehielten. Dabei war es noch nicht einmal zwölf, noch über eine Stunde, bis Rakel Greitz kommen sollte, und Leo hatte weder den Tisch gedeckt noch das Essen vom Caterer herausgestellt.

»Versteck dich«, flüsterte er seinem Bruder zu.

Eilig räumte er das Papier mit der Schenkung weg. Dan schlüpfte ins angrenzende Schlafzimmer und zog die Tür hinter sich zu.

Leo Mannheimer hatte schon immer Anlass zur Sorge gegeben, nicht allein der Sache mit Carl Seger wegen. Er war in letzter Zeit labil gewesen, und sie glaubte, dass es mit Madeleine Bard zu tun hatte. Sie zu verlieren hatte Misstrauen in ihm geschürt, und Rakel war es gleich verdächtig vorgekommen, als er ihr Weihnachtsessen im Restaurant abgesagt und sie stattdessen zu sich nach Hause eingeladen hatte.

Rakel Greitz wusste alles über Leo, und so wusste sie auch, dass Leo wie so viele Junggesellen ungern kochte oder Leute bei sich empfing – erst recht Leute, die nicht zu seinen engsten Vertrauten gehörten. Deshalb hatte Rakel Greitz beschlossen, unter dem Vorwand, ihm ein wenig in der Küche helfen zu wollen, früher als vereinbart aufzutauchen. In Wahrheit wollte sie herausfinden, ob irgendetwas im Argen lag.

Draußen schneite es, und als sie den Hausflur mit dem blauen Himmel an der Decke erreicht hatte, hörte sie hitzige Stimmen – Stimmen, die beängstigend ähnlich klangen. Sie erstarrte. Es lag tatsächlich etwas im Argen, und für einen Moment hatte sie keine Ahnung, was sie tun sollte. Normalerweise war Leos Gehör unübertroffen, weshalb es sie überraschte, dass die Stimmen drinnen nicht verstummt waren. Sie schickte Benjamin eine SMS: *Bei Leo in der Floragatan. Brauche deine Hilfe.* Und fügte hinzu: *Nimm meine Arzttasche mit, voll ausgestattet!*

Anschließend streckte sie den Rücken durch, klopfte an und stellte sich darauf ein, ihr wärmstes Weihnachtslächeln aufsetzen zu müssen. Stattdessen war es Leo, der sie schon in der Tür anstrahlte, und wie immer – so wollte es seine gute Erziehung – gab er ihr einen Kuss auf die Wange und nahm ihr den Mantel ab. Niemals hätte er sie darauf hingewiesen, dass sie eine Stunde zu früh aufgetaucht war.

»Sie sehen elegant aus wie immer, Rakel. Was für ein Weihnachten!«, sagte er.

»Ja, herrlich«, erwiderte sie.

Er spielte seine Rolle gut. Sie musste sein Gesicht genau studieren, ehe sie ein Anzeichen von Anspannung darin entdeckte. Unter anderen Umständen hätte er sie vielleicht sogar hinters Licht führen können, nun aber war ihr Blick geschärft, und außerdem hatte er mehrere Fehler begangen – vermutlich war ihm das auch selbst bewusst. Noch vor Kurzem waren Stimmen zu hören gewesen, und jetzt war er allein. Vor allem aber, und das fiel ihr ganz besonders auf, lag eine Gitarre auf dem Sofa. *Eine Gitarre!*

»Wie geht es Viveka?«, fragte sie.

»Ich glaube, ihr bleibt nicht mehr viel Zeit.«

»Die Ärmste.«

»Ja, es ist grausam«, sagte er.

Unsinn, dachte sie. *Du bist sicher froh, wenn die alte Krähe endlich tot ist.*

»Wenn beide Elternteile sterben, ist man plötzlich ganz auf sich allein gestellt«, fuhr sie fort und berührte seinen Arm, um ihm zu demonstrieren, wie mitfühlend sie war und nicht, wie in Wahrheit, misstrauisch. Es war ein Fehler. Leo erschauderte förmlich vor Unbehagen, und in seinen Augen flackerte Zorn auf. Leicht verängstigt blickte Rakel zu der Gitarre hinüber. Sie würde die Angelegenheit noch eine Weile auf sich beruhen lassen. Sie musste Benjamin genügend Zeit geben, ihre Arzttasche zu packen und herzukommen, und vielleicht würde es ihr ja für zehn Minuten gelingen, ein alltägliches Gespräch zu führen. Doch am Ende hielt sie es nicht mehr aus.

»Wer ist eigentlich noch hier?«, fragte sie.

»Was glauben Sie denn?«, erwiderte er.

Sie wisse es nicht, gab sie zurück, dabei hatte sie längst eine Ahnung. Sie sah, wie Leo die Schultern verspannte. Er sah sie mit einem Blick an, den sie an ihm noch nie erlebt hatte. Noch bevor Daniel Brolin aus dem Nebenzimmer kam, wusste sie, dass sie hart und schonungslos würde zuschlagen müssen.

19. KAPITEL
22. Juni

Rakel Greitz war nicht in ihrer Wohnung am Karlbergsvägen, insofern konnte Lisbeth fürs Erste nichts weiter tun. Sie nahm ihre übliche U-Bahn, stieg diesmal allerdings schon beim Slussen aus, um einen kleinen Umweg über die Götgatan einzuschlagen. Annika Giannini hatte ihr Bescheid gegeben, dass Benito Andersson aus dem Krankenhaus Örebro befreit worden war. Deshalb war sie auf der Hut. Das war sie eigentlich immer, doch die Erfahrung im Gefängnis hatte ihre Wachsamkeit noch weiter geschärft. Womöglich unterschätzte sie die Bedrohung trotz alledem – denn inzwischen hatte sie viel mehr Verfolger, als sie ahnen konnte. Alte, finstere Mächte aus ihrer Vergangenheit schmiedeten Allianzen, bündelten Kräfte und tauschten Informationen aus.

Es war ein brennend heißer Junitag, und das Leben draußen schien fast zum Erliegen zu kommen. Die Leute schleppten sich durch die Straßen, blieben vor Schaufenstern stehen oder saßen in den Außenbereichen der Cafés und Restaurants. Lisbeth setzte ihren Weg in Richtung Fiskargatan fort, als es in ihrer Tasche brummte. Sie hatte eine verschlüsselte Nachricht von Blomkvist erhalten:

Leo ist Daniel. Ich bin mir fast sicher!

Sie schrieb zurück:

Redet er?

Und er antwortete:

Weiß noch nicht. Melde mich wieder!

Sie überlegte kurz, ob sie zum Norrmalmstorg fahren sollte, um zu sehen, ob sie dort helfen konnte, verwarf den Gedanken jedoch sofort wieder. Erst wollte sie Rakel Greitz aufspüren. Vielleicht hatte die ja noch eine weitere Adresse.

Noch während sie sich ihrer Wohnung näherte, fragte sie sich, ob sie wirklich nach Hause gehen sollte. Zwar war sie dort nicht gemeldet, sie hatte die Wohnung unter falschem Namen und über Strohmänner gekauft, um ihre Identität zu verschleiern, doch sie spürte, dass sich die Schlinge zusammenzog. Die Nachbarn im Viertel erkannten sie wieder, immerhin war sie inzwischen fast eine Prominente, was ihr zutiefst zuwider war. Nur zwei Personen – Kalle Fucking Blomkvist und der NSA-Agent Ed the Ned – hatten sie bislang hier aufspüren können, aber es waren Gerüchte im Umlauf. Allmählich sollte sie die Bude verkaufen und wegziehen. Die Wohnung war ohnehin zu groß für sie. Vielleicht sollte sie ja auf der Stelle abhauen.

Aber dafür war es zu spät. Es dämmerte ihr im selben Moment, da sie den Lieferwagen ein Stück die Straße entlang entdeckte. An sich war das Fahrzeug nicht auffällig – ein älteres Modell, das ganz normal am Straßenrand parkte. Trotzdem weckte es ihr Misstrauen, und im nächsten Moment fuhr es an. Lisbeth machte sofort kehrt, kam aber nicht weit, denn mit einem Mal sprang ein bärtiger

Mann aus einem Hauseingang, drückte ihr einen nassen Lappen aufs Gesicht, und ihr wurde übel. Sie war leichtsinnig gewesen – und jetzt war sie kurz davor umzukippen. Die Straße und die Hauswände begannen zu tanzen, und sie hatte keine Kraft, dagegen anzukämpfen. Sie schaffte es gerade noch so, ihr Telefon hervorzuziehen und »Drude« hineinzuflüstern. Dann gaben die Beine unter ihr nach, und sie wurde auf die Ladefläche des Lieferwagens gezerrt. Doch obwohl sie nur noch verschwommen sah, nahm sie den Geruch eines süßlichen Parfüms wahr, den sie nur allzu gut kannte.

Dezember, eineinhalb Jahre zuvor

Dan hörte die Stimmen aus dem Wohnzimmer und begriff auf der Stelle, dass es nicht lief wie geplant. Rakel Greitz schien sie sofort durchschaut zu haben, und er sah keine andere Lösung, als aus dem Zimmer zu stürmen und sich ihr in den Weg zu stellen. Der Überraschungseffekt, auf den sie gehofft hatten, war natürlich längst dahin.

Möglicherweise ging deshalb gleich anfangs so vieles schief. Vielleicht hatte Dan auch unterschätzt, welchen Eindruck Rakel Greitz auf ihn machen würde. Ihre bloße Erscheinung versetzte ihn brutal in seine Kindheit zurück. Er erinnerte sich wieder daran, wie sie vor etlichen Jahren im Obergeschoss des Bauernhofs gestanden und ihm kühl dabei zugesehen hatte, wie er Gitarre spielte. Schlagartig war ihm klar, dass sie ihn damals schon mit Leo verglichen und die Ähnlichkeit gesehen haben musste, und der Gedanke brachte ihn völlig aus der Fassung.

»Erkennen Sie mich wieder?«, fragte er.

Er schäumte vor Wut und trat einen Schritt auf sie zu, kam sich aber zugleich unendlich unbeholfen vor.

Rakel Greitz stand immer noch an derselben Stelle und wirkte merkwürdig gefasst.

»Natürlich erkenne ich dich wieder«, sagte sie. »Wie geht es dir?«

»Wir wollen jetzt genau wissen, was passiert ist«, fauchte er, und erst da wich sie ein Stück zurück. Trotzdem zupfte sie in aller Seelenruhe ihren Rollkragen zurecht und warf einen Blick auf ihre Armbanduhr. Sie trug ein schwarzes Kostüm und einen ebensolchen Pullover. Ihr Haar war kurz und dunkelblond gefärbt. Doch auch wenn sie offensichtlich nervös war – ihr Mund zuckte leicht –, besaß sie Haltung und eine eiskalte Ausstrahlung, die Aura einer strengen Lehrerin, die Dan das Gefühl gab, sie würde ihn gleich zurechtweisen, und nicht umgekehrt.

»Beruhige dich«, sagte sie.

»Niemals«, donnerte er. »Sie haben uns einiges zu erklären.«

»Ich erzähl alles, die ganze Wahrheit, aber erst müsst ihr mir versprechen, dass ihr damit nicht an die Öffentlichkeit geht.«

Er antwortete nicht.

»Ich verstehe ja, dass ihr empört seid. Aber wenn die Geschichte jetzt öffentlich würde, ehe ihr den ganzen Zusammenhang verstanden habt, wäre das eine Katastrophe. Es ist nämlich nicht so, wie ihr denkt ...«

»Wir haben nichts weitergegeben – noch nicht«, sagte Dan und fragte sich im nächsten Moment, ob es ein Fehler gewesen war, vor allem nachdem er einen Anflug von Erleichterung in Rakels Gesicht entdeckte. Er warf Leo einen Blick zu.

Leo stand stumm da, als stünde er unter Schock. Von

ihm war keine Hilfe zu erwarten. Und dass nun auch noch Rakel Greitz die Initiative ergriffen hatte, behagte Dan nicht.

»Ich bin inzwischen eine alte Frau«, sagte sie, »und ich hab Magenschmerzen. Bitte seht es mir nach, dass ich ... Ist es in Ordnung, wenn ich mich kurz aufs Sofa setze?«

»Bitte«, sagte Leo. »Setzen Sie sich. Dann fangen wir an. Wir haben eine Menge Fragen.«

Anfangs erzählte Rakel Greitz zögerlich, weil sie immer noch hoffte, dass Benjamin rechtzeitig auftauchen würde, ehe sie irgendetwas Verfängliches sagte oder sich in unbedachte Lügen verstrickte. Leo und Daniel saßen ihr gegenüber und starrten sie an, und trotz der angespannten Lage kam sie aus dem Staunen nicht mehr heraus. Die Brüder sahen sich wirklich verblüffend ähnlich – viel ähnlicher als die meisten anderen eineiigen Zwillinge in diesem Alter. Der identische Haarschnitt und die gleiche Kleidung betonten die Ähnlichkeit zusätzlich.

»Es war folgendermaßen«, hob sie an. »Wir befanden uns in einer äußerst schwierigen Lage: Wir hatten von mehreren Kinderheimen und Krankenhäusern Berichte über eineiige Zwillinge bekommen, deren Eltern sich nicht um sie kümmern konnten.«

»Wer sind *wir*?«, fiel Daniel ihr ins Wort, und obwohl seine Stimme wütend und hasserfüllt klang, freute sie sich über die Unterbrechung. Dann hatte sie eine spontane Eingebung und bat darum, etwas aus ihrer Manteltasche holen zu dürfen, was ihnen den Zusammenhang vielleicht verdeutlichen könnte. Sie fragte sich schon, ob diese Finte auch nur ansatzweise glaubwürdig gewesen war, aber die beiden ließen sie gehen, und mit einem Mal spürte sie etwas, was ihr Kraft gab. Sie spürte Verachtung. Daniel und Leo waren schwach und erbärmlich.

Draußen im Flur begann sie, heftig zu husten, um die beiden abzulenken, und öffnete gleichzeitig mit einer behänden Bewegung die Tür. Anschließend wühlte sie vorgeblich in ihrer Tasche und rief: »Ich bin wirklich ein hoffnungsloser Fall!«

Kopfschüttelnd kehrte sie zum Sofa zurück und erging sich eine Weile in vagen, weitschweifigen Ausführungen. Das provozierte Leo, vor allem als sie versehentlich Carl Seger erwähnte. Sein Gesicht wurde rot und sein Blick schier wahnsinnig, von jetzt auf gleich verlor er vollkommen die Beherrschung, beschimpfte sie als Ungeheuer und Monster und verlangte eine Erklärung dafür, was mit Carl passiert war. Sie bekam es ernsthaft mit der Angst zu tun. Der Junge hatte auch früher schon Wutausbrüche gehabt. Rückblickend erwies sich Leos Anfall allerdings als glücklicher Umstand, denn just in dem Moment betrat Benjamin den Flur. Angesichts des Lärms und des Geschreis wusste er sofort, was zu tun war: Er stürmte ins Wohnzimmer und stürzte sich auf Leo, packte ihn von hinten an den Armen, während Rakel in die Hocke ging und in der Arzttasche wühlte, die Benjamin auf den Boden geworfen hatte. Die Zwillinge schrien um Hilfe, Daniel ging auf Benjamin los, und Rakel war klar, sie würde jetzt so entschlossen und effektiv wie nur möglich handeln müssen.

Eilig ging sie die Präparate in der Tasche durch: Stesolid, Opiate, Morphium, alles Mögliche – und dann … Ein Schaudern packte ihren Körper. Pancuroniumbromid, eine Art synthetisches Curare, das südamerikanische Ureinwohner als Pfeilgift verwendeten und dessen Wirkung sofort und unwiderruflich einsetzte. Und … Moment, Physostigmin hätte sie auch, ein Gegengift, das die Pancuroniumbromid-Wirkung vorübergehend oder sogar vollends wieder aufheben könnte. Und im selben Moment kam ihr eine Idee – eine verwegene Idee, die der Streit mit Daniel, sein Vorwurf der Ungerechtigkeit, der Grausamkeit überhaupt erst möglich gemacht hatte. Sie streifte sich Latexhandschuhe über und hob den Blick.

Benjamin war wie immer nicht aus der Fassung zu bringen. Er hielt Leo weiter fest, der jetzt ebenfalls »Ungeheuer« und »Monster« kreischte, während Daniel versuchte, ihn aus Benjamins Griff zu befreien. Und damit war die Sache entschieden. Sie präparierte eine Spritze, was ein wenig Zeit in Anspruch nahm, weil sie die Dosis genau abwägen musste. Sie würde keine Zeit haben, eine Vene zu finden, sie würde die Spritze intramuskulär setzen müssen, und vielleicht wäre das sogar sinnvoll. So redete sie es sich zumindest ein, als sie die Kanüle geradewegs durch Leos Pullover rammte.

Er sah sie schockiert an, während Daniel brüllte: »Was machen Sie denn da? Was war das?«

Unwillkürlich verzog sie das Gesicht. Was, wenn die Nachbarn sie gehört hatten? Was, wenn Leo krampfen und ersticken würde, wenn die Atemmuskulatur versagte, ehe Hilfe alarmiert wäre? Die Lage war akut. Rakel würde jetzt kaltblütig handeln müssen. Sie hatte eine neue Grenze überschritten, und deshalb würde sie jetzt klüger vorgehen müssen denn je. Mit möglichst autoritärer Arztstimme sagte sie: »Jetzt ist endlich wieder Ruhe! Ich hab ihm ein Beruhigungsmittel gegeben, sonst nichts. Schön atmen, Leo. Gut. Bald geht es dir wieder besser. Wir wollen doch wie vernünftige Menschen miteinander reden, oder nicht? Und nicht ›Ungeheuer‹ oder ›Monster‹ oder andere Dummheiten schreien. Das hier ist ... John. Wir arbeiten zusammen, und er hat eine medizinische Ausbildung. Und wir werden uns schon alle einig, davon bin ich überzeugt, es ist ja wirklich Zeit, endlich die ganze traurige Geschichte zu erzählen. Ich bin sehr froh, dass wir uns am Ende wiedergetroffen haben.«

»Sie lügen!«, schnaubte Daniel verächtlich.

Die Situation war komplett außer Kontrolle geraten. Immer noch fürchtete sie, dass auf den Lärm und das Geschrei gleich irgendein Nachbar hereinstürzen könnte. Sie redete wild drauflos, versuchte, die Lage wieder halbwegs zu beruhigen, während sie die Minuten zählte, bis das Gift endlich ins Blut überging, auf die nikotinischen Acetylcholinrezeptoren einwirkte und die Muskeln blockierte.

Zum Glück für Rakel tauchte kein Nachbar auf, und es alarmierte auch niemand die Polizei. Leo Mannheimer schwankte, genau wie sie es erwartet hatte, und sank dann zuckend auf den roten Teppich. Auch wenn es ein drastischer Augenblick war, genoss sie ihn eine Sekunde lang. Natürlich wusste sie, dass sie ihn jederzeit würde retten können. Sie würde ihn aber auch sterben lassen können. Es käme auf die Umstände an. Sie musste jetzt klar denken und überzeugend handeln und Daniels Bitterkeit und Minderwertigkeitskomplexe stimulieren.

Sie würde ihn dazu bringen – so war zumindest ihr Plan –, die Rolle seines Lebens zu spielen.

Noch während Leo auf den Teppich stürzte, begriff Dan Brody, dass irgendetwas fürchterlich schiefgegangen war. Leo sackte in sich zusammen, als wäre sein Körper auf ein unhörbares Kommando außer Gefecht gesetzt worden. Er fasste sich an die Kehle und blieb wie gelähmt liegen.

Dan vergaß alles um sich herum, sank neben seinem Bruder auf die Knie, schrie und schüttelte ihn. Rakel Greitz begann wieder zu sprechen, doch er hörte kaum zu, er war voll und ganz damit beschäftigt, Leo wieder ins Leben zurückzuholen. Obendrein war das, was Rakel Greitz von sich gab, viel zu abstrus, um es ernst zu nehmen.

»Daniel«, sagte sie. »Wir regeln das alles, wir sorgen dafür, dass es dir besser geht, als du es dir je erträumt hast. Von jetzt an führst du ein fantastisches Leben mit unbegrenzten finanziellen Möglichkeiten.«

Es war Nonsens. Leere Worte. Leo ging es zusehends schlecht. Er wimmerte, zuckte, sein Gesicht war aschfahl, die Lippen waren blau, und er schnappte nach Luft. Er sah aus, als würde er gleich ersticken, sein Blick war glasig und panisch zugleich. Allmählich breitete sich die bläuliche Färbung von den Lippen über die Wangen aus, und Dan wollte gerade zu einer Mund-zu-Mund-Beatmung ansetzen. Behutsam ging Rakel dazwischen. Und dann sagte sie etwas, wogegen er sich aus irgendeinem Grund nicht wehren konnte – vielleicht weil er sich in einer Situation befand, in der er nach jedem Strohhalm griff. Tatsächlich klang Rakel jetzt auch anders, eher wie eine Ärztin, die ihren Patienten zur Ruhe rief. Immer noch in Latexhandschuhen, tastete sie nach Leos Puls und lächelte ihn zuversichtlich an.

»Keine Sorge«, sagte sie. »Er krampft nur leicht, aber es geht ihm gleich wieder besser. Ich hab ihm eine starke, aber ungefährliche Sedativdosis verabreicht. Überzeug dich selbst.«

Sie reichte ihm die Spritze, und er nahm sie, ohne dass er gewusst hätte, was das beweisen sollte.

»Warum geben Sie mir die Spritze?«

Rakel stellte sich neben den groß gewachsenen Mann, der immer noch seine verknitterte blaue Daunenjacke und Winterstiefel trug und der, genau wie sie, schmeichlerisch und zugleich leicht nervös lächelte. Im selben Moment kam Daniel ein entsetzlicher Gedanke.

»Wollen Sie, dass ich meine Fingerabdrücke darauf hinterlasse?«

Er ließ die Spritze fallen.

»Beruhige dich, Daniel. Hör mir zu.«

»Warum sollte ich Ihnen zuhören?«

Er angelte sein Handy hervor. Er musste sofort einen Krankenwagen rufen. Doch der große Mann hinderte ihn unsanft daran. Seine Panik wuchs ins Unermessliche. Wollten sie Leo umbringen? War das wirklich möglich? Eine grausame Furcht nahm von ihm Besitz. Direkt neben ihm keuchte Leo und sah tatsächlich so aus, als würde er jeden Moment sterben. Dan schrie, schrie direkt in Leos überempfindliches Ohr hinein: »Kämpf! Du schaffst es!«, und Leo reagierte tatsächlich. Er runzelte die Stirn und biss die Zähne zusammen, und in sein Gesicht kehrte etwas Farbe zurück. Doch die Besserung trat nur vorübergehend ein. Er wurde wieder kreidebleich, schien kaum noch Luft zu bekommen. Dan drehte sich zu Rakel Greitz um.

»Retten Sie ihn, verdammt! Sie sind doch Ärztin! Sie bringen ihn doch nicht um? Oder wollen Sie das?«

»Nein, nein! Was redest du denn da? Natürlich nicht. Er kommt gleich wieder auf die Beine, du wirst schon sehen. Mach mal Platz, dann bring ich seinen Kreislauf wieder in Schwung«, erwiderte sie, und als er sah, wie resolut sie sich bewegte und erneut in ihre Tasche griff, wusste er keinen anderen Rat, als ihr zu vertrauen, was in Wahrheit nur für seine Verzweiflung sprach.

Er hielt Leos Hand, während er hoffte, dass ihn dieselbe Person, die ihm das Gift injiziert hatte, auch wieder retten würde.

Rakel Greitz war sich immer sehr bewusst gewesen, wie lebenswichtig es für sie war, sich in Momenten wie diesen wie eine Ärztin zu verhalten und vertrauenswürdig zu wirken. Deshalb verdrängte sie auch den Impuls, Leo zusätzlich an die Kehle zu gehen und kurzen Prozess mit ihm zu machen. Stattdessen bereitete sie die Physostigmin-Injektion vor, krempelte Leos Ärmel hoch und setzte ihm die Spritze in eine Vene. Kurz darauf besserte sich sein Zustand, obwohl er immer noch stark benommen war. Doch sie spürte – und das war das Wichtigste –, dass sie damit Daniels Vertrauen zumindest halbwegs zurückgewonnen hatte.

»Kommt er wieder auf die Beine?«, wollte er wissen.

»Natürlich kommt er wieder auf die Beine«, antwortete sie und redete immer weiter, musste zwar improvisieren, konnte sich aber auf die Krisenstrategie besinnen, die sie sich schon vor Langem für Leo Mannheimer zurechtgelegt hatte, und diese Strategie bezog auch Ivar Ögren ein. Ivar hatte Leos Log-in-Daten bei der Investmentgesellschaft ausspioniert und in dessen Namen und über mehrere Strohmänner eine Reihe illegaler Transaktionen am Aktien- und Optionsmarkt getätigt. Diese unlauteren Geschäfte waren allesamt dokumentiert, und die Unterlagen würden Leo ins Gefängnis bringen und ihn gesellschaftlich wie beruflich vernichten. Die Informationen waren sogar schon mal gegen ihn verwendet worden, allerdings nicht mit Rakels Zustimmung. Ivar hatte sie herangezogen, um Leo Madeleine Bard abspenstig zu machen, was Rakel nicht gerade gutgeheißen hatte. Ihrer persönlichen

Meinung nach war Ivar Ögren ein Idiot. Trotzdem hatte sie seine Machenschaften geduldet, weil sie ihn und seine Informationen brauchte, um Leo unter Druck zu setzen, falls er je etwas herausfinden und drohen sollte, sie zu verraten.

»Daniel«, sagte sie. »Du musst mir jetzt gut zuhören. Ich hab dir etwas Wichtiges zu sagen – vielleicht das Wichtigste, was du in deinem ganzen Leben je gehört haben wirst.«

Er sah sie so verzweifelt und flehentlich an, dass sie sich sofort umso selbstsicherer fühlte.

In einem sanften und zugleich nachdrücklichen Tonfall, wie eine Ärztin, die gleich eine ernste Nachricht überbringen würde, fuhr sie fort: »Leo steckt in großen Schwierigkeiten, Daniel. Es tut mir leid, es so sagen zu müssen, aber es ist nun einmal wahr. Er ist in einen Fall von Insiderhandel und in illegale Transaktionen verwickelt und wird dafür vermutlich im Gefängnis landen.«

»Was? Wovon reden Sie?«

Die Botschaft kam gar nicht bei ihm an, das spürte sie. Stattdessen strich er seinem Bruder übers Haar und murmelte wieder und immer wieder, es würde alles wieder gut. Alles andere schien für ihn unwichtig zu sein, und Rakel ärgerte sich darüber.

»Du sollst mir zuhören, hab ich gesagt«, fuhr sie ihn in schärferem Ton an. »Leo ist nicht der Mensch, für den du ihn hältst. Er ist ein Betrüger. Wir haben Beweise dafür. Er wird hinter Gittern landen.«

Verwirrt sah Daniel zu ihr auf.

»Warum sollte er so etwas tun? Er interessiert sich doch nicht mal für Geld.«

»Da täuschst du dich.«

»Ach ja? Er wollte mir sein halbes Vermögen schenken – einfach so.«

Sie biss sich auf die Lippe. Das hatte sie nicht hören wollen. »Und warum musstest du dich mit der Hälfte begnügen?«

»Was heißt begnügen? Ich wollte gar nichts haben. Ich will nur ...«

Er verstummte – und endlich schien er zu begreifen. Oder auch nicht – aber er ahnte etwas. Die Panik kehrte in seinen Blick zurück, und Rakel rechnete schon wieder mit einem Wutanfall, vielleicht sogar einem Gewaltausbruch. Sie warf Benjamin einen alarmierten Blick zu, damit er sich bereithielt. Doch nichts geschah. Daniel schaute lediglich konzentriert auf seinen Bruder hinab.

»Was haben Sie ihm eigentlich gegeben? Das war kein Beruhigungsmittel, oder?«

Sie antwortete nicht. Momentan wusste sie nicht, wie sie ihre Karten ausspielen sollte. Ihr war klar, dass jedes Wort, jede Nuance ihres Tonfalls eine entscheidende Rolle spielen konnte.

»Curare«, sagte sie schließlich.

»Und was ist das?«

»Ein Pflanzengift.«

»Warum um alles in der Welt vergiften Sie ihn?«, schrie er.

»Ich hab es für notwendig erachtet«, antwortete sie.

Daniel blickte zu Benjamin auf und sah aus wie ein verzweifeltes Tier, das in der Falle saß.

»Aber dann ...«

»Ja?«

»... haben Sie ihm noch etwas gegeben.«

»Physostigmin. Das hebt den Effekt wieder auf«, sagte sie.

»Gut. Dann bringen wir ihn jetzt ins Krankenhaus, oder?«, fragte er.

Sie sagte nichts, und da nahm er sein Handy, und sie überlegte bereits, ob sie Benjamin auffordern sollte, es ihm abzunehmen. Doch sie ließ ihn gewähren. Solange er nirgends anrief, bestand keine Gefahr.

Er schien zu recherchieren. Wahrscheinlich machte er sich über Curare schlau, vermutete sie und ließ ihn eine Weile lesen. Dann aber flackerte erneut die Angst in seinen Augen auf, und sie entriss ihm das Handy, worauf er wütend wurde. Er schrie, schlug um sich, und sogar Benjamin hatte Schwierigkeiten, ihn in Schach zu halten.

»Beruhige dich, Daniel!«

»Niemals!«

»Hör jetzt auf! Ich will dir ein fantastisches Geschenk machen, verstehst du das denn nicht?«, fragte sie.

»Was zur Hölle meinen Sie?«

Daraufhin erklärte sie ihm, dass das Physostigmin die Wirkung des Curare nur vorübergehend aufhob.

»Sie wollen damit sagen, dass Sie ihn gar nicht retten können?«

Seine Stimme klang kaum noch menschlich.

»Es tut mir leid, aber nein, das kann ich tatsächlich nicht«, log sie, und daraufhin war Benjamin gezwungen, Daniel gewaltsam zum Schweigen zu bringen. Sie hatten keine Wahl. Benjamin musste ihn festhalten und mit Klebeband knebeln. Rakel entschuldigte sich für die Maßnahme und erklärte weiter: »Leo Mannheimers Atemmuskulatur versagt in Kürze wieder. Diesmal erstickt er.« Sie sah ihn an. »Wir befinden uns in einer ziemlich vertrackten Lage, Daniel. Leo stirbt. Deine Fingerabdrücke befinden sich auf der Spritze, und wir haben ein ziemlich eindeutiges Motiv, nicht wahr? Ich sehe doch den Neid in deinen Augen – auf alles, was er immer bekommen hat. Aber das Gute ist ...«

Daniel versuchte, sich aus Benjamins Griff zu befreien, und schlug wild um sich.

»Das Gute ist, dass Leo weiterleben kann – nur eben auf andere Weise. Nämlich durch dich, Daniel.«

Sie machte eine ausholende Armbewegung.

»Du könntest sein Leben haben. Sein Geld. Seine Möglichkeiten. Du könntest so leben, wie du es dir immer erträumt hast. Du könntest übernehmen, Daniel, und alles bekommen. Und ich verspreche dir, die ganzen üblen Machenschaften, die Leo auf dem Kerbholz hat – seine ekelhafte Gier –, all das wird nie ans Tageslicht kommen. Dafür sorgen wir. Wir unterstützen dich auf alle erdenkliche Weise. Dass ihr Spiegelzwillinge seid, bereitet mir noch etwas Sorgen, aber davon abgesehen seht ihr einander so unglaublich ähnlich, dass es schon gut gehen wird. Das weiß ich.«

In diesem Augenblick hörte Rakel ein Geräusch, das sie nicht identifizieren konnte. Daniel hatte einen seiner Zähne zerbissen.

20. KAPITEL

22. Juni

Endlich war Leo Mannheimer aus seinem Büro gekommen, und Mikael war von seinem Platz aufgestanden und hatte ihm die Hand gegeben. Es war eine seltsame Begegnung. Mikael hatte eine Menge Zeit damit verbracht, über Leo zu recherchieren, und jetzt standen sie einander von Angesicht zu Angesicht gegenüber. Dass etwas Unausgesprochenes zwischen ihnen lag, wie ein Schatten, ein Geist, war sofort spürbar.

Leo rieb sich die Hände. Seine Nägel waren verhältnismäßig lang und gepflegt. Er trug einen hellblauen Leinenanzug, ein graues T-Shirt und Sneakers. Sein Haar war dicht und ein bisschen durcheinandergeraten, und er schien auf irgendetwas zu horchen. Er wirkte angespannt. Statt Mikael in sein Büro zu bitten, blieb er im Foyer vor dem Empfang stehen.

»Ihr Gespräch mit Karin Laestander im Fotografiska hat mir sehr gefallen«, sagte Mikael.

»Danke«, sagte Leo. »Es war …«

»… intelligent«, ergänzte Mikael mit einem freundlichen Lächeln. »Und wahr. Wir leben in einer Zeit, die mehr denn je von Lügen und Fake-News bestimmt wird. Oder sollten wir lieber von ›alternativen Fakten‹ sprechen?«

»*Post-truth society*«, sagte Leo und lächelte unsicher.

»Zu wahr. Und dann spielen wir auch noch mit unseren Identitäten, nicht wahr? Geben auf Facebook vor, jemand ganz anderes zu sein, solche Sachen …«

»Ich bin nicht bei Facebook.«

»Ich auch nicht. Ich hab das nie verstanden. Aber auch ich schlüpfe in unterschiedliche Rollen«, fuhr Mikael fort. »Das gehört sozusagen zu meinem Job. Wie ist das bei Ihnen?«

Leo blickte nervös auf seine Armbanduhr und anschließend auf den Platz hinab.

»Entschuldigen Sie«, sagte er. »Aber ich habe heute einen ziemlich vollen Terminkalender. Worüber genau wollten Sie eigentlich sprechen?«

»Was glauben Sie denn?«, fragte Mikael zurück.

»Keine Ahnung.«

»Sie haben also nichts angestellt? Nichts, was für meine Zeitschrift *Millennium* von Interesse sein könnte?«

Leo schluckte. Dann richtete er den Blick zu Boden. »Ich hab früher mal ein paar Geschäfte getätigt, die nicht ganz … optimal liefen. Es war ziemlicher Mist.«

»Die seh ich mir natürlich gern an«, antwortete Mikael. »Mist ist meine Spezialität. Im Moment interessiere ich mich aber eher für persönliche Dinge – die kleinen Abweichungen, könnte man sagen.«

»Abweichungen?«

»Ja, genau.«

»Zum Beispiel?«

»Zum Beispiel, dass Sie neuerdings Rechtshänder sind.«

Leo – wenn es denn Leo war – schien abermals auf etwas zu horchen. Er fuhr sich mit der Hand durchs Haar.

»Das stimmt eigentlich nicht. Ich hab eher … gewechselt. Ich war schon immer Beidhänder. Ambidexter.«

»Also können Sie mit der rechten Hand genauso gut schreiben wie mit der linken?«

»Im Großen und Ganzen, ja.«

»Könnten Sie mir das mal zeigen?«

Mikael holte einen Stift und seinen Notizblock hervor.

»Lieber nicht.«

Auf Leos Oberlippe bildeten sich Schweißperlen. Sein Blick huschte nervös hin und her.

»Geht es Ihnen nicht gut?«

»Nein, nicht besonders.«

»Das ist bestimmt die Hitze.«

»Kann sein.«

»Ich bin auch nicht ganz auf der Höhe«, fuhr Mikael fort. »Ich hab die halbe Nacht mit Hilda von Kanterborg zusammengesessen und Wein getrunken. Die kennen sie doch auch?«

Jetzt sah Mikael Angst in den Augen des Manns aufblitzen. Er würde ihn bald so weit haben. Er konnte es ihm am Gesicht ablesen, an der Art, wie er sich wand. Womöglich – er musterte ihn genau – war da aber auch noch etwas anderes, was sich nicht so leicht erkennen ließ: eine Art Unruhe vielleicht, ein Zaudern. Als würde Leo – oder wer immer der Mann war – vor einer großen Entscheidung stehen.

»Hilda hat mir eine unglaubliche Geschichte erzählt«, fuhr Mikael fort.

»Aha.«

»Sie handelte von Zwillingen, die bei der Geburt absichtlich voneinander getrennt wurden. Hilda hat vor allem von einem Jungen berichtet, der Daniel Brolin hieß. Er musste von morgens bis abends auf einem Bauernhof irgendwo außerhalb von Hudiksvall schuften, während sein Zwillingsbruder …«

»Nicht so laut«, fiel ihm der Mann ins Wort.

»Warum denn nicht?« Mikael tat erstaunt und sah den Mann an. »Vielleicht sollten wir lieber einen Spaziergang unternehmen.«

»Ich weiß nicht ...«

»Ob wir einen Spaziergang machen sollen?«

Offenbar wusste der Mann nicht, wie er reagieren sollte. Er müsse sich die Hände waschen, murmelte er und eilte davon. Besonders geschickt ging er nicht vor, denn noch ehe er aus Mikaels Blick verschwunden war, zückte er sein Handy.

In diesem Moment war sich Mikael sicherer denn je, dass er mit seiner Vermutung richtiggelegen hatte. Er schrieb Lisbeth eine weitere SMS. Gleichzeitig machte sich ein mulmiges Gefühl in ihm breit. War er hereingelegt worden? War Leo oder Daniel durch irgendeinen Hinterausgang geflüchtet? Er war jetzt schon eine ganze Weile weg, und abgesehen davon, dass andere das Foyer betraten und wieder gingen, passierte nichts. Die junge Brünette am Empfang lächelte, wünschte allen einen schönen Tag, bat Besucher, auf der Sitzgruppe Platz zu nehmen oder gleich weiter durchzugehen.

Es war schön hier. Der Raum hatte hohe Decken und rot tapezierte Wände, an denen Ölgemälde von älteren Herren in Anzügen hingen, vermutlich ehemalige Teilhaber und Vorstandsmitglieder. Dann dämmerte es Mikael, wie geradezu obszön es war, dass es sich ausschließlich um Männer handelte.

Sein Telefon klingelte. Es war Annika, und er wollte das Gespräch gerade annehmen, als der Mann – wer immer er war – doch wieder den Gang entlang auf ihn zukam. Er sah ein klein wenig gefasster aus, vielleicht war er zu irgendeiner Entscheidung gekommen. Allerdings war sein Hals immer noch rot gefleckt. Er blickte ernst drein. Er sah an Mikael vorbei zum Empfang und teilte der Brünetten mit, dass er für die nächsten Stunden nicht erreichbar sei.

Sie fuhren mit dem Aufzug nach unten und traten auf den Norrmalmstorg hinaus. Passanten fächelten sich mit der

Hand oder mit einer Zeitung Luft zu, Männer trugen ihre Jackets über der Schulter.

An der Hamngatan sah sich der Mann nervös um. Mikael fragte sich, ob sie nicht besser den Bus oder ein Taxi irgendwohin nehmen sollten. Stattdessen überquerten sie die Straße und gingen zum Kungsträdgården. Eine Weile schlenderten sie schweigend nebeneinanderher, als warteten sie beide darauf, dass irgendetwas passierte. Mikael behagte die Atmosphäre zwischen ihnen nicht, auch wenn er den Grund nicht hätte benennen können.

Der Mann schwitzte auffällig und warf immer wieder nervöse Blicke über die Schulter. Inzwischen befanden sie sich schräg gegenüber der Oper, und mit einem Mal witterte Mikael Gefahr. Er überlegte, ob er nicht einen Fehler begangen hatte – ob ihm die Leute vom Register bereits einen Schritt voraus sein könnten –, und sah ebenfalls nach hinten, konnte aber nichts Verdächtiges entdecken. Vielmehr lag ein Gefühl von Ruhe, von Urlaub in der Luft. Auf sämtlichen Bänken und vor den Cafés und Restaurants saßen Leute, die das Gesicht in die Sonne hielten. Vielleicht hatte er sich auch nur von der Nervosität seines Begleiters anstecken lassen. Er beschloss, sich wieder seinem ursprünglichen Anliegen zuzuwenden, und kam direkt zur Sache: »Wie ist es denn jetzt? Soll ich Sie Leo oder Daniel nennen?«

Der Mann biss sich auf die Lippe, und sein Blick verdunkelte sich. Im nächsten Moment stürzte er sich unvermittelt auf Mikael, der zu Boden ging.

Rakel Greitz, die auf einer Bank am Norrmalmstorg gewartet hatte, hatte Daniel Brolin mit Mikael Blomkvist davongehen sehen. Ihr war klar gewesen, dass inzwischen Kräfte freigesetzt worden waren, die früher oder später dazu führen könnten, dass die Geschichte öffentlich würde. Eigentlich war sie nicht einmal verwundert oder schockiert.

Sie hatte schon lang gewusst, dass sie ein enormes Risiko eingegangen waren. Doch statt an dieser Einsicht zu verzweifeln, verlieh sie ihr eine Art Freiheit, die Stärke eines Menschen, der nichts mehr zu verlieren hatte.

Benjamin Fors war bei ihr. Im Gegensatz zu ihr selbst stand ihm zwar nicht der Tod bevor, aber er fühlte sich ihr verpflichtet, und zwar nicht nur aufgrund seiner unerschütterlichen Loyalität, sondern auch wegen all dem, was sie gemeinsam getan hatten. Wenn das herauskäme, würde Benjamin genauso tief fallen wie sie, und so hatte er sich, ohne nachzufragen, sofort bereit erklärt, ihr zu helfen, Blomkvist außer Gefecht zu setzen und Daniel zur Räson zu bringen.

Deshalb trug Benjamin auch trotz der Hitze eine schwarze Kapuzenjacke. Darunter versteckte er eine Spritze mit Ketamin, einem Betäubungsmittel, das den Journalisten auf der Stelle unschädlich machen würde.

Rakel hatte sich unter Mühen – sie litt schon den ganzen Morgen unter schlimmen Magenschmerzen – zu der Allee begeben, die am Kungsträdgården entlang verlief. Im grellen Sonnenlicht sah sie, wie Benjamin jetzt mit langen Schritten loseilte, und fühlte sich zusehends lebendig. Die ganze Umgebung war zu einem einzigen konzentrierten Augenblick geworden, zu einer ausgeleuchteten Bühne, und sie sah aufmerksam zu, wie Daniel und Blomkvist langsamer wurden und der Journalist eine Frage zu stellen schien. Das war gut, dachte sie gerade noch, jetzt waren sie abgelenkt, und sie glaubte fest daran, dass alles nach Plan verlaufen würde.

Vom Ende der Straße her näherte sich eine Kutsche, am Himmel schwebte ein blauer Ballon vorbei, und ringsum schlenderten nichts ahnende Menschen vorüber. Ihr Herz hämmerte erwartungsvoll, und sie holte tief Luft. Doch dann passierte etwas Unerwartetes. Daniel sah Benjamin auf sich und Blomkvist zueilen und warf sich schützend vor seinen Begleiter. Der Journalist stürzte zu Boden, Benjamin verfehlte ihn und hielt mit der Spritze in der Hand inne. Im nächsten Moment sprang Blomkvist auf. Jetzt stand alles auf der Kippe. Benjamin ging erneut zum Angriff über, doch Blomkvist konnte ausweichen, und da ergriff Benjamin die Flucht. Dieser Waschlappen! Zornig musste sie zusehen, wie Daniel und Blomkvist auf den »Operakällaren« zurannten, in ein Taxi sprangen und das Weite suchten.

Die Hitze legte sich wie eine feuchte Decke über Rakel Greitz. Abermals war ihr nur allzu bewusst, wie krank und schwach sie war. Trotzdem richtete sie sich gerade auf und verließ dann eilig den Ort des Geschehens.

Lisbeth Salander lag auf der Ladefläche des grauen Lieferwagens und kassierte Tritte in Bauch und Gesicht. Dann presste irgendwer ihr wieder den stinkenden Lappen auf die Nase. Sie war schwach und benommen, vielleicht verlor sie zwischenzeitlich auch für einige Augenblicke das Bewusstsein. Nichtsdestotrotz hatte sie Benito und Bashir erkannt. Die beiden waren natürlich keine gute Kombination, auch wenn Benito blass aussah und eine Bandage um Kopf und Kiefer trug. Sie schien sich nur unter großen Mühen bewegen zu können und hielt sich zurück – und das war gut. Es waren vor allem die Männer, die auf Lisbeth losgingen: Bashir – bärtig und verschwitzt und in denselben Klamotten wie am Vortag – sowie ein kräftiger Typ Mitte dreißig mit rasiertem Schädel, grauem T-Shirt und einer schwarzen Lederjacke. Ein dritter Mann saß am Steuer.

Der Lieferwagen fuhr – glaubte sie zumindest – gerade am Slussen vorbei, und sie fing an, sich jedes Detail in dem Fahrzeug genau einzuprägen: ein Haufen Seile. Eine Rolle Klebeband. Zwei Schraubenzieher. Sie bekam einen weiteren Tritt versetzt, diesmal in den Nacken. Jemand zerrte an ihren Händen. Die Männer fesselten sie, tasteten sie ab und nahmen ihr das Handy weg. Das ärgerte sie zunächst, doch dann schob der Glatzkopf sich das Telefon einfach nur in die Tasche. Das würde reichen.

Sie beobachtete seine Körperhaltung und seine ruckartigen Bewegungen. Ständig schielte er zu Benito hinüber. Er war eindeutig ihr Schoßhündchen, nicht das von Bashir.

Linker Hand verlief eine Bank, auf die sie sich setzten, während Lisbeth am Boden lag. Doch selbst von hier konnte sie Benitos süßes Parfüm und den stechenden Geruch von Desinfektionsmittel und Fußschweiß aus Turnschuhen wahrnehmen. Lisbeth vermutete, dass sie gen Norden unterwegs waren, wusste es aber nicht sicher. Dafür war sie zu benebelt. Lang wurde kein Wort gesprochen, und es waren auch keine anderen Geräusche zu hören als die Atemzüge der Insassen, das Dröhnen des Motors und das Klappern der Karosserie – die Kiste war alt, bestimmt dreißig Jahre.

Auch draußen wurde es allmählich stiller. Sie fuhren auf eine Landstraße, und nach vielleicht zwanzig Minuten begannen die anderen zu sprechen. Lisbeth war erleichtert, das würde ihr in die Karten spielen.

Bashir hatte einen blauen Fleck am Hals – hoffentlich von ihrem Schlag mit dem Hockeyschläger. Außerdem schien er schlecht geschlafen zu haben. Er hing auf der Bank wie ein Schluck Wasser. »Du wirst so was von leiden, du kleine Nutte!«, höhnte er.

Lisbeth antwortete nicht.

»Und dann werd ich dich mit meinem Keris töten«, ergänzte Benito.

Lisbeth sagte immer noch nichts, aber das brauchte sie auch nicht. Sie wusste, dass alles, was jetzt hier im Laderaum gesagt wurde, auf einer Reihe von Computern zu hören war.

Es war nicht einmal kompliziert gewesen, nicht für Lisbeth. Noch während sie überfallen worden war, hatte sie ihr Codewort »Drude« ins iPhone geflüstert. Über den AI-Dienst Siri hatte der Code ihren Alarm aktiviert, und ein verstärktes Mikrofon und eine Tonaufnahme waren in Gang gesetzt und zusammen mit den GPS-Koordinaten des Handys an sämtliche Bürger der Hacker Republic verschickt worden.

Die Hacker Republic bestand aus einer Gruppe von Hackern auf Spitzenniveau. Jeder von ihnen hatte geschworen, die Alarmfunktion nur im absoluten Notfall zu benutzen. Aus diesem Grund verfolgten in diesem Augenblick gleich mehrere junge, begabte Menschen auf der ganzen Welt angespannt das Drama im Lieferwagen. Die meisten von ihnen verstanden nicht mal Schwedisch. Aber es waren trotzdem genügend darunter, die Schwedisch sprachen, beispielsweise Lisbeths massiger Freund aus dem Högklintavägen in Sundbyberg.

Er hieß Plague, war groß wie ein Haus und sah aus wie ein Sozialfall, aber er war ein digitales Genie. Jetzt hockte er mit zum Zerreißen gespannten Nerven vor seinem Rechner und verfolgte die GPS-Koordinaten, die sich in nördlicher Richtung gen Uppsala bewegten. Das Fahrzeug – es klang wie ein älteres, größeres Gefährt – bog gerade auf die Fernstraße 77 ab, die nach Knivsta im Osten führte, und das war nicht gut. Sie waren auf dem Weg ins Hinterland, wo das GPS keine exakten Ergebnisse mehr lieferte.

Jetzt hörte er wieder die Stimme der Frau, die heiser und matt klang, als ginge es ihr nicht gut. »Dir ist hoffentlich klar, dass du langsam krepieren wirst? Ist dir das klar, du Schlampe?«

Plague warf einen verzweifelten Blick auf seinen Schreibtisch, wo Zettel, Dosen, Colaflaschen und Essensreste verstreut lagen.

Er war unrasiert und schon ewig nicht mehr beim Friseur gewesen und trug einen verschlissenen Bademantel, der an allen Enden ausfranste. Sein Rücken tat weh. Er hatte schon wieder an Gewicht zugelegt, litt unter Diabetes und war seit fast einer Woche nicht mehr draußen gewesen.

Was sollte er tun? Hätten sich Lisbeth und ihre Entführer an einem definierten Ort aufgehalten, hätte er die Strom- und Wasserversorgung hacken und dann eine Art zivilen Widerstand formieren können. Aber so ... war er machtlos. Er zitterte am ganzen Körper, und sein Herz raste. Er hatte keine Ahnung, was ihr Ziel war.

Unterdessen strömten Nachrichten aus der Gruppe herein. Lisbeth war ihre Freundin, ihr leuchtender Stern. Trotzdem schien niemand einen guten Vorschlag oder Plan zu haben, soweit Plague es sehen konnte – nichts, was sich schnell genug durchführen ließe. Ob er die Polizei alarmieren sollte? Plague hatte noch nie bei der Polizei angerufen, und das hatte auch seine Gründe. Es gab kaum ein Cyberverbrechen, dessen er sich nicht schuldig gemacht hatte. Permanent waren ihm die Behörden auf den Fersen, und trotzdem, dachte er, trotzdem musste selbst ein Gesetzloser mitunter die Hilfe des Gesetzes in Anspruch nehmen.

Er erinnerte sich wieder daran, dass Lisbeth – oder Wasp, wie sie für ihn hieß – mal einen Bullen namens Bublanski erwähnt hatte. Der sei ganz okay, hatte sie gesagt, und »okay« war in diesem Zusammenhang ein ziemlich positives Urteil. Minutenlang saß Plague handlungsunfähig vor einer Karte von Uppland. Dann angelte er ein Paar Kopfhörer hervor, drehte die Lautstärke auf und spielte die Tondatei ein. Er wollte jede Nuance hören, im Motorengeräusch, in den Stimmen. In seinen Kopfhörern rauschte und knisterte es. Erst gab niemand einen Ton von sich. Und dann sagte jemand, was Plague am allerwenigsten hören wollte: »Hast du ihr Telefon?«

Es war wieder diese Frau, die wahrscheinlich krank war. Sie schien das Kommando zu führen, sie und dieser Typ, der sich manchmal in einer Fremdsprache an den Fahrer wandte – in einer Sprache, die Plague und die anderen Hacker mithilfe einer Erkennungsfunktion als Bengalisch identifiziert hatten.

»Ich hab es in meiner Tasche«, antwortete einer der Männer.

»Darf ich mal sehen?«

Es raschelte. Das Handy tauschte den Besitzer. Jemand tippte darauf herum, untersuchte es, atmete hinein.

»Stimmt was nicht?«

»Ich weiß nicht«, antwortete die Frau. »Scheint nicht so … aber vielleicht können uns die Bullen mit dem Scheißding orten.«

»Wirf's raus.«

Wieder hörte Plague Bengalisch. Das Auto wurde langsamer. Eine Tür quietschte, obwohl sie immer noch fuhren. Der Wind knatterte durchs Mikrofon, dann war ein Sausen zu hören, auf das wildes, unerträgliches Scheppern folgte, als wäre das Gerät mehrfach aufgeprallt. Plague riss sich die Kopfhörer von den Ohren und schlug mit der Faust auf den Tisch. *Hell, damn, fuck!* Seine Flüche prasselten nur so in die Computer der anderen ein. Der Kontakt mit Wasp war abgebrochen.

Plague versuchte fieberhaft, die Lage zu überblicken. Die Verkehrsüberwachungskameras!, schoss es ihm durch den Kopf. Wie hatte er das vergessen können? Sie würden die Verkehrsbehörde hacken und sich Zugang zu den Kameras verschaffen müssen. Das Problem war nur, dass so was Zeit kostete, und die hatten sie nicht.

Weiß jemand, wie man schnell in die Verkehrsbehörde kommt?, schrieb er.

Dann schaltete er sie alle in eine verschlüsselte Konferenz.

»Die Verkehrsüberwachung ist im Netz zum Teil öffentlich einsehbar«, sagte jemand.

»Das reicht nicht«, erwiderte er. »Viel zu ruckartig und verschwommen. Wir müssen näher ran, Fahrzeugtyp und Nummernschild erkennen.«

»Ich kenn eine Abkürzung.«

Es war eine junge Frauenstimme, und es dauerte einen Moment, ehe Plague sie identifiziert hatte. Es war Nelly, eine ihrer Neubürgerinnen.

»Ist das wahr?«, rief er. »Fantastisch – leg los! Und alle anderen: Setzt euch mit ihr in Verbindung! Helft ihr, los! Macht Dampf! Ich geb euch Uhrzeit und Koordinaten.«

Plague rief die Seite der Verkehrsbehörde auf. Dort war verzeichnet, wo entlang der E4 in Richtung Uppsala überall Überwachungskameras installiert waren. Gleichzeitig spulte er die Aufnahme aus Wasps Handy zurück. Der Alarm war um 12.52 Uhr ausgelöst worden, und die erste Kamera an der Straße war vermutlich Haga södra, und ... Moment ... Wie es aussah, war das Fahrzeug dreizehn Minuten später da gewesen, um 13.05 Uhr. Danach folgten die Kameras dichter aufeinander, und das war gut, dachte er. Die Stationen hießen Linvävartorpet und Linvävartorpet södra, Linvävartorpet norra, Haga norra grindar, Haga norra, Stora Frösunda, Järva krog, Mellanjärva, Ulriksdals golfbana. Zumindest auf der ersten Teilstrecke gab es also massenhaft Kameras, und obwohl dichter Verkehr herrschte, sollten sie das richtige Auto leicht einkreisen können, vor allem weil es offenbar ein älteres, größeres Fahrzeug war, ein Lieferwagen oder ein kleinerer Laster.

»Wie läuft's?«, schrie er.

»Ganz ruhig. Wir sind dran. Irgendwie ist hier alles durcheinander, die haben da was Neues eingebaut ... Scheiße, *denied*. Warte mal! Kacke, verdammt ... *Yes!* Aber jetzt ... ja ... Wir sind kurz davor ... und drin ... Jetzt müssen wir nur noch wissen ... Welche Idioten haben das hier gebaut, *amateur shit!*«

Es war wie immer: aufgeregtes Brüllen und Schimpfen. Adrenalin, Schweiß und Schreie, nur noch schlimmer als sonst. Denn jetzt ging es um Leben und Tod, und als sie alles durchschaut und sich eingefuchst und zwischen den Kameras vor- und zurückgespult hatten, bestand am Ende kein Zweifel mehr. Sie wussten, welches Fahrzeug es war: ein grauer, alter Mercedesbus mit gefälschten Nummernschildern. Aber was nützte es ihnen? Sie fühlten sich nur umso machtloser, als das Fahrzeug eine Kamera nach der anderen passierte wie ein bleicher, böser Geist und am Ende aus dem Blick und in die Wälder östlich von Knivsta in Richtung Vadabosjön verschwand.

»Digitale Dunkelheit. Scheiße, *Scheiße!*«

So hatten sie in der Hacker Republic noch nie geschrien und geflucht. Am Ende sah Plague keinen anderen Ausweg mehr, als Kommissar Bublanski anzurufen.

21. KAPITEL
22. Juni

Bublanski saß in seinem Büro in der Bergsgatan und sprach mit Imam Hassan Ferdousi. Inzwischen wusste er ziemlich genau, wie sich der Mord an Jamal Chowdhury zugetragen hatte. Die gesamte Familie Kazi – bis auf den Vater – sowie mehrere Exil-Islamisten aus Bangladesch waren daran beteiligt gewesen. Die Tat war raffiniert geplant gewesen, allerdings nicht raffiniert genug, als dass es unmöglich gewesen wäre, den Tathergang zu ermitteln – und zwar auch ohne die Hilfe von Außenstehenden.

Es war eine Schande für die Polizei, nichts weiter. Er hatte ein längeres Gespräch mit der Säpo-Chefin Helena Kraft geführt und sich anschließend mit dem Imam darüber ausgetauscht, wie die Polizei derlei Gewaltverbrechen in Zukunft verhindern konnte. Doch in Wahrheit konnte er sich nicht konzentrieren. Er wollte sich endlich wieder dem Fall Holger Palmgren widmen und vor allem seinem Verdacht gegen Professor Steinberg nachgehen.

»Wie bitte?«

Der Imam hatte gerade etwas gesagt, während Bublanski nicht hingehört hatte. Aber er kam nicht mehr dazu nachzuhaken, denn im nächsten Moment klingelte sein Telefon.

Und nicht nur das. Zur selben Zeit erhielt er auch einen Anruf auf Skype von einem Absender, der sich *Total fucking shitstorm for Salander* nannte. Wer gab sich einen solchen Namen? Bublanski meldete sich zunächst am Handy, und am anderen Ende der Leitung kreischte ein Mann in nicht gerade gepflegtem Schwedisch drauflos.

»Ehe ich Ihnen auch nur ansatzweise zuhöre, müssen Sie sich schon vorstellen«, ging Bublanski dazwischen.

»Ich heiße Plague«, fuhr der Mann fort. »Gehen Sie sofort an Ihren Computer und klicken Sie auf den Link, den ich Ihnen geschickt habe. Dann erklär ich Ihnen alles.«

Bublanski öffnete sein Mailprogramm und den Link und lauschte dem jungen Mann, der zwar mehr als zulässig fluchte und mit rätselhaften Computerbegriffen um sich warf, aber nichtsdestotrotz eine ziemlich detaillierte Erklärung ablieferte. Geistesgegenwärtig schüttelte Bublanski die Schreckstarre ab und schickte einen Helikopter und diverse Streifen aus Stockholm und Uppsala in Richtung Vadabosjön. Anschließend rannte er mit Amanda Flod im Schlepptau zu seinem Volvo in der Tiefgarage. Sicherheitshalber ließ er sie fahren. Mit Blaulicht rasten sie über den Uppsalavägen gen Norden.

Der Mann, der ihm gegenübersaß, hatte ihn vor einem gefährlichen Überfall bewahrt. Noch verstand Mikael nicht, was das alles zu bedeuten hatte, aber er deutete es als gutes Zeichen. Irgendwie hatte er das Gefühl, dass sie nicht länger in ihren Rollen gefangen waren wie zuvor in Alfred Ögrens Foyer. Sie waren nicht mehr nur der Investigativreporter und sein Objekt von Interesse – zwischen ihnen war eine neue Verbundenheit entstanden, und Mikael stand in der Schuld des anderen.

Sie hatten sich in eine kleine Dachgeschosswohnung an der Tavastgatan geflüchtet. Die Fenster gingen auf den Riddarfjärden hinaus. Neben ihnen stand ein noch unfertiges Ölgemälde auf einer Staffelei: das Meer und ein weißer Wal. Trotz des unruhigen Farbspiels strahlte das Bild Harmonie aus. Dennoch drehte Mikael es zum Fenster. Er wollte sich von nichts ablenken lassen.

Die Wohnung gehörte Irene Westervik, einer betagten Künstlerin. Richtig nah standen Mikael und sie sich nicht, trotzdem fühlte er sich ihr verbunden, und das nicht allein deshalb, weil er sie für klug und vertrauenswürdig hielt. Sie interessierte sich nicht für das Tagesgeschehen, alles Flüchtige und Aufgeregte lag ihr fern, und so konnte er dank ihr die Welt aus einer anderen Perspektive sehen. Vom Taxi aus hatte er sie angerufen und gefragt, ob er für ein paar Stunden ihr Atelier nutzen dürfe, vielleicht sogar für den Rest des Tages. Irene hatte sie unten an der Haustür in einem grauen Hausanzug willkommen geheißen und Mikael mit einem Lächeln im Gesicht die Schlüssel überreicht.

Jetzt also saßen Mikael und der Mann – der vermutlich Daniel war – in Irenes Atelier. Ihre Handys hatten sie vorsichtshalber ausgeschaltet und in die Pantryküche nebenan gelegt. Der Schweiß rann beiden übers Gesicht, es war brütend heiß, und Mikael versuchte, das Atelierfenster aufzuziehen – vergebens.

»Hatte dieser Mann wirklich eine Spritze in der Hand?«
»Sah ganz danach aus.«
»Aber was könnte sie enthalten haben?«
»Schlimmstenfalls Curare.«
»Das Gift?«
»Ja. Ab einer gewissen Dosierung wird damit alles außer Kraft gesetzt, einschließlich der Atemmuskulatur. Man erstickt.«

»Sie scheinen schon Erfahrungen damit gemacht zu haben«, stellte Mikael fest.

Der Mann sah traurig aus.

Mikael blickte aus dem Fenster in den blauen Himmel hinauf. »Soll ich Daniel sagen?«

Der Mann schwieg. Zögerte. »Dan«, antwortete er schließlich.

»Ist das ein Spitzname?«

»Nein. Ich hab eine Greencard bekommen und die amerikanische Staatsbürgerschaft angenommen. Ich hab einen ziemlichen Aufwand betrieben, um mein altes Leben hinter mir zu lassen. Deshalb heiße ich jetzt Dan Brody.«

»Oder Leo Mannheimer.«

»Stimmt.«

»Das ist doch seltsam, oder?«

»Es ist seltsam.«

»Wollen Sie mir Ihre Geschichte erzählen, Dan?«

»Ich kann es versuchen.«

»Wir haben Zeit. Hier findet uns niemand.«

»Gibt es hier vielleicht irgendwas zu trinken? Was Stärkeres?«

»Ich schau mal in den Kühlschrank.«

Mikael ging nachsehen und fand mehrere Weißweinflaschen. Mit einem Anflug von Galgenhumor gestand er sich ein, dass Wein für ihn gerade offenbar zur Normalität wurde. Er war gezwungen, sich Informationen mittels Alkohol zu verschaffen. Er griff zu einer Flasche Sancerre mit Schraubverschluss und zwei Gläsern.

»Hier«, sagte er und schenkte ihnen beiden ein.

»Ich weiß gar nicht, wo ich anfangen soll. Aber Sie haben erwähnt, dass Sie Hilda von Kanterborg getroffen hätten. Hat sie auch über …«

Er zögerte erneut, als wäre ein bestimmter Name oder ein spezifisches Ereignis mit Angst behaftet.

»Worüber?«

»… über Rakel Greitz gesprochen?«

»Ja, sie hat mir einiges über sie erzählt.«

Dan kommentierte es nicht weiter. Er führte lediglich sein Glas an die Lippen und nippte verbissen daran. Anschließend begann er langsam zu erzählen. Er fing mit einer Begegnung in einem Berliner Jazzclub an, mit einem Gitarrensolo und einer Frau, die ihn angesehen hatte.

Sie waren in einen Wald abgebogen und hatten dort angehalten. Außer Vogelgezwitscher und dem Summen von Fliegen war für einen Moment nichts mehr zu hören. Lisbeth hatte Durst, sie hustete, und ihr war schlecht. Sie war mit Chloroform oder etwas Ähnlichem betäubt, gefesselt und getreten worden. Sie lag immer noch auf dem Boden, stemmte sich jetzt aber auf die Knie, und niemand protestierte, auch wenn sie genau beobachtet wurde. Dann nickten die anderen einander zu. Benito spülte mit Wasser aus einer kleinen Flasche ein paar Tabletten hinunter. Ihr Gesicht war aschfahl, und sie blieb sitzen, während Bashir und der andere Mann aufstanden. Er war auf beiden Unterarmen tätowiert und trug eine Lederweste, deren Emblem Lisbeth erst jetzt erkennen konnte – was die Sache nicht besser machte. Auf der Weste stand Svavelsjö MC, der Name des Bikerclubs, zu dem schon ihr Vater eine Verbindung gehabt hatte und später auch ihre Schwester. Hatte Camilla mithilfe ihrer Hacker Lisbeths Adresse ausfindig gemacht?

Sie fixierte die Heckklappe des Lieferwagens und rief sich in Erinnerung, wie die Tür geöffnet worden war, als sie ihr Handy hinausgeworfen hatten. Mit mathematischer Genauigkeit analysierte sie den Kraftaufwand oder vielmehr den Mangel an Kraft, die nötig gewesen war. Die Fessel um ihre Handgelenke würde sie nicht loswerden, aber sie würde die Tür auftreten können. Immerhin etwas – und überdies würde ihr helfen, dass Benito am Kopf verletzt und die Männer nervös waren. Sie konnte es an ihrer Atmung hören. Und man sah es in ihren Blicken. Genau wie in Vallholmen verzog Bashir das Gesicht. Als er erneut mit dem rechten Bein Schwung aufnahm, um sie zu treten, nahm sie es hin. Und reagierte leicht übertrieben. Nicht dass es nötig gewesen wäre. Der Tritt war brutal genug gewesen und hatte sie in die Rippen getroffen, und dann folgte auch schon ein weiterer Tritt ins Gesicht. Sie tat so, als wäre sie außer Gefecht gesetzt. In Wahrheit beobachtete sie Benito genau.

Lisbeth hatte von Anfang an das Gefühl gehabt, dass all das hier in erster Linie Benitos Auftritt war. Sie würde das letzte Wort haben.

Im selben Moment beugte Benito sich zu ihrer grauen Stofftasche am Boden herab und angelte ein Bündel aus rotem Samt daraus hervor, während die Männer Lisbeth hart bei den Schultern packten. Benito zog den Samtstoff von einem Dolch. Das war also ihr Keris. Die Klinge war verhältnismäßig lang und schnurgerade, die Spitze vergoldet. Der Griff war kunstvoll geschmiedet und stellte einen Dämon mit schräg stehenden Augen dar. Die Waffe gehörte eindeutig ins Museum und nicht in die Hände einer kreidebleichen Psychopathin mit Kopfverband.

Fast zärtlich blickte sie auf ihren Dolch hinab.

Dann erklärte sie mit matter Stimme, wie sie den Keris anzuwenden gedachte.

Lisbeth hörte nicht genau hin, aber das war auch nicht nötig. Sie bekam auch so genug mit. Der Dolch würde durch den roten Samt in ihr Herz gestoßen werden. Zöge man dann die Klinge durch den Samt wieder heraus, würde das Blut abgewischt, was angeblich größtes Geschick erforderte.

Lisbeth beäugte weiter jedes Detail in ihrer Umgebung – jeden Gegenstand, jedes Staubkorn, jeden Moment der Unachtsamkeit und jedes Zögern. Sie sah hinauf zu Bashir. Er hielt sie an der linken Schulter fest, sah verbissen aus, entschlossen. Lisbeth würde sterben, und das war ihm nur recht. Trotzdem wirkte er nicht zufrieden, und der Grund war unschwer zu erraten. Er war zum Erfüllungsgehilfen einer Frau geworden, die zwar einen teuflischen Dolch besaß, aber für einen Idioten wie ihn, der Frauen als Huren und Nutten beschimpfte und sie als Menschen zweiter Klasse betrachtete, kam dies einer Demütigung gleich.

»Kennst du deinen Koran?«, fragte Lisbeth.

Sie spürte es allein daran, wie sich sein Griff verhärtete: Die Frage irritierte ihn. Der Prophet, fuhr sie jetzt fort, verdamme jede Art von Keris, der eine satanische, dämonische Waffe sei, und dann erfand Lisbeth spontan eine Sure. Sie versah sie sogar mit einer Nummer und forderte Bashir dazu auf, im Internet zu recherchieren.

»Such danach, dann wirst du schon sehen.«

Mit ihrem Dolch in der Hand stand Benito auf und machte den Moment zunichte. »Sie lügt«, zischte sie. »Zu Mohammeds Zeiten gab es den Keris noch gar nicht. Er ist die Waffe der heiligen Krieger auf der ganzen Welt.«

Bashir schien Benito zu glauben oder ihr zumindest glauben zu wollen. »Okay, okay«, sagte er beschwichtigend, »aber jetzt mach endlich!« Dann wandte er sich wieder auf Bengalisch an den Fahrer.

Obwohl ihr schwindlig zu sein schien und sie leicht schwankte, hatte Benito es auf einmal eilig. Über ihnen war ein Geräusch aufgetaucht – das Knattern eines Hubschraubers. Natürlich musste er nichts mit ihnen zu tun haben. Doch Lisbeth hoffte und ahnte, dass die Hacker Republic nicht untätig geblieben war, und so war das Geräusch am Himmel für sie zugleich verheißungsvoll und beunruhigend: verheißungsvoll, weil möglicherweise Hilfe nahte, und beunruhigend, weil hier im Lieferwagen alsbald die letzten Zweifel ausgeräumt würden.

Und tatsächlich: Bashir und der zweite Mann verstärkten ihren Griff, und blass und mit ihrem langen Dolch in der einen und dem Samttuch in der anderen Hand machte Benito einen Schritt auf sie zu.

Lisbeth Salander war mit den Gedanken bei Holger, bei ihrer Mutter und dem Drachen, als sie die Füße auf den Boden stellte.

Sie würde aufstehen, um jeden Preis.

Mikael und Dan saßen einander schweigend gegenüber. Sie waren an einem Punkt in der Geschichte angelangt, über den Dan offenbar nur schwer sprechen konnte. Sein Blick flackerte. Seine Finger zuckten nervös.

»Dort auf der Treppe hat Leo dann gelegen, und erst schien es ihm wieder besser zu gehen. Er hatte diese zweite Spritze gekriegt und war wieder zu sich gekommen. Ich hab wirklich geglaubt, die Gefahr wäre gebannt, aber dann ...«

»... hat sie Ihnen von dem Curare erzählt.«

»Sie hat mich sogar online recherchieren lassen – vielleicht damit ich von selbst darauf kommen würde, dass Physostigmin nur vorübergehend half. Allerdings hab ich dabei auch noch was anderes gesehen.«

»Und was?«

»Darauf komme ich gleich zurück. Als Nächstes riss Rakel mir das Handy aus der Hand und meinte, sie würden mich für den Mord an meinem Bruder ins Gefängnis bringen, wenn ich nicht mit ihnen zusammenarbeitete. Ich war wie gelähmt und wusste nicht mehr weiter. Sie setzten mir eine Sonnenbrille und einen Hut auf – Rakel sagte, die Leute dürften keine zwei Leos im Treppenhaus sehen. Wir müssten ihn schleunigst aus der Wohnung bringen, solange er sich noch auf den Beinen halten könnte. Ich sah es als Chance: Sobald wir draußen wären, würde ich Hilfe rufen.«

»Aber dann haben Sie es nicht getan ...«

»Im Aufzug und im Hausflur sind wir niemandem begegnet. Es war der Tag vor Weihnachten ... Übrigens glaube ich nicht, dass dieser Mann John hieß, wie Rakel behauptet hat. Er hieß Benjamin, das ist ihr nämlich mehrmals rausgerutscht. Es war derselbe Mann, der Sie überfallen wollte. Aber damals ...«

»Ja?«

»Damals hat er Leo, der sich gerade so auf den Beinen halten konnte, zu einem schwarzen Renault geschleift, der draußen an der Straße parkte. Es dämmerte bereits, jedenfalls kam es mir so vor«, sagte er, ehe er wieder verstummte.

Dezember, eineinhalb Jahre zuvor

Die Straße lag einsam und verlassen vor Dan wie eine Steinwüste oder die Ödnis eines Albtraums. Sicher hätte er in diesem Moment fliehen oder nach Hilfe rufen können – aber hätte er seinen Bruder Leo allein zurücklassen können? Nein, unmöglich. Es war ein wenig wärmer geworden, überall Schneematsch und Pfützen, und sie bugsierten Leo ins Auto, als Dan fragte: »Jetzt bringen wir ihn ins Krankenhaus, oder?«

»Ganz genau«, antwortete Rakel Greitz.

Sollte er das wirklich glauben? Hatte sie ihm nicht erst kürzlich gesagt, es wäre ohnehin zwecklos, und ihm gedroht? Er wusste es nicht mehr. Er stieg einfach ins Auto und konnte nur noch daran denken, was er gerade noch im Internet hatte lesen können: dass sich ein Patient von einer Curarevergiftung erholen konnte, solange die Atmung nicht aussetzte. Er rutschte auf den Rücksitz neben Leo. Auf der anderen Seite saß der Mann, der vermutlich Benjamin hieß.

Er war groß, sicher hundert Kilo schwer, hatte unnatürlich große Hände, und trotz seiner etwa fünfzig Jahre sah er fast kindlich aus mit seinen runden Wangen, den großen blauen Augen und der gewölbten Stirn. Dan dachte nicht weiter darüber nach. Er konzentrierte sich voll und ganz darauf, dass Leo weiteratmete. Er versuchte, ihn dabei zu unterstützen, und wollte erneut wissen, ob sie wirklich ins Krankenhaus führen. Diesmal antwortete Rakel, die hinter dem Steuer saß, sogar präziser: Sie würden ins Karolinska fahren, in diese und jene Abteilung.

»Vertrau mir«, sagte sie, und dass sie die Spezialisten schon kontaktiert habe, sie stünden bereit, um Leo in Empfang zu nehmen.

Womöglich ahnte er, dass es Unsinn war. Vielleicht war er auch nur zu schockiert, um es zu begreifen. Schwer zu sagen. Erneut wandte er sich seinem Bruder zu und stellte sicher, dass Leo weiteratmete – und immerhin hinderte ihn niemand daran. Rakel gab Gas, wie es auch angebracht war. Es herrschte nicht mehr viel Verkehr, und binnen kürzester Zeit erreichten sie die Solnabron. Drüben in der Dämmerung tauchten wie eine Luftspiegelung die roten Krankenhausgebäude auf, und für einen Moment glaubte er wirklich, alles würde gut werden.

Doch das Ganze war nur ein Ablenkungsmanöver gewesen, ein Versuch, ihn für eine Weile zu beschwichtigen. Anstatt abzubiegen, beschleunigte Rakel und raste am Karolinska vorbei in Richtung Norden nach Solna. Er musste geschrien und um sich geschlagen haben – doch dann spürte er plötzlich ein Brennen im Oberschenkel. Sein Protest versiegte. Die Wut blieb zwar, aber alle Kraft sickerte aus ihm heraus. Er schüttelte bloß dumpf den Kopf, blinzelte und musste sich anstrengen, um weiter klar zu denken und Leo am Leben zu erhalten. Es fiel ihm sekündlich schwerer zu sprechen und sich zu bewegen, und wie aus weiter Ferne, wie durch einen Nebelschleier, hörte er Rakel Greitz und den Mann miteinander flüstern. Dann verlor er jegliches Gefühl für Raum und Zeit – bis Rakel erneut die Stimme erhob. Sie sprach ihn direkt an, und ihr Tonfall hatte etwas Hypnotisches. Was erzählte sie da? Sie sprach von all dem, was er bekommen könnte – von Träumen, die in Erfüllung gehen würden, von Reichtum. Er würde glücklich werden. »Glücklich, Daniel, und wir werden immer für dich da sein.«

Leo neben ihm, der nach Luft rang, auf der anderen Seite dieser groß gewachsene Benjamin, Rakel Greitz vorne auf dem Fahrersitz, die von Glück und Reichtum redete – all das war ... unbeschreiblich. Es war nicht in Worte zu fassen.

Mikael Blomkvist würde es auf keinen Fall verstehen. Trotzdem musste Dan versuchen, es ihm zu erklären. Es gab keinen anderen Ausweg.

»Hat Sie das verlockt?«, wollte Mikael wissen.

Vor ihnen auf dem weißen Couchtisch stand immer noch die Weinflasche, und unwillkürlich verspürte Dan den Impuls, danach zu greifen und sie dem Journalisten überzuziehen.

»Verstehen Sie es immer noch nicht?«, gab er zurück und musste sich zusammenreißen, um ruhig zu klingen. »Für mich gab es in diesem Moment kein Leben ohne Leo.«

Dann verstummte er erneut.

»Woran haben Sie damals gedacht?«, fragte Mikael.

»Nur an eins: wie wir überleben konnten, Leo und ich.«

»Und was war Ihr Plan?«

»Mein Plan? Keine Ahnung ... Ich glaube, erst mal mitzuspielen, in der Hoffnung, irgendeinen Ausweg zu finden, einen Strohhalm ... Wir fuhren immer weiter aus der Stadt hinaus, und langsam, aber sicher kehrten meine Kräfte zurück. Ich ließ Leo die ganze Zeit nicht aus den Augen. Sein Zustand verschlechterte sich zusehends. Er hatte Krämpfe, konnte sich nicht mehr zielgerichtet rühren. Es fällt mir wahnsinnig schwer, darüber zu reden ...«

»Lassen Sie sich Zeit.«

Dan nahm noch einen Schluck Wein, ehe er fortfuhr: »Ich hatte keine Ahnung, wo wir waren. Ich hatte den Überblick verloren. Irgendwo auf dem Land, die Straße war dort schmaler, führte irgendwann durch Nadelwald. Inzwischen war es dunkel, und Regen hatte den Schnee abgelöst. Dann sah ich ein Schild – Vidåkra, stand da, und wir bogen rechts auf einen Waldweg ab. Nach vielleicht zehn Minuten bremste Rakel Greitz, und Benjamin stieg aus und holte etwas aus dem Kofferraum. Ich wollte gar nicht wissen, was es war, hörte nur ein unheimliches Scheppern und widmete mich wieder Leo. Ich schob die Tür auf, zog ihn der Länge nach auf den Rücksitz und beatmete ihn. Zumindest hab ich es versucht. In meinem ganzen Leben hab ich nie etwas so sehr versucht ... nur dass ich immer noch benommen war, und Leo musste sich übergeben haben, ohne dass ich es überhaupt bemerkt hatte. Es stank bestialisch, trotzdem beugte ich mich runter, und irgendwie kam es mir so vor, als würde ich mich über mich selbst beugen – verstehen Sie das? Als würde ich meinen Mund auf mein eigenes, sterbendes Ich legen. Aber das Merkwürdigste war, dass sie mich gewähren ließen. Mit einem Mal waren sie nachsichtig, Rakel und dieser Benjamin. Das kam mir eigenartig vor, obwohl ich natürlich nicht richtig begriffen hab, was sie eigentlich vorhatten. Ich konzentrierte mich auf Leo, vielleicht auch ein bisschen auf Rakel und das, was sie sagte ... Leo würde sterben, sagte sie. Das Physostigmin würde in Kürze nicht mehr wirken. Und dann wäre nichts mehr zu machen. Das sei natürlich schrecklich, sagte sie, aber immerhin werde ihn niemand suchen kommen. Niemand werde sich je fragen, wo er abgeblieben sei – solange ich nur seinen Platz einnähme. Seine Mutter liege im Sterben, erzählte sie mir, und ich könne einfach bei Alfred Ögren kündigen und meine Anteile an Ivar Ögren verkaufen. Das werde niemanden groß wundern – immerhin wüssten alle, dass Leo schon lang davon geträumt habe, das Unternehmen zu verlassen. Die ganze Situation sei wie dafür gemacht, endlich göttliche Gerechtigkeit walten zu lassen. Und ich bekäme das, was ich immer verdient gehabt hätte. Ich spielte mit ... Ich sah einfach keinen anderen Ausweg. Also sagte ich: Okay. Vielleicht würde es ja wirklich klappen. Sie hatten mir mein Telefon weggenommen, das hatte ich erwähnt, oder? Und ich war tief in diesem Wald, nirgends Licht oder irgendein anderes Lebenszeichen. Dann kam Benjamin zurück und sah erbärmlich aus. Er war komplett durchnässt von Schweiß und Regen, und seine Hose war mit Schneematsch und Erde verschmiert. Seine Mütze saß schief auf dem Kopf, und er sagte kein Wort. Irgendwie lag ein stummes, unbehagliches Einverständnis in der Luft. Dann schleifte Benjamin Leo aus dem Auto, ein ungeschickter Trampel – Leos Kopf schlug auf den Boden, und ich sprang zu ihm, um zu sehen, ob er sich wehgetan hatte. Ich weiß noch, wie ich Benjamin die Mütze vom Kopf riss und sie Leo aufsetzte. Dann knöpfte ich seinen Mantel zu. Wir hatten ihm nicht einmal etwas Ordentliches angezogen, keinen Schal, sein Hals war nackt, die Schuhe waren nicht zugebunden, die Schnürsenkel waren lose. Es war eine Szene wie aus der Hölle, und ich dachte darüber nach, ob ich losrennen sollte, um Hilfe zu holen, einfach in den Wald rennen und hoffen, dass da irgendjemand wäre ... Aber blieb dafür überhaupt noch Zeit? Ich glaubte nicht. Ich war mir nicht mal sicher, ob Leo überhaupt noch lebte. Also lief ich mit in den Wald. Benjamin schleifte Leo hinter sich her und sah aus, als schleppte er irgendwas Schweres, Sperriges, dabei war Leo so leicht und mager, und irgendwann bot ich ihm sogar meine Hilfe an. Benjamin gefiel das nicht. Er wollte, dass ich abhaute. ›Geh!‹, sagte er. ›Hau ab, das ist nichts für dich.‹ Dann rief er Rakel, aber ich glaube, sie hat ihn nicht gehört, es wehte ein ziemlich starker Wind, der alles übertönte. Die Bäume rauschten, und wir blieben an Büschen und Ästen hängen, bis wir zu einer großen Fichte kamen, die alt aussah und krank, und zu einem Haufen Erde und Steine, und da lag auch ein Spaten, und ich hab noch geglaubt oder wollte glauben, dass da irgendeine Grube gewesen wäre, die nichts mit uns zu tun hatte …«

»Aber es war ein Grab.«

»Zumindest der Versuch eines Grabs … Die Grube war nicht sonderlich tief. Benjamin musste höllisch geschuftet haben, um durch die gefrorene Erde zu kommen, und er sah ja auch erschöpft aus. Er legte Leo auf dem Boden ab und schrie mich an, ich solle endlich verschwinden. Ich müsse mich aber doch wenigstens verabschieden, schrie ich zurück, und da bedrohte er mich erneut und sagte, Rakel habe genügend Beweise, um mir einen Mord anzuhängen. ›Ich weiß, ich hab das schon verstanden‹, sagte ich, aber dass ich doch nur Abschied nehmen wolle, er sei immerhin mein Zwillingsbruder, und dass ich ihn selbst beerdigen wolle. ›Lass mich in Ruhe, nimm wenigstens ein bisschen Rücksicht, verschwinde, lass mich in Frieden weinen. Ich kann doch sowieso nicht abhauen, und Leo ist doch schon tot. Sieh ihn dir doch an!‹, brüllte ich. ›Sieh ihn dir an!‹ Und da ging er. Da ging er wirklich. Ich nehme an, dass er nicht besonders weit wegging, aber er ging, und ich blieb allein mit Leo zurück und kniete mich dort unter der Fichte hin, beugte mich über ihn.«

Annika Giannini hatte in der Personalkantine von Flodberga zu Mittag gegessen und war danach wieder in den Besucherraum zurückgekehrt, um der Befragung von Faria Kazi durch Kriminalkommissarin Sonja Modig weiter beizuwohnen.

Sie hatten noch kurz miteinander gesprochen. Sonja Modig hatte Annika beigepflichtet, dass jetzt am wichtigsten sei, nicht nur ein komplettes Bild der anhaltenden Unterdrückung des Mädchens zu zeichnen, sondern auch in Erfahrung zu bringen, ob der Angriff auf den Bruder am Fenster womöglich gar kein Mord, sondern vielmehr eine Körperverletzung mit Todesfolge gewesen war. Denn hatte wirklich ein Tötungsvorsatz bestanden?

Nach Annikas Ansicht gab es Anlass zur Hoffnung. Sie hatte Faria sogar dazu bringen können, selbstkritisch zu hinterfragen, aus welchen Gründen sie gehandelt hatte. Doch dann hatte Sonja Modig einen Anruf erhalten und war auf den Flur hinausgeeilt. Als sie wiederkam, schien sie außer sich zu sein, und Annika war augenblicklich alarmiert.

»Jetzt machen Sie doch nicht so ein Pokerface – ich sehe Ihnen doch an, dass etwas passiert ist. Raus damit, und zwar sofort!«

»Ich weiß ... Bitte entschuldigen Sie. Entschuldigen Sie die Unterbrechung«, antwortete Modig. »Ich habe soeben erfahren, dass Bashir und Benito Lisbeth Salander entführt haben. Sämtliche Kräfte sind im Einsatz, aber es sieht nicht gut aus.«

»Raus mit der Sprache!«, fauchte Annika.

Je mehr Sonja erzählte, umso fassungsloser sah Annika sie an. Faria kauerte sich auf ihrem Stuhl zusammen und schlang die Arme um ihre Knie. Doch dann passierte etwas – und Annika bemerkte es zuerst. Im Blick der jungen Frau lag plötzlich nicht mehr nur Angst und Wut, sondern auch noch etwas anderes, eine tiefe Konzentration.

»Haben Sie Vadabosjön gesagt?«, hakte Faria nach.

»Bitte? Ja, die letzte Spur verliert sich, als der Lieferwagen in einen Waldweg abbiegt, der zu dem See hinunterführt«, antwortete Sonja.

»Wir ... Früher haben wir manchmal am Vadabosjön gezeltet.«

»Weiter«, forderte Annika sie auf.

»Wir waren immer wieder da, es ist ja nicht sehr weit, da sind wir manchmal spontan übers Wochenende hingefahren. Das war, als meine Mutter noch gelebt hat, und der See ist ja von Wald umgeben, von dichtem Wald und kleinen Pfaden und Verstecken, und einmal ...« Faria zögerte und umklammerte ihre Knie noch fester. »Darf ich Ihr Handy haben?«, fragte sie dann. »Oder rufen Sie eine Landkarte auf? Ich könnte versuchen, die Stelle zu finden.«

Sofort begann Sonja zu suchen. Erst schien es nicht zu klappen, und sie startete einen neuen Versuch. Schließlich hellte sich ihre Miene auf. Sie klickte eine Datei an, die von der Polizei Uppsala verschickt worden war.

»Zeigen Sie her«, sagte Faria mit unerwarteter Autorität in der Stimme.

»Hier sind sie reingefahren«, erklärte Sonja Modig und tippte auf die entsprechende Abfahrt.

»Warten Sie«, murmelte Faria. »Ich kann mich gerade nur schwer orientieren ... aber irgendwo muss es dort einen Ort namens Söderviken geben. Oder Södra viken oder Södra stranden ...«

»Keine Ahnung, ich muss erst nachsehen.«

Sonja tippte das Wort »Södra« in die Suchmaske ein.

»Könnte es Södra Strandviken sein?«, fragte sie und hielt Faria den Kartenausschnitt hin.

»Ja, das muss es sein!«, rief sie. »Mal sehen ... Es gibt dort einen kleinen, holprigen Weg, der aber breit genug ist, um ein Auto durchzulassen. Könnte es der da sein?« Sie deutete auf die Karte.«Wobei, ich weiß nicht ... Damals stand ein gelbes Schild an der Abzweigung. Ich erinnere mich sogar noch, was darauf stand: *Ende des öffentlichen Wegs*. Aber ein Stück weiter, nach ein paar Kilometern, ist dort eine Art Höhle, also keine richtige Höhle, eher ein Unterschlupf unter ein paar Laubbäumen. Links von einem Hügelkamm. Dort tritt man wie hinter einen Vorhang, durch eine Tür aus Blättern, und dahinter liegt ein komplett geschützter Ort inmitten von Büschen und Bäumen. Nur durch einen kleinen Spalt sieht man eine Schlucht und einen Bach. Bashir hat mich mal dorthin mitgenommen. Ich dachte erst, er wollte mir etwas Spannendes zeigen. In Wahrheit wollte er mir Angst machen. Das war zu der Zeit, als mein Körper sich zu verändern begann, als mir am Strand ein paar Typen hinterhergepfiffen hatten. Als wir dort ankamen, hat er einen Haufen Mist erzählt: dass man früher Frauen hergebracht hätte, die sich wie Huren benommen hätten, um sie zu bestrafen. Er hat mir eine Heidenangst eingejagt, wahrscheinlich erinnere ich mich deshalb so gut an diesen Ort, und gerade hab ich überlegt ...« Sie zögerte. »... ob Bashir vielleicht auch Salander dort hingebracht haben könnte.«

Sonja Modig nickte verbissen und bedankte sich. Dann nahm sie das Handy wieder an sich und wählte eine Nummer.

Hubschrauberpilot Sami Hamid setzte Jan Bublanski in regelmäßigen Abständen von der Lage in Kenntnis. Sami kreiste über dem Vadabosjön, hatte aber noch keine Spur von dem grauen Lieferwagen entdecken können. Und auch niemand sonst hatte einen grauen Lieferwagen gesehen: kein Zeuge, kein Sommergast, keiner der Polizisten in den Streifenwagen vor Ort, was aber nicht wirklich verwunderlich war: Der See selbst war zwar von weitläufigen Stränden gesäumt, doch der dahinterliegende Wald war immens dicht, und das Gewirr aus Pfaden und Wegen war schier labyrinthisch und wie dafür geschaffen, darin unterzutauchen.

Bublanski fluchte in sich hinein und trieb Amanda Flod erneut zur Eile an. Bis zum See hatten sie noch ein gutes Stück vor sich. Dank eines Stimmerkennungsprogramms wussten sie inzwischen, dass sie hinter Benito Andersson und Bashir Kazi her waren, und das verhieß nichts Gutes.

Bublanski kam nicht für eine Sekunde zur Ruhe. Ständig telefonierte er mit der Leitstelle in Uppsala und mit allen erdenklichen Personen, die über Informationen verfügen könnten. Selbst Mikael Blomkvist rief er mehrmals an, doch der Reporter hatte sein Handy abgestellt. Bublanski reagierte ungehalten wie selten. Er stieß abwechselnd Flüche und Stoßgebete aus. So wenig er Lisbeth Salander verstehen konnte, empfand er doch eine fast väterliche Fürsorge für sie, umso mehr als Salander ihm schon mal bei der Aufklärung eines Kapitalverbrechens geholfen hatte.

Wieder trieb er Amanda an, und endlich näherten sie sich dem See. Sein Telefon klingelte. Es war Sonja Modig, die ihn ohne Umschweife bat, Södra Strandviken ins Navi einzugeben, und dann das Telefon an Faria Kazi weitergab. Was sollte das? Er wollte schon protestieren, als er Farias Stimme vernahm, die ganz anders klang, als er es erwartet hätte – so ungewohnt zielstrebig, als hätte sie ihm etwas Wichtiges mitzuteilen.

Konzentriert hörte Bublanski sich an, was sie ihm zu erzählen hatte. Er hoffte, dass es noch nicht zu spät wäre.

22. KAPITEL
22. Juni

Lisbeth Salander hatte keine Ahnung, wo sie war – aber es war heiß, sie hörte Fliegen und Mücken summen und Wind, der durch Laub rauschte. Irgendwo gluckerte leise Wasser, doch sie konzentrierte sich auf ihre Beine.

Lisbeths Beine waren dürr und machten nicht sehr viel her. Aber sie waren durchtrainiert und das Einzige, womit sie sich jetzt noch würde verteidigen können, da sie mit gefesselten Händen auf der Ladefläche des Lieferwagens kauerte.

Mit ihrem Verband und ihrem blassen Gesicht machte Benito einen Schritt nach dem anderen auf sie zu. Der Dolch in ihrer Hand zitterte, und Lisbeth spähte flüchtig zur Heckklappe. Prompt drückten die Männer ihr die Schultern nach unten und schrien sie an. Sie sah zu Bashir empor, dessen Gesicht vor Schweiß glänzte. Er starrte sie an, als wollte er gleich selbst auf sie losgehen. Aber er konnte nicht – er musste sie festhalten.

Erneut fragte sich Lisbeth, ob sie die beiden nicht gegeneinander ausspielen sollte, aber ihr lief die Zeit davon. Benito stand jetzt mit ihrem Dolch direkt vor ihr wie eine böse Königin, und auch die Stimmung im Inneren des

Wagens veränderte sich: Sie war jetzt ruhig, fast andächtig, wie vor einem ungeheuerlichen Ereignis. Einer der Männer zerriss Lisbeths T-Shirt und entblößte ihr Schlüsselbein, und Lisbeth sah erneut zu Benito hoch. Sie war blass. Ihr roter Lippenstift bildete einen scharfen Kontrast zu der aschfahlen Haut. Doch ihre Schritte wirkten jetzt sicherer, und sie zitterte nicht mehr, als würde ihr das Grauen, das diesem Moment anhaftete, neue Kraft verleihen.

»Und jetzt drückt sie nach unten«, sagte sie mit beherrschter Stimme. »Gut. Es ist ein großer Moment. Jetzt wird sie sterben. Spürst du schon, wie mein Keris auf dich gerichtet ist? Jetzt wirst du leiden. Jetzt wirst du sterben.«

Benito lächelte sie sogar an. In ihrem Blick lag nicht die mindeste Gnade, nicht der Hauch von Menschlichkeit, und für ein paar Sekunden sah Lisbeth nichts anderes mehr als die Klinge und das rote Tuch, das sich ihrer rechten Brust näherte. Doch im nächsten Moment strömten auch andere Eindrücke auf sie ein: Sie sah, dass Benitos Verband mit drei Sicherheitsnadeln befestigt war. Dass die rechte Pupille größer war als die linke. Dass an der Heckklappe des Lieferwagens ein Schild von der Tierklinik Bagarmossen hing. Sie sah drei gelbe Büroklammern und eine Hundeleine auf dem Boden. Sie sah einen blauen Filzstiftstrich an der Wand gegenüber. Vor allem aber sah sie den roten Samt. Er lag nicht sicher in Benitos Hand – hervorragend, denn allem Anschein nach war das bloß ritueller Schwachsinn, und so selbstsicher Benito auch mit dem Dolch umging: Das Tuch war offenbar fremd für sie. Sie wusste nicht recht, was sie damit anfangen sollte, und genau wie Lisbeth es geahnt hatte, ließ sie es schließlich fallen.

Lisbeth krallte ihre Zehen in den Boden. Benito brüllte, sie solle stillhalten, doch in ihrer Stimme schwang jetzt Nervosität mit. Sie kniff die Augen zusammen, hob den Dolch und suchte mit dem Blick einen Punkt unter Lisbeths Schlüsselbein – und da gab sich Lisbeth einen Ruck, sie spannte die Muskeln an, fragte sich noch, ob es überhaupt möglich wäre, schließlich kniete sie, ihre Hände waren gefesselt, und die Männer hatten sie fest im Griff. Doch sie musste es zumindest versuchen, schloss die Augen und tat für einen kurzen Moment, als würde sie sich mit ihrem Schicksal abfinden, während sie der Stille und den Atemzügen im Laderaum lauschte. Sie nahm die Erregung in der Luft wahr, die Blutrünstigkeit, aber auch die Furcht, eine lustvolle Furcht. Selbst in diesem Kreis schien eine Hinrichtung keine alltägliche Sache und ...

Im nächsten Augenblick hörte sie noch etwas, was sich aber nur schwer identifizieren ließ. Ein Grollen aus der Ferne, ein Motorengeräusch, aber nicht das *eines* Autos ... Es waren mehrere.

Genau in diesem Moment ging Benito zu ihrer tödlichen Attacke über.

Lisbeth schnellte hoch, kam auf die Beine, konnte dem Dolch aber nicht mehr rechtzeitig ausweichen.

Amanda Flod und Jan Bublanski rasten über den Kiesweg oberhalb des Vadabosjön, bis sie das gelbe Schild entdeckten, auf dem tatsächlich stand: *Ende des öffentlichen Wegs.* Amanda stieg so abrupt auf die Bremse, dass der Wagen ins Schleudern kam. Sie warf Bublanski einen bösen Blick zu, als wäre es seine Schuld. Doch der Kommissar bekam nichts davon mit. Er schrie Faria Kazi am Handy an: »Ich seh das Schild, ich seh es!« Möglicherweise hatte er sogar geflucht, als der Wagen ins Schlingern geraten war.

Amanda brachte das Fahrzeug wieder unter Kontrolle und bog auf den Weg oder vielmehr Pfad ab, der matschig und zerfurcht war. Der Regen, der vor der Hitzeperiode fast ununterbrochen gefallen war, hatte den Boden aufgeweicht und fast unbefahrbar gemacht, und das Auto hüpfte und schaukelte.

»Fahr langsamer, verdammt noch mal, wir dürfen die Stelle nicht verpassen!«, brüllte Bublanski.

Sie durften die Stelle nicht verpassen – den Ort, der Faria zufolge hinter einem Blättervorhang verborgen war. Angeblich lag er auf der Kuppe eines Hügels. Doch Bublanski sah weit und breit keine Erhebung, und wenn er ehrlich war, glaubte er auch nicht daran. Es war ein Schuss ins Blaue gewesen. Der Lieferwagen konnte inzwischen an jedem x-beliebigen Ort in diesem Wald stehen oder – noch wahrscheinlicher – ein ganz anderes Ziel gehabt haben. Außerdem war mittlerweile eine Menge Zeit vergangen, und vor allem: Wie konnte Faria sich sicher sein, wo diese Lichtung lag? Wie hatte sie so viele spezifische Details aus ihrer Kindheit ausgraben und nach so vielen Jahren noch eine halbwegs realistische Vorstellung von Entfernungen haben können?

Für ihn sah der Wald überall gleich aus: dichte Vegetation, aus der nichts hervorstach, und er war schon kurz davor aufzugeben. Über ihm standen die Baumkronen so dicht zusammen, dass sie durch einen dunklen Korridor zu fahren schienen. Hinter ihnen waren weitere Polizeifahrzeuge zu hören – was ihnen aber nur dann nützen würde, wenn sie tatsächlich auf dem richtigen Weg wären. Doch er konnte sich einfach nicht vorstellen, dass sie hier irgendetwas finden würden. Der Wald wirkte undurchdringlich, und er wurde von Sekunde zu Sekunde mutloser. Dann, da, in der Ferne … war etwas, was man vielleicht nicht unbedingt als Hügel bezeichnen konnte, aber tatsächlich stieg der Weg ganz leicht an. Amanda gab Gas, sie schlingerten erneut, näherten sich aber der Kuppe, und Bublanski beschrieb weiter ins Telefon, wie es um sie herum aussah. Sein Blick blieb an einem großen, kugelförmigen Stein am Wegrand hängen, der Faria vielleicht in Erinnerung geblieben war. Aber ein solcher Stein sagte ihr nichts – und weiter kamen sie auch nicht. Er hörte ein Geräusch, irgendetwas krachte gegen Blech oder Metall, dann folgte aufgeregtes Geschrei. Er sah Amanda an. Sie machte eine Vollbremsung, und er zog seine Dienstwaffe und stieß die Beifahrertür auf. Dann stürmte er in den Wald hinein und lief zwischen Bäumen und Büschen hin und her. Im nächsten atemlosen Moment begriff er, dass er den Ort gefunden hatte.

Dezember, eineinhalb Jahre zuvor

Zu einer anderen Jahreszeit in einem anderen Wald kniete Dan Brody am Tag vor Heiligabend unweit von Vidåkra im Schneematsch und starrte auf Leo hinab, der mit seinem blau angelaufenen Gesicht und den grauen Augen unter ihm lag. Er hatte einen schrecklichen Moment lang vollkommen leblos gewirkt.

Er hatte sofort wieder mit der Mund-zu-Mund-Beatmung begonnen. Leos Lippen waren so kalt wie der Schnee unter ihm, und immer noch nahm Dan keinerlei Reaktion wahr. Er rechnete jeden Moment damit, wieder Schritte zu hören, bald wäre seine Zeit abgelaufen, und er wäre gezwungen, als halber Mensch zum Auto zurückzukehren. Ein ums andere Mal ging es ihm wie ein Mantra oder Gebet im Kopf herum: *Wach auf, Leo, wach auf!* Dabei glaubte er nicht mehr an seinen Plan, wahrscheinlich nicht einmal mehr daran, dass er seinen Bruder je wieder zum Leben erwecken könnte.

Benjamin musste sich immer noch ganz in der Nähe befinden. Vielleicht starrte er ihn in diesem Moment zwischen Bäumen hindurch an und war ungeduldig und nervös, sicher wollte er Leo einfach nur schleunigst beerdigen und dann von hier verschwinden. Es war aussichtslos, und trotzdem machte Dan weiter: Mit wachsender Verzweiflung hielt er Leos Nase zu und blies so energisch und kraftvoll in die Atemwege des Bruders, dass ihm schwindlig wurde und er kaum noch wusste, was er eigentlich tat. In einiger Entfernung war ein Auto zu hören, ein entlegenes Motorengeräusch, das schließlich verebbte.

Im Wald raschelte es, als wäre ein Tier aufgeschreckt. Vögel flatterten auf und flogen davon, dann wurde es wieder still. Es war eine unheimliche Stille – als hätte alles Leben die Flucht ergriffen. Er musste eine Pause machen und keuchte.

Er bekam selbst kaum noch Luft und hustete, und es dauerte ein, zwei Sekunden, ehe ihm irgendetwas merkwürdig vorkam. Es schien, als würde sein Husten vom Boden widerhallen. Nur langsam verstand er, dass es Leo war: Auch er keuchte und zuckte, und zunächst konnte Dan es nicht fassen. Er starrte seinen Bruder nur an und spürte ... Was? Freude, Glück? Nein. Er spürte nur, dass sie es eilig hatten.

»Leo«, flüsterte er. »Sie wollen dich umbringen. Du musst in den Wald laufen. Jetzt sofort. Steh auf und renn los!«

Doch Leo schien nicht zu begreifen. Er hatte immer noch Schwierigkeiten zu atmen und sich zu orientieren. Dan half ihm auf die Beine. Anschließend schob er ihn zwischen die Bäume und verpasste ihm einen energischen Knuff, und Leo stürzte, stürzte unglücklich, konnte sich nur mit Mühe wieder aufrichten und wankte dann auf schwachen Beinen in den Wald. Mehr bekam Dan nicht von ihm mit. Er sah ihm auch nicht hinterher, sondern fing sofort an, das Grab zuzuschaufeln. Mit wilder Kraft kippte er Erde darauf, und dann hörte er, womit er schon die ganze Zeit gerechnet hatte:

Benjamins Schritte. Als er auf die Grube hinabblickte, war ihm klar, dass Benjamin ihn sofort durchschauen würde, und er schuftete immer frenetischer, schwang den Spaten, schimpfte und suchte sein Heil in der Arbeit und in den Verwünschungen, bis er schließlich Benjamins Atem hinter sich hörte. Er hörte das Knistern von Hosenstoff und das Knirschen von Schuhen im Schneematsch, und er rechnete damit, dass Benjamin jeden Moment Leos Verfolgung aufnehmen oder auf ihn selbst losgehen würde. Doch Benjamin schwieg. Dann war in der Ferne ein weiteres Auto zu hören, und erneut flatterten Vögel auf.

»Ich habe seinen Anblick nicht mehr ausgehalten. Deshalb hab ich ihn begraben«, sagte er.

Seine Worte klangen leer. Er bekam keine Antwort. Innerlich bereitete er sich darauf vor, dass gleich etwas Schreckliches passieren würde, und schloss die Augen. Doch nichts geschah. Benjamin kam bloß ein Stück näher, seine Bewegungen waren langsam und schwerfällig, und er roch nach Tabak. Dann sagte er: »Ich helfe dir.«

Gemeinsam bedeckten sie das Grab, das keine Leiche enthielt, mit dem letzten Rest loser Erde. Am Ende landeten darauf noch ein paar Steine und Grasbüschel. Erst dann kehrten sie wieder zum Auto und zu Rakel Greitz zurück – langsam und mit gesenkten Köpfen. Auf der Rückfahrt nach Stockholm saß Dan schweigend da und lauschte Rakels Vorschlägen.

Lisbeth war wie eine Kanonenkugel durch die Luft geschossen und seitlich getroffen worden. Sie wusste nicht, wie ernst die Stichverletzung war, und hatte auch keine Zeit, darüber nachzudenken. Benito war aus dem Gleichgewicht geraten und fuchtelte jetzt wild mit ihrem Dolch herum. Blitzschnell wich Lisbeth zur Seite aus, verpasste ihr eine Kopfnuss und stürzte zur Heckklappe. Mit Kopf und Oberkörper stieß sie die Tür auf und sprang mit gefesselten Händen ins Gras. Adrenalin pumpte durch ihre Adern. Zwar landete sie auf den Füßen, fiel dann aber vornüber, rollte ein Stück weiter und rutschte einen Hang hinab und geradewegs in einen kleinen Bach. Sie nahm flüchtig wahr, wie sich das Wasser blutrot färbte, ehe sie sich aufrappelte und in den Wald rannte. In ihrem Rücken hörte sie Stimmen, Fahrzeuge, und doch dachte sie keinen Moment darüber nach, ob sie anhalten sollte. Sie wollte einfach nur weg.

Jan Bublanski hatte Lisbeth nicht gesehen, dafür aber zwei Männer, die gerade einen Hang hinabrennen wollten. Direkt neben ihnen parkte ein grauer Lieferwagen mit der Front zu der Laubwand. Bublanski war für einen Moment unsicher, was er tun sollte, und rief: »Halt! Stehen bleiben, Polizei!« Dann nahm er seine Dienstwaffe in den Anschlag.

Auf der Lichtung war es unerträglich heiß, er fühlte sich schwerfällig und keuchte. Die Männer vor ihm waren jünger, kräftiger, vermutlich auch skrupelloser. Doch als er sich umblickte und in Richtung des Wegs lauschte, hatte er trotzdem das Gefühl, dass die Lage unter Kontrolle war. Amanda Flod stand nicht weit entfernt in derselben Position wie er, und hinter ihnen nahte Verstärkung. Noch dazu waren die Männer allem Anschein nach unbewaffnet und auf frischer Tat ertappt worden.

»Machen Sie jetzt keine Dummheiten!«, rief er. »Sie sind umstellt. Wo ist Salander?«

Die Männer antworteten nicht, sondern schielten nur nervös zu dem Lieferwagen hinüber, dessen Heckklappe offen stand. Und dann schien etwas Unheimliches daraus hervorzukriechen – etwas, was sich nur langsam und mit Mühe vorwärtsbewegte. Am Ende stand sie dort leichenblass und mit einem blutigen Dolch in der Hand und konnte sich kaum mehr aufrecht halten – Benito Andersson. Sie schwankte, fasste sich an den Kopf und fauchte ihn an, als läge noch immer alles in ihrer Macht: »Wer bist du?«

»Kommissar Jan Bublanski. Wo ist Lisbeth Salander?«

»Ach, der kleine Jude?«

»Ich will wissen, wo Lisbeth Salander ist!«

»Ich nehme an, sie ist tot«, zischte sie, hob erneut ihren Dolch und taumelte auf ihn zu.

Er forderte sie auf, stehen zu bleiben. Doch Benito ging einfach weiter, als hätte seine Waffe keinerlei Bedeutung, und stieß noch ein paar antisemitische Beleidigungen aus.

Sie hat es nicht verdient, erschossen zu werden, dachte er. Es darf ihr nicht vergönnt sein, in ihren teuflischen Kreisen als Märtyrerin gefeiert zu werden.

Es war stattdessen Amanda Flod, die eine Kugel abfeuerte. Sie schoss Benito ins linke Bein. Sekunden später stürmten Kollegen herbei, und alles war vorüber.

Nur Lisbeth Salander fanden sie nicht. Bloß ihre Blutflecken im Lieferwagen.

Sie war wie vom Erdboden verschluckt.

»Was ist aus Leo geworden?«, wollte Mikael wissen.

Dan schenkte sich Weißwein nach, sah zu dem umgedrehten Gemälde hinüber und schließlich aus dem Atelierfenster.

»Er ist umhergeirrt«, sagte er tonlos.

»Lebt er?«

»Er ist umhergeirrt«, wiederholte Dan. »Er ist zwischen den Bäumen umhergeirrt und im Kreis gelaufen, er ist gestolpert, hingefallen, und ihm war übel. Mit den Händen hat er Schnee geschmolzen, ihn gegessen … Irgendwann wurde es spät, und er fing an zu schreien. ›Hallo? Hilfe! Ist da jemand?‹ Aber niemand hat ihn gehört. Stunden später erreichte er überraschend einen Hang, der steil nach unten führte. Dort schlitterte er hinunter und kam auf eine Wiese, ein weites Areal, das ihm vage bekannt vorkam, als wäre er vor langer Zeit mal dort gewesen oder hätte von diesem Ort geträumt. In der Ferne am Waldrand brannte Licht in einem Haus mit Veranda. Leo stolperte darauf zu und klingelte. In dem Haus wohnte ein junges Paar – Stina und Henrik Norebring, falls Sie das nachprüfen wollen. Sie bereiteten sich gerade auf Weihnachten vor, packten Geschenke für ihre kleinen Söhne ein, und natürlich sind sie im ersten Moment ganz fürchterlich erschrocken. Leo muss einen grausigen Anblick geboten haben. Aber er hat sie beruhigen können. Sagte, er sei von der Straße abgekommen und gegen einen Baum gefahren und habe sein Telefon verloren und wahrscheinlich auch eine Gehirnerschütterung. Er sei ziellos durch die Gegend geirrt, sagte er, und ich nehme an, dass er glaubwürdig wirkte. Das junge Paar half ihm, und er durfte ein heißes Bad nehmen. Sie liehen ihm saubere Kleidung und boten ihm Weihnachtsschinken und Janssons Frestelse und Glögg und Schnaps an, und er kam wieder halbwegs zu Kräften. Allerdings war er sich nicht sicher, was er jetzt tun sollte. Am liebsten hätte er mich kontaktiert, aber er erinnerte sich noch daran, dass Rakel mir das Handy weggenommen hatte, und er hatte Angst, dass auch meine E-Mails überwacht würden. Er war ratlos, zumindest am Anfang. Aber Leo ist schlau. Er denkt immer einen Schritt weiter als andere, und deshalb hat er sich überlegt, dass er mir eine verschlüsselte Nachricht schreiben könnte, die augenscheinlich unverfänglich wäre – irgendetwas, was jeder am Tag vor Weihnachten verschicken könnte.«

»Und zu welchem Schluss kam er?«

»Er lieh sich das Telefon des Manns und schrieb mir eine SMS: *Congrats, Daniel! Evita Kohn wants to tour with you in the US in February. Please confirm. Django. Will be a Minor Swing. Merry Christmas.*«

»Okay«, sagte Mikael. »Ich glaube, ich verstehe ... Aber erzählen Sie mir, was er sich dabei gedacht hat.«

»Zunächst wollte er meinen neuen Namen nicht verraten. Aber er wählte eine Künstlerin, von der er wusste, dass ich noch nie mit ihr zusammen gespielt hatte, sodass niemand auf diesem Weg meine Spur würde zurückverfolgen können. Vor allem aber unterschrieb er mit ...«

»Django.«

»Mit Django – und das allein hätte gereicht, um es zu verstehen. Doch er fügte auch noch hinzu: *Will be a Minor Swing.*«

Dan verstummte und hing seinen Gedanken nach.

»›Minor Swing‹ ist ein Stück mit einer unglaublichen Lebensfreude. Das heißt ... Lebensfreude ist vielleicht der falsche Ausdruck. Es gibt darin auch einen dunklen Unterton. Django und Stéphane Grappelli haben es zusammen geschrieben, und Leo und ich haben es sicher vier-, fünfmal geprobt – wir liebten es beide. Die Sache war nur ...«

»Ja?«

»Nachdem Leo die E-Mail losgeschickt hatte, verschlechterte sich sein Zustand. Er brach zusammen. Seine Gastgeber trugen ihn aufs Sofa. Wieder bekam er kaum noch Luft, und seine Lippen liefen blau an. Doch davon wusste ich nichts. Ich saß in Leos Wohnung, und es war spät in der Nacht. Wir waren alle drei dort, Benjamin, ich und Rakel Greitz. Auch damals hab ich Wein getrunken. Ich hab ihn in mich reingekippt, während Rakel alles mit mir durchgegangen ist, den ganzen widerwärtigen Plan, den sie ausgeheckt hatte. Ich spielte mit. Ich stand unter Schock, aber widerwillig spielte ich mit. Ab sofort wolle ich Leo sein, bestätigte ich, und alles genauso machen, wie sie es verlangte. Sie ging wirklich ins Detail: wie ich mir neue Kreditkarten und neue

PINs bestellen und Viveka im Krankenhaus besuchen und mich als Leo ausgeben solle und mir Urlaub nehmen und verreisen und mich in Finanzthemen einlesen und mir meinen amerikanischen und den norrländischen Dialekt abgewöhnen ... Alles, einfach alles wurde besprochen. Währenddessen marodierte Rakel durch die Wohnung und kramte Leos Papiere hervor und ließ mich seine Unterschrift üben und ermahnte mich wegen diesem und jenem. Es war nicht auszuhalten, und die ganze Zeit über hing die Drohung in der Luft, dass ich – Daniel – des Mordes an meinem Bruder angeklagt werden und ins Gefängnis kommen könnte oder mir als Leo eine Haftstrafe wegen Insiderhandels drohte. Ich saß wie gelähmt da und starrte sie an. Das versuchte ich zumindest – denn hauptsächlich wich ich ihrem Blick aus oder schloss die Augen und sah vor mir, wie Leo in den Wald gestolpert und in der Dunkelheit und Kälte verschwunden war. Ich konnte mir nicht vorstellen, wie er überlebt haben sollte. Ich malte mir aus, wie er im Schnee lag und erfror, und gleichzeitig konnte ich einfach nicht glauben, dass Rakel selbst an ihren Plan glaubte. Sie muss mir doch angesehen haben, dass ich es nicht schaffen würde – dass ich beim geringsten Verdacht zusammenbrechen würde. Ich weiß noch, dass sie Benjamin immer wieder Blicke zuwarf und Anweisungen gab. Und sie räumte auf. Die ganze Zeit räumte sie auf. Legte Stifte in eine gerade Reihe, wischte Tische und Stühle ab, sortierte, suchte, putzte. Irgendwann holte sie mein Handy aus der Tasche und entdeckte Leos SMS. Sie fragte mich über meine Freunde und Geschäftskontakte und Musikerkollegen aus, und ich antwortete, so gut ich eben konnte. Einiges davon stimmte sogar, glaube ich, aber das meiste waren Halbwahrheiten und Lügen. Ich weiß es nicht mehr so richtig. Ich konnte kaum sprechen, trotzdem ... Wissen Sie, um Geld zu sparen, hatte ich mir eine schwedische SIM-Karte gekauft, und es hatten noch nicht viele Leute diese Nummer, deshalb weckte diese SMS sofort meine Neugier. ›Was war das eigentlich für eine Nachricht?‹, fragte ich betont gleichgültig. Rakel zeigte sie mir, ich las sie – und wie soll ich es beschreiben? Es war, als wäre ich wieder lebendig geworden. Aber ich musste mich geschickt verhalten. Ich glaube nicht, dass Rakel etwas merkte. ›Da geht es wohl um ein Engagement, oder?‹, fragte sie. Ich nickte, und sie erklärte mir, dass ich all das ab sofort absagen müsse, und dann nahm sie das Telefon wieder an sich und erging sich in weiteren, strengeren Ermahnungen. Aber ich hörte nicht einmal mehr zu. Ich nickte nur noch und spielte Theater, es gelang mir sogar, den Raffgierigen zu geben. ›Wie viel Geld krieg ich eigentlich?‹, fragte ich. Sie nannte mir eine ziemlich exakte Summe, die, wie ich später herausfand, heillos übertrieben war – als hätte meine Entscheidung von ein paar Millionen mehr oder weniger abgehangen! Mittlerweile war es annähernd Mitternacht. Wir waren seit Stunden beschäftigt, und ich war todmüde und wahrscheinlich auch ziemlich betrunken. ›Ich kann nicht mehr‹, sagte ich. ›Ich muss schlafen.‹ Rakel zögerte, das weiß ich noch. Sollte sie es wagen, mich allein zu lassen? Doch am Ende schien sie zu dem Schluss zu kommen, dass sie mir vertrauen musste. Vor lauter Angst, sie könnte ihren Entschluss bereuen, hab ich mich nicht getraut, sie um mein Handy zu bitten. Ich stand einfach nur wie gelähmt da und nickte zu all ihren Drohungen und Versprechungen und sagte an den passenden Stellen ›Ja, ja‹ oder ›Nein, nein‹.«

»Aber dann gingen die beiden.«

»Sie gingen, und ich konzentrierte mich nur noch auf eins – mir die Nummer zu merken, die ich auf dem Display gesehen hatte. Ich erinnerte mich noch an die letzten fünf Ziffern. Bei den übrigen war ich mir nicht sicher, und ich wühlte in Schubladen und Manteltaschen, bis ich am Ende Leos privates Handy fand, das – typisch für ihn – nicht mit einem PIN-Code gesichert war. Ich probierte alle möglichen Kombinationen aus und holte Leute aus dem Bett. Unter manchen Nummern gab es nicht mal einen Anschluss. Doch bei der richtigen Person bin ich nicht rausgekommen. Ich war schlichtweg verzweifelt. Ich heulte die ganze Nacht und war mir sicher, dass Rakel bald eine neue Nachricht von ihm bekommen und dass dann alles auffliegen würde. Und da fiel mir plötzlich das Schild wieder ein, an dem wir vorbeigekommen waren, kurz bevor das Auto gehalten hatte. Vidåkra. Bestimmt war Leo irgendwo dort in der Nähe und hatte Hilfe gesucht, und deshalb ...«

»... haben Sie die Vorwahl von Vidåkra und ihre fünf Ziffern kombiniert.«

»Genau. Und bin sofort auf Henrik Norebring gestoßen. Das Internet ist etwas Seltsames, finden Sie nicht? Ich hab sogar ein Bild von seinem Haus gefunden. Ich wusste sein genaues Alter, was Immobilien in dieser Gegend durchschnittlich wert waren und so weiter, und ich erinnere mich noch daran, wie sehr ich zögerte – und dass meine Hände zitterten.«

»Aber Sie haben angerufen?«

»Ja. Ich habe angerufen. Ist es in Ordnung, wenn wir eine Pause machen?«

Mikael nickte verkrampft und legte eine Hand auf Dans Schulter. Dann ging er in die Küche und schaltete sein Handy wieder ein. Im selben Moment fing es wie verrückt an zu piepsen und zu brummen. Sofort sah er nach, was passiert war. Fluchend kehrte er ins Atelier zurück.

»Was immer vor anderthalb Jahren passiert ist, Dan: Sie werden hoffentlich verstehen, dass wir diese Geschichte so schnell wie möglich publizieren müssen – auch Ihretwegen«, sagte er und wählte seine nächsten Worte mit Bedacht. »Ich wäre wirklich beruhigt, wenn Sie in Anbetracht der Umstände erst einmal hier im Atelier bleiben würden. Ich sorge dafür, dass Sie Gesellschaft von meiner Kollegin und Chefin Erika Berger bekommen. Wäre das in Ordnung für Sie? Sie ist ein guter Mensch – wirklich vertrauenswürdig. Sie werden sie mögen. Ich muss leider los.«

Dan Brody nickte verwirrt und sah für einen Moment so hilflos aus, dass Mikael ihn ein wenig linkisch in den Arm nahm. Dann drückte er ihm die Schlüssel zum Atelier in die Hand und bedankte sich.

»Es war mutig von Ihnen, mir das alles zu erzählen. Ich freue mich schon auf die Fortsetzung.«

Dann brach er auf. Noch im Treppenhaus rief er Erika über eine verschlüsselte Leitung an. Wie erwartet versprach sie, sofort zu kommen. Dann versuchte er wieder und wieder erfolglos, Lisbeth zu erreichen. Am Ende rief er Kommissar Jan Bublanski an.

23. KAPITEL
22. Juni

Jan Bublanski hätte eigentlich zufrieden sein müssen. Er hatte Bashir und Razan Kazi sowie ein berüchtigtes Mitglied des Svavelsjö MC gefasst, und sie hatten Benito Andersson zur Strecke gebracht. Aber er war kein bisschen zufrieden: Seine Kollegen aus Uppsala und Stockholm hatten den ganzen Wald um den Vadabosjön nach Lisbeth Salander abgesucht, aber keine Spur von ihr gefunden – bis auf ein paar Blutflecken im Lieferwagen, und ein Stück weiter oben auf dem Hügel war ein Ferienhaus aufgebrochen worden, in dem ebenfalls Blutspuren und Fußabdrücke von ziemlich kleinen Turnschuhen entdeckt worden waren.

Es war nicht zu fassen. Lisbeth brauchte ärztliche Hilfe. Die Rettungswagen waren schon unterwegs gewesen. Trotzdem war sie lieber in den Wald hineingerannt, immer weiter weg von der Fernstraße und der Zivilisation. Womöglich hatte sie nicht mal mehr mitbekommen, dass ihre Rettung kurz bevorgestanden hätte, sondern war einfach nur um ihr Leben gerannt – schwer zu sagen. Aber wenn Benitos Dolch lebenswichtige Organe verletzt hatte, war Salander übel dran, vielleicht sogar in Lebensgefahr. Warum konnte sie nicht wie andere Menschen ticken?

Inzwischen war Bublanski ins Präsidium an der Bergsgatan zurückgekehrt und gerade auf dem Weg in sein Büro, als sein Handy klingelte. Es war Mikael Blomkvist, der sich endlich zurückmeldete, und der Kommissar schilderte in groben Zügen, was geschehen war. Sein Bericht schien seine Wirkung nicht zu verfehlen. Erschüttert stellte Mikael eine Reihe von Gegenfragen, und erst im Anschluss erzählte er seinerseits kurz, dass er einen begründeten Verdacht hatte, warum Holger Palmgren ermordet worden war. Er werde sich in dieser Angelegenheit so schnell wie möglich zurückmelden. Jetzt habe er erst einmal anderes zu tun.

Bublanski konnte nicht anders, als es seufzend zu akzeptieren.

Dezember, eineinhalb Jahre zuvor

Inzwischen war es zehn Minuten nach Mitternacht. Heiligabend war angebrochen, und auf den Fensterblechen schimmerte schwerer, nasser Schnee. Der Himmel war grau-schwarz, und die Stadt lag still da. Nur vom Karlavägen herauf waren vereinzelt Autos zu hören.

Dan hatte mit Leos Telefon in der Hand auf dem Sofa gesessen und am ganzen Leib gezittert, als er die Telefonnummer von Henrik Norebring in Vidåkra gewählt hatte. Der Freiton hatte in seinem Ohr widergehallt, doch niemand hatte sich gemeldet. Stattdessen sprang ein Anrufbeantworter an, und ein junger Mann beendete seine Ansage mit einem gedoppelten: »Bis bald und bis dann!«

Verzweifelt sah Dan sich in der Wohnung um. Von dem Drama, das sich erst kürzlich hier abgespielt hatte, war keine Spur mehr zu sehen, im Gegenteil, es herrschte eine regelrecht klinische Sauberkeit, die ihn unangenehm berührte. Es roch nach Desinfektionsmittel, und er floh ins Gästezimmer, wo er in der letzten Woche zumeist übernachtet hatte, und versuchte es wieder und immer wieder bei Norebring. Doch er konnte niemanden erreichen.

Selbst hier drinnen war der Einfluss von Rakel Greitz sichtbar. Wie hatte sie das nur angestellt? Offenbar hatte sie auch im Gästezimmer aufgeräumt und gewischt und gesaugt, und er hatte das unbändige Bedürfnis, Rakels Werk im Chaos zu ersticken, Unordnung zu schaffen, Laken vom Bett zu reißen, Bücher an die Wand zu werfen. Doch er konnte sich zu nichts aufraffen. Er starrte aus dem Fenster. Aus einem Radio irgendwo weiter unten im Haus erklang Musik. Es vergingen vielleicht ein, zwei Minuten, ehe er wieder zum Handy griff, doch er hatte Norebrings Nummer noch nicht mal gewählt, als das Telefon in seiner Hand zu klingeln begann. Aufs Äußerste gefasst meldete er sich, und am anderen Ende war dieselbe Stimme wie auf dem Anrufbeantworter zu hören. Doch jetzt klang sie nicht mehr annähernd so munter, sondern ernst und gefasst, als wäre etwas Schreckliches passiert.

»Ist Leo bei Ihnen?«, presste er hervor, ohne eine Antwort zu bekommen. Er hörte nicht mal mehr einen Atemzug, nichts. Das Schweigen schien eine Katastrophe vorwegzunehmen, und der Schrecken, der ihn im Wald befallen hatte, kehrte mit voller Wucht zurück. Er erinnerte sich wieder an die Kälte von Leos Lippen, an seine matten Augen, an die Lunge, die nicht mehr hatte reagieren wollen.

»Ist er da? Lebt er?«

»Einen Moment«, sagte die Stimme.

Es raschelte im Hörer. Im Hintergrund schrie ein Kind, und jemand stellte etwas auf den Tisch. Dann war Rumoren und Tuscheln zu hören, und es dauerte eine halbe Ewigkeit – doch schließlich, wie aus dem Nichts, kehrten das Leben, die Welt und die Farben zurück.

»Dan?«, fragte eine Stimme, die seine eigene hätte sein können.

»Leo«, rief er. »Du lebst!«

»Ja, mir geht es halbwegs gut. Mein Zustand hat sich zwischendurch wieder verschlechtert, ich hab wieder Krämpfe gekriegt, aber Stina, bei der ich hier gelandet bin, ist Krankenschwester und hat mich aufgepäppelt.«

Er liege jetzt unter zwei Decken auf ihrem Sofa, erzählte er. Er sprach mit schwacher, aber gefasster Stimme und schien sich nicht sicher zu sein, was er vor seinen Gastgebern sagen durfte und was nicht. Aber er erwähnte Django und »Minor Swing«.

»Du hast mir das Leben gerettet«, sagte Leo.

»Ja, vielleicht.«

»Das ist etwas Großes.«

»Das war Swing, meinst du.«

»Mehr Swing geht nicht, Bruder.«

Statt zu antworten, schwieg Dan feierlich.

»Contra mundum«, fuhr Leo fort.

»Wie bitte?«, fragte Dan.

»Wir gegen die Welt, mein Freund. Du und ich.«

Sie beschlossen, sich im Hotel Amarant auf der Kungsholmsgatan unweit des Rathauses zu treffen. Leo war sich sicher, dass er dort keinem bekannten Gesicht begegnen würde. In einem Zimmer im vierten Stock verbrachten die Brüder bei vorgezogenen Gardinen Stunden damit zu reden und Pläne zu schmieden. Sie erneuerten ihren Schwur, ihren Pakt, und während der letzten hektischen Minuten des Weihnachtsgeschäfts kaufte Dan zwei Handys mit Prepaidkarte, damit sie kommunizieren konnten.

Dann kehrte er in die Floragatan zurück. Als Rakel Greitz auf dem Festnetz anrief, bestätigte er ihr erneut, alles so zu machen, wie sie es vorgeschlagen hatte. Dann rief er im Stockholmer Krankenhaus an und sprach mit einer Schwester, die ihm versicherte, dass seine Mutter in einem tiefen Dämmerschlaf lag. Wahrscheinlich habe sie nicht mehr lange zu leben. Er wünschte dem Personal auf der Station ein frohes Weihnachtsfest, bat die Schwester, Viveka einen Kuss auf die Stirn zu geben, und versprach, bald wieder vorbeizukommen.

Er machte sich wieder auf den Weg zum Hotel Amarant. Dort erzählte er seinem Bruder so ausführlich wie nur möglich von den Unterlagen, die Rakel Greitz angeblich über Insidergeschäfte besaß, die Ivar Ögren in Leos Namen begangen hatte und die ihn ins Gefängnis bringen konnten. In Leos Augen sah er einen abgrundtiefen Hass aufflammen, der ihn erschreckte, und er saß schweigend da, während Leo laut überlegte, wie er sich an Ivar Ögren und Rakel Greitz und allen anderen Beteiligten rächen würde. Irgendwann legte er die Hand auf Leos Schulter. Er teilte zwar dessen Schmerz, aber er selbst konnte nicht an Rache denken, nur an die Autofahrt durch die Dunkelheit und das Grab im Wald neben der alten Fichte und an Rakels Gerede von mächtigen Kräften, die angeblich hinter ihr standen. Er spürte, dass er sich nicht trauen würde zurückzuschlagen, jedenfalls nicht sofort, und vielleicht – der Gedanke kam ihm erst später – hatte das mit seinem sozialen Background zu tun. Er glaubte nicht annähernd so fest daran wie Leo, dass man sich gegen die Obrigkeit wenden konnte, schließlich hatte er am eigenen Leib miterlebt, wie schonungslos diese Leute vorgingen.

»Wir müssen uns rächen, wir müssen ihnen das Handwerk legen«, sagte er nach einer Weile. »Aber dafür müssen wir gut vorbereitet sein. Wir brauchen Beweise. Wir müssen erst den Weg bereiten. Können wir das alles nicht als Chance für einen Neuanfang sehen?«

Eigentlich hatte er selbst nicht gewusst, was er sagen wollte. Es war anfangs ein spontaner Einfall gewesen. Doch langsam nahm dieser Einfall Form an, und eine Weile später, nachdem sie länger diskutiert hatten, begannen sie zu planen, erst vage, dann immer konkreter. Sie kamen zu dem Schluss, dass sie schnell handeln mussten, sonst würden Rakel Greitz und ihre Organisation Wind davon bekommen, dass sie hinters Licht geführt worden waren.

Noch am ersten Weihnachtstag überwies Leo Geld auf Dan Brodys Konto. Den Rest würde er später schicken. Anschließend buchte er auf Dans Namen ein Ticket nach Boston. Allerdings war es nicht Dan, der dorthin reiste: Es war Leo, der wie Dan gekleidet war und Dans amerikanische Papiere bei sich hatte. Dan selbst blieb in Leos Wohnung, empfing dort am zweiten Weihnachtstag Rakel Greitz und stellte die Weichen für sein neues Leben. Er spielte seine Rolle gut, und wenn er mitunter nicht ganz so verzweifelt aussah, wie wohl angemessen gewesen wäre, schien Rakel dies als Zeichen zu deuten, dass er begann, sich in seinem neuen Leben wohlzufühlen. »Man sieht die anderen im Spiegel der eigenen Bösartigkeit«, wie Leo später am Telefon sagte.

Am 28. Dezember saß Dan bei Leos Mutter im Krankenhaus, und niemand schöpfte Verdacht. Das gab ihm neuen Mut. Er war ordentlich gekleidet und sagte nicht viel. Er versuchte, erschüttert und zugleich gefasst auszusehen, und er verspürte sogar einen Anflug von Ergriffenheit, obwohl er am Bett eines Menschen saß, dem er noch nie begegnet war. Viveka Mannheimer war blass und abgemagert. Jemand hatte sie frisiert und ihr ein dezentes Make-up aufgelegt. Ihr Kopf lag auf zwei Kissen. Sie war klein, erinnerte an ein Vögelchen, schlief mit offenem Mund und atmete nur schwach. Weil er dachte, es würde von ihm erwartet, strich er ihr leicht über Schulter und Arm, und im selben Moment schlug sie die Augen auf und starrte ihn an. Schlagartig war ihm unbehaglich zumute. Beunruhigt war er nicht. Sie bekam Morphium, und er würde im Zweifel behaupten können, dass sie fantasierte.

Und tatsächlich: »Wer bist du?«, fragte sie.

Auf ihr zerbrechliches, spitzes Gesicht legte sich ein harter, vorwurfsvoller Zug.

»Ich bin's, Mama«, antwortete er. »Leo.«

Sie schien kurz nachzudenken. Dann schluckte sie und sah aus, als würde sie alle Kraft zusammennehmen. »Aus dir ist nie geworden, was wir uns von dir erhofft haben. Du hast deinen Vater und mich sehr enttäuscht.«

Dan schloss die Augen und musste wieder an all das denken, was Leo ihm erzählt hatte. Er antwortete ihr – und es fiel ihm seltsam leicht, vielleicht gerade weil die Frau eine Fremde für ihn war: »Du warst auch nie, was ich mir erhofft habe. Du hast mich nie verstanden. *Du* hast *mich* enttäuscht.«

Sie sah ihn erstaunt und benommen an.

»Du hast Leo enttäuscht«, fuhr er fort. »Du hast *uns* enttäuscht – so wie ihr alle.«

Anschließend stand er auf, verließ die Klinik und spazierte quer durch Stockholm nach Hause. Tags darauf, am 29. Dezember, starb Viveka Mannheimer. Dan ließ alle per E-Mail wissen, dass er nicht an der Beerdigung teilnehmen würde, und schrieb dann an Ivar Ögren, dass er sich eine Weile freinehmen werde. Prompt wurde er als verantwortungslos bezeichnet und unflätig beschimpft, aber er ging nicht weiter darauf ein. Am 4. Januar verließ auch er – mit Rakels Zustimmung – das Land.

Er flog erst nach New York und dann weiter nach Washington, wo er sich mit seinem Bruder traf. Sie verbrachten die ganze Woche miteinander und redeten, ehe sich ihre Wege wieder trennten. In Boston suchte Leo Dans alte Jazzfreunde auf, erzählte, dass er angefangen habe, Klavier zu spielen, blieb aber noch lang eher für sich und wagte auch keine öffentlichen Auftritte. Sein schwedischer Akzent war ein Problem – und er hatte Heimweh. Irgendwann beschloss er, noch mal ganz neu anzufangen und nach Toronto zu ziehen, wo er Marie Denver kennenlernte, eine junge Innenarchitektin, die davon träumte, Künstlerin zu werden, und gerade darüber nachdachte, mit ihrer Schwester eine Firma zu gründen. Leo – oder Dan, wie er sich dort nannte – investierte und engagierte sich in der Geschäftsführung, und nur wenig später kaufte sich das Paar ein Haus in Hoggs Hollow. In Toronto spielte er auch wieder regelmäßig Klavier, meist zusammen mit einer kleinen Gruppe talentierter Amateure, die hauptberuflich alle Ärzte waren.

Auch Dan war eine Weile orientierungslos, reiste kreuz und quer durch Europa und Asien, spielte Gitarre und las wissbegierig alles, was er über den Finanzmarkt in die Finger bekam. Er spürte – oder glaubte es zumindest –, dass er als Außenseiter eine neue Art von Metaperspektive auf den Markt einnehmen könnte, und beschloss schließlich, Leos Stelle bei Alfred Ögren zu besetzen – auch und gerade weil er herausfinden wollte, welche Beweise Rakel Greitz und Ivar Ögren gegen seinen Bruder in der Hand hatten. Ihm war klar, dass es nicht leicht werden würde, sich von ihren Vorwürfen freizusprechen. Er engagierte Bengt Wallin, einen der besten Wirtschaftsanwälte Stockholms. Als der die Tragweite der Transaktionen erkannte, die via Mossack Fonseca in Panama auf Leos Namen getätigt worden waren, riet er Dan entschieden davon ab, in der Angelegenheit tätig zu werden.

Monate waren ins Land gegangen, und das Leben hatte sich normalisiert, so wie das Leben es für gewöhnlich immer tat. Leo und Dan hatten sich in Geduld geübt und heimlich Kontakt gehalten. Und es war tatsächlich Leo, den Dan angerufen hatte, als er aus dem Foyer bei Alfred Ögren auf die Toilette verschwunden war. Leo hatte lang überlegt und ihm schließlich die Entscheidung überlassen, ob er alles erzählen wollte. Am Ende hatte er hinzugefügt, sie würden dafür schwerlich jemand Besseren als Mikael Blomkvist finden.

Und tatsächlich hatte Dan zu reden begonnen – obwohl er bislang keine Silbe über Leos neues Leben erzählt hatte. Er nahm noch einen Schluck Wein, rief dann in Toronto an und war gerade ins Gespräch vertieft, als er ein diskretes Klopfen an der Tür hörte. Erika Berger war gekommen.

Rakel Greitz war schlecht gewesen, als sie sich ein wenig früher am Tag ein Taxi zum Karlbergsvägen genommen hatte, weil sie nur noch in ihre Wohnung und ins Bett wollte. Auf halbem Weg dorthin überlegte sie es sich anders. Sie war wütend auf sich selbst. Es sah ihr gar nicht ähnlich, vor der Krankheit zu kapitulieren – oder überhaupt vor Widerständen. Sie beschloss, um jeden Preis weiterzukämpfen und all ihre Kontakte und Verbündeten zu mobilisieren, um Blomkvist und Daniel Brolin aufzuspüren – alle bis auf Martin Steinberg, der zusammengebrochen war, nachdem er erneut einen Anruf von der Polizei erhalten hatte.

Sie schickte Benjamin zu den Redaktionsräumen von *Millennium* und zu Mikaels Wohnung in der Bellmansgatan. Doch Benjamin stand dort vor verschlossenen Türen, und am Ende gab sie für diesen Tag auf und hieß ihn, sie im Büro in Alvik abzuholen und nach Hause zu fahren. Dort würden sie die heikelsten Projektunterlagen vernichten, die sie daheim im Tresor hinter ihrem begehbaren Kleiderschrank im Schlafzimmer aufbewahrte.

Inzwischen war es halb fünf am Nachmittag. Es war noch immer unerträglich heiß, und Benjamin musste ihr aus dem Auto helfen. Sie brauchte ihn wirklich, nicht nur als Leibwächter, er musste sie inzwischen auch beim Gehen stützen. Nach all der Anspannung und Aufregung dieses Tages war sie blass und geschwächt. Ihr schwarzer Rollkragenpullover war schweißdurchtränkt, und ihr war immer noch übel. Die Stadt um sie herum schien ins Wanken zu geraten. Dennoch richtete sie sich gerade auf und sah für einen Moment siegesgewiss zum Himmel hinauf. Ja, möglicherweise würde sie enttarnt und gedemütigt werden. Trotzdem war sie überzeugt davon, dass sie für etwas gekämpft hatte, was größer war als sie selbst: für die Wissenschaft. Für die Zukunft. Und sie war fest entschlossen, in Würde abzutreten. Sie schwor sich, dass sie bis zuletzt stolz und stark bleiben würde, so krank sie auch wäre.

Noch im Hauseingang bat sie Benjamin um den Orangensaft, den er ihr unterwegs besorgt hatte. Obwohl sie so etwas normalerweise als unkultiviert betrachtete, trank sie direkt aus der Flasche und schöpfte wieder ein wenig Kraft. Anschließend nahm sie den Aufzug in den siebten Stock, wo sie das Sicherheitsschloss öffnete und Benjamin bat, die Alarmanlage zu deaktivieren.

Sie wollte gerade über die Türschwelle treten, als sie erstarrte. Sie wandte sich zum Treppenhaus. Von dort kam eine bleiche Gestalt auf sie zu – eine junge Frau, die aussah, als käme sie direkt aus der Hölle.

Lisbeth Salander hatte sich sogar ein wenig hübsch gemacht. Sie war zwar blass im Gesicht, ihre Augen waren blutunterlaufen, Zweige und Äste hatten ihre Haut zerkratzt, und man merkte ihr an, dass ihr das Gehen Mühe bereitete. Doch erst eine Stunde zuvor hatte sie in einem Secondhandladen in der Upplandsgatan ein neues T-Shirt und eine Jeans erstanden und ihre blutverschmierten Klamotten in einem Mülleimer entsorgt.

In einem Telenor-Geschäft hatte sie sich ein neues Handy gekauft und in der nächstbesten Apotheke Wundspray und Verbandsmaterial. Mitten auf der Straße hatte sie das braune Paketband von ihrer Hüfte gerissen, mit dem sie sich unterwegs in einem Ferienhaus die blutende Wunde abgebunden hatte, und einen neuen, besseren Verband angelegt.

In der Nähe des Vadabosjön hatte sie für einen Moment das Bewusstsein verloren. Als sie wieder zu sich gekommen war, hatte sie sich aufgerappelt und mit einem Stein das Seil um ihre Handgelenke durchgescheuert. An der Fernstraße 77 wurde sie von einer jungen Frau in einem alten Rover mitgenommen und bis nach Vasastan gefahren, wo sie zunächst einige Aufmerksamkeit erregte. Sie sah krank aus und gefährlich – so würde es später jedenfalls der Zeuge Kjell Ove Strömgren berichten –, als sie den Hauseingang am Karlbergsvägen betrat.

An dem Spiegel im Aufzug sah sie vorbei. Sie wusste, dass es kein erbaulicher Anblick sein würde. Es ging ihr dreckig. Sie glaubte zwar nicht, dass sie eine lebensgefährliche Verletzung davongetragen hatte, aber sie hatte viel Blut verloren und spürte, dass sie erneut einer Ohnmacht nahe war.

Bei Greitz oder vielmehr Nordin, wie irreführend auf dem Türschild stand, war niemand zu Hause. Lisbeth kauerte sich auf den Treppenabsatz und schrieb eine SMS an Blomkvist. Zur Antwort erhielt sie eine Menge Schwachsinn und Ermahnungen, dabei hatte sie nur wissen wollen, was er herausgefunden hatte. Er schickte ihr eine kurze Zusammenfassung. Als sie alles gelesen hatte, nickte sie bedächtig. Dann schloss sie die Augen und spürte, wie ihre Schmerzen und der Schwindel zunahmen. Nur unter größter Anstrengung konnte sie dem Impuls widerstehen, stöhnend auf den Boden zu sinken. Für einen Moment hatte sie das Gefühl, zu nichts mehr imstande zu sein. Dann aber dachte sie wieder an Holger.

Sie dachte daran, wie er sie in seinem Rollstuhl in Flodberga besucht hatte, und ihr wurde erneut bewusst, wie viel er ihr über all die Jahre bedeutet hatte. Vor allem aber dachte sie daran, was Mikael über Holgers Tod erzählt hatte – und erst jetzt dämmerte ihr, dass es stimmen musste: Nur Rakel Greitz konnte den alten Mann umgebracht haben, und aus dieser Einsicht schöpfte sie Kraft. Sie würde Holger rächen. Sie würde mit aller Stärke zurückschlagen, egal wie schlecht es ihr ging. Deshalb richtete sie sich wieder auf, schüttelte den Kopf, genau als der rumpelnde Aufzug in der entscheidenden Etage hielt. Die Tür ging auf, und ein riesiger Mann Mitte fünfzig und eine ältere Frau in einem schwarzen Rollkragenpulli traten heraus.

Lisbeth erkannte sie allein an der Haltung wieder, als würde Greitz sie nur durch ihren geraden Rücken in ihre Kindheit zurückversetzen. Doch ihr blieb keine Zeit, um darüber nachzudenken. Sie setzte eine Nachricht an Bublanski und Modig ab und rappelte sich auf – leicht schwankend und anscheinend auch nicht gerade leise. Greitz hörte sie sofort. Sie drehte sich um und sah Lisbeth in die Augen, erst mit einiger Verwunderung und dann – als sie sie endlich wiedererkannt hatte – mit Schrecken … und Hass.

Zunächst passierte gar nichts. Lisbeth blieb einfach nur auf der Treppe stehen und presste sich die Hand auf die Wunde.

»So sieht man sich wieder«, sagte sie.

»Du hast dir aber Zeit gelassen.«

»Und trotzdem kommt es einem so vor, als wäre es gerade erst gestern gewesen, nicht wahr?«

Rakel Greitz reagierte nicht darauf. Stattdessen zischte sie: »Benjamin, bring sie her!«

Benjamin nickte. Er schien es für keine große Sache zu halten. Er hatte Lisbeth nur einen flüchtigen Blick zugeworfen und festgestellt, dass er einen halben Meter größer und doppelt so breit war wie sie. Zielstrebig marschierte er auf sie zu. Seine Körpermasse und die Abwärtsbewegung auf der Treppe trieben ihn voran.

Im entscheidenden Moment trat Lisbeth schnell einen Schritt zur Seite. Sie packte den linken Arm des Manns und riss ihn herum – und im nächsten Augenblick stürzte er auch schon die Treppe hinunter und fiel mit dem Ellbogen und dem Kopf voran auf den Steinboden. Lisbeth sah ihm nicht mal hinterher. Sie ging zum Angriff auf Rakel Greitz über, schubste sie in ihren Wohnungsflur und warf die Tür hinter ihnen zu.

Kurz darauf waren von draußen polternde Schläge zu hören. Rakel wich zurück, griff nach ihrer braunen Ledertasche und gewann tatsächlich für einen Moment die Oberhand. Allerdings hatte das weder mit der Tasche noch mit ihrem Inhalt zu tun. Lisbeth war wieder schwarz vor Augen geworden. Nach ihrem kurzen Sprint auf der Treppe war mit beunruhigender Heftigkeit der Schwindel zurückgekehrt, und blinzelnd sah sie sich um. Obwohl alles vor ihr zu verschwimmen schien, war sie doch überrascht. So etwas hatte sie noch nie gesehen. Sämtliche Räume waren komplett farblos – alles war entweder schwarz oder weiß –, und noch dazu war es hier klinisch sauber und blitzte, als würde kein Mensch hier leben, sondern ein Roboter, eine Putzmaschine. Kein Staubkorn, nichts. Alles wirkte wie desinfiziert.

Lisbeth schwankte und hielt sich an einer schwarzen Kommode fest. Sie befürchtete schon, gleich das Bewusstsein zu verlieren, als sie aus dem Augenwinkel etwas wahrnahm. Rakel Greitz kam auf sie zu, hielt einen Gegenstand in die Höhe, und Lisbeth wich zurück, bis sie erkannte, dass es sich um eine Spritze handelte. Sie blieb kurz stehen, um Kraft zu sammeln.

»Ich hab schon gehört, dass du Leuten gern Spritzen verpasst«, sagte sie, und im selben Moment ging Rakel zum Angriff über. Vergebens. Lisbeth trat ihr gegen den Arm, die Spritze fiel auf den glänzenden weißen Boden und kullerte weg, und auch wenn sie gerade erneut zu schwanken begann, hielt Lisbeth sich auf den Beinen und nahm Rakel ins Visier. Sie war erstaunt, wie ruhig die Frau wirkte.

»Bring mich ruhig um. Ich sterbe stolz«, sagte Greitz.
»Wie bitte – stolz?«
»Ganz genau.«
»Die Möglichkeit bekommst du von mir nicht.«

Lisbeth sah krank aus und sprach mit matter, erschöpfter Stimme. Trotzdem wusste Rakel Greitz, dass es aus war. Sie blickte sich um, zögerte ein, zwei Sekunden lang, und dann schien sie zu begreifen, dass es keinen anderen Ausweg mehr gab. Alles wäre besser, als in Lisbeth Salanders Fänge zu geraten. Deshalb stürzte sie los, riss die Balkontür auf und spürte für einen kurzen Moment die beängstigende Sehnsucht, sich ins Leere und hinabzustürzen. Doch als sie gerade das Geländer erreicht hatte, wurde sie zurückgezerrt. So hatte sich das wohl keine von ihnen vorgestellt.

Rakel Greitz wurde von einer Person gerettet, die sie mehr als alle anderen gefürchtet hatte, und zurück in ihre klinisch saubere Wohnung geführt, während Lisbeth ihr ins Ohr flüsterte: »Du wirst schon noch sterben dürfen, Rakel, keine Sorge.«

»Ich weiß«, antwortete sie. »Ich habe Krebs.«

»Der Krebs ist gar nichts.«

Lisbeth sagte es mit einer solchen Eiseskälte, dass Rakel tatsächlich ein bisschen bange wurde und sich die Frage nicht verkneifen konnte: »Was willst du damit sagen?«

Lisbeth sah sie nicht mal an, sie starrte bloß zu Boden. »Holger hat mir viel bedeutet«, erwiderte sie und packte Rakels Handgelenk so fest, dass es ihr das Blut abschnürte. »Was ich meine, ist: dass der Krebs nicht alles ist, Rakel. Du wirst auch vor Scham sterben – und die Scham wird noch viel schlimmer sein. Über dich wird so viel Dreck ausgegraben werden, dass man dich für nichts als deine Untaten in Erinnerung behalten wird. Dafür werde ich sorgen. Du wirst unter deinem eigenen Dreck begraben werden«, fuhr sie so überzeugend fort, dass Rakel selbst daran glaubte, vor allem weil Lisbeth inzwischen nicht mehr nur wie ein bleiches Gespenst aussah, sondern auch ruhig und gefasst die Wohnungstür aufmachte und eine Gruppe Polizisten einließ. Ein Teil hielt Benjamin in Schach, der andere wandte sich Rakel zu.

»Frau Greitz, ich glaube, wir haben einiges zu besprechen«, sagte ein älterer Herr mit mildem Lächeln. »Vor wenigen Minuten haben wir Ihren Bekannten, Professor Martin Steinberg, festgenommen.«

Bublanskis Kollegen brauchten nur zwanzig Minuten, um den Tresor hinter dem begehbaren Kleiderschrank zu finden. Das Letzte, was Rakel Greitz von Lisbeth sah, als sie von den Rettungssanitätern weggeführt wurde, war deren Rücken. Sie drehte sich nicht mal mehr um. Es war, als würde Rakel Greitz für Lisbeth nicht mehr existieren.

24. KAPITEL
30. Juni

In den Redaktionsräumen an der Götgatan hatte Mikael Blomkvist sich in der Küche auf einen Stuhl fallen lassen. Er hatte soeben seine ausführliche Reportage über das Register und Projekt 9 beendet. Es war fast unerträglich heiß. Seit zwei Wochen war nicht ein einziger Regentropfen gefallen. Er streckte sich, trank ein wenig Wasser und blickte dann hinüber zu dem leuchtend blauen Sofa im Gemeinschaftsbüro.

Erika Berger hatte sich, ohne ihre hochhackigen Schuhe auszuziehen, auf dem Sofa ausgestreckt und las seinen Artikel. Nervös war er nicht. Er war sich sicher, dass es eine aufwühlende Lektüre und ein Scoop war und vor allem verdammt gut für ihre Zeitschrift. Trotzdem wusste er nicht recht, wie Erika reagieren würde, und das lag nicht allein daran, dass die Reportage an einigen Stellen in ethischer Hinsicht problematisch war. Es lag auch an ihrem Streit.

Er hatte ihr eröffnet, dass er am Mittsommerwochenende nicht mit in die Schären fahren und auch nicht anderweitig feiern würde, sondern sich voll und ganz auf seinen Artikel konzentrieren und die Unterlagen durchgehen wollte, die er von Bublanski bekommen hatte. Er hatte Hilda von

Kanterborg noch mal interviewen wollen, Dan Brody und Leo Mannheimer, der heimlich mit seiner Verlobten aus Toronto angereist war. Niemand hätte behaupten können, dass Mikael nicht schwer geschuftet hätte. Er hatte mehr oder weniger rund um die Uhr gearbeitet, und zwar nicht nur an seiner Reportage über das Register, sondern auch an Faria Kazis Geschichte. Streng genommen hatte nicht er sie geschrieben, sondern Sofie Melker, aber er hatte sich in einem fort eingemischt und mit seiner Schwester den anstehenden Prozess diskutiert. Annika tat alles, damit Faria freigesprochen und unter einer geschützten Identität ein neues Leben würde führen können.

Er hatte auch mit Sonja Modig in Kontakt gestanden, die inzwischen die wieder aufgenommenen Ermittlungen im Fall Jamal Chowdhury leitete. Sein Tod war im Nachhinein als Mord eingestuft worden. Entsprechend saßen Bashir, Razan und Khalil Kazi in Untersuchungshaft und warteten auf ihren Prozess. Benito war ins Hammerfors-Gefängnis in Härnösand überführt worden, wo ihr eine neuerliche Anklage bevorstand. Darüber hinaus hatte Mikael sich in langen Gesprächen mit Bublanski verloren, und er hatte mehr Energie denn je auf die sprachliche Ausführung seines Artikels verwandt.

Doch am Ende hatten ihn die Kräfte verlassen. Er brauchte dringend eine Verschnaufpause und ein wenig Abstand. Inzwischen sah er beinahe doppelt, zu Hause in der Bellmansgatan vor seinem Computer war es heiß und stickig, und es kam ihm einfach nur noch sinnlos vor weiterzuarbeiten. Eines Nachmittags hatte er eine leise Sehnsucht verspürt und Malin Frode angerufen. »Bitte, bitte, kannst du nicht herkommen?«

Malin war so freundlich, seiner Bitte zu folgen und einen Babysitter zu engagieren – sofern Mikael im Gegenzug Erdbeeren und Champagner kaufe und schon mal den Bettüberwurf aufschlage und seine verdammte zerstreute Kalle-Blomkvist-Rolle endlich ablege.

Er fand ihre Bedingungen akzeptabel, und deshalb tollten sie auch gerade im Bett umher und waren glücklich und berauscht und hatten die Welt um sich herum vergessen, als Erika Berger mit einer Flasche teurem Rotwein in der Hand auf einen spontanen Besuch vor der Tür auftauchte.

Erika hatte Mikael nie für einen Ausbund an Tugend gehalten. Sie selbst war verheiratet und trotzdem amourösen Abenteuern gegenüber nicht abgeneigt. Dennoch lief die Begegnung aus dem Ruder. Natürlich hätte man – mit der nötigen Zeit und Energie – sich damit auseinandersetzen können, wie es dazu gekommen war. Ein Grund war Malins hitziges Temperament – und dass Erika verletzt und unangenehm berührt gewesen war, ja, dass sie alle unangenehm berührt gewesen waren. Die Frauen hatten angefangen zu streiten, erst untereinander und dann mit ihm, vor allem Erika, die am Ende wütend wieder abgezogen war und die Tür hinter sich zugeknallt hatte.

Seither hatten Mikael und sie lediglich ein paar knappe Worte miteinander gewechselt, und das auch nur in beruflichen Belangen. Doch jetzt lag Erika mit seinem Artikel auf dem Sofa, und Mikaels Gedanken wanderten zu Lisbeth. Sie war aus dem Krankenhaus entlassen worden und erst in aller Eile nach Gibraltar gereist – etwas Geschäftliches, hatte sie gesagt. Trotzdem hatten sie täglich Kontakt, sprachen über Faria Kazi und natürlich auch über die Ermittlungen gegen die Verantwortlichen des Registers.

Bisher wusste die Öffentlichkeit noch nichts über die Hintergründe und den größeren Zusammenhang. Nicht mal die Namen der Verdächtigen waren publiziert worden. Aus diesem Grund hatte Erika vorgeschlagen, eine Eilausgabe der Zeitung herauszubringen, damit ihnen niemand die Story wegschnappte. Vielleicht war sie deshalb so empört darüber gewesen, dass Mikael im Bett gelegen und Champagner getrunken hatte, als stünde gerade nichts auf dem Spiel.

In Wahrheit hätte er seine Aufgabe nicht ernster nehmen können. Er schielte zu Erika hinüber, die endlich ihre Lesebrille abgenommen hatte, aufstand und zu ihm in die Küche kam. Sie trug Jeans und eine weit ausgeschnittene Bluse. Sie setzte sich zu ihm an den Küchentisch.

Sie hätte das Gespräch mit allem Möglichen einleiten können, mit einem Kompliment oder mit einem kritischen Kommentar.

»Ich verstehe es nicht«, sagte sie stattdessen.

»Das ist betrüblich«, erwiderte er. »Ich hatte gehofft, ein bisschen Klarheit in die Geschichte zu bringen.«

»Ich verstehe einfach nicht, wie sie es so lang geheim halten konnten.«

»Leo und Dan?«

Sie nickte.

»Wie ich ja geschrieben hab, gibt es gefälschte Beweise dafür, dass Leo über Strohmänner illegale Geschäfte getätigt haben soll. Und obwohl eindeutig Ivar Ögren und Rakel Greitz dahinterstecken, fanden Leo und Dan offenbar keine Möglichkeit, sie zu überführen. Außerdem – und ich hoffe, das geht aus der Reportage ebenfalls hervor – hatten sie Gefallen an ihren neuen Rollen gefunden, und an Geld mangelte es ihnen ja auch nicht. Mit ihrem Vermögen haben sie beide wohl eine neue Art Freiheit erlebt, die Freiheit eines Schauspielers gewissermaßen. Sie konnten noch einmal von vorn anfangen und etwas Neues ausprobieren. Ich kann das sogar halbwegs nachvollziehen.«

»Und dann haben sie sich verliebt.«

»In Julia und Marie.«

»Die Fotos sind wunderbar.«

»Das ist ja schon mal was.«

»Ja, ein Glück, dass wir gute Fotografen haben«, sagte

sie. »Du weißt schon, dass Ivar Ögren uns die Hölle heißmachen und uns verklagen wird?«

»Ich finde, in diesem Punkt sind wir gut aufgestellt, Erika.«

»Und außerdem hab ich Angst, dass man uns vorwirft, das Andenken Verstorbener zu verunglimpfen – wegen dieses tödlichen Schusses bei der Elchjagd ...«

»Auch da bin ich der Meinung, dass wir stichhaltige Argumente liefern. Außerdem ist ja nur von ungeklärten Todesumständen die Rede.«

»Ich weiß wirklich nicht, ob das reicht. Es ist kompromittierend genug ...«

»Gut, ich schaue es mir noch mal genau an. Gibt es denn auch irgendetwas, was dich *nicht* beunruhigt oder was du sogar ... verstanden hast?«

»Dass du ein Dreckskerl bist.«

»Vielleicht ein bisschen. Vor allem abends.«

»Willst du dich in Zukunft nur noch mit einer Frau begnügen, oder nimmst du dir auch noch für andere Zeit?«

»Zur Not würd ich wohl auch mit dir Champagner trinken.«

»Ich fürchte, dir bleibt keine andere Wahl.«

»Willst du mir drohen?«

»Wenn nötig, ja, denn dieser Text – also, die Teile, für die man uns *nicht* verklagen wird –, dieser Text ist ...«

Mehr sagte sie nicht.

»Annehmbar?«, hakte er nach.

»Könnte man so sagen«, antwortete sie mit einem Lächeln. »Herzlichen Glückwunsch!«

Lang konnten sie sich nicht darüber freuen. Im Nachhinein sollte es schwer werden, die Chronologie zu rekonstruieren – aber wahrscheinlich war es Sofie Melker, die als Erste reagierte. Sie saß an ihrem Computer in der Redaktion und gab einen überraschten oder erschrockenen Laut von sich.

Kurz darauf – oder womöglich auch gleichzeitig – tickten auf Erikas und Mikaels Handys Eilmeldungen herein, die zunächst keinen der beiden in Sorge oder Aufregung versetzten. Es hatte keinen Terroranschlag gegeben und keine Kriegsdrohung, sondern lediglich einen Börsencrash. Trotzdem holten die Ereignisse sie schon bald ein – und damit verfielen sie auch wieder in den Zustand gespannter Aufmerksamkeit, der bei großen, folgenschweren Nachrichten in sämtlichen Redaktionen herrscht.

Hoch konzentriert wandten sie sich ihren Rechnern zu. Riefen einander zu, was sie gerade vor sich sahen – und ständig passierte Neues. Der Crash wurde zusehends dramatisch. Dem Markt war regelrecht der Boden unter den Füßen weggezogen worden. Der Stockholmer Aktienindex fiel um sechs, um acht Punkte, schließlich um neun, vierzehn, kletterte dann vorübergehend wieder nach oben, um schließlich ins Bodenlose zu stürzen. Es war ein Crash, der es in sich hatte, eine galoppierende Panik, und es schien niemand zu verstehen, was eigentlich passierte.

Es gab keine konkreten Hinweise, keine auslösenden Faktoren. »Unbegreiflich, unsinnig, was geht hier vor sich?«, murmelten die Leute. Kurz darauf, nachdem unzählige Experten einberufen worden waren, war vom Üblichen, Altbekannten die Rede – von einer überhitzten Wirtschaft und zu niedrigen Zinsen und hohen Prognosen und politischen Gefahren aus Ost und West, von einem instabilen Nahen Osten und faschistischen und antidemokratischen Strömungen in Europa und in den USA; es war ein politischer Hexenkessel, der an die Dreißigerjahre erinnerte. Und doch waren es alte Hüte. Im Lauf des Tages war nichts passiert, jedenfalls nichts so Dramatisches, was eine Katastrophe dieses Ausmaßes gerechtfertigt hätte.

Die Panik kam aus dem Nichts und wuchs aus sich selbst heraus zusehends an, und Mikael Blomkvist war nicht der

Einzige, der sich an die Hackerattacke gegen Finance Security im April erinnert fühlte. Er verschaffte sich einen Überblick in den sozialen Medien und war nicht sonderlich erstaunt: Dort wimmelte es nur so von Gerüchten und Behauptungen, die auch von den seriösen Medien aufgegriffen wurden. »Es ist nicht nur die Börse, die zusammenbricht«, sagte Mikael mehr zu sich selbst.

»Was meinst du damit?«, fragte Erika.

»Es ist auch die Wahrheit«, sagte er.

So erlebte er es zumindest. Es war, als hätten die Trolle im Internet die Macht übernommen und nicht nur eine falsche Balance erzeugt, in der Lüge und Wahrheit wie gleichwertige Größen nebeneinander existierten, sondern auch einen Sturm aus Erfindungen und Verschwörungstheorien, der sich wie undurchdringlicher Nebel über die Welt ausbreitete. Manches war geschickt eingefädelt, anderes nicht. So wurde beispielsweise behauptet, der Finanzmann Christer Tallgren hätte sich in seiner Pariser Wohnung erschossen, weil er am Boden zerstört darüber gewesen wäre, dass seine Millionen oder Milliarden in Rauch aufgegangen waren. Die Nachricht war nicht allein deshalb seltsam, weil Tallgren persönlich sie auf Twitter dementierte. Die Schilderung seines Todes hatte auch etwas Archetypisches an sich. Sie glich den Umständen, unter denen ein schwedischer Großindustrieller namens Ivar Kreuger ums Leben gekommen war: Er hatte sich 1932 erschossen, als der Konkurs seines Unternehmens unabwendbar gewesen zu sein schien.

Überhaupt wirkte die Gerüchteküche wie eine Mischung aus alten und neuen Mythen und Wandergeschichten: Es war von automatisiertem Handel die Rede, der außer Kontrolle geraten sei, von Finanzzentren und Medienhäusern und Websites, die gehackt worden seien, aber auch von Leuten, die von den Balkonen und Dächern ihrer teuren Wohnungen in Östermalm sprängen, und das klang nicht nur übertrieben melodramatisch, sondern erinnerte auch an den Crash von 1929: Damals hielt man angeblich eine Handvoll Dachdecker an der Wall Street für unglückliche Investoren. Allein durch ihre physische Anwesenheit sorgten sie dort oben für einen Börsensturz.

Man munkelte, die Handelsbank habe ihre Zahlungen eingestellt, und Deutsche Bank und Goldman Sachs stünden kurz vor dem Konkurs. Von allen Seiten strömten Informationen herein, und nicht mal mehr für ein geübtes Auge wie das von Mikael ließ sich gut unterscheiden, was wahr und was falsch war – was eine ernst zu nehmende Gefahr darstellte. Die Trollfabriken im Osten hatten ganze Arbeit geleistet.

Mit Sicherheit konnte er hingegen feststellen, dass Stockholm am schlimmsten betroffen war und der Börsensturz in Frankfurt, London und Paris nicht ganz so schlimme Ausmaße hatte, auch wenn die Panik dort ebenfalls zunahm. Bis die US-Börsen öffneten, würde es noch einige Stunden dauern, aber die Termingeschäfte deuteten bereits auf extreme Einbrüche des Dow Jones und Nasdaq hin. Nichts schien zu helfen – erst recht nicht, dass die Landesbankchefs und Minister und Wirtschaftsexperten und Finanzgurus vor die Öffentlichkeit traten und von einer »Überreaktion« sprachen und dass »kein Grund zur Sorge« bestehe. Alles, einfach alles wurde negativ interpretiert und verdreht. Die Herde war losgeprescht und rannte um ihr Leben, ohne dass irgendjemand verstanden hätte, wer oder was sie aufgeschreckt hatte. Dann wurde kurzerhand entschieden, die Stockholmer Börse zu schließen, was ein wenig unglücklich war, weil sich die Kurse gerade Momente zuvor wieder ganz leicht erholt hatten. Aber natürlich würde all das, was geschehen war, erst genau untersucht und analysiert werden müssen, bevor der Handel wieder aufgenommen werden könnte.

»Schade um deine Zwillingsgeschichte. Sie wird in diesem ganzen Schlamassel vollkommen untergehen.«

Mikael hob den Blick vom Computer und sah wehmütig zu Erika auf, die direkt neben ihm stand.

»Wie schön, dass du dich um meine journalistische Eitelkeit sorgst, während um uns herum die Welt aus den Fugen gerät«, sagte er.

»Ich sorge mich eher um *Millennium*.«

»Ja, ich weiß. Aber wir müssen die Veröffentlichung tatsächlich verschieben, oder? Wir können jetzt keine neue Ausgabe bringen, ohne darin auch dieser Börsengeschichte nachzugehen.«

»Du hast insofern recht, wir müssen jetzt nichts überstürzen, was die Printausgabe angeht. Aber wir stellen die Geschichte online. Sonst laufen wir Gefahr, das jemand anders auf die Story aufmerksam wird.«

»In Ordnung, wie du meinst.«

»Schaffst du es denn, gleich wieder loszulegen?«

»Ja, das schaffe ich.«

»Gut«, antwortete sie, und dann nickten sie einander zu.

Es sollte ein unerträglich heißer und schwüler Sommer werden. Mikael Blomkvist beschloss, noch eine Runde spazieren zu gehen, ehe er sich in die nächste Story stürzte. Als er die Götgatan entlang in Richtung Slussen schlenderte, dachte er an Holger Palmgren und dessen geballte Faust auf dem Krankenbett in Lijehdmen.

EPILOG

Die Storkyrkan war voller Menschen. Dabei würde heute gar kein Staatsmann beerdigt werden, sondern nur ein alter Anwalt, der nie hochtrabende Ziele verfolgt und sich stattdessen ein Leben lang für benachteiligte junge Menschen eingesetzt hatte. Der große Andrang war sicherlich auch dem *Millennium*-Artikel geschuldet, der sich dem sogenannten »Zwillingsskandal« gewidmet hatte – und natürlich der Tatsache, dass der Mord an Holger Palmgren durch die Medien gegangen war.

Jetzt war es zwei Uhr nachmittags. Die Trauerfeier war würdevoll und berührend gewesen. In ihrer unkonventionellen Predigt hatte die Pfarrerin Gott oder Jesus kaum erwähnt und ein sensibles Bild des Verstorbenen gezeichnet. Sie war nur von der gefühlvollen Rede in den Schatten gestellt worden, die Holgers Halbschwester Britt-Marie Norén gehalten hatte. Viele Gäste waren zutiefst ergriffen, vor allem eine groß gewachsene Somalierin namens Lulu Magoro, die in einem fort unkontrolliert schluchzte.

Andere hatten Tränen in den Augen oder senkten andächtig die Köpfe. Verwandte, Freunde, alte Kollegen, Nachbarn, einige ehemalige Mandanten, die aussahen, als wäre etwas aus ihnen geworden, und dann natürlich auch Mikael Blomkvist und seine Schwester Annika Giannini, Kommissar

Jan Bublanski, seine Verlobte Farah Sharif, die Kommissare Sonja Modig und Jerker Holmberg sowie Erika Berger – alle erdenklichen mehr oder weniger Nahestehenden. Doch es gab auch andere Gäste, die vor allem aus Neugier gekommen zu sein schienen, Menschen, die sich beinahe lüstern umsahen und der Pfarrerin, einer großen, schlanken Frau Mitte sechzig mit schlohweißem Haar und markanten Gesichtszügen, ganz offensichtlich Unbehagen bereiteten. Dennoch schritt sie nun mit einer natürlichen Autorität zur Kanzel und nickte einem Mann in einem schwarzen Leinenanzug in der zweiten Bankreihe zur Linken zu. Der Mann – er hieß Dragan Armanskij und war Eigentümer der Sicherheitsfirma Milton Security – schüttelte jedoch den Kopf.

Eigentlich hatte er eine Rede halten wollen. Aus welchem Grund auch immer wollte er jetzt darauf verzichten. Die Pfarrerin nahm es zur Kenntnis, bereitete den Auszug vor und gab den Musikern auf der Empore ein Zeichen.

In diesem Moment stand eine junge Frau in einer der hinteren Bankreihen auf und rief: »Halt, warten Sie!« Es dauerte eine Weile, bis den Leuten klar wurde, dass es Lisbeth Salander war. Vielleicht weil sie in ihrem maßgeschneiderten schwarzen Hosenanzug wie ein Junge aussah. Trotz der ungewohnt festlichen Garderobe hatte sie anscheinend vergessen, ihr Haar zu richten. Es stand genauso wild in alle Richtungen wie immer, und auch ihren Gang hatte sie nicht dem Anlass angepasst. Ihre Bewegungen waren beinahe aggressiv, dabei wirkte sie alles in allem merkwürdig unentschlossen. Vor dem Altar blieb sie stehen, starrte auf den Boden, statt sich irgendjemandem Bestimmten zuzuwenden, und kurz sah es so aus, als wollte sie direkt zu ihrem Platz zurückkehren.

»Möchten Sie noch ein paar Worte sagen?«, fragte die Pfarrerin.

Sie nickte.

»Bitte schön. Ich weiß, dass Sie Holger nahestanden.«

»Ich stand ihm nahe«, wiederholte Lisbeth.

Dann sagte sie nichts weiter, und ein nervöses Raunen ging durch die Kirche. Ihre Körpersprache war nur schwer zu deuten, obwohl sie auf die meisten sicher wütend oder irgendwie starr wirkte. Als sie am Ende endlich das Wort ergriff, war sie kaum zu verstehen.

»Lauter!«, rief jemand.

Sie hob den Blick und sah desorientiert aus.

»Holger war ... eine Nervensäge«, sagte sie dann. »Er war anstrengend. Er hat es nie akzeptiert, wenn die Leute einfach mal die Fresse halten oder die Tür hinter sich zuschlagen wollten. Um aufzugeben, war er zu verbohrt. Er hat immer wieder nachgehakt und so am Ende alle möglichen gestörten Freaks dazu gebracht, ihm Dinge zu erzählen. Er war bescheuert genug, immer das Gute in den Menschen zu sehen – sogar in mir, und damit war er ziemlich allein. Er war ein stolzer alter Narr, der sich geweigert hat, Hilfe von anderen anzunehmen, auch wenn er noch so starke Schmerzen hatte, und der immer alles daran setzte, die Wahrheit ans Licht zu bringen – aber nie um seiner selbst willen. Und genau deshalb ...«

Sie schloss die Augen.

»... haben sie die Chance ergriffen und ihn umgebracht. Sie haben einen alten Mann umgebracht, der wehrlos in seinem Bett lag, und das macht mich ehrlich gesagt wahnsinnig, vor allem weil Holger und ich ...«

Sie sprach den Satz nicht mehr zu Ende, schien nicht mal mehr zu wissen, was sie ursprünglich hatte sagen wollen. Stattdessen starrte sie mit leerem Blick zur Seite. Dann richtete sie sich gerade auf und wandte sich den Trauergästen zu.

»Bei unserer letzten Begegnung haben wir über die Statue da drüben gesprochen«, fuhr sie fort. »Er hat mich gefragt, warum sie mich so fasziniert, und ich hab geantwortet, ich hätte sie nie als Denkmal für eine Heldentat aufgefasst, sondern als Darstellung eines furchtbaren Angriffs auf einen Drachen. Er hat mich ganz genau verstanden und dann nach dem Feuer gefragt. Was ist mit dem Feuer, das der Drache speit? Es ist das gleiche Feuer, hab ich zu ihm gesagt, das in all denen brennt, die am Boden liegen und auf denen herumgetrampelt wird. Das gleiche Feuer, das uns in Schutt und Asche verwandelt, das aber manchmal eben auch … wenn so ein Verrückter wie Holger uns sieht und mit uns Schach spielt und spricht und überhaupt Interesse für uns zeigt … zu etwas anderem werden kann. Zu einer Kraft, die dafür sorgt, dass wir zurückschlagen können. Holger wusste, dass man sogar mit einem Speer im Leib wieder aufstehen kann, und deshalb war er eine solche Nervensäge«, sagte sie und verstummte.

Anschließend drehte sie sich um und verbeugte sich ungelenk vor dem Sarg, bedankte und entschuldigte sich und fing Mikaels Blick auf, der sie anlächelte, und vielleicht – das war nicht ganz leicht zu erkennen – lächelte sie sogar zurück.

In der Kirche wurde aufgeregt gemurmelt und getuschelt, und die Pfarrerin hatte ihre liebe Mühe, vor dem Auszug wieder für Ruhe und Ordnung zu sorgen. Deshalb bemerkte auch kaum jemand, dass Lisbeth Salander zwischen den Bankreihen entlanggegangen war und durch die Kirchenpforte auf den Platz und in die Gassen von Gamla Stan verschwand.

DANKSAGUNG

Ein herzlicher Dank gebührt meiner Agentin Magdalena Hedlund und meinen Verlegerinnen Eva Gedin und Susanna Romanus. Ein großes Dankeschön möchte ich auch meinem Lektor Ingemar Karlsson aussprechen sowie Stieg Larssons Vater Erland und dem Bruder Joakim, meinen Freunden Johan und Jessica Norberg und David Jacoby, Sicherheitsexperte am Kaspersky Lab. Ich danke auch meinem britischen Verleger Christopher MacLehose, Jessica Bab Bonde und Johanna Kinch von der Hedlund Agency, Nancy Pedersen, Professorin für genetische Epidemiologie am Schwedischen Zwillingsregister, Ulrica Blomgren, Inspekteurin im Strafvollzug in der Vollzugsanstalt Hall in Södertälje, Svetlana Bajalica Lagercrantz, Oberärztin und Dozentin am Karolinska-Universitätsklinikum, und Hedvig Kjellström, Professorin für Informatik an der Königlich Technischen Hochschule in Stockholm, Agneta Geschwind, stellvertretende Abteilungsleiterin am Stockholmer Stadtarchiv, Mats Galvenius, stellvertretender Geschäftsführer von Svensk Försäkring, meinem Nachbarn Joachim Hollman, Danica Kragić Jensfeld, ebenfalls Professorin für Informatik an der Königlich Technischen Hochschule, Nirjhar Mazumder und Sabikunnaher Mili und natürlich Linda Altrov Berg und Catherine Mörk von der Norstedts Agency. Und – wie immer – meiner geliebten Anne.

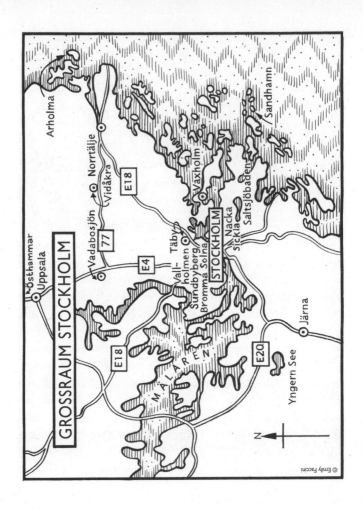

Auf dieser Karte gibt es Orte, die auf anderen Karten nicht zu finden sind.

Salander & Blomkvist für Zuhörer

Gleich reinhören
randomhouseaudio.de/millennium